EL LIBRO
DE LOS CUENTOS
PERDIDOS I

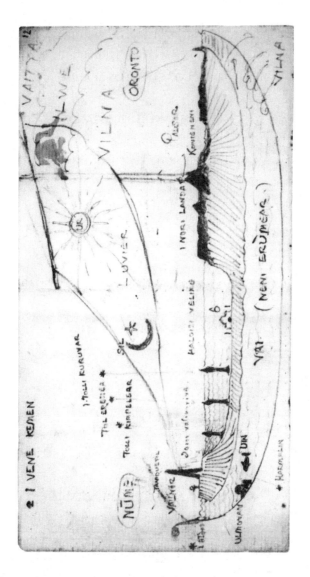

HISTORIA DE LA TIERRA MEDIA

J. R. R. TOLKIEN

EL LIBRO
DE LOS CUENTOS
PERDIDOS

I

Editado por Christopher Tolkien

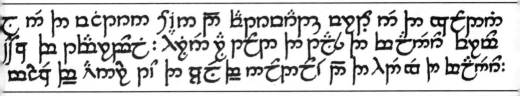

El Libro de los Cuentos Perdidos 1
Historia de la Tierra Media 1
J.R.R. Tolkien

Título original: *The Book of Lost Tales, Part One*
© The Tolkien Estate Limited and C.R. Tolkien, 1983, 1985
Primera edición en Gran Bretaña: George Allen & Unwin 1983, y HarperCollinsPublishers
1991
⚹* y Tolkien® son marcas registradas de The Tolkien Estate Limited

© Traducción de Rubén Masera
Revisión a cargo de Mónica Sanz Rodríguez

Ilustración de cubierta © John Howe
Diseño de colección de Coverkitchen
Adaptación del diseño de cubierta: Book & Look

Esta edición ha sido publicada de acuerdo con
HarperCollinsPublihsres Ltd.

Publicación de Editorial Planeta, SA. Diagonal, 662-664, 08034 Barcelona.
Copyright © 1990, 2024 Editorial Planeta, SA, sobre la presente edición.
Reservados todos los derechos.

ISBN: 978-84-450-1337-3
Depósito legal: B. 2365-2023
Printed in EU / Impreso en UE

La lectura abre horizontes, iguala oportunidades y construye una sociedad mejor. La propiedad
intelectual es clave en la creación de contenidos culturales porque sostiene el ecosistema de
quienes escriben y de nuestras librerías. Al comprar este libro estarás contribuyendo a mantener
dicho ecosistema vivo y en crecimiento.

En Grupo Planeta agradecemos que nos ayudes a apoyar así la autonomía creativa de autoras y
autores para que puedan seguir desempeñando su labor. Dirígete a CEDRO (Centro Español
de Derechos Reprográficos) si necesitas fotocopiar o escanear algún fragmento de esta obra.
Puedes contactar con CEDRO a través de la web www.conlicencia.com o por teléfono en el
91 702 19 70 / 93 272 04 47.

PEFC Certificado

Este libro procede de
bosques gestionados
de forma sostenible

PEFC

PEFC/14-38-00305   www.pefc.es

El papel utilizado para la impresión de este libro está calificado como papel ecológico y procede
de bosques gestionados de manera sostenible.

Inscríbete en nuestra newsletter en: www.edicionesminotauro.com
Facebook/Instagram: @EdicionesMinotauro
Twitter: @minotaurolibros
www.sociedadtolkien.org

PREFACIO

El libro de los Cuentos Perdidos, escrito hace unos sesenta o setenta años, fue la primera obra importante de literatura imaginativa de J. R. R. Tolkien, y en ella aparecen por primera vez en su narrativa los Valar; los Hijos de Ilúvatar, los Elfos y los Hombres; los Enanos y los Orcos y las tierras en las que se desarrolla su historia; Valinor, más allá del océano occidental; y Tierra Media, las «Grandes Tierras» entre los mares del este y el oeste. Unos cincuenta y siete años después de que mi padre dejara de trabajar en *Los Cuentos Perdidos*, se publicó *El Silmarillion**, producto profundamente transformado desde su distante precursor; y desde entonces han pasado seis años. Este Prefacio parece un sitio adecuado en el que comentar algunos aspectos de ambas obras.

Se dice comúnmente que *El Silmarillion* es un libro «difícil», que acercarse a él requiere explicaciones y guías; y es en este aspecto lo contrario de *El Señor de los Anillos*. En el Capítulo 7 de su libro *El camino a la Tierra Media*, el profesor T. A. Shippey lo acepta como un hecho («*El Silmarillion* será siempre por fuerza una lectura ardua») y explica el porqué de esta afirmación. Nunca se trata con justicia una exposición compleja cuando se la resume, pero según Shippey esto ocurre en *El Silmarillion* por dos razones. En primer lugar, no hay en el libro una «mediación» parecida a la de los hobbits (así en *El hobbit* «Bilbo es el eslabón que une los tiempos modernos al mundo arcaico de los enanos y los dragones»). Mi padre no ignoraba que la ausencia de hobbits sería sentida como una carencia en «El Silmarillion», si es que alguna vez se publicaba, y no sólo por aquellos lectores particularmente encariñados con ellos. En una carta escrita en 1956, poco después de la publicación de *El Señor de los Anillos*, mi padre decía:

> No creo que llegase a tener el atractivo del S. de los A.: ¡no hay hobbits en él! Repleto de mitología, y de una cualidad élfica, y de todos esos «altos peldaños» (como podría haber dicho Chaucer) que han gustado tan poco a muchos de mis críticos.

---

* Cuando el nombre se escribe en letra cursiva, me refiero a la obra tal como fue publicada; cuando aparece entre comillas, a la obra de manera más general en cualquiera o en todas sus formas.

En «El Silmarillion» el licor es puro y sin mezcla; y el lector está a mundos de distancia de semejante «mediación», de semejante embate deliberado (mucho más que una mera cuestión de estilos) semejante al producido por el encuentro entre el Rey Théoden y Pippin y Merry en las ruinas de Isengard:

> ¡Adiós, mis hobbits! ¡Ojalá volvamos a vernos en mi morada! Allí podréis sentaros a mi lado y contarme todo cuanto queráis: las hazañas de vuestros antepasados, todas las que recordéis hasta las más lejanas (...)
> Los hobbits se inclinaron profundamente.
> —¡Así que este es el Rey de Rohan! —dijo Pippin en voz baja—. Un viejo muy simpático. Muy amable.

En segundo lugar:

> *El Silmarillion* difiere de las obras anteriores de Tolkien en que no se acepta en él la convención novelística. En la mayoría de las novelas (con inclusión de *El hobbit* y *El Señor de los Anillos*) se escoge un personaje para que ocupe el primer término, como Frodo o Bilbo, y luego se desarrolla la historia en relación con lo que a él le ocurre. El novelista, por supuesto, está inventando la historia y, en consecuencia, es omnisciente: puede explicar o mostrar lo que en verdad está ocurriendo y oponerlo a la percepción limitada del propio personaje.

Se trata, pues, y de modo muy evidente, de una cuestión de «gusto» literario (o de «hábito» literario); y también de una cuestión de «desilusión» literaria: la desilusión (errada) de los que esperaban un segundo *Señor de los Anillos*, como anota el profesor Shippey. Esto ha producido incluso una sensación de afrenta, que en una ocasión me fue expresada con las palabras: «¡Se parece al *Antiguo Testamento*!»: una condena extrema contra la que no hay apelación posible (aunque este lector no pudo haber avanzado mucho antes de que la comparación lo abrumara). «El Silmarillion», claro está, tenía por objeto conmover directamente el corazón y la imaginación, sin exigirle al lector facultades extraordinarias o un esfuerzo excesivo, pero su estilo narrativo es inherente, y es dudoso que cualquier otra forma de abordarlo les sirva de mucho a quienes lo consideran inabordable.

Hay aún una tercera consideración (que por cierto el profesor Shippey no expone en el mismo contexto):

Una cualidad que *[El Señor de los Anillos]* tiene en abundancia es la "Beowulfiana" «sensación de profundidad», creada, al igual que en el antiguo poema épico, por canciones y digresiones como la balada de Tinúviel de Aragorn, las alusiones de Sam Gamyi al Silmaril y la Corona de Hierro, el relato que hace Elrond sobre Celebrimbor y docenas más. Ésta es, sin embargo, una cualidad de *El Señor de los Anillos*, no de las historias incorporadas en él. Contar estas historias por sí mismas y esperar que conservaran el encanto que obtienen de su contexto más amplio habría sido un tremendo error, un error al que Tolkien hubiera sido más sensible que ningún otro. Como escribió en una carta reveladora fechada el 20 de septiembre de 1963:

> Yo mismo dudo de la empresa [de escribir *El Silmarillion*]. Parte del atractivo de El S. de los A. es, creo, consecuencia de los atisbos que hay en él de una historia más amplia que le sirve de marco: un atractivo como el que tiene ver a la distancia una isla nunca visitada o contemplar las torres de una ciudad lejana y resplandeciente en una neblina iluminada por el sol. Ir allí sería destruir la magia, a no ser que se revelaran una vez más nuevos panoramas inasequibles. (Cartas).

> *Ir allí sería destruir la magia.* En cuanto a la revelación de «nuevos panoramas inasequibles», el problema radica en que —como el mismo Tolkien debió de pensar más de una vez— la Tierra Media de *El Señor de los Anillos* era ya antigua, con un vasto peso histórico por detrás. Pero *El Silmarillion, en su forma más extensa,* debía empezar por el principio. ¿Cómo podía crearse «profundidad» cuando ya no se tenía dónde retroceder?

La carta citada aquí muestra, por cierto, que mi padre sentía que esto era un problema, o quizá sería mejor decir que lo sentía a veces. Tampoco era un pensamiento nuevo: mientras estaba escribiendo *El Señor de los Anillos* en 1945, me dijo en una carta:

> Una historia debe contarse o no habrá historia; sin embargo las historias que no se cuentan son las más conmovedoras. Creo que *Celebrimbor* lo conmueve a uno porque produce la súbita sensación de infinitas historias *que no han sido contadas*: montañas vistas a lo lejos que no han de escalarse nunca, árboles lejanos (como los de Niggle) que jamás han de visitarse (ya que, si se los visita, se convierten en «árboles cercanos») (...)

Creo que un ejemplo muy claro de ello sería la canción que canta Gimli en Moria, donde los grandes nombres del mundo antiguo resultan del todo remotos:

> El mundo era hermoso y altas las montañas,
> en los Días Antiguos antes de la caída
> de los reyes en Nargothrond
> y Gondolin majestuosos, ya desaparecidos
> más allá de los Mares del Oeste (...)

«—¡Me gusta eso! —dijo Sam—. Me gustaría aprenderlo. ¡*En Moria, en Khazad-dûm!* Pero la imagen de todas esas lámparas hace que la oscuridad parezca más pesada.» Con su entusiasta «¡Me gusta eso!» Sam no sólo sirve de «mediador» con (y graciosamente «gamyifica» a) los «elevados», los poderosos reyes de Nargothrond y Gondoliny Durin en su trono tallado, sino que los sitúa con una sola frase a una distancia todavía más remota, una distancia mágica que bien podría parecer (en ese momento) destructiva si osases recorrerla.

El profesor Shippey dice que «contar [las historias a las que solamente se alude en *El Señor de los Anillos*] por sí mismas y esperar que conserven el encanto que obtienen de su contexto más amplio sería un tremendo error». El «error» presumiblemente consiste en mantener semejante expectativa si se contasen las historias, no en absoluto en el hecho de contarlas, y evidentemente el profesor Shippey considera que mi padre se preguntaba en 1963 si debía o no tomar la pluma y empezar a escribir, pues prolonga las palabras de la carta «yo mismo dudo de la empresa» con «de escribir *El Silmarillion*». Pero cuando mi padre dijo eso no se estaba refiriendo, de ningún modo, a la obra misma, que por otra parte ya estaba escrita, y muchas de sus partes una y otra vez (las alusiones que figuran en *El Señor de los Anillos* no son ilusorias): lo que él se preguntaba, como dijo antes en esta misma carta, era el hecho de publicarla *después* de la aparición de *El Señor de los Anillos* cuando, como él pensaba, el momento oportuno ya había pasado.

Me temo de cualquier modo que la presentación exigirá mucho trabajo, y yo trabajo tan lentamente... Es necesario elaborar las leyendas (se escribieron en momentos distintos, algunas de ellas hace muchos años) y hacerlas coherentes; y deben integrarse con El S. de los A., y es preciso darles alguna forma progresiva. No dispongo de ningún recurso simple, como un viaje o una búsqueda. Yo mismo dudo de la empresa (...)

Cuando, después de su muerte, se planteó la cuestión de publicar de alguna manera «El Silmarillion», no atribuí ninguna importancia a esa duda. El efecto que «los atisbos de una historia más amplia que le sirve de marco» causa en *El Señor de los Anillos* es indiscutible y de la mayor importancia, pero no creí que los «atisbos» utilizados allí con tanto arte tuvieran por qué excluir todo nuevo conocimiento de la «historia más amplia».

La «sensación de profundidad» literaria «(...) creada por canciones y digresiones» no puede convertirse en criterio para medir una obra totalmente diferente y que opera en un modo completamente distinto: esto sería tratar la historia de los Días Antiguos sola o incluso primordialmente de acuerdo con el uso artístico que se hace de ella en *El Señor de los Anillos.* Tampoco debe entenderse de manera mecánica el recurso de un movimiento de retroceso en el tiempo imaginario para captar nebulosamente acontecimientos cuyo atractivo reside precisamente en su nebulosidad, como si una narración más detallada de los hechos de los poderosos reyes de Nargothrond y Gondolin significara una aproximación peligrosamente cercana al fondo del pozo, y la narración de la Creación fuera a dar contra el fondo en un definitivo agotamiento de la «profundidad», una ausencia de sitio a «dónde retroceder».

Éste no es, por cierto, el modo en que funcionan las cosas o, cuando menos, el modo en que por fuerza tienen que funcionar. La «profundidad» en este sentido implica una relación entre diferentes capas o niveles temporales dentro del mismo mundo. Dado que el lector tiene ya un sitio, una perspectiva privilegiada en *el tiempo imaginario* desde el que puede mirar hacia atrás, la extrema antigüedad de lo extremadamente antiguo puede hacerse evidente y de un modo ininterrumpido si es necesario. Y el mismo hecho de que *El Señor de los Anillos* dé la impresión de una poderosa estructura temporal real (mucho más poderosa que la que puede conseguirse por una mera aseveración cronológica, proporcionando tablas o fechas) ya proporciona esta necesaria perspectiva privilegiada. Para leer *El Silmarillion* uno ha de situarse imaginariamente a finales de la Tercera Edad en la Tierra Media, mirando hacia atrás: en el punto temporal en el que Sam Gamyi observa: «¡Me gusta eso!», para poder añadir luego «Me gustaría saber algo más». Además, la forma y el estilo de compendio o epítome de *El Silmarillion,* que sugiere un pasado de eras remotas de poesía y folklore, inspiran una fuerte sensación de «cuentos que no han sido contados», aun cuando se los cuenta; la «distancia» nunca se pierde. No hay urgencia narrativa, la presión y el temor de un acontecimiento desconocido e inmediato. En realidad no vemos los Silmarils como sí vemos al Anillo. El creador de «El Silmarillion», como él mismo dijo del autor del *Beowulf*, «estaba hablando de cosas ya antiguas y cargadas de melancolía, y consagró su arte a reabrir la herida del corazón, causada por penas que son a la vez desgarradoras y remotas».

Como está ya ahora perfectamente documentado, mi padre deseaba sobremanera publicar «El Silmarillion» junto con *El Señor de los Anillos*. Nada digo acerca de la posible viabilidad del proyecto en aquel entonces, ni hago conjeturas sobre el destino subsiguiente de una obra combinada mucho más larga, una cuatrilogía o tetralogía, ni sobre los diferentes caminos que pudo haber emprendido entonces mi padre, pues el posterior desarrollo del mismo «Silmarillion», la historia de los Días Antiguos, habría quedado interrumpido. Pero al ser publicado de manera póstuma casi un cuarto de siglo después, la cuestión de todo "el Asunto de la Tierra Media" se presentó invirtiendo el orden natural; y es por cierto discutible que fuera atinado publicar en 1977 una versión del *legendarium* primordial como obra aislada que, por decirlo así, reivindicase que se justificaba a sí misma. La obra publicada no tiene «marco de referencia», no se sugiere en ella qué es ni cómo llegó a ser (dentro del mundo imaginado). Pienso ahora que esto fue un error.

La carta de 1963 citada arriba muestra que mi padre se preguntaba la manera en la que podrían presentarse las leyendas de los Días Antiguos. El modo original, el de *El libro de los Cuentos Perdidos*, en el que un Hombre, Eriol, llega después de un largo viaje por mar a la isla en la que viven los Elfos y escucha su historia de sus propios labios, había ido (gradualmente) desvaneciéndose. Cuando mi padre murió en 1973, «El Silmarillion» se encontraba en un característico estado de desorden: las primeras partes habían sido muy revisadas y en gran parte reescritas, las finales estaban todavía como habían sido abandonadas unos veinte años atrás; pero en los últimos escritos no se encontraba el menor indicio o sugerencia, o algún «sistema» o posible «marco de referencia» para poder organizarlo todo. Creo que al final llegó a la conclusión de que nada serviría, y no habría otra cosa que decir, salvo dar una explicación de cómo llegó a ser registrado (en el mundo imaginado).

En la edición original de *El Señor de los Anillos*, Bilbo le daba a Frodo en Rivendel como regalo de despedida «algunos libros de saber popular que él mismo había compuesto en diversas épocas, escritos con su letra fina y en cuya roja contraportada se leía: *Traducciones del élfico por B. B.*». En la segunda edición (1966) «algunos libros» fue cambiado por «tres libros», y en la *Nota sobre los archivos de la Comarca* añadida al Prólogo de esa edición, mi padre decía que el contenido de «los tres grandes volúmenes encuadernados en piel roja» se preservaba en el ejemplar del Libro Rojo de la Frontera del Oeste, hecho en Gondor por el Escriba del Rey, Findegil, en el año 172 de la Cuarta Edad; y también que

> Se ha comprobado que esos tres volúmenes son una obra de gran talento y erudición... [Bilbo] se sirvió de todas las fuentes tanto orales como escritas de que disponía en Rivendel. Pero como Frodo apenas los usó, pues esas páginas se refieren casi exclusivamente a los Días Antiguos, no diremos más sobre ellos aquí.

En *The Complete Guide to Middle-earth* [Guía completa de la Tierra Media], Robert Foster dice: «*Quenta Silmarillion* era sin duda una de las *Traducciones del élfico* de Bilbo, preservadas en el Libro Rojo de la Frontera del Oeste». También yo lo he supuesto: los «libros de conocimiento de saber popular que Bilbo le dio a Frodo proporcionan por fin la solución: eran «El Silmarillion». Pero aparte de las pruebas mencionadas aquí no hay, que yo sepa, ninguna otra declaración al respecto en los escritos de mi padre; y (equivocadamente, pienso ahora) no me decidí a cruzar la brecha y volver definitivo lo que me pareció una suposición.

Las opciones que tenía delante de mí en relación con «El Silmarillion» eran tres. Podía retener su publicación indefinidamente, por estar la obra incompleta y dada la incoherencia de las distintas partes. Podía aceptar la naturaleza de la obra tal y como se encontraba y, citando mi Prólogo del libro, «presentar dentro de las cubiertas de un libro único materiales muy diversos, mostrar *El Silmarillion* como si fuera en verdad una creación ininterrumpida que se había desarrollado a lo largo de más de medio siglo»; y que, como lo dije en *Cuentos Inconclusos*, implicaría «un complejo de textos divergentes eslabonados por comentarios»: una empresa muy superior a lo que las palabras sugieren. Finalmente elegí la tercera opción: «configurar un texto único, seleccionando y disponiendo el material del modo que me pareció más adecuado para obtener una narración con un máximo de coherencia y de consistencia interna». Habiendo llegado al fin a esa decisión, todo el trabajo de edición que llevé a cabo junto a Guy Kay, quien me ayudó, apuntó al fin expuesto por mi padre en la carta de 1963: «Es necesario elaborar las leyendas... y hacerlas coherentes; y deben integrarse con El S. de los A.». Como el objetivo era presentar «El Silmarillion» como «una entidad completa y coherente» (lo que, dada la naturaleza del caso, no podría conseguirse por completo), se llegó a la conclusión de que en el libro publicado no se expondrían las complejidades de su historia.

Se piense lo que se piense sobre el tema, el resultado, que de ningún modo había previsto, fue añadir una nueva dimensión de oscuridad a «El Silmarillion», pues la incertidumbre acerca de la edad de la obra, si ha de considerársela «temprana» o «tardía», o cuáles de sus partes lo son, y acerca del grado de intromisión y manipulación (o aun invención) editorial es motivo de tropiezos y fuente de no pocos malentendidos. El profesor Randel Helms, en *Tolkien and the Silmarils*, ha abordado la cuestión en los siguientes términos:

> Cualquiera interesado, como yo lo estoy, en el desarrollo de *El Silmarillion* querrá estudiar los *Cuentos Inconclusos*, no sólo por su valor intrínseco, sino también porque su relación con el primero constituye un ejemplo clásico de lo que se convertiría en un problema de crítica literaria: ¿qué *es* en realidad una obra literaria? ¿Es lo que el autor quería (o quizá podría haber querido) que fuera, o lo que hace de ella un editor posterior? El problema se vuelve especialmente arduo para el crítico cuando, como ocurrió con *El Silmarillion*, el escritor muere antes de terminar su obra, y deja más de una versión de algunas de sus partes, que más tarde son publicadas en otro sitio. ¿Qué versión considerará el crítico la «verdadera»?

Pero dice también: «Christopher Tolkien nos ha ayudado en este caso señalando honestamente que *El Silmarillion*, en la forma actual, es invención del hijo, no del padre»; y esto es un grave malentendido nacido de mis propias palabras.

De nuevo el profesor Shippey, aunque acepta mi afirmación de que «una muy vasta proporción» del texto del «Silmarillion» de 1937 se conservó en la versión publicada, en otro lugar lo considera claramente parte de su obra «tardía», aun la última versión de su autor. Y en un artículo titulado «The Text of *The Hobbit*: Putting Tolkien's Notes in Order» (English Studies in Canada, VII, 2, verano de 1981) Constance B. Hieatt llega a la conclusión de que «resulta muy claro en verdad que nunca lograremos ver los pasos sucesivos del pensamiento del autor detrás de *El Silmarillion*».

Pero por sobre las dificultades y las oscuridades, lo que es cierto y muy evidente es que para el progenitor de la Tierra Media y Valinor había una profunda coherencia y una interrelación vital entre todas las épocas, los espacios y los seres, por variados que sean sus modos literarios y por muy mutables que puedan parecer algunas partes vistas desde la perspectiva de toda una vida. Él mismo entendía muy bien que para muchos de los que leían con deleite *El Señor de los Anillos*, la

Tierra Media nunca sería otra cosa que la *mise-en-scène* de la historia, y disfrutarían de la sensación de «profundidad» sin deseos de explorar esos espacios. Pero la «profundidad» no es, por supuesto, una ilusión, como una estantería llena de lomos falsos sin libros dentro; y el quenya y el sindarin son estructuras completas. Hay exploraciones por llevar a cabo en este mundo con perfecto derecho, fuera de toda consideración crítico-literaria; y es correcto intentar captar la estructura de todo ese mundo a partir del mito de su creación. Cada persona, cada rasgo del mundo imaginado que le pareció significativo al autor es, pues, digno de atención por derecho propio, Manwë o Fëanor no menos que Gandalf o Galadriel, los Silmarils no menos que los Anillos; la Gran Música, las jerarquías divinas, las moradas de los Valar, o los destinos de los Hijos de Ilúvatar son elementos esenciales para la comprensión del conjunto. Tales investigaciones no son ilegítimas en principio; nacen de la aceptación de que es tan válido considerar o contemplar como objeto de estudio el mundo imaginado como muchos otros objetos dignos de contemplación o estudio en este nuestro mundo, demasiado poco imaginario, a decir verdad. Fue con esta opinión, y sabiendo que otros la compartían, que llevé a cabo la recopilación titulada *Cuentos Inconclusos*.

Pero la perspectiva del autor sobre su propia visión fue sometida a una lenta y continua alteración, selección y ampliación: sólo en *El hobbit* y en *El Señor de los Anillos* emergieron partes de esa visión y fueron publicadas durante el curso de la vida de Tolkien. El estudio de la Tierra Media y Valinor es por ello complejo; porque el objeto del estudio no era estable sino que existe, por así decir, «longitudinalmente» en el tiempo (el curso de la vida del autor), y no sólo «transversalmente» en el tiempo como libro impreso que ya no cambiará en nada esencial. Mediante la publicación de «El Silmarillion» lo «longitudinal» se cortó transversalmente, y se le impuso de ese modo un cierto carácter definitivo.

★

Esta exposición más bien errática es un intento de explicar los motivos principales que me han impulsado a publicar *El libro de los Cuentos Perdidos*. Es el primer paso para presentar la perspectiva «longitudinal» de la Tierra Media y Valinor: cuando la inmensa expansión geográfica, que fue creciendo desde el centro y empujando (por así decir) Beleriand hacia el oeste, estaba todavía en un futuro distante; cuando no existían «Días Antiguos» que terminaran con la inundación de Beleriand porque no existían aún más Edades del Mundo; cuando los Elfos eran todavía «hadas», y aun Rúmil, el sabio Noldo, estaba muy alejado de los «maestros del saber» de los años posteriores de mi padre. En *El libro de los Cuentos Perdidos* los príncipes de los Noldor no han aparecido apenas todavía, ni tampoco los Elfos Grises de Beleriand; Beren es un Elfo, no un Hombre, y quien lo captura, el principal precursor de Sauron en ese papel, es un gato monstruoso poseído por un demonio; los Enanos son un pueblo malvado; y las relaciones históricas de quenya y sindarin estaban concebidas de un modo muy diferente. Éstos son unos pocos rasgos especialmente notables, pero la lista podría prolongarse aún mucho más. Por otra parte, había ya una firme estructura subyacente que perduraría en el tiempo. Lo que es más, en la historia de la historia de la Tierra Media el desarrollo rara vez se regía por el descarte directo: mucho más a menudo se producía por sutiles transformaciones en etapas, de modo que la formación de las leyendas (el proceso por el que la historia de Nargothrond entra en contacto con la de Beren y Lúthien, por ejemplo, un contacto que ni siquiera se sugiere en los *Cuentos Perdidos,* aunque ambos elementos estaban presentes en él) se parece a la formación de las leyendas entre los pueblos: el producto de muchas mentes y muchas generaciones.

Mi padre empezó *El libro de los Cuentos Perdidos* en 1916-1917 durante la I Guerra Mundial, cuando tenía veinticinco años, y lo dejó incompleto por largo tiempo. Es el punto de partida, al menos en su forma narrativa terminada, de la historia de la Tierra Media y Valinor; pero antes de que los *Cuentos* estuvieran acabados, se dedicó a la composición de poemas largos: la *Balada de Leithian* en dísticos rimados (la historia de Beren y Lúthien), y *Los hijos de Húrin* en verso aliterativo. La forma en prosa de la «mitología» empezó una vez más desde un nuevo punto de partida* con una sinopsis muy breve, o «Esbozo» como lo llamó, escrito en 1926, y que tenía la intención expresa de proporcionar los conocimientos históricos básicos que eran necesarios para la comprensión del poema aliterativo. El posterior desarrollo escrito de la forma en prosa tuvo su origen en ese «Esbozo» y avanzó en línea directa hasta la versión de «El Silmarillion», que casi estaba terminado a finales de 1937; mi padre interrumpió entonces el trabajo y lo envió tal como estaba a Allen y Unwin en noviembre de ese año; pero en la década de 1930 fueron compuestos también textos colaterales y subordinados importantes, como los *Anales de Valinor* y los *Anales de*

---

* Sólo en el caso de *La Música de los Ainur* hubo un desarrollo directo desde un manuscrito a otro, a partir de *El libro de los Cuentos Perdidos* hasta sus últimas formas; pues *La Música de los Ainur* fue separada del resto y continuada como obra independiente.

Beleriand (de los cuales subsisten fragmentos en la traducción al inglés antiguo hecha por Ælfwine [Eriol]), la crónica cosmológica llamada *Ambarkanta*, la Forma del Mundo escrita por Rúmil y la *Lhammas* o «Crónica de las lenguas», de Pengolod de Gondolin. Luego, la historia de la Primera Edad fue abandonada durante muchos años hasta que se completó *El Señor de los Anillos*, pero, en los años que precedieron a la publicación definitiva de ese libro, mi padre volvió a «El Silmarillion» y otras obras afines con decidida dedicación.

Esta edición de los *Cuentos Perdidos* en dos partes será, espero, el principio de una serie en la que se desarrollará la historia por medio de estos escritos posteriores en verso y en prosa; y con esta esperanza he dado a este libro un título globalizante que intenta abarcar también a los que quizá lo sigan, aunque me temo que «La historia de la Tierra Media» sea quizá en exceso ambicioso. De cualquier modo este título no implica una «historia» en el sentido convencional: mi intención es ofrecer textos completos o en gran parte completos, de modo que los libros parecerán más una serie de publicaciones. No me propongo como objetivo principal el desenmarañar muchos hilos singulares y separados, sino más bien volver asequibles obras que pueden y deben leerse como totalidades.

El rastreo de esta larga evolución tiene para mí profundo interés, y espero que lo tenga también para los que sienten agrado por esta especie de búsqueda: sean las transformaciones generales de la trama o de la teoría cosmológica, o detalles tales como la aparición premonitoria de Legolas Hojaverde, el de vista penetrante, en el cuento *La Caída de Gondolin*. Pero estos viejos manuscritos no sólo tienen interés para el estudio de los orígenes. Mi padre (que yo sepa) nunca rechazó expresamente gran parte de lo que allí se encuentra, y es preciso recordar que «El Silmarillion», desde el «Esbozo» de 1926 en adelante, se escribió como un compendio o epítome, aportando la sustancia de obras mucho más extensas (existieran de hecho o no) en un marco más breve. El estilo sumamente arcaico que utilizó con este propósito no era pomposo: era sugerente y de mucho vigor, particularmente adecuado para transmitir la naturaleza mágica e inquietante de los Elfos primitivos, pero con igual facilidad se convertía en sarcástico, burlándose de Melko o los asuntos de Ulmo y Ossë. En estos casos parece nacer a veces una concepción cómica, y el lenguaje, rápido y vivaz, no sobrevivió en la gravedad de la prosa utilizada por mi padre en el posterior «Silmarillion» (así, Ossë «viaja de aquí para allá en la espuma de sus empresas» cuando ancla las islas en el fondo del mar, los acantilados de Tol Eressëa que acaban de poblarse de las primeras aves marinas «se llenan de cháchara y de olor a pescado, y sobre las cornisas se celebran grandes cónclaves», y cuando los Elfos de la Costa se hacen por fin a la mar hacia Valinor, Ulmo prodigiosamente «viaja a la zaga en un carro con forma de pescado y toca con fuerza la trompeta para desconcierto de Ossë»).

Los *Cuentos Perdidos* no alcanzaron nunca, ni se aproximaron siquiera, a una forma que mi padre hubiera considerado publicable antes de abandonarlos; eran experimentales y provisionales, y los cuadernos ajados en los que fueron escritos se empaquetaron juntos y guardaron durante años sin que se les volviera a prestar atención. Presentarlos en un libro impreso ha planteado problemas editoriales peliagudos. En primer lugar, los manuscritos son intrínsecamente muy difíciles: en parte porque los textos en su mayoría fueron escritos de prisa con lápiz y ahora es extremadamente difícil leerlos, y a veces requieren el uso de una lupa y mucha paciencia, que no siempre se ve recompensada. Pero además en ciertos lugares mi padre borró el texto original en lápiz y escribió encima una versión corregida en tinta; y como en ese tiempo utilizaba cuadernos cosidos y no hojas sueltas, a veces no tenía suficiente espacio, de modo que algunas partes de los cuentos aparecen escritas en medio de otros cuentos, y a veces el lector se encuentra con un terrible rompecabezas textual.

En segundo lugar, los *Cuentos Perdidos* no fueron escritos progresivamente, uno después del otro, según la secuencia de la narración; e (inevitablemente) mi padre se puso a reorganizar y revisar el texto cuando la obra aún no estaba acabada. *La Caída de Gondolin* fue el primero de los cuentos contados a Eriol que se escribió, y el *Cuento de Tinúviel* el segundo, pero los acontecimientos de esos cuentos tienen lugar cerca del final de la historia; por otra parte, los textos existentes son revisiones posteriores. En algunos casos no es posible leer ahora nada anterior a la forma revisada, en otros existen ambas formas en su totalidad o en parte, a veces sólo encontramos un borrador preliminar, y en otros casos no hay ninguna narración en absoluto, sino sólo notas e ideas al aire. Después de probar muchas configuraciones, comprobé que ningún otro método de presentación era más factible que ir ofreciéndolos en la secuencia de la narrativa.

Y, finalmente, a medida que la escritura de los *Cuentos* iba avanzando, hubo cambios en las relaciones, aparecieron concepciones nuevas, y el desarrollo de las lenguas *pari passu* con el desarrollo de la propia narración condujo a una continua revisión de los nombres.

Una edición que, como ésta, tiene en cuenta semejantes complejidades en lugar de intentar atenuarlas artificialmente, puede llegar a ser un texto intrincado y exasperante, donde ni por un instante se deja solo al lector. He intentado que los *Cuentos* mismos resulten accesibles y puedan leerse sin obstáculos, procurando al mismo tiempo ofrecer una descripción bastante completa, para aquellos que lo deseen, de las evidencias textuales reales. Para lograrlo he reducido drásticamente el número de anotaciones, de tres maneras: los muchos cambios hechos a los nombres se registran todos, pero se los agrupa al final de cada cuento, no se registran individualmente cada vez que aparecen (los lugares en que aparecen los nombres pueden encontrarse en el Índice); casi todas las anotaciones que se refieren al contenido se reducen a, o incorporan en un comentario o un breve ensayo que prosigue a cada uno de los cuentos; y casi todos los comentarios lingüísticos (primordialmente la etimología de los nombres) se recogen en un Apéndice sobre los Nombres al final del libro, donde se puede encontrar mucha información acerca de las primeras etapas de las lenguas «élficas». Así pues, las notas numeradas se limitan en gran parte a variantes y divergencias que se encuentran en otros textos, y el lector que no quiera interesarse por ellas, puede leer los cuentos sabiendo que eso es casi todo lo que se pierde.

Los comentarios son de alcance limitado, centrándose sobre todo en exponer las implicaciones de lo que se dice dentro del contexto de los *Cuentos* y en compararlas con las de El *Silmarillion* publicado. Me he alejado de paralelismos, fuentes e influencias; y he evitado sobre todo las complejidades de desarrollo que separan los *Cuentos Perdidos* de la obra publicada (pues indicarlas aun de paso, pienso, distraería al lector), tratando la cuestión de manera simplificada, como entre dos puntos fijos. Ni por un momento supongo que mis análisis sean del todo justos o exactos, y es posible que haya pistas que podrían aclarar los puntos desconcertantes de los *Cuentos* que quizá a mí se me han escapado. Se incluye también un breve glosario de palabras que aparecen en los *Cuentos* y poemas que son anticuadas, arcaicas o raras.

Los textos se presentan en una forma que se aproxima mucho a la del manuscrito original. Sólo los deslices menores más evidentes han sido corregidos discretamente; donde las oraciones se coordinan con torpeza o hay falta de coherencia gramatical, como ocurre a veces en los *Cuentos* que no eran más que un rápido borrador, los he dejado tal cual. Me he permitido mayor libertad al añadir signos de puntuación, pues cuando mi padre escribía de prisa puntuaba habitualmente de manera errática o no lo hacía en absoluto; y he ido más lejos que él en el uso coherente de las mayúsculas. He adoptado, aunque con vacilaciones, un sistema coherente de acentuación para los nombres élficos. Mi padre escribió, por ejemplo, *Palûrien, Palúrien, Palurien; Ōnen, Onen; Kôr, Kor*. He utilizado el acento agudo para indicar vocal larga, y los acentos circunflejo y agudo (y algún grave ocasional) de los textos originales, pero reservé el circunflejo para los monosílabos: de ahí *Palúrien, Ónen, Kôr;* el mismo sistema, al menos visualmente, que el usado en el sindarin posterior.

Por último, haber editado este libro en dos partes es consecuencia de la extensión de los *Cuentos.* La edición está concebida como una totalidad, y espero que la segunda parte aparezca antes de un año; pero cada parte tiene su propio Índice y un Apéndice sobre los Nombres. La segunda parte contiene los que, en muchos aspectos, son los cuentos más interesantes: *Tinúviel, Turambar* (Túrin), *La Caída de Gondolin* y el *Cuento del Nauglafring* (el Collar de los Enanos); esbozos del *Cuento de Eärendel* y la conclusión de la obra; y *Ælfwine de Inglaterra.*

I

LA CABAÑA DEL JUEGO PERDIDO

En la tapa de uno de los ahora muy gastados «Cuadernos de ejercicios escolares» en los que se escribieron algunos de los *Cuentos Perdidos* mi padre escribió: *La Cabaña del Juego Perdido, que inicia [el] libro de los Cuentos Perdidos*; y en la tapa también están escritas en letra de mi madre sus iniciales: E. M. T., y una fecha: 12 de febrero de 1917. En este cuaderno el cuento aparece transcrito por mi madre: una copia prolija de un muy borroso manuscrito a lápiz escrito por mi padre en hojas sueltas que fue guardado entre las tapas. De modo que la fecha real de la composición de este cuento pudo haber sido, aunque probablemente no lo fue, anterior al invierno de 1916-1917. La copia en limpio sigue con precisión el texto original; luego se hicieron sobre la copia algunos cambios, ligeros en su mayoría (salvo en relación con los nombres). El texto que sigue aquí muestra su forma definitiva.

Sucedió en cierto tiempo que un viajero de países lejanos, un hombre de gran curiosidad, fue llevado, por el deseo de tierras extrañas y de caminos y moradas de pueblos inusitados, en un barco hacia el oeste, tan hacia el oeste que llegó incluso hasta la Isla Solitaria, Tol Eressëa en la lengua de las hadas, pero que los Gnomos[1] llaman Dor Faidwen, la Tierra de la Liberación, y de ahí nació una gran historia.

Ahora bien, un día, después de mucho viajar, llegó cuando las luces de la tarde se encendían en no pocas ventanas, al pie de una colina en una vasta llanura boscosa. Se encontraba ahora cerca del centro de esta gran isla, y durante muchos días había recorrido sus caminos, parando cada noche en el asentamiento que el azar decidiera, fuera en una aldea o en un pueblo de pro, a la hora de la tarde en que las velas se encienden. Pues a esa hora el deseo de ver cosas nuevas disminuye, aun para quien tiene corazón de explorador; y entonces aun un hijo de Eärendel como este viajero piensa sobre todo en la cena y el descanso y en contar cuentos antes de que llegue la hora de irse a la cama y dormir.

Ocurrió que mientras estaba al pie de la pequeña colina se levantó una brisa leve, y luego una bandada de grajos voló por encima de él bajo la clara y tranquila luz. Hacía algún tiempo que el sol se había hundido más allá de las ramas de los olmos que se extendían por la llanura hasta donde la vista podía alcanzar, y hacía algún tiempo que el oro tardío se había desvanecido entre las hojas, deslizándose por los claros para dormir bajo las raíces y soñar hasta el alba.

Entonces estos grajos le dieron la bienvenida a casa y con un rápido giro volvieron a su morada en la copa de algún olmo alto en la cima de la colina. Entonces pensó Eriol (porque así lo llamó después la gente de la isla, y el nombre significa «El que sueña solo», pero cuáles fueron sus anteriores nombres no se cuenta en ningún sitio de la historia): «La hora del descanso está cerca, y aunque no sé ni siquiera el nombre de este pueblo aparentemente honesto en la cumbre de la pequeña colina, en él buscaré reposo y alojamiento y no seguiré adelante hasta la mañana, y quizá ni siquiera entonces siga adelante, pues el lugar parece apacible y el sabor de la brisa es bueno. Para mí tiene el aspecto de guardar muchos secretos de antaño y cosas maravillosas y hermosas entre sus tesoros y lugares nobles y también en los corazones de los que viven dentro de los muros».

Ahora bien, Eriol venía desde el sur y por delante de él se extendía un camino recto bordeado en uno de sus lados por un alto muro de piedra gris sobre el que había muchas flores, y sobre el que también asomaban grandes tejos oscuros en algunos sitios. A través de ellos, mientras subía por el camino, vio brillar las primeras estrellas, como lo cantó después en un canto que le dedicó a esa bella ciudad.

Ahora se encontraba en la cima de la colina y entre sus casas y dando un paso quizá casual inició el descenso por un sendero serpenteante hasta que, habiendo bajado un poco por la ladera occidental de la colina, una minúscula vivienda atrajo su mirada; las cortinas de las ventanas estaban cerradas por completo, pero aun así una luz cálida y deliciosa, como de corazones contentos, se filtraba a través de ellas. Entonces en su corazón nació la nostalgia de amable compañía, y el deseo del viaje murió en él... e impulsado por un gran anhelo se acercó a la puerta de la cabaña y llamó, y le preguntó a alguien que acudió y abrió cuál podría ser el nombre de esta casa y quién vivía en ella. Y le dijeron que era Mar Vanwa Tyaliéva, o la Cabaña del Juego Perdido, y el nombre le causó gran asombro. Vivían allí, le dijeron, Lindo y Vairë que la habían construido hacía muchos años, y con ellos estaban no pocos de su gente y sus amigos e hijos. Y eso le causó más asombro todavía al ver el tamaño de la casa, pero el que le había abierto, percibiendo lo que Eriol pensaba, le dijo: —Pequeña es la morada, pero más pequeños aún son los que moran aquí... porque el que entre en ella ha de ser en verdad pequeño, o por propia buena voluntad volverse pequeño al pisar el umbral.

Dijo entonces Eriol que su más anhelado deseo era entrar en la casa y solicitar de Vairë y Lindo una noche de cálido hospedaje, si les parecía bien, pues él tenía voluntad de volverse lo bastante pequeño allí en la puerta. Dijo entonces el otro: —Entra —y Eriol avanzó y, ¡vaya!, tuvo la impresión de que era una casa amplia y de muy abundante deleite, y el señor de ella, Lindo, y su esposa, Vairë, se adelantaron a saludarlo; y él sintió en el corazón una complacencia que nunca había conocido, aunque al desembarcar en la Isla Solitaria mucha había sido su alegría.

Y cuando Vairë hubo pronunciado las palabras de bienvenida y Lindo le hubo preguntado cómo se llamaba y de dónde venía y hacia dónde esperaba dirigirse y él hubo contestado que se llamaba el Forastero y que venía de las Grandes Tierras[2], y que iba allá donde el deseo de viajar lo llevase, la comida de la noche fue servida en la vasta sala y a ella fue invitado Eriol. En esta sala, a pesar de que era el tiempo del estío, habían sido encendidos tres grandes fuegos: uno en el extremo lejano del recinto y uno a cada lado de la mesa y, a excepción de la luz de estos fuegos, todo estaba en cálida penumbra cuando Eriol entró. Pero en ese momento acudió mucha gente portando velas de distintos tamaños y formas, en candelabros de variado diseño; muchos eran de madera tallada y otros de metal batido, y fueron puestos al azar sobre la mesa central y sobre las de los lados.

En ese momento sonó un gran gong lejos en la casa con dulce clamor, y siguió un sonido como de muchas risas mezcladas con un gran estrépito de pisadas. Entonces le dijo Vairë a Eriol al verle la cara llena de feliz asombro: —Ésa es la voz de Tombo, el Gong de los Niños, que se encuentra junto a la Sala del Juego Recuperado, y suena una vez para convocarlos a esta sala a la hora de comer y de beber, y tres veces para convocarlos al Salón del Leño Encendido a la hora de contar cuentos. —Y añadió Lindo—: Si al sonar una vez hay risas en los corredores y estrépito de pisadas, ya verás cómo las paredes se sacuden de alegría y estruendo cuando suena tres veces a la tarde. Y el sonido de los tres golpes es el momento más feliz del día para Pequeñocorazón, el Custodio del Gong, como lo declara él mismo, que tanta felicidad ha conocido en tiempos de antaño; y es tan anciano que sus años son incalculables a pesar de la alegría que lleva en el alma. Navegó en Wingilot con Eärendel durante ese último viaje en el que buscaron Kôr. Fue el sonido de este Gong en los Mares Sombríos el que despertó al Durmiente en la Torre de Perla que se alza allá lejos al oeste, en las Islas del Crepúsculo.

Tanto sobrecogieron a Eriol estas palabras, pues le pareció que le abrían un nuevo mundo muy bello, que nada más oyó hasta que Vairë lo invitó a sentarse. Levantó entonces la cabeza y ¡he aquí que la sala y todos sus bancos y sillas se habían llenado de niños de toda especie, tipo y tamaño, y salpicados entre ellos había gentes de todo aspecto y edad! En una cosa se parecían todos: en todos sus rostros había una expresión de gran felicidad iluminada por la alegre expectativa de nuevas alegrías y deleites por venir. La suave luz de las velas también los iluminaba a todos ellos; resplandecía sobre trenzas brillantes y relumbraba sobre cabellos oscuros, o aquí y allí encendía un pálido fuego sobre mechones ya encanecidos. Mientras Eriol los contemplaba, todos se pusieron de pie y entonaron en coro el canto del Servicio de las Carnes. Luego fue traída la comida y dispuesta delante de ellos, y entonces los que traían las fuentes y los que servían y los que tendían la mesa, y el anfitrión y la anfitriona, los niños y el convidado se sentaron; pero antes Lindo bendijo la comida y a los comensales. Mientras comían, Eriol trabó conversación con Lindo y con su esposa, contándoles historias de sus aventuras de otro tiempo, especialmente aquellas con que se había topado en el viaje que lo había traído a la Isla Solitaria, y preguntándoles a su vez muchas cosas referentes a la bella tierra y (sobre todo) a la bella ciudad en la que se encontraba ahora.

Lindo le dijo: —Aprende entonces que hoy, o más probablemente ayer, cruzaste las fronteras de la región que se llama Alalminórë o la «Tierra de los Olmos», que los Gnomos llaman Gar Lossion o el «Lugar de las Flores». Esta región se considera el centro de la isla y su más bello reino; pero por encima de todas las ciudades y pueblos de Alalminórë está Koromas o, como algunos la llaman, Kortirion, y ésta es la ciudad en la que ahora te encuentras. Tanto porque está en el corazón de la isla como por la altura de su poderosa torre, los que hablan de ella con amor la llaman la Ciudadela de la Isla o aun del Mundo. Y no sólo es por ese gran amor, pues toda la isla acude aquí en busca de sabiduría y dirección, de cantos y de conocimiento; y aquí en un gran *korin* de olmos vive Merili-Turinqi. (Para entendernos, un *korin* es un muro circular, ya sea de piedra, de espinos o aun de árboles, que rodea un prado verde). Meril lleva la sangre de Inwë, al que los Gnomos llaman Inwithiel, el que fue Rey de todos los Eldar cuando habitaban en Kôr. Eso ocurrió en días anteriores a que se escuchara el lamento del mundo y de que Inwë los condujera a las tierras de los Hombres; pero esas magnas y tristes cosas y el cómo los Elfos llegaron a esta isla bella y solitaria, quizá te las cuente en otra ocasión.

»Pero al cabo de muchos días, Ingil, hijo de Inwë, viendo que este lugar era muy hermoso, descansó aquí y reunió a su alrededor a la mayoría de los más sabios y los más hermosos, de los más alegres y los más bondadosos de todos los Eldar[3]. Aquí entre esos muchos llegaron mi padre Valwë, que fue con Noldorin al encuentro de los Gnomos, y el padre de mi esposa Vairë, Tulkastor. Era del linaje de Aulë, pero había vivido largo tiempo con los Flautistas de la Costa, los Solosimpi, de modo que fue de los primeros en llegar a la isla.

»Luego Ingil construyó la gran torre[4] y llamó a la ciudad Koromas o "el Reposo de los Exiliados de Kôr", y es por esa torre que se la conoce ahora sobre todo como Kortirion.

A esas alturas la comida estaba llegando a su fin; entonces Lindo llenó su copa, y después de él Vairë y todos los que estaban en la sala, pero a Eriol le dijo: —Esto que ponemos en nuestras copas es *limpë*, la bebida de los Eldar, de los jóvenes y los viejos por igual, y bebiéndola nuestros corazones se mantienen jóvenes y las bocas se nos llenan de cantos, pero esta bebida yo no puedo administrarla: sólo Turinqi puede servirla a aquellos que no son de la raza de los Eldar, y aquellos que la beben después deben quedarse a vivir para siempre con los Eldar de la Isla hasta que llegue la hora de partir en busca de las familias perdidas de nuestra estirpe. —Entonces llenó la copa de Eriol, pero la llenó con el vino dorado de los antiguos toneles de los Gnomos; y después todos se pusieron de pie y brindaron «por la Partida y el Reencendido del Sol Mágico». Luego sonó el Gong de los Niños tres veces, y un alegre estrépito se elevó en la sala, y algunos abrieron grandes puertas de roble de par en par a un extremo de la sala, aquel en que no había hogar. Entonces muchos tomaron las velas que estaban colocadas en pies de madera y las sostuvieron en alto mientras otros reían y charlaban, pero todos abrieron un sendero en medio del gentío por el que avanzaron Lindo y Vairë y Eriol, y cuando éstos cruzaron las puertas, la multitud los siguió.

Eriol vio entonces que se encontraban en un corto y amplio corredor, y la parte superior de los muros estaba cubierta de tapices; y esos tapices ilustraban historias ambientadas en lugares que él no conocía en ese momento. Sobre los tapices parecía haber pinturas, pero no podía verlas a causa de las sombras, pues los portadores de velas venían detrás, y delante de él la única luz procedía de una puerta abierta por la que se filtraba un resplandor rojo, como de una gran hoguera. —Ése —dijo Vairë— es el Hogar de los Cuentos que arde en la Sala de los Leños; arde allí durante todo el año, porque es un fuego mágico que ayuda al relator a contar cuentos... pero allí vamos ahora —y Eriol dijo que eso le parecía mejor que ninguna otra cosa.

Entonces todos entraron riendo y conversando en el cuarto de donde venía el resplandor rojo. Era un precioso cuarto como podía apreciarse aun a la luz de las llamas que bailaban sobre las paredes y el techo bajo, mientras que en los recovecos y rincones había sombras profundas. Alrededor del gran hogar había muchas alfombras y cojines blandos; y ligeramente hacia un lado había un sillón profundo con brazos y patas talladas. Y era de una tal naturaleza, que Eriol sintió entonces y en todas las otras ocasiones que entró en el cuarto a la hora de contar cuentos, que cualquiera que fuera el número de gentes que allí hubiera, el cuarto daba la impresión de ser lo suficientemente espacioso, no demasiado grande, pero nunca abarrotado.

Entonces todos se sentaron donde quisieron, viejos y jóvenes, pero Lindo se sentó en el sillón y Vairë sobre un cojín a sus pies, y Eriol, regocijado junto al rojo resplandor aunque era verano, se tendió cerca del hogar.

Dijo entonces Lindo: —¿De qué tratarán los cuentos esta noche? ¿De las Grandes Tierras y de las moradas de los Hombres; de los Valar y Valinor; del Oeste y sus misterios, del Este y su gloria, del Sur y sus descampados nunca recorridos, del Norte y su poder y su fuerza; o de esta isla y su gente; o de los antiguos días de Kôr donde vivió otrora nuestro pueblo? Pues esta noche tenemos con nosotros a un huésped, un hombre de vastos y excelentes viajes, un hijo de Eärendel, según creo. ¿Tratarán de viajes, de exploraciones navieras, de los vientos y el mar?[5]

Pero a esta pregunta algunos respondieron una cosa y otros otra, hasta que Eriol dijo: —Os lo ruego, si los demás están de acuerdo, por esta vez contadme acerca de esta isla, y de toda esta isla sobre todo me gustaría aprender acerca de esta buena casa y sobre sus bellos moradores, doncellas y muchachos, porque de todas las casas ésta me parece la más encantadora y de todas las reuniones ésta la más dulce que haya contemplado.

Dijo Vairë entonces: —Sabed, pues, que antiguamente, en los días de[6] Inwë (y es difícil remontarse más atrás en la historia de los Eldar), había un lugar de bellos jardines en Valinor junto a un mar plateado. Bueno, este lugar estaba cerca de los confines del reino, pero no lejos de Kôr, aunque por causa de la distancia a la que se encontraba de Lindelos, el árbol del sol, había allí una luz como la del atardecer del verano, salvo sólo cuando se encendían en la colina al crepúsculo las lámparas de plata, y entonces unas lucecillas blancas bailaban y se estremecían en los senderos persiguiendo motas oscuras bajo los árboles. Era éste un momento de alegría para los niños, porque era sobre todo a esta hora que un nuevo camarada descendía por el camino llamado Olórë Mallë o la Senda de los Sueños. Me han contado, aunque la verdad no la conozco, que el camino llegaba por rutas sinuosas hasta las moradas de los Hombres, pero nunca nos aventurábamos por esas rutas cuando nosotros íbamos allí. Era un camino de márgenes profundos y grandes setos colgantes, más allá de los cuales se erguían muchos árboles altos donde parecía habitar un susurro perpetuo; pero no rara vez enormes luciérnagas revoloteaban por los bordes herbosos.

»Ahora bien, en este lugar de jardines un alto portón enrejado que brillaba dorado en el crepúsculo se abría a la senda de los sueños, y desde allí partían muchos caminos serpenteantes formados por altos setos de boj hasta el más bello de todos los jardines, y en medio de ese jardín se levantaba una cabaña blanca. De qué estaba hecha o cuándo se habría construido nadie lo sabía ni lo sabe ahora, pero me contaron que brillaba con una luz pálida, como si estuviera hecha de perla, y que el techo era de paja, pero que esas pajas eran de oro.

»Resulta que a un costado de la cabaña había un matorral de lilas blancas, y en el otro extremo un poderoso tejo, con cuyos vástagos los niños construían arcos o por cuyas ramas trepaban al techo. Pero todo pájaro que alguna vez cantó, acudía a las lilas y cantaba dulcemente. Ahora bien, las paredes de la cabaña se inclinaban por la edad, y los múltiples ventanucos poseían un enrejado retorcido en las formas más extrañas. Nadie, se decía, vivía en la cabaña, que estaba sin embargo guardada en secreto y con celo por los Eldar para que ningún daño le ocurriera, aunque los niños que jugaban allí libremente no sabían que hubiera ninguna guardia. Ésta era la Cabaña de los Niños o del Juego del Sueño, y no del Juego Perdido, como se cantó erróneamente entre los Hombres... porque ningún juego se había perdido entonces, y aquí y ahora ¡ay! está la Cabaña del Juego Perdido.

»Éstos también eran los primeros niños: los hijos de los padres de los padres de los Hombres que aquí vinieron; y por lástima los Eldar intentaron guiar a todos los que venían por esa senda hasta la cabaña y el jardín, temiendo que los extraviados llegaran a Kôr y se enamoraran de la gloria de Valinor; porque entonces se quedarían allí para siempre y los padres se hundirían en un profundo dolor o errarían siempre en vano convirtiéndose en desarraigados y salvajes entre los hijos de los Hombres. Más aún, a algunos que llegaban al borde de los acantilados de Eldamar y allí se demoraban deslumbrados por las bellas caracolas y los peces de múltiples colores, las pozas de marea azules y la espuma de plata, los conducían a la cabaña seduciéndolos gentilmente con el perfume de las flores. Sin embargo, aun así había algunos que oían en aquella playa las dulces flautas de los Solosimpi a lo lejos, y que entonces no jugaban con los otros niños, sino que subían a las ventanas más altas para mirar a lo lejos, esforzándose por conseguir ver algún lejano atisbo del mar y las costas mágicas más allá de las sombras y los árboles.

»Ahora bien, en su mayoría, los niños no entraban con frecuencia en la casa, sino que bailaban y jugaban en el jardín, recogiendo flores o persiguiendo a las abejas doradas y a las mariposas de alas bordadas puestas allí por los Elfos para su alegría. Y muchos niños se hicieron allí camaradas, que después se encontraron y se amaron en las tierras de los Hombres, pero de tales cosas quizá los Hombres sepan más de lo que yo pueda decirte. Sin embargo, como te he dicho, también estaban allí aquellos que habían oído las flautas de los Solosimpi a lo lejos; también otros que, aventurándose más allá del jardín una vez más, llegaban a escuchar el canto de los Telelli en la colina; y aun algunos que, después de conseguir llegar a Kôr, regresaban a su casa con la mente y el corazón maravillados. De los neblinosos recuerdos de estos niños, de sus narraciones inconclusas y de sus fragmentos de canción nacieron muchas leyendas extrañas que deleitaron a los Hombres por largo tiempo y quizá los deleitan todavía; porque de ellos surgieron los poetas de las Grandes Tierras[7].

»Y cuando las hadas abandonaron Kôr, esa senda fue bloqueada para siempre con grandes rocas infranqueables, de modo que seguramente la cabaña permanece allí, vacía, y el jardín desnudo hasta el día de hoy, y así permanecerá hasta mucho después de la Partida cuando, si todo va bien, los caminos que atraviesan Arvalin y llegan hasta Valinor estarán atestados por los hijos y las hijas de los Hombres. Pero al ver que ningún niño iba ya allí en busca de gozo y deleite, el dolor y la opacidad se difundieron entre ellos, y los Hombres casi dejaron de creer y de pensar en la belleza de los Eldar y la gloria de los Valar, hasta que uno llegó de las Grandes Tierras y nos rogó dar alivio a la oscuridad.

»Sin embargo, ¡ay!, no hay camino seguro para los niños desde las Grandes Tierras hasta aquí, pero Meril-i-Turinqi prestó atención a su ruego y designó a Lindo, mi esposo, para trazar algún buen plan. Pues bien, Lindo y yo, Vairë, hemos tomado bajo nuestro cuidado a los niños: el resto de los que encontraron Kôr y se quedaron con los Eldar para siempre; de modo que levantamos con buena magia esta Cabaña del Juego Perdido; y aquí se atesoran y se ponen en práctica los viejos cantos, los viejos cuentos y la música élfica. De vez en cuando nuestros niños parten otra vez en busca de las Grandes Tierras, y acuden junto a los niños solitarios y les susurran al atardecer cuando van a acostarse temprano a la luz de la noche y de las llamas de las velas, o consuelan a los que lloran. Me han dicho que algunos atienden a las quejas de los que han sido castigados o reprendidos, y escuchan sus cuentos y fingen ponerse de parte de ellos, y éste me parece a mí un raro y feliz servicio.

»No obstante no todos los que enviamos fuera regresan, y esto nos causa una gran pena, pues no es porque les tengamos poco amor que los Eldar se hacen cargo de los hijos venidos de Kôr, sino más bien por consideración a los hogares de los Hombres; sin embargo en las Grandes Tierras, como bien sabes, hay hermosos lugares y adorables regiones de gran seducción, por lo que sólo obedeciendo a una gran necesidad arriesgamos a alguno de los niños que están con nosotros. Sin embargo, la gran mayoría regresa y nos cuentan muchas historias y muchas cosas tristes de sus viajes... y ahora te he dicho casi todo cuanto hay por decir de la Cabaña del Juego Perdido.

Dijo Eriol entonces: —Pues son éstas tristes noticias, aunque no obstante, es bueno escucharlas, y me recuerda ciertas palabras que mi padre me dijo en mi temprana infancia. Había una vieja tradición entre los de nuestro linaje, dijo, según la cual uno de los antepasados de nuestro padre habría hablado de una hermosa casa y unos jardines mágicos, de una ciudad maravillosa, y de una música llena de belleza y nostalgia... y estas cosas dijo que las había visto y escuchado de niño, aunque no me contó cómo y dónde. Eso sí, toda su vida fue un hombre de mente inquieta, como si tuviera dentro de sí un anhelo expresado a medias de cosas desconocidas; y se dice que murió entre las rocas de una costa solitaria una noche de tormenta (y además que la mayoría de sus hijos y los hijos de éstos también han sido gente de mente inquieta) y creo que ahora conozco la verdad del asunto.

Y Vairë dijo que era probable que alguien del linaje de Eriol hubiera encontrado las rocas de Eldamar en aquellos días.

NOTAS

1. *Gnomos:* el Segundo Linaje, los *Noldoli* (más tarde, *Noldor*). Para el uso de la palabra *Gnomos,* véase pág. 57; para la distinción lingüística que aquí se hace, véase la nota al final del capítulo.
2. Las «Grandes Tierras» son las tierras al este del Gran Mar. El término «Tierra Media» no se emplea nunca en los *Cuentos Perdidos,* y de hecho no aparece hasta los escritos de la década de 1930.
3. En ambos manuscritos a las palabras «de todos los Eldar» son proseguidas por: «porque más nobles no los había, puesto que ser de la sangre de los Eldar era equivalente y bastante»; pero esto fue tachado en el segundo manuscrito.
4. Originalmente se leía «la gran Tirion», que fue luego reemplazado por «la gran torre».
5. Esta oración desde «Pues esta noche tenemos» reemplazaba en el manuscrito original a un texto anterior: «¿tratará sobre Eärendel el Errante, quien es el único entre los hijos de los Hombres que sostiene verdadero trato con los Valar y los Elfos, quien es el único de entre las gentes de su linaje que ha visto más allá de Taniquetil, que incluso es aquel que navega eternamente por el firmamento?».
6. El texto original era «antes de los días de», que se cambió por «en los primeros días de» y finalmente por el texto que aquí se ofrece.
7. Esta última frase fue un añadido al segundo manuscrito.

Cambios hechos a los nombres que aparecen en
La Cabaña del Juego Perdido

Los nombres se encontraban en esta época en un estado sumamente fluido, lo que reflejaba en parte el rápido desarrollo de las lenguas que estaba teniendo lugar en aquellos momentos. Hubo cambios en el texto original y también otros en diferentes épocas al segundo texto, pero para las notas siguientes no parece necesario entrar en detalles de cuándo y dónde ocurrieron esos cambios. Los nombres se dan en el orden en que aparecen en el cuento. Se utilizan los signos > y < para designar «cambio a» y «proviene de».

Dor Faidwen   El nombre gnómico de Tol Eressëa fue cambiado muchas veces: *Gar Eglos* > *Dor Edloth* > *Dor Usgwen* > *Dor Uswen* > *Dor Faidwen*.

Mar Vanwa Tyaliéva   En el texto original se dejó un espacio en blanco para el nombre élfico, que se rellenó más tarde con *Mar Vanwa Taliéva*.

Grandes Tierras   A lo largo de todo el cuento es una corrección de *Tierras Exteriores*, después este último nombre designaría una ubicación distinta (tierras al oeste del Gran Mar).

Wingilot   < *Wingelot*.

Gar Lossion   < *Losgar*.

Koromas   < *Kormas*.

Meril-i-Turinqi   El primer texto dice sólo *Turinqi, al que se añade en una de las ocasiónes* un espacio en blanco destinado a un nombre personal.

Inwë   < *Ing* cada vez que aparece.

Inwithiel   > *Gim Githil*, que fue a su vez *Githil*.

Ingil   < *Ingilmo*.

Valwë   < *Manwë*   Parece posible que *Manwë* como nombre del padre de Lindo fuera un mero desliz.

Noldorin   Originalmente el texto era *Noldorin al que los Gnomos dan el nombre de Goldriel*; *Goldriel* se transformó en *Golthadriel*, y luego la referencia al nombre gnómico quedó eliminada, dejando sólo *Noldorin*.

Tulkastor   < *Tulkassë* < *Turenbor*.

Solosimpi   < *Solosimpë* cada vez que aparece.

Lindelos   < *Lindeloksë* < *Lindeloktë Racimo Cantante (Glingol)*.

Telelli   < *Telellë*.

Arvalin   < *Harmalin* < *Harwalin*.

Comentario sobre
La Cabaña del Juego Perdido

La historia de Eriol el marinero fue fundamental en la concepción original de la mitología de mi padre. En aquella época, como contó mucho después en una carta a su amigo Milton Waldman*, la intención primordial de la obra era satisfacer su deseo de contar con una literatura específica y distintivamente *inglesa* referida a "faerie" (el mundo de las hadas):

* *Cartas*, de J. R. R. Tolkien, ed. Humphrey Carpenter, 1981, pág. 144. La carta, casi con toda certeza, fue escrita en 1951.

Desde mis días más tempranos me afligió la pobreza de mi propio y amado país: no tenía historias propias (vinculadas con su lengua y su suelo), no de la calidad que yo buscaba y sí encontraba (como ingrediente) en leyendas de otras tierras. Las había griegas, célticas, en lenguas romances, germánicas, escandinavas y finlandesas (que me impactaron profundamente); pero nada inglés, salvo un empobrecido material barato.

En sus primeros escritos la mitología se enraizaba en la antigua historia legendaria de Inglaterra; y más aún, se asociaba particularmente con ciertos lugares del país.

Eriol mismo, pariente cercano de figuras legendarias del noroeste de Europa, llegó por fin al cabo de su viaje hacia el oeste a Tol Eressëa, la Isla Solitaria, donde habitaban los Elfos; y de ellos aprendió «Los Cuentos Perdidos de Elfinesse». Pero su papel debía ser al principio más importante en la estructura de la obra que (como llegó a resultar más tarde) simplemente el de un hombre de días futuros que llegó «al país de las Hadas» y adquirió allí conocimientos perdidos u ocultos, que dio a conocer después en su propia lengua: al principio Eriol iba a ser un elemento importante en el cuento de hadas mismo, el testigo de la ruina de la élfica Tol Eressëa. El elemento de historia inglesa antigua o «leyenda histórica» no iba a ser en un principio un mero marco aislado de los grandes cuentos que constituyeron después «El Silmarillion», sino una parte integral de su conclusión. El esclarecimiento de todo esto (en la medida en que esto sea posible) debe por fuerza posponerse hasta el final de los *Cuentos*; pero aquí cuando menos algo ha de decirse de la historia de Eriol hasta el momento de su llegada a Tol Eressëa y del sentido original de la Isla Solitaria.

La «historia de Eriol» se cuenta de hecho entre las cuestiones más intrincadas e inciertas de toda la historia de la Tierra Media y de Aman. Mi padre dejó los *Cuentos Perdidos antes de alcanzar su final,* y abandonó al mismo tiempo las ideas originales que tenía para concluirlos. Esas ideas pueden en verdad discernirse a partir de sus notas; pero éstas en su mayoría estaban escritas con lápiz a toda velocidad, ahora borrosas y desvanecidas y en algunos lugares indescifrables aun al cabo de un prolongado examen, escritas en tiritas de papel, desordenadas y sin fecha, o en un pequeño cuaderno en el que, mientras componía los *Cuentos Perdidos,* anotaba pensamientos y sugerencias. La forma común de estas notas sobre el elemento «Eriol» o «inglés» es la de breves esbozos, donde los rasgos narrativos sobresalientes, a menudo sin clara conexión entre sí, están apuntados a la manera de una lista; y varían de modo constante entre ellos.

De cualquier manera, entre los que deben considerarse los primeros de estos esbozos, que encontramos en este pequeño cuaderno, el
titulado «Historia de la vida de Eriol», el marinero que llegó a Tol
Eressëa, guarda relación con la tradición de la invasión de Gran Bretaña por parte de Hengest y Horsa en el siglo V d.C. Éste fue un asunto
al que mi padre dedicó mucho tiempo y reflexión; le dedicó una con-
ferencia en Oxford y desarrolló ciertas teorías originales, especialmente en conexión con la aparición de Hengest en el *Beowulf**.

Por medio de estas anotaciones nos enteramos de que el nombre
original de Eriol era *Ottor*, pero que se llamaba a sí mismo *Wáefre* (palabra que en inglés antiguo significa «inquieto», «errante») y que vivió
toda una vida sobre las aguas. Su padre se llamaba *Eoh* (palabra que en
el vocabulario poético del inglés antiguo significa «caballo»); y Eoh fue
muerto por su hermano *Beorn* (en inglés antiguo «guerrero», pero que
originalmente significaba «oso», así como su cognado *björn* en noruego
antiguo; cf. Beorn, el cambiapieles de *El hobbit*). Eoh y Beorn eran los
hijos de *Heden*, «el que vestía de cuero y piel», y el linaje de Heden
(como el de muchos héroes de las leyendas septentrionales) se remonta-
ba hasta el dios Wóden. En algunas notas más hay otras conexiones y
combinaciones, y dado que esta historia no se escribió nunca como una
narración coherente, estos nombres sólo tienen significado en tanto que
revelan la dirección de los pensamientos de mi padre en ese tiempo.

Ottor Wáefre se asentó en la isla de Heligoland, en el Mar del Norte, y se casó con una mujer llamada *Cwén* (en inglés antiguo «mujer»,
«esposa»); tuvieron dos hijos llamados «por su padre» *Hengest* y *Horsa*
«para vengar la muerte de Eoh» (*hengest* es otra palabra que en inglés
antiguo significa «caballo»).

La nostalgia por el mar invadió a Ottor Wáefre: era hijo de *Eärren-
del*, nacido bajo su rayo. Si un rayo de Eärendel cae sobre un niño recién nacido, éste se convierte en «hijo de Eärendel» y en un hombre
errante. (También en *La Cabaña del Juego Perdido* es llamado, tanto por
el autor como por Lindo, «hijo de Eärendel».) Después de la muerte
de Cwén, Ottor dejó a sus jóvenes hijos. Hengest y Horsa vengaron a
Eoh y se convirtieron en grandes jefes de tribu; pero Ottor Wáefre partió para buscar y encontrar Tol Eressëa, llamada aquí en inglés antiguo *se uncúpa holm*, «la isla desconocida».

Se nos cuentan varias cosas en esas notas sobre la estadía de Eriol en
Tol Eressëa que no aparecen en *El libro de los Cuentos Perdidos*, pero de
éstas sólo me es preciso referirme aquí a las afirmaciones de que «Eriol
adoptó el nombre de *Angol*» y de que fue llamado por los Gnomos

*   J. R. R. Tolkien: *Finn and Hengest*, ed. Alan Bliss, 1982.

(posteriormente los Noldor, véase abajo) *Angol* «por las regiones de su patria». Esto sin duda se refiere a las antiguas tierras de los «ingleses» antes de que migraran por el Mar del Norte hasta Gran Bretaña: en inglés antiguo *Angel, Angul,* en alemán moderno *Angeln,* la región de la península danesa entre el fiordo de Flensburg y el río de Schlei, al sur de la moderna frontera danesa. Desde la costa occidental de la península no hay una gran distancia hasta la isla de Heligoland.

En otro lugar se afirma que *Angol* es el equivalente gnómico de *Eriollo;* de esos nombres se dice que son los de «la región de la parte norte de las Grandes Tierras, "entre los mares", de las que vino Eriol». (Sobre estos nombres, véanse más detalles bajo *Eriol* en el Apéndice sobre los nombres).

Estas notas no representan en absoluto en todos sus aspectos la historia de Eriol tal y como mi padre la concebía cuando escribió *La Cabaña del Juego Perdido;* en todo caso se dice expresamente allí que *Eriol* significa «el que sueña solo», y que «cuáles fueron sus anteriores nombres no se cuenta en ningún sitio de la historia». Pero lo importante es que (de acuerdo con la opinión que me he formado en base a las primeras concepciones, aparentemente la mejor explicación posible de tan difícil evidencia) ésta era todavía la idea fundamental cuando fue escrita: *Eriol llegó a Tol Eressëa desde las tierras al este del Mar del Norte.* Eriol pertenece al período que precede a las invasiones anglosajonas de Gran Bretaña (tal como mi padre deseaba representarlo acorde a sus propósitos).

Más tarde el nombre se transformó en *Ælfwine* («Amigo de los Elfos»), el marinero se convirtió en un inglés del «período anglosajón» de la historia de Inglaterra, que navegó hacia el oeste por el mar hasta Tol Eressëa: navegó desde Inglaterra hacia el océano Atlántico, y de esta posterior concepción proviene la muy notable historia de *Ælfwine de Inglaterra,* que se ofrecerá al final de los *Cuentos Perdidos.* Pero en su idea más temprana no era un inglés de Inglaterra: Inglaterra en el sentido de "tierra de los ingleses" no existía todavía; porque el hecho fundamental (que se afirma claramente en las notas existentes) de esta concepción es que *la isla élfica a la que llegó Eriol era Inglaterra;* es decir, Tol Eressëa se convertiría en Inglaterra, la "tierra de los ingleses", al final de la historia. Koromas o Kortirion, la ciudad en el centro de Tol Eressëa a la que llega Eriol en *La Cabaña del Juego Perdido,* se convertiría en días posteriores en Warwick (y los elementos *Kor-* y *War-* estaban etimológicamente relacionados)*; Alalminórë, la Tierra de los Olmos,

* No es posible identificar la gran torre o *tirion* levantada por Ingil, hijo de Inwe, con la gran torre del castillo de Warwick, pero por lo menos hay certeza de que Koromas tenía una gran torre porque Warwick la tiene.

sería Warwickshire; y Tavrobel, donde Eriol permaneció durante un tiempo en Tol Eressëa, sería luego la aldea de Staffordshire de Great Haywood.

Nada de esto está explicitado en los *Cuentos* escritos, y sólo se encuentra en notas independientes; pero parece seguro que aún no estaba olvidado cuando se escribió *La Cabaña del Juego Perdido* (y sin duda, como trataré de mostrar más tarde, subyace en todos los *Cuentos*). La copia en limpio que hizo mi madre está fechada en febrero de 1917. Desde 1913 hasta su matrimonio en marzo de 1916 vivió en Warwick, y mi padre iba a visitarla allí desde Oxford; después de su matrimonio vivió por un tiempo en Great Haywood (al este de Stafford), pues estaba cerca del campamento donde estaba destinado mi padre, y después de que él regresara de Francia permaneció en Great Haywood durante el invierno de 1916-1917. Así pues, la identificación de la Tavrobel de Tol Eressëa con Great Haywood no puede ser anterior a 1916, y la copia en limpio de *La Cabaña del Juego Perdido* fue hecha allí concretamente.

En noviembre de 1915 mi padre escribió un poema titulado *Kortirion entre los árboles* que estaba dedicado a Warwick*. A la primera copia en limpio del poema agregó una introducción en prosa en la que se dice:

> Ahora bien, hubo un tiempo en que las hadas vivieron en la Isla Solitaria después de las grandes guerras libradas contra Melko y la ruina de Gondolin; y levantaron una hermosa ciudad en el centro de esa isla, y estaba rodeada de árboles. Pues bien, a esta ciudad la llamaron Kortirion, tanto en memoria de su antigua morada de Kôr, en Valinor, como porque también se elevaba sobre una colina y tenía una gran torre, alta y gris, que su señor Ingil, hijo de Inwë, hizo construir.
>
> Muy hermosa era Kortirion, y las hadas la amaban, y se hizo rica en canto, y en poesía, y en claridad de las risas, pero en un cierto momento ocurrió la Gran Partida, y las hadas habrían reencendido de nuevo el Sol Mágico de Valinor si no hubiera sido por la traición y el corazón débil de los Hombres. Pero de tal modo sucedieron las cosas que el Sol Mágico ha muerto, y la Isla Solitaria fue devuelta a los confines de las Grandes Tierras, y las hadas se han esparcido por todos los vastos caminos inhóspitos del mundo;

---

* Se ofrecen tres textos diferentes de este poema. Un poema escrito en Étaples en el Pas de Calais en junio de 1916 y titulado «La Isla Solitaria» se refiere de una manera explícita a Inglaterra. Véase *Cartas*, nota 4 a la carta 43.

y ahora los hombres moran aún en esta isla perdida, y no les preocupan los días de antaño, ni nada saben de ellos. Sin embargo, hay todavía algunos Eldar y Noldoli* de otro tiempo que se han quedado en la isla, y aún se escuchan sus cantos sobre las costas de la tierra que una vez fue la más bella morada del pueblo inmortal.

Y les parece a las hadas y me parece a mí, que conozco esa ciudad y he andado a menudo por sus caminos desfigurados, que el otoño y la caída de las hojas es la estación del año donde quizá aquí y allá el corazón de algún hombre pueda abrirse, y alguna mirada perciba cómo ha decaído el estado del mundo desde la altura de la risa y la belleza de antaño. Pensad en Kortirion y entristeceos y, sin embargo... ¿no queda ninguna esperanza?

Tanto aquí como en *La Cabaña del Juego Perdido* se alude a acontecimientos que estaban aún en el futuro cuando Eriol llegó a Tol Eressëa; y aunque para conocer la exposición y comentario de estos acontecimientos debamos esperar todavía hasta el final de los Cuentos, es necesario explicar aquí que «La Partida» fue una gran expedición emprendida desde Tol Eressëa para rescatar a los Elfos que aún andaban errantes por las Grandes Tierras; cf. en palabras de Lindo: «hasta que llegue la hora de partir en busca de las familias perdidas de nuestra estirpe». En ese tiempo y con ayuda de Ulmo Tol Eressëa fue arrancada del fondo del mar y arrastrada cerca de las costas occidentales de las Grandes Tierras. En la batalla que sucedió a estos hechos los Elfos fueron derrotados y huyeron a esconderse en Tol Eressëa; los Hombres entraron en la isla y así empezó la decadencia de los Elfos. La historia subsiguiente de Tol Eressëa es la historia de Inglaterra; y Warwick es una «Kortirion desfigurada», ella misma un recuerdo del antiguo Kôr (la posterior Tirion sobre Túna, ciudad de los Elfos en Aman; en los *Cuentos Perdidos* el nombre Kôr se emplea tanto para designar la ciudad como la colina).

Inwë, al que en *La Cabaña del Juego Perdido* llaman «el rey de los Eldar cuando vivían en Kôr», es el precursor de Ingwë, Rey de los Elfos Vanyar en *El Silmarillion*. En una historia que le relatan más tarde a Eriol en Tol Eressëa, reaparece Inwë como uno de los tres primeros Elfos que fueron a Valinor después del Despertar, como lo fue Ingwë en *El Silmarillion*; sus parientes y descendientes fueron los *Inwir*, entre los cuales se encuentra Meril-i-Turinqi, la Señora de Tol Eressëa. Las referencias de Lindo a Inwë escuchando «los lamentos del mundo» (esto es, de las Grandes Tierras) y a su liderazgo de los Elfos en su viaje

---

* Para la distinción entre *Eldar* y *Noldoli*, véase *La Música de los Ainur*.

a las tierras de los Hombres son el germen de la historia de la llegada
de las Huestes del Oeste que atacarían Thangorodrim: «El ejército de
los Valar se preparaba para la batalla; y tras sus estandartes blancos
marchaban los Vanyar, el pueblo de Ingwë...» *(El Silmarillion)*. Más tarde Meril-i-Turinqi le dice a Eriol en los *Cuentos* que Inwë era «el de
más edad entre los Elfos», y que «aún viviría en majestad si no hubiera
perecido en esa marcha en dirección al mundo; pero su hijo Ingil»
había vuelto hacía «mucho tiempo a Valinor y está allí con Manwë».
En cambio, en *El Silmarillion* se dice de Ingwë que «Entró en Valinor
[en el comienzo de los días de los Elfos] y se sienta a los pies de los
Poderes; y todos los Elfos reverencian el nombre de Ingwë, pero nunca regresó ni volvió a ver la Tierra Media».

Las palabras de Lindo sobre la estancia de Ingil en Tol Eressëa «al
cabo de muchos días» y la interpretación del nombre de la ciudad de
Koromas como «el Reposo de los Exiliados de Kôr», se refieren al regreso de los Eldar desde las Grandes Tierras después de la guerra de-
clarada contra Melko (Melkor, Morgoth) para liberar a los Noldoli
esclavizados. Sus palabras sobre su padre Valwë «quien fue con Noldorin al encuentro de los Gnomos» se refieren a un elemento en la
historia de la expedición emprendida desde Kôr*.

Es, pues, importante entender que (si mi interpretación general
es correcta) en *La Cabaña del Juego Perdido* Eriol llega a Tol Eressëa *después* de la Caída de Gondolin y la marcha de los Elfos de Kôr sobre las
Grandes Tierras para derrotar a Melko, cuando los Elfos que habían
intervenido en ella habían vuelto por mar para vivir en Tol Eressëa;
pero *antes del tiempo* de la Partida y el traslado de Tol Eressëa a la posición geográfica de Inglaterra. Este último elemento pronto desapare-
cería por completo de la mitología en desarrollo.

★

Es preciso apuntar que la lectura de otros escritos de mi padre arroja
muy poca luz sobre la «Cabaña» misma, pues la concepción completa
de los Hijos que habían ido a Valinor iba a ser abandonada casi sin dejar huella. Sin embargo, más tarde en los *Cuentos Perdidos* hay otra vez
referencias a Olórë Mallë. Después de la descripción del Ocultamiento de Valinor, se dice que por petición de Manwë (que contemplaba
con dolor el acontecimiento), los Valar Oromë y Lórien concibieron

---

* Cuando se llegue a la historia de Eärendel al final de los *Cuentos*, se arro-
jará cierta luz sobre las referencias de Lindo al tañido del Gong en los Mares
Sombríos y el Durmiente en la Torre de Perla.

extraños caminos desde las Grandes Tierras hasta Valinor, y el camino concebido por Lórien fue Olórë Mallë, la Senda de los Sueños; por esta ruta, cuando los «Hombres acababan apenas de despertar en la tierra», «los hijos de los padres de los padres de los Hombres» iban a Valinor en sueños. Hay otras dos menciones posteriores en los cuentos que se analizarán en la Segunda Parte: la narradora del *Cuento de Tinúviel* (una hija de Mar Vanwa Tyaliéva) dice que había visto a Tinúviel y a su madre con sus propios ojos «cuando viajaba por el Camino de los Sueños en tiempos ya largamente pasados», y el narrador del *Cuento de Turambar* dice que había «recorrido Olórë Mallë en días que precedieron a la caída de Gondolin».

Hay también un poema sobre el tema de la Cabaña del Juego Perdido, que conserva muchos de los detalles de la descripción del texto en prosa. Este poema, de acuerdo con las notas de mi padre, fue compuesto en el 59 de St. John's Street en Oxford, donde vivía cuando aún no se había graduado, el 27-28 de abril de 1915 (a los 23 años). Existe (como constantemente sucede en el caso de los poemas) en varias versiones, cada una de ellas con detalles que difieren de la anterior; y el final fue reescrito por completo dos veces. Lo ofrezco aquí ante primero en su versión más temprana, y se da cuenta de los cambios mediante notas al pie de página; proseguido por la versión final, cuya fecha no puede determinarse con certidumbre. Sospecho que fue muy posterior; y pudo haber sido en verdad una de las revisiones de poemas en las que se empeñó mientras preparaba el poemario *Las aventuras de Tom Bombadil* (1962), aunque no hay ninguna mención en la correspondencia de mi padre sobre el tema.

El título original era *Tú y yo / y la Cabaña del Juego Perdido* (con una traducción al inglés antiguo *Þaet húsincel ǣrran gamenes*), que fue transformado en *Mar Vanwa Tyaliéva, La Cabaña del Juego Perdido*; en la versión final es *La Casita del Juego Perdido: Mar Vanwa Tyaliéva*. El sangrado de los versos es el de los textos originales.

Tú y yo
y la Cabaña del Juego Perdido

Tú y yo... conocemos esa tierra
y a menudo hemos estado allí
en los largos días de antaño, los viejos días de la infancia,
una niña morena y un niño rubio.
5   ¿Fue por caminos de los sueños luminosos,
en el invierno blanco y helado,

o en las horas de los crepúsculos azules
de camas prontamente arropadas,
en la noche adormecida del verano,
10   cuando Tú y Yo nos perdimos en el Sueño
y allí nos encontramos...
tu pelo negro sobre el camisón blanco
y el mío rubio enmarañado?

Erramos tímidos tomados de la mano,
15   o retozamos en la arena de las hadas
y en cubos recogimos perlas y caracolas,
mientras que alrededor los ruiseñores
cantaban en los árboles.
Cavamos buscando plata con nuestras palas
20   junto a centelleantes y pequeños mares interiores,
y corrimos luego tierra adentro por prados somnolientos
y por una cálida senda retorcida
que nunca volvimos a encontrar
entre los altos árboles susurrantes.

25   No era el aire nocturno ni diurno,
sino ligeramente oscuro con la más leve luz,
cuando por vez primera se hizo visible
la Cabaña del Juego Perdido.
Era de construcción muy antigua
30   blanca y techada con paja de oro,
y horadada de celosías atentas
que miraban hacia el mar;
y nuestros propios jardines de la infancia
estaban allí... nuestros propios nomeolvides,
35   margaritas rojas, berros, mostaza,
y un nemophilë azul.
¡Oh! En todos los parterres guarnecidos de boj
brotaban las flores preferidas... el flox,
la consuelda, la clavellina y la malva real
40   bajo un espino rojo:
y todos los senderos estaban llenos de formas,
de formas vestidas de blanco que jugaban felices,
y con ellas Tú y Yo.
Y algunas tenían regaderas de plata
45   y mojaban con ellas todas sus ropas,
o se salpicaban entre ellas; algunas trazaban planos

para construir sus casas, ciudades feéricas
    o viviendas en los árboles;
y algunas trepaban al techo;
50   y arriba canturreaban solitarias y distantes;
y algunas bailaban en corros de hadas
    y tejían coronas de perladas margaritas,
    o cazaban dorados abejorros;
pero aquí y allá una parejita
55   de mejillas rosadas y pelo enmarañado
    debatían extraños asuntos, infantiles y antiguos...*
    y nosotros éramos una de ellas.
¿Y por qué llegó Mañana
    y con su mano gris nos llevó de vuelta;
60   y por qué no encontramos nunca la misma
    antigua cabaña o el mágico sendero
    que avanza sobre un mar de plata
y esas antiguas costas y jardines hermosos
    donde están esas cosas que fueron una vez...?
65   No lo sabemos, ni Tú ni Yo*.

Ésta es la versión final del poema:

La Casita del Juego Perdido
Mar Vanwa Tyaliéva

Una vez conocimos esa tierra, Tú y Yo,
    y una vez llegamos allí
en los largos días hace ya tiempo transcurridos,
    una niña morena y un niño rubio.
5   ¿Fue en los senderos del pensamiento luminoso
    en el invierno frío y blanco,
o en las horas azules del crepúsculo
    de camas prontamente arropadas,
        en la noche adormecida del verano,
10   Cuando Tú y Yo nos perdimos en el Sueño
    para encontrarnos allí,
tú con el pelo negro sobre el camisón blanco
y yo con el mío rubio enmarañado?

*   No lo sabemos, Tú y Yo.

Erramos tímidos cogidos de la mano,
15   dejamos pequeñas huellas en la arena dorada,
y en cubos recogimos perlas y caracolas,
mientras alrededor los ruiseñores
     cantaban en los árboles.
Cavamos buscando plata con nuestras palas
20   y de soslayo veíamos el resplandor del mar,
luego corrimos tierra adentro a claros iluminados de verde,
y encontramos la cálida senda retorcida
que ya no podremos volver a encontrar
     entre altos árboles susurrantes.

25   El aire no era nocturno ni diurno,
sino una luz de eterno atardecer,
cuando por primera vez se iluminó ante nuestra vista
     la Casita del Juego.
Recién construida estaba, aunque era muy antigua,
30   blanca y techada con paja de oro,
     y horadada de celosías atentas
          que miraban hacia el mar;
y nuestros propios jardines de la infancia
     estaban allí: nuestros propios nomeolvides,
35   margaritas rojas, berros y mostaza,
     y rábanos para el té.
Allí todos los parterres, guarnecidos de boj,
estaban repletos de las flores preferidas, de flox,
de altramuces, clavellinas y malva real
40   bajo un espino rojo;
y todos los jardines repletos de criaturas
que en su propia lengua de pequeños hablaban,
     pero no a Ti ni tampoco a Mí.
Porque algunas tenían regaderas de plata
45   y regaban todas sus ropas,
o se salpicaban entre sí; algunas trazaban planos
para construir sus casas, sus pequeñas ciudades
     y viviendas en los árboles,
y algunas trepaban al techo
50   y arriba canturreaban solitarias y distantes;
algunas bailaban en círculos de hadas
coronadas con guirnaldas de margaritas,
     mientras otros, de rodillas
ante un pequeño rey de vestidos blancos

55 coronado de caléndulas cantaban
   sus versos de antaño.
   Pero una pequeña pareja
   con las cabezas juntas, los cabellos mezclados,
   iban juntos de un lado a otro
60 todavía de la mano; y lo que decían,
   antes que el Despertar los separara,
   eso sólo ahora nosotros lo sabemos.

Es digno de destacar que el poema se titulase *La Cabaña* o *La Casita del Juego Perdido* cuando lo que se describe es la Cabaña de los Niños de Valinor, cerca de la ciudad de Kôr; aunque ésta era, de acuerdo con Vairë, «la Cabaña del Juego del Sueño, y no del Juego Perdido como se dijo erróneamente entre los Hombres».

No intentaré hacer ningún análisis, ni dilucidar las ideas representadas en la «Cabaña de los Niños». El lector, sea como sea como lo interprete, no necesitará de mi ayuda para percibir por sí mismo las emociones personales y particulares en las que todo estaba todavía anclado.

Como he dicho ya, la idea del viaje en sueños de los niños mortales a los jardines de Valinor pronto sería abandonada por completo, y ya no habría sitio para ella en la mitología que se desarrolló después; aun menos para la idea de que en algún futuro posible «los caminos que a través de Arvalin llegan a Valinor se llenarán de los hijos y las hijas de los Hombres».

De igual modo, la pequeñez «élfica» no tardó en desaparecer. La idea de la Cabaña de los Niños existía ya en 1915, como lo muestra el poema *Tú y Yo*; y fue en el mismo año, en los mismos días de abril a decir verdad, que se escribió *Goblin Feet* [Pies de trasgo] (o *Cumaþ þá Nihtielfas*) sobre el que mi padre diría en 1917: «Ojalá esa desdichada cosilla, que representa todo lo que llegué a detestar fervientemente (tan poco tiempo después) pudiera ser enterrada para siempre»*. Sin embargo, es preciso observar que en las primeras notas se dice que los Elfos y los Hombres «eran de un mismo tamaño» en tiempos primitivos, y la pequeñez (y la tenuidad y la transparencia) de las "hadas" era una seña de su "debilitamiento", relacionado directamente con el dominio de los Hombres en las Grandes Tierras. Volveré más adelan-

---

* Se le había pedido autorización para incluir el poema en una antología, tal como había sucedido varias veces con anterioridad. Véase la *Biografía* de Humphrey Carpenter, donde aparece (una parte solamente de) el *poema*, y también su bibliografía *ibid.* (año 1915).

te sobre esta cuestión. Si se tiene esto en cuenta, la pequeñez de la Cabaña es muy rara, dado que parece ser peculiarmente pequeña para sus propios estándares: Eriol, que viaja durante muchos días por Tol Eressëa, se asombra de que la morada pueda dar cabida a tantos, y se le dice que todo el que entre en ella ha de ser o ha de hacerse muy pequeño. Pero Tol Eressëa es una isla habitada por Elfos.

Presentaré ahora tres textos del poema *Kortirion entre los Árboles* (más tarde *Los Árboles de Kortirion*). Los primeros borradores del poema (noviembre de 1915)* subsisten aún, y hay muchos otros textos posteriores. Se ha citado ya la introducción en prosa a la primera versión. Se elaboró una revisión importante en 1937, y otra mucho más tarde; por este tiempo era ya casi un poema diferente. Puesto que mi padre se lo envió a Rayner Unwin en febrero de 1962 como posible candidato a ser incluido en *Las aventuras de Tom Bombadil*, parece virtualmente seguro que la versión final es de ese entonces**.

Ofrezco el poema primero en la forma que tuvo antes de 1937, cuando sólo había hecho unos pocos cambios. En una de las copias más antiguas su título está escrito en inglés antiguo: *Cor Tirion þaéra bǽma on middes*, y está «dedicado a Warwick»; pero en otra versión el segundo título está escrito en élfico (la segunda palabra no es del todo legible): *Narquelion la ... tu y aldalin Kortirionwen* (esto es, «El otoño [entre] los árboles de Kortirion»).

Kortirion entre los árboles

Las primeras estrofas

Oh, ciudad menguante sobre una pequeña colina,
   los viejos recuerdos se desvanecen en tus antiguas puertas,
el vestido es gris ahora, tu viejo corazón casi está inmóvil;
   sólo el ceñudo castillo espera siempre
5 y medita sobre cómo el Agua Deslizante
   y deja estos reinos de tierra adentro entre los álamos altos,

---

* De acuerdo con las notas de mi padre, la composición original data del 21-28 de noviembre de 1915, y fue escrita en Warwick durante «una licencia de una semana que me fue concedida en el campamento». Esto no es del todo exacto, pues sobreviven cartas dirigidas a mi madre que fueron escritas desde el mismo campamento el 25 y el 26 de noviembre, y en la segunda dice que ha «escrito una copia a lápiz de "Kortirion"».

** En su carta mi padre decía: «*Los Árboles* es demasiado largo y ambicioso, y aun si se lo considerara lo bastante bueno, haría que el barco volcase».

y resbala cruzando largos prados hacia el mar del oeste,
aún descendiendo en sonoras cascadas,
    llevándose consigo un año tras otro hacia el mar;
10 y lentamente hacia allí muchos años han transcurrido
desde que las hadas levantaron Kortirion.

Oh, ciudad repleta de torres sobre una colina ventosa
    de callejuelas que serpentean de pronto a la sombra de los muros
(donde aun ahora los pavos reales acostumbran a pasear señoriales,
15 majestuosos, color de zafiro y esmeralda)
mira esa campiña amplia que la ciñe
iluminada por el sol, regada por una lluvia de plata,
ricamente poblada por espesos bosques con un millar de árboles
                                                              [susurrantes
que arrojaron largas sombras en muchos mediodías ya pasados,
20 y murmuraron muchos siglos en la brisa.
Eres la ciudad de la Tierra de los Olmos,
Alalminorë en los Reinos de Faery.

¡Canta sobre tus árboles, vieja, vieja Kortirion!
Tus robles, y tus arces tocados de borlas,
25 tus álamos cantores; y los espléndidos tejos
que coronan tus muros antiguos y rumian
    sobre la sombría grandeza el día entero...
hasta que el brillo de las primeras estrellas
se entrelaza pálido entre sus sombrías barras;
30 hasta que los siete candiles de la Osa de Plata
se mecen lentamente en sus cabellos velados
    y como una diadema adornan al día caído.
¡Oh, torre y ciudadela del mundo!
Cuando el orgulloso verano se despliega
35 hay más música en tus olmos...
un sonido que, acumulado, supera
    a todas las voces de los otros árboles.
Canta sobre tus olmos, amada Kortirion,
    sobre cómo el verano hincha del todo sus velas,
40 como mástiles frondosos de lozanas naves,
    una flota de galeones que orgullosa surca
    largos y luminosos mares iluminados por el sol.

Las segundas estrofas

Eres la más íntima provincia de la desvaneciente isla
donde aún se demoran las Compañías Solitarias.
45 Serenas, sin desmayo, desfilan a veces lentamente
por tus caminos con plañideras armonías:
las benditas hadas y los elfos inmortales
que bailan entre los árboles y cantan
una nostálgica canción de lo que fue y que aún podría ser.
50 Pasan y se desvanecen en una brisa repentina,
una ola de briznas reverentes... y olvidamos
sus voces tiernas como las campanillas movidas por el viento
de las flores, sus cabellos relucientes como asfódelos de oro.

La primavera aún tiene alegría: tu primavera es siempre hermosa
55   entre los árboles; pero el verano, adormilado junto a tus arroyos
ya se inclina a escuchar al flautista secreto
más allá de la maraña de sus sueños boscosos
la larga y aguda melodía que las campanillas
cantan aún asintiendo en un círculo de circones rojos
60   sobre los muros del castillo;
ya se inclina a escuchar el claro hechizo frío
ascendiendo por sus senderos soleados y perfumados salones,
una triste y mágica nota fantasmal,
una remota brizna de cristal de plata.

65 Entonces todos tus árboles, vieja ciudad sobre un páramo ventoso,
sueltan un largo suspiro triste y se lamentan;
pues se van las horas de vívidos colores, tus noches encantadas
en que revoloteantes polillas fantasma bailan como satélites
alrededor de las candelas en el aire inmóvil;
70 y ya están condenados los amaneceres radiantes
los dedos del sol llueven sobre las largas campiñas;
el olor y el sonido adormilado de los prados,
cuando todas las acederas, flores y hierbas emplumadas,
caen ante la hoja del segador.
75 Octubre, triste y extraño, viste sus aulagas cubiertas de rocío
de redes finas de telarañas salpicadas de oro,
y el olmo de ancha sombra empieza a vacilar;
las fúnebres multitudes de hojas palidecen
al ver a la distancia las heladas tijeras
80   del invierno, y sus lanzas de punta azul
que avanzan invencibles hacia el sol
del día brillante de Todos los Santos. Y entonces les llega la hora,

y débilmente sostenidas por alas de ámbar pálido
golpean los amplios aires del valle agonizante
85   y vuelan como pájaros sobre mares neblinosos.

Las terceras estrofas

Sin embargo, esta estación es a mi corazón la más cara,
la que más se concierta con la menguada ciudad,
con nostalgias de espléndidas pompas que ahora se desvanecen
en dulces sonidos de tristeza cuyo eco resuena
90   bajando por los caminos de las nieblas errantes. Oh, tiempo gentil
en que las mañanas tardías se enjoyan de escarcha,
y las sombras azules se arreciman en los bosques distantes.
Las hadas conocen tus tempranos crepúsculos de cristal
y en secreto se ponen sus capuchas de penumbra,
95   grises y de suave púrpura, y largas bandas
de helada luz estelar cosidas por manos argentinas.

Conocen la estación de la noche brillante,
cuando el pálido encaje de los olmos desnudos
envuelve las Pléyades, y los álamos de largos brazos recortan la luz
100   de las lunas de rostro glorioso orladas de oro.
Oh, hadas menguantes y muy solitarios elfos
cantad, pues, cantad para vosotros mismos
un canto tejido de estrellas y de hojas relucientes;
girad luego con los vientos de alas de zafiro;
105   tañed luego la flauta y clamad con el corazón doliente
a los hombres graves: «¡Recordad lo que ya se ha ido...
el sol mágico que iluminó Kortirion!».

Ahora tus árboles, vieja, vieja Kortirion,
se elevan entre nieblas mortecinas y palidecen,
110   como bajeles que flotan vagamente a lo lejos
por mares opalinos más allá de la línea sombría
de neblinosos puertos abandonados:
y dejan atrás para siempre bahías pobladas
donde las tripulaciones se reunieron en fiestas
115   largas y de señoril complacencia, ahora como fantasmas de viento
son arrastrados por aires lentos a costas vacías,
y de allí, brillando tenues, son tristemente transportados
a través de un océano donde no se ancla el olvido.
Desnudos han quedado tus árboles, Kortirion,

120   y toda su gloria veraniega ha partido pronto.
    Las siete candelas de la Osa de Plata
    son hoy de un cerúleo resplandor maravilloso
    que flamea por sobre el año en decadencia.
    Aunque estén frías tus ventosas plazas y tus vacías calles;
125   aunque rara vez bailen los elfos en tus pálidos retiros
    (salvo en alguna rara noche iluminada por la luz de la luna,
    un relampagueo, un susurrante atisbo de blanco),
    nunca querría abandonarte.

La última estrofa

    No me es preciso conocer el desierto o los palacios rojos
130   donde vive el sol, los grandes mares o las islas mágicas,
    los pinares densos sobre las terrazas de las montañas;
    ni quedamente llamando desde ventosas lejanías
    me toca el corazón ninguna campana distante de las que suenan
    en las populosas ciudades de los Reyes Terrenos.
135   Encuentro aquí un evocador mensaje siempre cercano
    en medio de la Tierra de los Olmos marchitos
    (Alalmínórë en los Reinos de Faery);
    aquí girando lentamente en un dulce lamento
    se demoran las benditas hadas y los elfos inmortales
140   entonando para sí un canto de desmayado anhelo.

★

Doy a continuación el texto del poema tal y como mi padre lo reescribió en 1937, en la última de las formas ligeramente variadas.

Kortirion entre los árboles

I

    Oh, ciudad menguante sobre una colina de tierra adentro,
    viejas sombras se demoran en tu antigua puerta,
    tu vestido es gris, tu viejo corazón está ahora quieto;
    tus torres silenciosas en la niebla aguardan
5   su derrumbe final, mientras entre los altos olmos
    el Agua Deslizante deja estos reinos de tierra adentro,
    y resbala cruzando prados hacia el Mar,

aún descendiendo en sonoras cascadas
llevándose consigo un día tras otro hasta el Mar;
10   y lentamente hacia allí muchos años han transcurrido,
desde que los primeros Elfos levantaron aquí Kortirion.

Oh, ciudad en lo alto de tu ventosa colina
   de calles serpenteantes y callejas a la sombra de los muros
donde ahora pavos reales acostumbran a pasear señoriales,
15   majestuosos, de color zafiro y esmeralda;
en la cintura de esta tierra dormida;
donde cae la lluvia plateada, y se alza resplandeciente
   el ejército sonoro de los viejos árboles de profunda raíz
que arrojaron largas sombras en muchos mediodías ya pasados,
20   y murmuraron muchos siglos en la brisa;
eres la ciudad de la Tierra de los Olmos,
Alalminórë en los Reinos de Faery.

Canta de nuevo sobre tus árboles, Kortirion:
el haya sobre la colina, el sauce en el humedal,
25   los lluviosos álamos y los ceñudos tejos
dentro de tus antiguos patios que rumian
   con grave esplendor el día entero;
hasta que el brillo de las primeras estrellas
llega centelleando a través de sus sombrías barras,
30   y la blanca luna que asciende en el cielo
contempla allá abajo los fantasmas de los árboles que mueren
   lentamente y en silencio, día tras día.
Oh, Isla Solitaria, aquí estaba tu ciudadela
antes de que cayera de su fortaleza el orgulloso verano.
35   Entonces llenos de música estaban tus olmos:
verde era su armadura, verdes sus yelmos,
   los Señores y Reyes de todos tus árboles.
Canta, pues, sobre los olmos, renombrada Kortirion,
que en verano hinchan del todo sus velas
40   y se levantan como mástiles frondosos de lozanas naves,
una flota de galeones que orgullosa surca
   los mares iluminados por el sol.

II

Eres la más íntima provincia de la desvaneciente isla,

donde aún se demoran las Compañías Solitarias;
45   serenas, sin desmayo, aquí desfilan lentamente
por tus senderos con solemnes armonías;
benditas gentes de los días de antaño,
Elfos inmortales que, cantando con misterio y belleza
de cosas desvanecidas que una vez fueron y aún podrían ser,
50   pasan como el viento entre los árboles susurrantes,
una ola de briznas reverentes, y olvidamos
sus voces tiernas como las campanillas movidas por el viento
de las flores, sus cabellos relucientes como asfódelos de oro.

Una vez llegaba la primavera había alegría, y todo era bello
55   entre los árboles; pero el verano, adormilado junto al arroyo
escuchó con corazón tembloroso al músico secreto
que tañía la flauta más allá de la maraña de su sueño boscoso,
la larga melodía hecha de voces de elfos
previendo al invierno a través de la pradera de hojarasca;
60   las flores tardías que asienten sobre arruinados muros,
irguiéndose oyeron a lo lejos la flauta hechizadora
más allá de los pasillos soleados y las salas sostenidas por árboles;
pues delgada y clara y fría era la nota,
una remota brizna de cristal de plata.

65   Entonces todos tus árboles, Kortirion, se inclinaron,
y se estremecieron con súbito y susurrado lamento:
Porque los días pasaban y las noches quedaban condenadas
mientras revoloteantes polillas fantasma bailaban como satélites
alrededor de las candelas en el aire inmóvil.
70   Y ya están condenados los amaneceres radiantes,
los dedos del sol tendidos sobre las campiñas;
el olor y el adormilado sonido de los prados,
donde todas las acederas, flores y hierbas emplumadas
caen ante la hoja del segador.
75   Cuando el fresco octubre viste sus aulagas cubiertas de rocío
de redes finas de telarañas salpicadas de oro,
entonces los olmos de ancha sombra empezaron a vacilar;
palideció su luctuosa multitud de las hojas,
al ver a la distancia las heladas lanzas
80   del invierno marchando azules por detrás del sol
del día brillante de Todos los Santos. Entonces les llegó la hora
y débilmente sostenidas por alas de ámbar pálido
golpearon los amplios aires del valle agonizante

y volaron como pájaros sobre mares neblinosos.

III

85 Ésta es la estación más cara al corazón,
    el tiempo que mejor se concierta a la antigua ciudad,
con desmayadas músicas dulces que lentamente parten
por sendas serpenteantes de nieblas encalladas
en las que resuena el eco de la tristeza. ¡Oh, tiempo gentil,
90 en que las mañanas tardías se cubren de gemas de escarcha,
    y las sombras tempranas abrazan los bosques distantes!
Los Elfos pasan en silencio, su cabello radiante
    escondido en el crepúsculo de las capuchas secretas
    grises y de suave púrpura, y largas bandas
95 de helada luz estelar cosidas por manos argentinas.
Y a menudo bailan bajo el cielo abierto,
    cuando los olmos desnudos envuelven con enramado encaje
las Siete Estrellas, y el ojo advierte entre las ramas
el resplandor de oro en la cara redonda de la luna.
100 Oh, benditos Elfos y bello pueblo inmortal,
cantáis entonces viejos cantos que otrora despertaron
    bajo las estrellas primordiales antes del alba;
giráis entonces bailando con el viento que se arremolina,
    como una vez bailasteis en el prado reluciente
105 del Hogar de los Elfos, antes de que existiéramos, antes
de que cruzarais los anchos mares hasta esta costa mortal.

Ahora se ven tus árboles, vieja Kortirion encanecida
a través de pálidas nieblas irguiéndose altos y mortecinos.
Como bajeles que flotan vagamente a lo lejos
110 por mares opalinos más allá de la línea sombría
    de neblinosos puertos abandonados;
y dejan atrás para siempre bahías sonoras
donde las tripulaciones se reunieron en fiestas
de orgullosa y señoril complacencia, y ahora como fantasmas de
                                        [aire
115 son llevados por aires lentos hasta las costas ventosas,
    y allí, brillando tenues, so tristemente transportados por la
                                        [marea.
Desnudos han quedado tus árboles, Kortirion;
los vestidos gastados han desaparecido de sus huesos.

Las siete velas de la Osa de Plata
120   cual candelas encendidas de una veleta oscurecida
     lucen ahora por sobre el año en decadencia.
     Aunque el patio y la calle yazgan ahora helados y desiertos
     y rara vez los Elfos bailen bajo el cielo marchito,
     hay sin embargo bajo la luna un sonido
125   de música aún sepultada bajo la tierra,
       cuando llegue el invierno, aquí es donde querría encontrarla

     No iría en busca del desierto o los palacios rojos
       donde reina el sol, ni navegaría a islas mágicas,
     ni treparía a las terrazas de piedra de las montañas canas;
130   ni quedamente doblando sobre ventosas lejanías
     llama a mi corazón ninguna campana de las que suenan
     en las populosas ciudades de los Reyes Terrenos.
     Porque aquí están el sosiego y el profundo contento,
     aunque la tristeza ronde la Tierra de los Olmos marchitos
135   (Alalminórë en los Reinos de Faery);
      y haciendo música acallada en un lamento dulce
     aquí viven los Elfos benditos e inmortales,
     y en las piedras y en los árboles reside un hechizo.

★

Ofrezco por último el poema definitivo en la segunda de dos versiones
que difieren ligeramente; fue compuesto (según creo) casi medio siglo después del primero.

Los árboles de Kortirion

I

Alalminórë

Oh, antigua ciudad sobre una colina juramentada
   Viejas sombras se demoran en tus puertas rotas,
tus piedras son grises, tus viejas salas están ahora calladas,
   tus torres silenciosas en la niebla aguardan
5   su derrumbe final, mientras entre los altos olmos
   el Agua Deslizante deja estos reinos interiores

y resbala cruzando largos prados hacia el Mar,
aún descendiendo en diques y murmurantes cascadas
llevándose consigo un día tras otro hasta el Mar;
10   y lentamente hacia allí muchos días han transcurrido
desde que los primeros Edain levantaran Kortirion.

¡Kortirion! Sobre la isla de tu colina
    de calles serpenteantes y callejas de muros de sombra
donde aun ahora los pavos reales acostumbran a pasear
15   majestuosos, de color zafiro y esmeralda,
una vez tiempo atrás en esta tierra dormida
de lluvia de plata, donde todavía se levantan en esta tierra que
                                    [no olvida
    cargados de años los árboles de profundas raíces
que arrojaron largas sombras en pasados mediodías,
20   y susurraron en la brisa que pasaba veloz
una vez hace mucho tiempo, Reina de la Tierra de los Olmos,
Alta Ciudad fuiste de los Reinos de Tierra Adentro.

Tus árboles aún recuerdas en verano:
el sauce junto al manantial, el haya sobre la colina;
25   los lluviosos álamos y los tejos ceñudos
dentro de tus antiguos patios que rumian
    con grave esplendor el día entero,
hasta que la primera estrella aparece titilando
y pasan los murciélagos en vuelo silencioso;
30   hasta que la blanca luna que asciende lentamente
ve en los campos en sombra los árboles encantados por el sueño
    envueltos en una capa nocturna, gris como la plata.
¡Alalminor! Aquí estaba tu ciudadela
antes de que cayera de su fortaleza el orgulloso verano;
35   a tu alrededor se alzaba tu ejército de olmos engalanados:
verde era su armadura, verdes y altos sus yelmos,
    altos señores y capitanes de los árboles.
Pero el verano mengua. ¡Mira, Kortirion!
Los olmos con velas henchidas se disponen
40   a los vientos, como mástiles en medio del valle
de barcos poderosos que pronto, demasiado pronto, navegarán
hacia otros días más allá de estos mares iluminados por el sol.

II

*Narquelion**

¡Alalminórë! ¡Corazón verde de esta Isla
donde se demoran aún las Fieles Compañías!
45   Serenas, sin desmayo, desfilan lentamente
por sendas solitarias con solemnes armonías:
los Bellos, los primogénitos de los días de antaño,
los Elfos Inmortales que cantan de camino
sobre la beatitud antigua y el dolor; aunque los hombres olvidan,
50   pasan como un viento entre los árboles susurrantes,
una ola de briznas reverentes, y los hombres olvidan
sus voces que claman desde un tiempo del que nada sabemos,
sus cabellos que refulgen como la luz del sol de antaño.

¡Un viento en la hierba! El cambio de año.
55   Un estremecimiento de los juncos junto al río,
un susurro de árboles... y a lo lejos oyen
penetrando el corazón del sueño enmarañado del verano,
música helada que un flautista heraldo toca
previendo el invierno y los días sin hojas.
60   Las temblorosas flores tardías de los muros en ruinas
ya se yerguen para escuchar esa flauta feérica.
A través de los pasillos soleados del bosque y las salas sostenidas
[por árboles
serpenteando en medio del verdor con una clara nota fría
como una remota brizna de cristal de plata.

65   La alta marea se retira, pronto el año habrá pasado;
y todos tus árboles, Kortirion, se lamentan.
Por la mañana la piedra de afilar resonaba bajo la hoja,
por la tarde la hierba y las doradas flores se posaron
para marchitarse, y los prados quedaron desnudos.
70   Ya oscurecida se presenta el alba tardía,
los dedos del sol reptan más pálidos por el prado.
Están pasando los días. Las noches se han ido como mariposas
[nocturnas

---

* Con el nombre de *Narquelion* (que aparece también en el título en élfico
del poema original), cf. *Narquelië*, «Sol-menguante», nombre del décimo mes en
quenya (*El Señor de los Anillos*, Apéndice D).

      cuando con blancas alas bailaban como satélites
        alrededor de las candelas en el aire sin viento.
75   Ha pasado Lammas*. La luna de la cosecha se ha borrado.
      Agoniza el verano que reinó tan brevemente.
      Los olmos orgullosos por fin se amilanan,
      las hojas incontables tiemblan y palidecen,
        al ver a la distancia las heladas lanzas
80   del invierno marchando a la batalla contra el sol.
      Cuando el brillante día de Todos los Santos se desvanece,
                  [acabada está la jornada,
      y sostenidos por alas de ámbar pálido vuelan
      en vientos indiferentes bajo el cielo torvo,
        y caen como pájaros que agonizan sobre los mares.

III

*Hrívion***

85   ¡Ay, Kortirion, Reina de los Olmos, ay!
        Esta estación es la que más conviene a tu antigua ciudad,
      con voces en las que triste resuena el eco perdido
        serpenteante con desmayada y leve música que pasa
      por sendas de nieblas encalladas. ¡Oh, tiempo menguante
90   cuando la mañana se levanta encanecida de escarcha,
        y las sombras tempranas velan los bosques distantes!
      Invisibles pasan los Elfos, los brillantes cabellos
        escondidos en el crepúsculo de las capuchas secretas
      y grises, los mantos de color azul oscuro sujetados con bandas
95   de helada luz estelar cosidas por manos argentinas.

      De noche bailan bajo el cielo abierto,
        cuando los olmos desnudos envuelven con enramado encaje
      las Siete Estrellas, y el ojo advierte entre las ramas
        el esplendor del frío en la alta cara de la luna.
100   ¡Oh, Linaje Primogénito, bello pueblo inmortal!
      Cantáis ahora viejos cantos que otrora despertaron
        bajo las estrellas primordiales antes del Alba;

---

   * [*N. de la Rev.*] Lammas es una festividad de origen céltico, mencionada en la Anglosaxon Chronicle como "la fiesta de las primeras frutas".

   **   Cf. *hrívë*, «invierno» (*El Señor de los Anillos*, Apéndice D).

bailáis como sombras luminosas al viento,
como una vez bailasteis sobre el prado brillante
105   del País de los Elfos, antes de que nosotros existiéramos, antes
de que cruzarais los anchos mares hasta esta costa mortal.

Ahora se ven tus árboles, vieja Kortirion gris,
a través de pálidas nieblas irguiéndose altos y mortecinos,
como bajeles que flotan vagamente a lo lejos
110   hacia mares vacíos más allá de la línea
de neblinosos puertos abandonados;
y dejan atrás para siempre bahías sonoras,
donde sus tripulaciones se reunieron en fiestas
en orgullosa y señoril complacencia; ahora como fantasmas de
[viento
115   son llevados por aires fríos a costas enemigas,
y en silencio la marea los arrastra.
Desnudo ha quedado tu reino, Kortirion,
Despojado de sus vestiduras gastadas, y su esplendor se ha perdido.
Como candelas encendidas en un templo sombrío,
120   las velas funerarias del Carro de Plata
resplandecen ahora sobre el año en decadencia.
Ha llegado el invierno. Bajo el cielo marchito
callan los Elfos. Pero ¡no mueren!
Aquí esperando soportan el páramo, el silencio
125   del invierno. Aquí también he de vivir yo;
Kortirion, aquí me encontraré con el invierno.

IV

*Mettanyë**

No quiero encontrar las bóvedas ardientes y las arenas
donde reina el sol, ni desafiar las nieves mortales,
ni buscar en las montañas oscuras las tierras escondidas
130   de los hombres, perdidas hace mucho, a donde no va ningún
[camino;
no hago caso de la campana apremiante que suena
con lengua de hierro en las torres de los reyes terrenos.

---

*   *Mettanyë* contiene *metta*, «fin», como en *Ambar-metta*, el fin del mundo (*El Señor de los Anillos*, VI, 5).

Aquí sobre las piedras y los árboles hay un hechizo
de inolvidable pérdida, de memoria más bendecida
135   que la riqueza mortal. Aquí invencible vive
el Pueblo Inmortal bajo olmos marchitos,
Alalminórë otrora en los antiguos reinos.

★

Termino este comentario con una nota sobre el uso que hace mi padre de la palabra *Gnomos* para designar a los *Noldor*, que en los *Cuentos Perdidos* se llaman *Noldoli*. Siguió empleándola durante muchos años, y aún aparecía en las primeras ediciones de *El hobbit**.
En un borrador del párrafo final del Apéndice F de *El Señor de los Anillos*, escribió:

He utilizado a veces (no en este libro) «gnomos» por *Noldor* y «gnomish» por *Noldorin*. Lo hice porque, no importa lo que Paracelso haya podido pensar (si él en verdad inventó la palabra), a algunos «gnomo» les sugerirá todavía conocimiento**. El nombre en alto élfico de este pueblo, *Noldor*, significa Los Que Saben; porque, de los tres linajes de los Elfos, los Noldor se distinguieron desde el principio tanto por su conocimiento de las cosas que son y que han sido en este mundo, como por su deseo de conocer más. Sin embargo, de ningún modo se asemejaban a los gnomos, sea en teoría erudita o en fantasía popular; y he abandonado ya esta forma de llamarlos por ser demasiado equívoca. Porque los Noldor

---

* En el Capítulo 3, *Un breve descanso*, «espadas de los Altos Elfos del Oeste» reemplazó «espadas de los elfos que se llaman ahora gnomos»; y en el Capítulo 8, *Moscas y arañas*, la frase «Allí fueron los Elfos de la Luz, los Elfos Profundos y los Elfos del Mar, y vivieron durante siglos» reemplazó «Allí los Elfos de la Luz, los Elfos Profundos (o Gnomos) y los Elfos del Mar vivieron durante siglos».

** Aquí encontramos dos palabras en cuestión: *1)* la griega *gnōmē*, «pensamiento, inteligencia» (y en su plural «máximas, dichos», de donde proviene la palabra inglesa *gnome*, una máxima o aforismo, y el adjetivo *gnomic*); y *2)* la palabra *gnome*, empleada por el escritor del siglo XVI Paracelso como sinónimo de *pygmaeus*. Paracelso «dice que los seres así llamados tienen la tierra como elemento ... a través de la cual se mueven sin dificultad como los peces en el agua, o los pájaros o los animales de tierra firme en el aire» (*Oxford English Dictionary* s. v. *Gnome²*). El *OED* sugiere que, sea que Paracelso inventara él mismo la palabra o no, debía significar «morador de la tierra» y desecha toda conexión con la otra palabra *Gnome*. (Esta nota es una repetición de la aparecida en *The Letters of J. R. R. Tolkien*; véase la carta n° 239, a la que se refiere.)

pertenecían a una alta y hermosa raza, los Hijos mayores del mundo, ahora desaparecidos. Eran altos de estatura, de piel clara y ojos grises, y tenían cabellos oscuros, salvo aquellos de la casa dorada de Finrod...

En el último párrafo del Apéndice F *tal como fue publicado*, la referencia a los «gnomos» desapareció y fue reemplazada por un pasaje en el que se explica el uso de la palabra *Elfos* para traducir *Quendi* y *Eldar* a pesar de la mengua de la palabra inglesa. Este pasaje —que se refiere a los Quendi en su conjunto— continúa no obstante con las mismas palabras del borrador: «Eran una raza alta y hermosa, y entre ellos los Eldar eran como reyes, que ahora han desaparecido: el Pueblo del Gran Viaje, el Pueblo de las Estrellas. Eran altos de estatura, de piel clara y ojos grises, aunque tenían cabellos oscuros, salvo en la casa dorada de Finrod...». De modo, pues, que estas palabras que describen los rasgos de la cara y el pelo se escribieron en realidad sólo sobre los Noldor, *no* sobre todos los Eldar: es verdad que los Vanyar tenían cabellos dorados, y provenía de la madre vanyarin de Finarfin, Indis, el hecho de que él y sus hijos, Finrod Felagund y Galadriel, hubieran heredado los cabellos rubios que los distinguían del resto de los príncipes Noldor. Pero me es imposible determinar cómo surgió esta extraordinaria perversión de sentido*.

* El nombre *Finrod* que aparece en el pasaje al final del Apéndice F está ahora equivocado: Finarfin era Finrod, y Finrod era Inglor hasta la segunda edición de *El Señor de los Anillos*, y en este caso se olvidó de cambiarlo.

II

LA MÚSICA DE LOS AINUR

En otro cuaderno igual a aquel en el que mi madre copió *La Cabaña del Juego Perdido* hay un texto en tinta escrito con la letra de mi padre (y el resto de textos de los *Cuentos Perdidos* están escritos de su mano, salvo una copia en limpio de *La Caída de Gondolin**) titulado: *Vínculo entre Cabaña del Juego Perdido y (Cuento 2) Música de Ainur*. Éste continúa directamente desde las últimas palabras que le dirige Vairë a Eriol, y a su vez se vincula directamente con *La Música de los Ainur* (en un tercer cuaderno idéntico a los otros dos). El único indicio de la fecha en que fueron escritos el *Vínculo* y la *Música* (que, según creo, fueron compuestos en el mismo tiempo) es una carta de mi padre de julio de 1964 en la que decía que mientras Oxford lo «tenía empleado como parte del personal que trabajaba en el entonces aún inconcluso gran Diccionario», escribió «un mito cosmogónico, "La Música de los Ainur"». Obtuvo su cargo en el Oxford Dictionary en noviembre de 1918 y lo abandonó en la primavera de 1920 *(Biografía)*. Si su recuerdo era correcto, y no hay nada que pruebe lo contrario, transcurrieron unos dos años o más entre la composición de *La Cabaña del Juego Perdido* y *La Música de los Ainur*.

El *Vínculo* entre los dos existe en una sola versión, ya que el texto en tinta fue escrito sobre un borrador a lápiz que fue totalmente borrado. En este caso, he escrito seguidamente al *Vínculo* un breve comentario, antes de ofrecer *La Música de los Ainur*.

—Pero —dijo Eriol— hay todavía muchas cosas que siguen siéndome desconocidas. De hecho, me complacería saber quiénes son esos Valar. ¿Son ellos los Dioses?

—Lo son, en efecto —dijo Lindo—, aunque acerca de ellos los hombres cuentan muchas cosas extrañas y confusas que están muy lejos de la verdad, y los llaman por muchos nombres extraños que no escucharás aquí. —Pero Vairë dijo—: Ya basta,

---

* El título real de esta historia es *Tuor y los Exiliados de Gondolin*, pero mi padre se refería a él llamándolo *La Caída de Gondolin*, y yo hago lo mismo.

Lindo, no sigas complaciéndote en contar historias esta noche, porque la hora del descanso ha llegado, y a pesar de todo su entusiasmo, nuestro huésped está cansado por el viaje. Envía en busca de los candiles del sueño, y en la mañana el viajero escuchará más historias que le ocupen la cabeza y le satisfagan el corazón. —Pero a Eriol le dijo—: No creas que mañana debas por fuerza abandonar esta casa; porque nadie lo hace... Por el contrario, todos pueden quedarse si resta todavía algún cuento que deseen oír.

Entonces dijo Eriol que había perdido todo deseo de seguir viajando, y que permanecer allí como huésped un tiempo le parecía lo más hermoso que pudiera ocurrirle. Llegaron entonces los que portaban los candiles del sueño, y cada uno de los allí reunidos cogió uno, y dos de los miembros de la casa le pidieron a Eriol que los siguiera. Uno de ellos era el custodio de la puerta que había acudido antes a su llamada. Era viejo de apariencia, y de cabellos canos, y pocos de los que allí estaban eran así; pero el otro tenía un rostro curtido por la intemperie y unos ojos azules repletos de gran alegría , y era muy esbelto y pequeño, y no se podría decir cuántos años tenía, si cincuenta o diez mil. Pues bien, éste era Ilverin o Pequeñocorazón. Los dos lo guiaron por el corredor de los tapices con historias bordadas hasta una gran escalinata de roble, y les siguió peldaños arriba. La escalinata subía en espiral hasta desembocar en un pasaje iluminado por pequeñas lámparas colgantes de vidrios de colores, que al balancearse arrojaban una lluvia de brillantes tintes sobre los suelos y los tapices.

En este pasaje los guías doblaron súbitamente por una esquina y luego, después de descender unos pocos peldaños a oscuras, abrieron una puerta delante de él. Entonces, haciéndole una reverencia, le desearon buenos sueños y Pequeñocorazón dijo: —Sueños de dulces vientos y buenos viajes por los grandes mares —y después lo dejaron solo; y descubrió que se encontraba en una estancia pequeña con una cama de finas sábanas de lino y profundas almohadas junto a la ventana; y aquí la noche le pareció cálida y fragante, aunque acabara de disfrutar la lumbre de los leños del Hogar de los Cuentos. Todos los muebles eran aquí de madera oscura, y cuando la luz del velón vacilaba, sus suaves rayos obraban una magia en la habitación, a tal punto que le pareció que el sueño era la mayor de las delicias, pero que esa estancia era la mejor de cuantas había para dormir. Sin embargo, antes de acostarse Eriol abrió la ventana y una ráfaga de aroma de flores invadió la estancia, y tuvo un atisbo de un jardín poblado de sombras y repleto de árboles, pero cuyos espacios listados en luces plateadas y sombras negras a causa de la luna; no obstante, su ventana parecía alzarse muy alta en verdad por encima de los prados, y un ruiseñor cantó de pronto en un árbol de las cercanías.

Se durmió Eriol pues, y a través de sus sueños le llegó una música de tal transparencia y pureza como ninguna que hubiese escuchado antes, y estaba llena de nostalgia. Era como si caramillos de plata o flautas talladas en las más delicadas formas emitieran notas cristalinas e hilaran finas armonías bajo la luna y sobre los prados; y Eriol anheló en sueños no sabía bien el qué.

Cuando despertó, el sol salía y no había música salvo la de un millar de pájaros junto a su ventana. La luz entraba a través de los cristales y vacilaba en alegres resplandores, y aquella habitación fragante y con agradables colgaduras le pareció aún más dulce que antes; pero Eriol se levantó, y vistiendo las hermosas ropas que ya le habían dispuesto para que pudiera cambiar las suyas manchadas por el viaje, salió y erró por los pasajes de la casa, hasta que dio casualmente con una escalerilla por la que bajó llegando a una galería y un patio soleado. En él había un portón enrejado que se abrió bajo su mano y que conducía al jardín cuyas praderas se extendían bajo la ventana de su habitación. Por allí paseó, respirando el aire y observando cómo el sol se elevaba por sobre los extraños tejados de la ciudad, cuando vio que el viejo custodio de la puerta se le acercaba por un sendero entre arbustos de avellano. No vio a Eriol, porque llevaba como siempre la cabeza vuelta hacia la tierra y musitaba de prisa para sí mismo; pero Eriol le habló deseándole buenos días y le provocó un sobresalto.

Dijo entonces: —¡Perdonad, señor! No os había visto, pues estaba escuchando a los pájaros. Por cierto, señor, me encontráis de mal talante; pues, ¡mirad!, acabo de escuchar a un impúdico bribón de alas negras de lo más desvergonzado que canta canciones que me son desconocidas, ¡y en una lengua extraña! Me irrita, señor, me irrita, porque yo pensaba que conocía al menos todos los simples discursos de los pájaros. ¡Estoy considerando enviarlo a Mandos por su desfachatez! —Ante esto Eriol rió de buena gana, pero dijo el custodio de la puerta—: Más aún, señor, ojalá Tevildo, el Príncipe de los Gatos, lo persiguiera por haber llegado a posarse en un jardín que está al cuidado de Rúmil. Sabed que los Noldoli envejecen de manera asombrosamente lenta, y sin embargo mis cabellos se han vuelto grises en el estudio de las lenguas de los Valar y de los Eldar. Mucho antes de la caída de Gondolin, buen señor, mitigué la pesadumbre de estar sometido en esclavitud a Melko estudiando el lenguaje de todos los monstruos y los trasgos. ¿Acaso no he aprendido incluso las lenguas de las bestias, sin desdeñar siquiera las finas voces de los topillos y los ratones? ¿Acaso no he gorroneado una estúpida canción o dos para canturrear sobre los escarabajos, que no tienen habla? Más todavía, por momentos me preocupé por las lenguas de los Hombres, pero, ¡que Melko cargue con ellos!, esas lenguas mudan y cambian, cambian y mudan, y cuando se las domina, apenas es posible componer cantos o cuentos con tan duro material. Y por ello es que esta mañana me sentía como Ómar el Vala, que conoce todas las lenguas, mientras prestaba atención a las voces mezcladas de los pájaros comprendiendo cada una de ellas, reconociendo cada bienamada canción, cuando *tirípti lirilla* se presenta un pájaro, un diablillo de Melko... Pero os estoy fatigando, señor, con esta cháchara acerca de cantos y de palabras.

—Por el contrario, no es así —dijo Eriol—, pero os ruego que no os dejéis desanimar por un diablillo de mirlo. Si mis ojos no me engañan, habéis cuidado este jardín por un buen número de años. Por tanto debéis conocer montones de canciones y de lenguas, las bastantes como para consolar el corazón del más grande de todos los sabios, si en verdad ésta es la primera voz que oís sin alcanzar a interpretarla. ¿Acaso no se dice que los pájaros de cada distrito, más aún, casi de cada nido, hablan de manera distinta?

—Eso se dice, y se dice con verdad —dijo Rúmil—, y todos los cantos de Tol Eressëa se escuchan en algún momento en este jardín.

—Más que satisfecho está mi corazón —dijo Eriol— por haber aprendido esa bella lengua que hablan los Eldar en esta isla de Tol Eressëa... pero me maravilla oír que habláis como si los Eldar tuvieran muchas lenguas. ¿Es así?

—En efecto, así es —dijo Rúmil—. Ante todo hablan esa lengua a la cual los Noldoli se aferran todavía... y en otros tiempos los Teleri, los Solosimpi y los Inwir tenían lenguas diferentes. Sin embargo éstas eran muy semejantes y se mezclan ahora en esa lengua de los Elfos de la isla que habéis aprendido. Sin embargo aún existen grupos perdidos que viven errantes y tristes en las Grandes Tierras, y quizá hablen de modo muy extraño ahora, porque han transcurrido edades enteras desde que iniciaron la marcha desde Kôr, y según entiendo, fue el largo vagabundeo de los Noldoli por la Tierra y las negras edades de su esclavitud, mientras sus parientes vivían todavía en Valinor, lo que causó esa profunda escisión en el lenguaje. Sin embargo, la lengua gnómica y la lengua elfa de los Eldar son sin duda afines, como me indican los conocimientos ancestrales... pero ¡ay! os estoy fatigando otra vez. No he encontrado nunca otro oído en el mundo que no se fatigara antes de avanzar mucho en semejante tema. «Lenguas y hablas», dicen, «una sola me basta»... y así lo dijo una vez Pequeñocorazón el custodio del Gong: «La lengua gnómica —dijo— me basta... ¿No la hablaban ese tal Eärendel y Tuor y Bronweg, mi padre (al que refinadamente os referís con el nombre erróneo de Voronwë) y ninguna otra?». Sin embargo, tuvo que aprender lengua elfa por fin, de lo contrario habría sido condenado al silencio o a tener que abandonar Mar Vanwa Tyaliéva... y no habría podido soportar ninguno de esos dos destinos. Pues he aquí que ahora gorjea el Eldarin como una señora de los Inwir, aun cual la misma Meril-i-Turinqi, nuestra reina, Manwë la guarde. Pero aun éstas no son todas: está además la lengua secreta en la que los Eldar escribieron muchas poesías y libros de sabiduría e historias de antaño y cosas primordiales que existieron, y sin embargo no la hablan. Sólo los Valar emplean esta lengua en sus altos consejos, y no son muchos los Eldar de nuestros días que pueden leerla o descifrar sus caracteres. Aprendí gran parte de ella en Kôr, hace ya toda una vida, gracias a la bondad de Aulë, y de ese modo tengo conocimiento de muchas cosas, muchas en verdad.

—Entonces —dijo Eriol— quizá podáis hablarme de las cosas que tanto deseo conocer desde que escuché esos cuentos ayer por la tarde junto al Hogar. ¿Quiénes son los Valar —Manwë, Aulë y los demás que nombrais— y por qué partisteis vosotros los Eldar de esa patria de encanto en Valinor?

Llegaron entonces aquellos dos a una verde glorieta, y el sol estaba alto y cálido y los pájaros cantaban vigorosos, pero en los prados había oro esparcido. Entonces Rúmil se sentó en un banco de piedra tallada cubierto de musgo y dijo: —De mucha importancia son las cosas que preguntáis, y su verdadera respuesta está enterrada más allá de los confines ulteriores de los baldíos del tiempo, a donde ni siquiera la vista de Rúmil, el más anciano de los Noldoli, puede llegar; y todos los cuentos de los Valar y los Elfos están entretejidos de tal manera que difícilmente pueda intentarse contar uno de ellos, sin tener que exponer la totalidad de su gran historia.

—Sin embargo —dijo Eriol— contadme, Rúmil, os lo ruego, algo de lo que sabéis de los primeros principios, para que pueda empezar a entender lo que se me ha dicho en esta isla.

Pero Rúmil dijo: —Ilúvatar fue el primer principio, y más allá no llega la sabiduría de los Valar, los Eldar o los Hombres.

—¿Quién era Ilúvatar? —preguntó Eriol—. ¿Era uno de los Dioses?

—No —dijo Rúmil—, no lo era, porque fue él quien los hizo. Ilúvatar es el Señor de Siempre que mora más allá del mundo; que lo creó y que no es de él ni en él está, pero lo ama.

—Eso no lo he escuchado nunca antes —dijo Eriol.

—Puede que así sea —dijo Rúmil— porque son todavía los días tempranos del mundo de los Hombres, y tampoco se habla mucho de la Música de los Ainur.

—Contadme —dijo Eriol—, porque anhelo aprender, ¿qué era la Música de los Ainur?

Comentario sobre el Vínculo entre La Cabaña del Juego Perdido
y La Música de los Ainur

De ese modo el *Ainulindalë* fue escuchado por primera vez por oídos mortales, mientras Eriol permanecía sentado en el jardín luminoso de Tol Eressëa. Aun después de desaparecido Eriol (o Ælfwine), Rúmil continuó allí, el gran sabio noldorin de Tirion «quien por primera vez ideó los signos adecuados para registrar la lengua y el canto» (*El Silma-rillion*) y *La Música de los Ainur* le siguió siendo atribuida, aunque investida de la gravedad de los tiempos remotos, y se alejó del filólogo parlanchín y caprichoso de Kortirion. Ha de observarse que en esta narración Rúmil había sido en el pasado un esclavo sometido a Melko. Aquí aparece el Exilio de los Noldor de Valinor, pues a él se refieren indudablemente las palabras de Rúmil sobre la marcha desde Kôr, y no a la "marcha de Inwë sobre el mundo"; y también se cuenta algo de las lenguas y de aquellos que las hablaban.

En este pasaje vinculante Rúmil afirma:

1)   que los *Teleri*, los *Solosimpi* y los *Inwir* habían tenido diferencias lingüísticas en el pasado;

2)   pero que esos dialectos se han mezclado ahora formando la «lengua de los Elfos de la isla»;

3)   que la lengua de los *Noldoli* (los Gnomos) quedó profundamente escindida cuando partieron a las Grandes Tierras y fueron cautivos de Melko;

4)   que los Noldoli que habitan ahora en Tol Eressëa han aprendido la lengua de los Elfos de la isla; pero quedan otros en las Grandes Tierras. (Cuando Rúmil habló de esos «grupos perdidos que viven errantes y tristes en las Grandes Tierras» que «quizá hablen de un modo muy extraño ahora», parece referirse al resto de los exiliados noldorin de Kôr que no habían llegado a Tol Eressëa [como él mismo lo había hecho] en lugar de a los Elfos que nunca fueron a Valinor)*.

En los *Cuentos Perdidos* el nombre dado a los Elfos del Mar, llamados después *Teleri* —la tercera de las tres «tribus»—, es *Solosimpi* («Flautistas de la Costa»). Ha de aclararse ahora que la primera de las tribus, conducida por el Rey Inwë, se llamó *Teleri* (los *Vanyar* de *El Silmarillion*), lo que no deja de resultar confuso. ¿Quiénes eran entonces los *Inwir*? Meril-i-Turinqi le dice más adelante a Eriol que los Teleri eran aquellos que siguieron a Inwë, «pero sus parientes y descendientes constituyen el regio pueblo de los Inwir, a cuya sangre pertenezco». Los Inwir eran pues un clan «regio» *incluido en los Teleri*; y la relación entre la vieja concepción y la de *El Silmarillion* puede mostrarse de la manera siguiente:

---

*   Por otra parte, es posible que con «los grupos perdidos» se refiriera de hecho a los Elfos que se perdieron en el viaje desde las Aguas del Despertar; lo que implicaría entonces sería: «si la brecha abierta entre la lengua de los Noldoli y la de los Eldar que permanecieron en Valinor fue profunda, cuánto más debió serlo la de los que nunca cruzaron el mar».

Cuentos Perdidos	*El Silmarillion*
I Teleri	Vanyar
(incluido Inwir)	
II Noldoli	Noldor
(Gnomos)	
III Solosimpi	Teleri

En este pasaje del vínculo, Rúmil parece decir que los «Eldar» son distintos de los «Gnomos»; «sin embargo, son sin duda afines la lengua gnómica y la lengua elfa de los Eldar»; y que «Eldar» y «Noldoli» se oponen en el preámbulo en prosa de *Kortirion entre los árboles*. En otra parte la «lengua elfa» como lengua se opone al «gnómico», y «eldar» se emplea como fórmula en contradicción a «gnómico». De hecho, en los *Cuentos Perdidos* se explicita claramente que los Gnomos eran ellos mismos Eldar: por ejemplo, «los Noldoli, que eran los sabios de los Eldar»; pero por otra parte leemos que después de la Huida de los Noldoli de Valinor, Aulë «aún concedió su amor a los pocos Gnomos fieles que permanecieron en sus recintos, aunque los llamó en adelante "Eldar"». Esto no es tan rotundamente contradictorio como parece a primera vista. Parece que (por una parte) la oposición de «eldar» o «lengua elfa» a «gnómico» surgió porque el gnómico se había convertido en una lengua separada; y aunque los Gnomos eran por cierto Eldar, su lengua no lo era. Pero (por otra parte) hacía ya mucho que los Gnomos habían abandonado Kôr, por lo que no se los veía como «Koreldar», y por tanto tampoco como «Eldar». La palabra *Eldar*, pues, tenía ahora un significado menos amplio, pero en cualquier momento podría volver a ampliarse y abarcar la antigua definición por la que los Noldoli eran «Eldar».

Si esto es así, el sentido restringido de *Eldar* refleja la situación de días posteriores en Tol Eressëa pues, efectivamente, en los cuentos siguientes, donde la narrativa se concentra en los tiempos anteriores a la rebelión de los Noldoli y su partida de Valinor, se los llama de un modo rotundo, «Eldar». *Después* de la rebelión, en el pasaje citado arriba, Aulë no les daría a los Noldoli que se quedaron en Valinor ese nombre; y por tanto no llamaría «Eldar» a los que habían partido.

La misma ambigüedad se observa en las palabras *Elfos* y *lengua elfa*. Rúmil llama aquí «lengua elfa» a la lengua de los Eldar, en oposición a «gnómico»; el narrador del *Cuento de Tinúviel*, dice: «Éste es mi cuento y es un cuento de los Gnomos, por lo que te ruego que no canses los oídos de Eriol con nombres en lengua elfa», y en el mismo pasaje «Elfos» se opone específicamente a «Gnomos». Pero, de nuevo, en los cuentos que prosiguen en este libro, *Elfos*, *Eldar* y *Eldalië* se utilizan de manera intercambiable para referirse a los Tres Linajes (véase, por ejemplo, la narración del debate de los Valar sobre si convocar a los Elfos a Valinor). Y, por último, una variante en apariencia similar se observa en la palabra «hada»; así pues, Tol Eressëa es el nombre «en la lengua de las Hadas», mientras que «los Gnomos la llaman Dor Faidwen», pero por otra parte se dice de Gilfanon, un Gnomo, que es «uno de los más viejos de entre las Hadas».

Se verá por las observaciones de Rúmil que la «profunda escisión» de la lengua de los Elfos en dos ramas se atribuía en ese tiempo a una base histórica totalmente diferente de la que en relatos posteriores provocaría la división. Aquí Rúmil la atribuye al «largo vagabundeo de los Noldoli por la Tierra y las negras edades en que fueron esclavizados mientras sus parientes vivían todavía en Valinor»; en lo que se llamaría posteriormente «el Exilio de los Noldor». En *El Silmarillion* los Noldor llevarían la lengua valinóreana a la Tierra Media, pero la abandonarían (salvo para comunicarse entre sí), adoptando en cambio la lengua de Beleriand, el *sindarin* de los Elfos Grises, que nunca habían estado en Valinor: el quenya y el sindarin eran de origen común, pero su «profunda escisión» se debía a que habían estado separados mucho tiempo. Al contrario, en los *Cuentos Perdidos* los Noldor llevaron la lengua élfica de Valinor a las Grandes Tierras y continuaron hablándola, pero en aquellas Tierras ella misma cambió y se volvió completamente diferente. En otras palabras, en la concepción original, la «segunda lengua» sólo se separaba de la lengua progenitora por la partida de los Gnomos de Valinor a las Grandes Tierras; mientras que en las historias posteriores la «segunda lengua» se separó de la «primera» casi al principio mismo de la existencia de los Elfos en el mundo. No obstante, el gnómico es *sindarin*, en el sentido de que es *la lengua concreta* que terminó por convertirse, cuando cambió la concepción de la obra, en la de los Elfos Grises de Beleriand.

En relación on las observaciones de Rúmil sobre la lengua secreta que los Valar emplean y en la que los Eldar otrora escribieron poesías y libros de sabiduría, considérese la siguiente nota del cuadernillo de los *Cuentos Perdidos* al que se ha hecho referencia anteriormente.

Los Dioses entendían la lengua de los Elfos, pero no la utilizaban entre ellos. Los más sabios de los Elfos aprendieron en buena parte el lenguaje de los Dioses, y tanto entre los Teleri como entre los Noldoli ese conocimiento se atesoró durante largo tiempo; pero en la época de la llegada a Tol Eressëa ya nadie lo conocía salvo Inwir, y ahora ese conocimiento está muerto, salvo en la casa de Meril.

En este pasaje aparecen algunos nuevos personajes. Ómar el Vala «que conoce todas las lenguas» no sobrevivió a los *Cuentos Perdidos*; leemos algo más sobre él posteriormente, pero es una divinidad sin mucha sustancia. Tuor y Bronweg provienen del cuento *La Caída de Gondolin*, que estaba ya escrito; *Bronweg* es la forma gnómica de *Voronwë*, el mismo Voronwë que acompañó a Tuor desde Vinyamar hasta Gondolin en la leyenda posterior. Tevildo, Príncipe de los Gatos, era un sirviente demoníaco de Melko y el remoto antecesor de Sauron; es un actor principal en la historia original de Beren y Tinúviel, que también estaba ya escrita (el *Cuento de Tinúviel*).

Pequeñocorazón, el custodio del Gong, hijo de Bronweg, ahora recibe un nombre élfico, *Ilverin* (una enmienda de *Elwenildo*).

La Música de los Ainur

El borrador original escrito rápidamente a lápiz y muy corregido de *La Música de los Ainur* existe todavía en hojas sueltas colocadas dentro de la cubierta del cuaderno que contiene un texto más completo y detallado escrito en tinta. Esta segunda versión, sin embargo, se basaba estrechamente en la primera, y los cambios consistían sobre todo en añadidos. El texto que se ofrece aquí es el segundo, pero algunos pasajes en que los dos difieren de forma notable aparecen anotados (aunque pocas diferencias entre los dos textos son significativas, según mi opinión). Se verá por los pasajes del primer borrador que se ofrece en las notas que el plural era originalmente *Ainu*, no *Ainur*, y que *Ilúvatar* era antes *Ilu* (aunque *Ilúvatar* también aparece ocasionalmente en el borrador).

Dijo entonces Rúmil:

—Escuchad ahora estas cosas que no han sido oídas entre los Hombres, y de las que los Elfos rara vez hablan; sin embargo Manwë Súlimo, Señor de Elfos y Hombres, se las susurró a los ancestros de mi padre en las profundidades del tiempo[1]. He aquí que Ilúvatar vivía solo. Antes que toda otra cosa, cantando dio ser a los Ainur primero, y mayor es su poder y su gloria que el de toda otra criatura dentro y fuera del mundo. Luego les fabricó estancias en el vacío y habitó entre ellos, enseñándoles toda clase de cosas, y de ellas la más grande era la música.

»A veces les hablaba proponiéndoles temas de canto e himnos jubilosos, revelando muchas de las cosas grandes y maravillosas que concibiera en su mente y su corazón, y a veces ellos hacían música para él, y las voces de sus instrumentos se elevaban en esplendor alrededor de su trono.

»Una vez Ilúvatar presentó a los Ainur un poderoso designio de su corazón, desarrollar una historia cuya vastedad y majestuosidad nunca hubieran sido igualadas por nada de lo que relatara anteriormente, y la gloria de su principio y el esplendor de su final asombraron a los Ainur, de modo que hicieron una reverencia ante Ilúvatar y se quedaron sin habla.

»Y dijo Ilúvatar: —La historia que he expuesto ante vosotros, y esa gran región de belleza que os he descrito como el lugar donde toda esa historia podría desplegarse y encarnarse, ya que os he mostrado tan sólo un esbozo. No he llenado todos los espacios vacíos, ni os he narrado todos los adornos y los detalles de encanto y delicadeza de los que mi mente está repleta. Es mi deseo ahora que hagáis una música grande y gloriosa y un canto de este tema y (dado que os he enseñado mucho y he puesto dentro de vosotros el ardiente Fuego Secreto)[2] que ejercitéis vuestra mente y poderes adornando el tema según vuestro propio pensamiento e invención. Pero yo me sentaré y prestaré atención y me regocijaré de que a través de vosotros haya conseguido dotar al canto de cosas de gran belleza.

»Entonces los arpistas y los laudistas, los flautistas y pífanos, los órganos y los incontables coros de los Ainur comenzaron a convertir el tema de Ilúvatar en una gran música; y un sonido se elevó de poderosas melodías que cambiaban y se intercambiaban, mezclándose y disolviéndose sumidas en un trueno de armonías mayor que el bramido de los grandes mares, hasta que los recintos de Ilúvatar y las regiones de los Ainur se llenaron de música al punto de rebosar, y el eco de la música, y el eco de los ecos de la música fluyeron aun hasta los espacios oscuros y vacíos más distantes. Nunca hubo antes ni ha habido desde entonces una música de semejante vastedad o esplendor inconmensurables; aunque se dice que tanto los coros de los Ainur como los de los hijos de los Hombres entretejerán ante el trono de Ilúvatar una música mucho más poderosa, después del Gran Final. Entonces los más poderosos temas de Ilúvatar se tocarán rectamente; pues los Ainur y los Hombres conocerán la mente y el corazón de Ilúvatar del modo más pleno posible, y todo su propósito.

»Pero ahora Ilúvatar permanecía sentado y prestaba atención, y por largo rato le pareció muy bien, pues los defectos de esa música eran pocos, y le pareció que los Ainur habían aprendido mucho y bien. Pero a medida que el gran tema progresaba, en el corazón de Melko creció el deseo de entrelazar cosas vanas fruto de su propia imaginación que no se adecuaban al tema fundamental de Ilúvatar. Ahora bien a Melko, entre los Ainur, Ilúvatar le había otorgado algunos de los más altos dones de poder, conocimientos y sabiduría; y a menudo le agradaba ir solo a los sitios vacíos y oscuros en busca del Fuego Secreto que otorga Vida y Realidad (pues tenía un ardiente deseo de dar ser por sí mismo a cosas propias); y sin embargo no lo encontró, se encontraba en Ilúvatar, y él no lo supo hasta después[3].

»Sin embargo, allí había llegado a concebir pensamientos propios de profunda astucia, aunque ninguno de ellos mostraba, ni siquiera a Ilúvatar. Algunas de estas maquinaciones e invenciones las entrelazaba ahora a su música, e inmediatamente se alzaron a su alrededor asperezas y discordancias, y muchos de los que tocaban cerca de él se sintieron abatidos y su música se debilitó, y sus pensamientos quedaron inacabados y faltos de claridad, mientras que muchos otros se desviaron y trataron de armonizar su música con la de él y no con la del gran tema con el que habían empezado.

»De este modo la malicia de Melko se extendió oscureciendo la música, porque esos pensamientos suyos procedían de la negrura exterior hacia la que Ilúvatar no había vuelto todavía la luz de su rostro; y dado que sus pensamientos secretos no tenían ningún parentesco con la belleza del diseño de Ilúvatar, las armonías quedaron quebradas y destruidas. Sin embargo, Ilúvatar permaneció sentado y escuchó hasta que la música alcanzó una profundidad de lobreguez y fealdad inimaginables; entonces sonrió con tristeza y levantó su mano izquierda e inmediatamente, aunque nadie supo con claridad cómo, un nuevo tema brotó entre el estrépito, parecido al primero y sin embargo diferente, y fue ganando en poder y dulzura. Pero la discordancia y el ruido que Melko había provocado empezó a levantarse contra ella, y hubo una guerra de sonidos y se produjo un estruendo en el que muy poco podía distinguirse.

»Entonces Ilúvatar levantó su mano derecha y ya no sonreía, sino que lloraba; y he aquí que un tercer tema, que de ningún modo se asemejaba a los otros, surgió en medio del tumulto, hasta que por fin pareció que dos músicas se desarrollaban al mismo tiempo a los pies de Ilúvatar, y las dos eran del todo divergentes. Una era grandiosa y profunda y hermosa, pero estaba teñida de un dolor desconsolable, mientras que la otra había logrado ahora una unidad y una sistematicidad propias, pero era estridente y vana y arrogante, y graznaba triunfal contra la otra como si creyera que podría sofocarla; sin embargo, cada vez que trataba de abatirla de la manera más feroz, de algún modo se sorprendía a sí misma complementándola y armonizando con su rival.

»En medio de esta sonora batalla, mientras los recintos de Ilúvatar se sacudían y un estremecimiento recorría los lugares oscuros, Ilúvatar levantó ambas manos y, en un insondable acorde más profundo que el firmamento, más glorioso que el sol y penetrante como la luz de la mirada de Ilúvatar, aquella música se quebró y cesó.

»Entonces dijo Ilúvatar: —Poderosos son los Ainur, y gloriosos, y entre ellos es Melko el más poderoso en conocimiento; pero que él sepa, y todos los Ainur con él, que yo soy Ilúvatar, y hete que a esas cosas que habéis cantado y tañido les he dado ser; no son como las músicas que hacéis en las regiones celestiales para mi regocijo y vuestro deleite, sino que a estas les he dado forma y realidad como las tenéis vosotros, los Ainur, a quienes he creado para que compartan la realidad de mí mismo, Ilúvatar. Quizá llegue a amar las cosas que salieron de mi canto como amo a los Ainur, que son de mi pensamiento[4], y quizá más. Tú, Melko, verás que no es posible tocar ningún tema salvo que al final provenga de la voluntad de Ilúvatar, ni tampoco alterar la música a pesar de Ilúvatar. El que lo intenta descubre a la larga que me ha ayudado a crear una cosa de mayor grandeza aún y de más compleja maravilla; pues, ¡oíd!, por mediación de Melko un terror como el fuego, una pena como las aguas oscuras, una ira como el trueno y un mal tan alejado de mi luz como la más recóndita profundidad del más oscuro de los lugares se han incorporado al designio que os puse por delante. Por su mediación el dolor y la miseria se han hecho presentes en el choque de esas músicas abrumadoras; y con la confusión del sonido la crueldad y la voracidad, la oscuridad y el lodazal detestable, y toda putrefacción de pensamiento o cosa, las nieblas inmundas, la llama violenta y el frío sin piedad han nacido, y la muerte sin esperanza. Por su mediación ha sido sin embargo, y no por su agencia; y él lo verá, y vosotros todos lo veréis igualmente, y aun esos seres, que ahora deberán habitar en el mal que por él advino y soportar por Melko la miseria y el dolor, el terror y la maldad, declararán a la larga que redunda tan sólo para mi mayor gloria, y tan sólo hace que el tema sea más digno de ser escuchado, la Vida más digna de ser vivida, y el Mundo tanto más hermoso y maravilloso que de todos los hechos de Ilúvatar será llamado el más fuerte y el más hermoso.

»Entonces los Ainur sintieron temor y no comprendieron todo lo que se dijo, y Melko se llenó de vergüenza y de la furia de esta vergüenza, pero Ilúvatar, al ver el general asombro, se levantó glorioso y salió de sus recintos, más allá de aquellas bellas regiones que había hecho para los Ainur, hacia los lugares oscuros; y pidió a los Ainur que lo siguieran.

»Ahora bien, cuando llegaron a lo más íntimo del vacío presenciaron una escena de sobrecogedora belleza y maravilla donde antes no había habido nada; e Ilúvatar dijo: —¡Contemplad vuestros coros y vuestra música! Mientras interpretabais aquello que era mi voluntad, vuestra música fue cobrando forma y, ¡mirad!, aun ahora el mundo se despliega y empieza su historia como antes comenzó mi tema en vuestras manos. Cada cual encontrará aquí, contenidos en el designio que me pertenece, los adornos y embellecimientos que él mismo concibió; todavía más, aun Melko descubrirá aquí aquellas cosas que creyó sacar de su propio corazón apartándose de mi voluntad, y se dará cuenta de que son parte del todo y tributarias de su gloria. Una sola cosa he añadido, el fuego que da Vida y Realidad —y he aquí que el Fuego Secreto ardía en el corazón del mundo.

»Entonces los Ainur se maravillaron al ver el mundo englobado en el vacío y sin embargo separado de él; y se regocijaron al ver la luz, y comprobaron que era a la vez blanca y dorada, y rieron de placer ante los colores, y el inmenso bramido del océano despertó en ellos un anhelo profundo. Sus corazones se sintieron complacidos por el aire y los vientos y las materias de que estaba hecha la Tierra: hierro y piedra y plata y oro y muchas sustancias; pero de todas ellas el agua se tuvo por la más bella y la más beneficiosa, y fue la más grandemente alabada. En verdad vivía todavía en el agua un eco más profundo de la Música de los Ainur que en ninguna otra sustancia del mundo, y aun en este día tardío, muchos son los Hijos de los Hombres que escuchan turbados la voz del Mar y sienten anhelos de no saben qué.

»Sabed entonces que el agua fue en gran parte el sueño y la invención de Ulmo, un Ainu a quien Ilúvatar había instruido más intensamente que a los otros sobre las profundidades de la música; mientras que el aire, los vientos y los éteres del firmamento habían sido concepción de Manwë Súlimo, el más grande y más noble de los Ainur. La tierra y las más benéficas de sus sustancias fueron concebidas por Aulë, al que Ilúvatar había enseñado muchas cosas sabias, sólo unas pocas menos que a Melko; sin embargo, había mucho allí que no le pertenecía[5].

»Ahora bien, habló Ilúvatar a Ulmo y le dijo: —¿No ves cómo Melko ha concebido fríos crudos sin moderación, y sin embargo no ha destruido la belleza de tus aguas cristalinas y de tus límpidos estanques? Aun donde él creyó haber doblegado a todos, ¡mira!, ha sido creada la nieve, y la escarcha ha obrado sus exquisitos trabajos; el hielo ha erigido sus castillos con grandeza.

»De nuevo habló Ilúvatar: —Melko ha concebido calores inconmensurables y fuegos sin restricción y, no obstante, no ha secado tu deseo ni ha acallado por completo la música de tus mares. Contempla más bien ahora la altura y la gloria de las nubes y la magia que habita en la niebla y los vapores; escucha el susurro de las lluvias sobre la tierra.

»Dijo Ulmo entonces: —Sí, en verdad es el agua más bella ahora de lo que fue en mi mejor concepción. La nieve posee una belleza que sobrepasa mis más secretos pensamientos, y si no hay mucha música en ella, la lluvia es bella en verdad, y posee una música que me colma el corazón, tal es el agrado que siento por haberla encontrado mis oídos, aunque su tristeza se cuenta entre las más tristes de todas las cosas. ¡Escuchad! Iré en busca de Súlimo del aire y los vientos, para que él y yo interpretemos melodías por siempre para tu gloria y regocijo.

»Y desde entonces Ulmo y Manwë fueron grandes amigos y aliados casi en relación con todos los asuntos[6].

»Ahora bien, aun mientras Ilúvatar le hablaba a Ulmo, los Ainur contemplaban cómo el mundo se desplegaba, y que la historia que Ilúvatar les había propuesto como una gran música ya estaba teniendo lugar. Es mediante el recuerdo de las palabras de Ilúvatar y el conocimiento reunido, aunque incompleto, que cada uno tiene de su música, que los Ainur conocen tanto del futuro, de modo que muy pocas son las cosas que no puedan prever; sin embargo algunas hay que aun a ellos les están ocultas[7]. Así pues, los Ainur lo contemplaban todo; hasta que mucho antes de la llegada de los Hombres —más aún: ¿quién ignora que transcurrieron incontables edades antes de que incluso los Eldar despertaran y cantaran el primero de sus cantos e hicieran la primera de sus gemas, y tanto Ilúvatar como los Ainur vieran que eran maravillosos?— hubo una disputa entre ellos, tanto se enamoraron de la gloria del mundo mientras la contemplaban, y tan cautivados quedaron por la historia que allí se desplegaba, de la que la belleza del mundo era sólo el marco y el escenario.

»Pues bien, como consecuencia de todo esto algunos moran aún con Ilúvatar más allá del mundo, y éstos fueron sobre todo los que habían tocado absortos siguiendo el plan y el designio de Ilúvatar, y sólo se habían cuidado de prolongar el tema sin poner nada de su propia invención para adornarlo; pero algunos otros, y entre ellos muchos de los más hermosos y más sabios de los Ainur, le pidieron encarecidamente a Ilúvatar que les permitiera habitar en el mundo. Porque, decían ellos: —Seríamos los guardianes de todas aquellas cosas bellas de nuestros sueños, que por tu poder han alcanzado ahora realidad y sobrecogedora hermosura; e instruiríamos a los Eldar y los Hombres en su reverencia y oficio cuando el tiempo llegue en que aparezcan sobre la Tierra por tu decisión, primero los Eldar y por último los padres de los padres de los Hombres. —Y Melko fingió que deseaba controlar la violencia de los calores y los remolinos que había desatado en la Tierra, pero en lo más profundo del corazón escondía otro deseo: usurpar el poder de los otros Ainur y hacer la guerra contra los Eldar y los Hombres, pues detestaba aquellos grandes dones que Ilúvatar se proponía otorgar a esas razas[8].

»Ahora bien, los Eldar y los Hombres eran concepción de Ilúvatar solamente; los Ainur, que no habían comprendido del todo la intención de Ilúvatar cuando propuso por primera vez su existencia, no se atrevieron a añadir nada a la parte de la música que les pertenecía; y por ello estas razas reciben el adecuado nombre de Hijos de Ilúvatar. Ésta es quizá la causa por la que muchos otros de los Ainur, además de Melko, se han entrometido en los asuntos tanto de los Elfos como de los Hombres, sea con buena o con mala intención; no obstante, viendo que Ilúvatar había hecho a los Eldar más semejantes en naturaleza —aunque no en poder ni en estatura— a los Ainur, mientras que a los Hombres les había otorgado extraños dones, tuvieron trato preferentemente con los Elfos[9].

»Aun conociendo Ilúvatar todos sus corazones accedió al deseo de los Ainur, y no se dice que ello lo apenara. Así fue como entraron estos grandes en el mundo, y ellos son a quienes ahora llamamos Valar (o Vali, eso carece de importancia)[10]. Habitaban en Valinor, o en el firmamento; y algunos en la tierra o en las profundidades del mar. Allí rigió Melko tanto los fuegos como la escarcha más cruel, tanto los fríos extremos como los más profundos hornos bajo las montañas de fuego; y cualquier cosa que sea violenta o excesiva, repentina o cruel en el mundo, ha sido puesta a su cargo, y casi siempre con justicia. Pero Ulmo habita en el océano exterior y gobierna el flujo de todas las aguas y los cursos de los ríos, el reabastecimiento de las fuentes y la precipitación de las lluvias y la condensación del rocío de todo el mundo. En el fondo del mar concibe una música profunda y extraña, aunque siempre cargada de dolor: y para ello recibe la ayuda de Manwë Súlimo.

»Los Solosimpi, cuando los Elfos llegaron y vivieron en Kôr, aprendieron mucho de él; de ahí provienen la nostálgica fascinación de sus flautas y su amor por vivir junto a la costa[11]. Allí estuvo Salmar con él, y Ossë y Ónen, a quienes otorgó el gobierno de las olas y los mares menores, y muchos otros.

»Pero Aulë vivió en Valinor e inventó muchas cosas; concibió herramientas e instrumentos y se ocupó tanto de la fabricación de tejidos como del batido de metales; también el cultivo y la labranza lo deleitaron, y asimismo las lenguas y los alfabetos, o los bordados y la pintura. De él los Noldoli, que fueron los más sabios de entre los Eldar y ansiaban siempre nuevos saberes ancestrales y conocimientos, aprendieron un número incalculable de artes y magias y ciencias insondables. Gracias a sus enseñanzas, en las que los Eldar volcaban siempre su propia gran belleza de pensamiento, corazón e imaginación, lograron ellos la invención y hechura de las gemas; y éstas no existieron en el mundo antes de los Eldar, y las Silmarilli fueron las mayores en magnificencia, y ahora se han perdido.

»Sin embargo, el más grande y principal de esos Cuatro Grandes fue Manwë Súlimo; vivía en Valinor y se asentó en una gloriosa morada, sobre un trono de maravilla en el más alto pináculo de Taniquetil, que se eleva sobre el borde del mundo. Los halcones vuelan siempre de un lado a otro alrededor de esa morada, y sus ojos son capaces de ver las profundidades del mar o penetrar en las más ocultas cavernas y en la más profunda oscuridad del mundo. Ellos le traían noticias de todas partes acerca de todo, y era muy poco lo que se le escapaba; algunas cosas, sin embargo, permanecían ocultas aun para el Señor de los Dioses. Con él estaba Varda la Bella, que se convirtió en su esposa y es Reina de las Estrellas, y sus hijos fueron Fionwë-Úrion y Erinti, de gran hermosura. Alrededor de ellos mora todo un ejército de hermosos espíritus, y su felicidad es mucha; y los hombres aman a Manwë aún más que al poderoso Ulmo, porque nunca intencionalmente les hizo mal, ni tampoco está tan satisfecho de su honor ni es tan celoso de su poder como el viejo de Vai. Los Teleri, a quienes Inwë gobernaba, eran especialmente caros para él, y de él recibieron la poesía y el canto; pues si Ulmo tiene el poder de la música y de las voces de los instrumentos, Manwë tiene el esplendor de la poesía y el canto más allá de toda posible comparación.

»He aquí que Manwë Súlimo, vestido de zafiros, regidor de los aires y los vientos, es considerado el señor de los Dioses, los Elfos y los Hombres, y el más grande baluarte contra la maldad de Melko.

De nuevo habló Rúmil:

—Y así fue que después de la partida de estos Ainur y de su vasallaje todo permaneció tranquilo durante una larga era, mientras Ilúvatar miraba. Entonces, de pronto, dijo: «He aquí que amo al mundo, y es éste un recinto de juegos para los Eldar y los Hombres, que son mis bienamados. Pero cuando lleguen los Eldar serán con mucho las más hermosas y las más amables de todas las cosas; poseerán el conocimiento de la belleza más profundo y serán más dichosos que los Hombres. Pero a los Hombres les otorgaré un nuevo don, más grande todavía». Por tanto dispuso que los Hombres tuvieran una libre virtud por la que, dentro de los límites de los poderes y las sustancias y las oportunidades del mundo, pudieran modelar y proyectar su vida aun más allá de la Música original de los Ainur, que para todas las demás cosas es su destino. Hizo, pues, que por sus acciones todo quedara acabado en forma y hecho, y fuera el mundo satisfecho hasta en el último y más menudo de los detalles[12]. He aquí que aun nosotros los Eldar hemos comprobado para nuestro disgusto que los Hombres tienen un extraño poder para bien o para mal y para torcer el curso de las cosas aun a pesar de los Dioses y las Hadas y según su libre albedrío; de modo que decimos: "Puede que el destino no pueda dominar a los Hijos de los Hombres, pero aun así son dueños de una extraña ceguera, aunque su felicidad debe ser grande".

»Ahora bien, Ilúvatar sabía que los Hombres, en medio de la agitación de los Ainur, no sentirían siempre el impulso de utilizar ese don de acuerdo con su intención original, pero sobre esto dijo: "También éstos averiguarán en el momento oportuno que todo, aun el más horrible de los hechos y la más horrible de las obras, redundarán a la larga sólo en mi gloria, y es tributario de la belleza de mi mundo". Sin embargo, dicen los Ainur que el pensamiento de los Hombres causa a veces dolor incluso a Ilúvatar; por tanto, si envidiaron y se asombraron ante el don de la libertad otorgado a los Hombres, la paciencia de Ilúvatar ante el mal uso que de él se hizo fue causa de la más grande maravilla, tanto para los Dioses como para las Hadas. Sin embargo, es propio de la naturaleza de este don que los Hijos de los Hombres sólo habiten un breve tiempo en el mundo; no obstante, no mueren por completo y para siempre, mientras que los Eldar moran en él hasta el Gran Final[13] a no ser que se les dé muerte o se marchiten de dolor (pues están sujetos a estas dos clases de muerte), ni tampoco la senectud les socava las fuerzas, a no ser que transcurran diez mil siglos; y si mueren, renacen en sus hijos, de modo que su número no decrece ni aumenta. Sin embargo, mientras que los Hijos de los Hombres se unirán ciertamente al cabo del curso de todas las cosas a la Segunda Música de los Ainur, el destino que Ilúvatar reservaba a los Eldar más allá del fin del mundo no lo ha revelado ni siquiera a los Valar, y Melko no lo ha descubierto.

NOTAS

1 Esta oración de apertura falta en el borrador.
2 La referencia al hecho de haber puesto el Fuego Secreto en los Ainur falta en el borrador.
3 Este pasaje, desde «Ahora bien, Melko, entre los Ainur...», es una ampliación de otro mucho más breve en el borrador: «Melko, de entre los Ainu, había vagado solo más a menudo por los lugares oscuros y los vacíos [*añadido después*: en busca de los fuegos secretos]».
4 Las palabras «mi canto» y «mi pensamiento» estaban en posición invertida en el texto, y fueron corregidas posteriormente con lápiz a la versión actual. Al principio del texto aparece la frase «Antes de cualquier otra cosa, cantó primero para dar ser a los Ainur». Cf. el comienzo de *Ainulindalë* en *El Silmarillion*: «Los Ainur ... que eran vástagos de su pensamiento».
5 No hay referencia en este punto del borrador a Manwë o Aulë.
6 Esta oración sobre la amistad y la alianza entre Manwë y Ulmo no está presente en el borrador.
7 Este pasaje era bastante diferente en el texto del borrador:
    Y aún mientras Ilu se dirigía a Ulmo, los Ainu contemplaron cómo la gran historia que les había propuesto para su asombro, y en la que toda la gloria suya no era sino el ámbito de su cumplimiento, se desarrollaba en un millar de complejidades tal como había sido la música que ellos habían tocado a los pies de Ilu, cómo la belleza se veía abrumada por el clamor y el tumulto y de allí reaparecía como nueva belleza, cómo la tierra cambiaba y las estrellas se apagaban y se encendían, y el viento soplaba por el firmamento, y el sol y la luna eran desatados en sus rutas y cobraban vida.
8 Esta oración sobre Melko no aparece en el borrador.
9 En el borrador, este párrafo dice:
    Ahora bien, los Eldar y los Hombres eran concepción de Ilu solamente, y ni los Ainu ni tan siquiera Melko tuvieron nada que ver con su hechura, aunque lo cierto es que su música de antaño y sus hechos en el mundo afectaron poderosamente a la historia. Quizá por esta razón Melko y muchos de los Ainu, con

LA MÚSICA DE LOS AINUR 79

buena o mala intención, siempre se entrometían en sus asuntos, pero viendo que Ilu había hecho a los Eldar demasiado parecidos en naturaleza, si no en estatura, a los Ainu, tuvieron
trato preferentemente con los Hombres.

La conclusión de este párrafo parece ser el único lugar en que el
segundo texto contradice abiertamente el del borrador.

10 El borrador dice: «y éstos son los que ahora vosotros y nosotros
llamamos los Valur y Valir».

11 El párrafo entero que sigue a la mención de los Solosimpi y «su
amor por vivir junto a la costa» no aparece en el borrador.

12 La redacción de este pasaje en el borrador dice así:
«... pero a los Hombres les encomendaré una tarea y les otorgaré un gran don». Y dispuso que tendrían libre albedrío y el poder de hacer y proyectar cosas más allá de la música original de
los Ainu, y que por consecuencia de sus actividades se verían
satisfechas las formas y los hechos de todas las cosas, y el mundo
nacido de la música de los Ainu fuera completo hasta el último
y más pequeño de sus detalles.

13 «mientras que los Eldar viven para siempre» dice el borrador.

Cambios de los nombres que aparecen en
La Música de los Ainur

Ainur Siempre *Ainu* en el borrador.
Ilúvatar Habitualmente *Ilu* en el texto del borrador, pero también
Ilúvatar.
Ulmo Así se lo llama en el borrador, pero también *Linqil (corregido a
Ulmo)*.
Solosimpi < *Solosimpë*.
Valar o *Vali* En el borrador *Valur* y *Valir* (que parecen ser formas
masculina y femenina).
Ónen < *Ówen*.
Vai < *Ulmonan*.

Comentario sobre
La Música de los Ainur

Prosigue al texto de *La Música de los Ainur* un pasaje de enlace que
conduce a la historia de *La Construcción de Valinor* sin interrupciones

en el relato; pero postergo este enlace hasta el próximo capítulo. Este texto escrito es igualmente continuo entre ambos cuentos, y no hay indicios de que la composición de *La Construcción de Valinor* no siguiera a la de *La Música de los Ainur*.

En años posteriores, el mito de la Creación fue revisado y reescrito una y otra vez; pero es preciso observar que solamente en este caso, y en contraste con el desarrollo del resto de la mitología hay una tradición directa, de un manuscrito a otro, desde el primer borrador hasta la versión final: cada texto se basa directamente en el que lo precede*. Además, y esto es sumamente notable, la primera versión, escrita cuando mi padre tenía 27 o 28 años e inserta todavía en el contexto de *La Cabaña del Juego Perdido*, era ya de una concepción tan evolucionada que sólo se le hicieron muy pocos cambios fundamentales. Es cierto que hubo bastantes, y se pueden trazar etapa por etapa a través de los textos sucesivos, siendo muchos los detalles que se le incorporaron; pero la sucesión de las oraciones originales puede reconocerse continuamente en la última versión del *Ainulindalë*, escrita más de treinta años después, y aun así muchas frases sobrevivieron.

Se verá que el gran tema que Ilúvatar les presentó a los Ainur fue originalmente algo más explícito («La historia que he expuesto ante vosotros») y que las palabras que Ilúvatar dirige a los Ainur al final de la Música contienen una larga declaración sobre lo que Melko había causado, sobre lo que había introducido en la historia del mundo. Pero, con mucho, la diferencia más importante es que en la versión original, cuando los Ainur contemplan el Mundo por vez primera, lo ven realmente («aun ahora el mundo se despliega y empieza su historia»), no es para ellos Visión que les fuera arrebatada y que cobrara existencia tan sólo debido a las palabras de Ilúvatar: «*Eä!* ¡Que estas cosas Sean!» *(El Silmarillion)*.

Sin embargo, una vez observadas todas las diferencias, son mucho menos importantes que la solidez y la integridad con la que el mito de la Creación surgió desde su principio inicial.

También en este «Cuento» hacen su aparición muchos rasgos específicos de menor importancia general; y muchos de ellos habrían de sobrevivir. Manwë, llamado «señor de los Elfos y de los Hombres», recibe el apodo de *Súlimo*, «regidor de los aires y el viento»; está vestido de zafiros, y unos halcones de mirada penetrante vuelan desde su

---

* Para una comparación con el texto publicado en *El Silmarillion*, debe tenerse en cuenta que parte del asunto de la primera versión no aparece en el *Ainulindalë*, sino al final del Capítulo 1, *Del principio de los días*.

morada en Taniquetil (*El Silmarillion*, cap. I); ama especialmente a los
Teleri (posteriormente Vanyar), que recibieron de él los dones de la
poesía y el canto; y su esposa es Varda, Reina de las Estrellas.
Se destaca a Manwë, Melko, Ulmo y Aulë como «los Cuatro Grandes»; al final los grandes Valar, los *Aratar*, llegaron a ser nueve, pero
antes de llegar a ese número hubo abundantes cambios jerárquicos y
de membresía. Las preocupaciones características de Aulë y su particular asociación con los Noldoli aparecen aquí en la versión que llegó a
ser definitiva, aunque se le atribuye un gusto por «las lenguas y los alfabetos», mientras que en *El Silmarillion*, aunque esto no se niega, parece
ser más bien una habilidad característica y común de los Elfos Noldorin; más tarde se dice en los *Cuentos Perdidos* que el mismo Aulë «ayudado por los Gnomos inventó alfabetos y escrituras». Ulmo, especialmente asociado con los Solosimpi (posteriormente llamados Teleri),
se presenta aquí como más satisfecho de su honor y celoso de su poder
que Manwë; y habita en Vai. Vai es una corrección de Ulmonan; pero
no un reemplazo de un nombre por el otro: Ulmonan era el nombre
de los recintos de Ulmo, que estaban en Vai, el Océano Exterior. La
relevancia de Vai, un elemento importante en la cosmología original,
se verá en el próximo capítulo.

Aparecen ahora otros seres divinos. Manwë y Varda tienen descendencia, Fionwë-Úrion y Erinti. Erinti más tarde se convirtió en Ilmarë,
«la doncella de Varda» (*El Silmarillion*), pero nada más se dijo nunca
de ella. Fionwë, cuyo nombre se transformó mucho después en Eönwë,
siguió presente para convertirse en el Heraldo de Manwë cuando quedó abandonada la idea de «los Hijos de los Valar». Aparecen seres subordinados a Ulmo: Salmar, Ossë y Ónen (más tarde Uinen); aunque
todos ellos sobrevivieron en el panteón, la idea de los Maiar no apareció hasta muchos años después, y Ossë se contó durante mucho tiempo entre los Valar. A los Valar se los llama aquí «Dioses» (sin duda
cuando Eriol pregunta «¿son ellos los Dioses?», Lindo responde que sí
lo eran), y esta concepción se mantuvo hasta muy avanzado el desarrollo de la mitología.

La idea del renacimiento de los Elfos en sus propios hijos se afirma aquí de manera formal, y también el destino diferente de Elfos y
Hombres. En relación con esto, puede mencionarse el siguiente hecho curioso. En la primera parte del texto que acaba de ofrecerse aparece la frase: «Se dice que tanto los coros de los Ainur como los de los
hijos de los Hombres entretejerán ante el trono de Ilúvatar una música mucho más poderosa, después del Gran Final »; y en la afirmación
con que concluye el texto: «Sin embargo, mientras que los Hijos de los
Hombres se unirán ciertamente al cabo del curso de todas las cosas a

la Segunda Música de los Ainur, el destino que Ilúvatar reservaba a los Eldar más allá del fin del mundo no lo ha revelado ni siquiera a los Valar, y Melko no lo ha descubierto». En la primera revisión del *Ainulindalë* (que data de la década de 1930) la primera de estas oraciones se transformó en «... tanto los coros de los Ainur como los de los *Hijos de Ilúvatar* después del fin de los días»; mientras que la segunda quedó en lo esencial inalterada. Así siguió siendo hasta la versión final. Es posible que el cambio del primer pasaje no fuera intencional, simplemente la sustitución de otra frase común, y que más tarde pasara desapercibido. Sin embargo, en la obra publicada dejé los dos pasajes tal cual.

III

LA LLEGADA DE LOS VALAR
Y LA CONSTRUCCIÓN DE VALINOR

Como ya he observado anteriormente, el próximo cuento está enlaza-
do con *La Música de los Ainur* sin ninguna interrupción narrativa; y el
texto no lleva título. Lo encontramos en tres cuadernos separados (los
Cuentos Perdidos fueron escritos del modo más desconcertante, con
partes de diferentes cuentos entrelazadas entre sí), y en la cubierta
del cuaderno que tiene la parte inicial, que prosigue a *La Música de los
Ainur,* aparece escrito: «contiene también la Llegada de los Valar y comienza la Construcción de Valinor». El texto está escrito en tinta sobre
un manuscrito a lápiz borrado.

Entonces, cuando Rúmil hubo terminado y guardó silencio,
Eriol dijo al cabo de una pausa: —Grandes noticias son éstas y
muy novedosas y extrañas suenan a mis oídos; sin embargo
parece que gran parte de lo que me has contado ocurrió fuera de este mundo, y que aunque ahora ya sé de dónde provienen su vida y su movimiento y la concepción definitiva de su
historia, me gustaría escuchar todavía muchas cosas de los
primeros hechos que ocurrieron dentro de sus límites; de
buen grado escucharía de los trabajos de los Valar y de los
grandes seres de los días más antiguos. ¿De dónde provienen,
dime, Sol o Luna o las Estrellas, y cómo se delinearon sus cursos y sus estaciones? Más aún: ¿de dónde provienen los continentes de la tierra, las Tierras Exteriores, los grandes mares y
las Islas Mágicas? Aun de los Eldar y su aparición y de la llegada
de los Hombres quisiera saber por tus cuentos de sabiduría y
maravilla.

Entonces respondió Rúmil: —Vaya, son tus preguntas casi
tan largas y locuaces como mis cuentos, y la sed de tu curiosidad secaría un pozo aún más profundo que el de mis conocimientos si te dejara acudir a mí cuando se te antojase a beber

incansablemente. En verdad no sabes lo que preguntas ni la extensión y la complejidad de las historias que escucharías. Mira, el sol está ya bien alto sobre los tejados y ya no es hora de contar cuentos. Más bien ya es hora, y aun algo pasada, de romper el ayuno. —Con estas palabras, Rúmil echó a andar por aquel sendero de avellanos, y atravesando un espacio iluminado por el sol, entró de prisa en la casa, aunque tuvo buen cuidado de mirar dónde ponía los pies antes de avanzar.

Pero Eriol permaneció sentado meditabundo en la glorieta, sopesando cuanto había oído, y muchas preguntas que le habría gustado hacer le acudieron a la mente, tantas que se olvidó que todavía ayunaba. Pero en eso llegaron Pequeñocorazón y otro más, trayendo bandejas cubiertas y hermosos manteles y le dijeron: —Son palabras de Rúmil el Sabio, que en la glorieta de los Zorzales estás desmayándote de hambre y de fatiga por culpa de su charlatana lengua... y pensando que era muy probable hemos venido en tu ayuda.

Entonces Eriol les dio las gracias, y después de desayunar permaneció el resto de ese hermoso día oculto en las veredas silenciosas del jardín, sumido en profundos pensamientos; no estuvo falto tampoco de placer pues, aunque parecía encerrado dentro de grandes muros de piedra cubiertos por árboles frutales o plantas trepadoras, cuyas flores doradas y rojas resplandecían al sol, existían refugios y rincones en el jardín, sotos y prados, senderos sombreados y campos floridos que parecían no tener fin, y su exploración descubría siempre algo nuevo. No obstante, su alegría aún fue más grande esa noche cuando se volvió a brindar por «el Reencendido del Sol Mágico», y las velas fueron sostenidas en alto y todos se dirigieron nuevamente a la sala donde ardía el Hogar de los Cuentos.

Dijo allí Lindo: —¿Habrá de haber cuentos otra vez esta noche como de costumbre, o toque de música y entonación de canciones? —Y la mayoría dijo que canciones y música, y entonces allí se pusieron de pie algunos de los más dotados, y cantaron viejas melodías y quizá revivieron trovas muertas de Valinor en la luz temblorosa de aquella sala iluminada por el fuego. Algunos también recitaron poesías que hablaban de Kôr, y de Eldamar, breves fragmentos de la riqueza de antaño; pero pronto el canto y la música fueron cesando, y hubo silencio mientras los allí reunidos pensaban en la belleza perdida y desearon profundamente el Reencendido del Sol Mágico.

Después de un rato le habló Eriol a Lindo, diciendo: —Rúmil, el custodio de la puerta, que me pareció hombre de gran sabiduría, me relató esta mañana en el jardín el principio del mundo y la llegada de los Valar. ¡De buen grado escucharía ahora hablar sobre Valinor!

Entonces dijo Rúmil, sentado en un taburete en un rincón sumido en profundas sombras: —Pues con la licencia de Lindo y Vairë empezaré el cuento, pues si no, seguirás preguntando todo el tiempo; y que me perdonen los presentes si vuelven a oír antiguas historias. —Pero Vairë dijo que aquellas palabras acerca de las cosas más antiguas estaban lejos todavía de haberse marchitado en los oídos de los Eldar.

Dijo Rúmil entonces:

—He aquí que Manwë Súlimo y Varda la Hermosa se levantaron. Varda, mientras la Música se interpretaba, había puesto mucho de su pensamiento en una luz de blancura y de plata, y en las estrellas. Aquellos dos se revistieron con alas de poder y viajaron rápidamente a través de los tres aires. Vaitya es aquel tan lento y revestido de oscuridad que envuelve el mundo por fuera y se extiende más allá de él, mientras que Ilwë es azul y claro y fluye entre las estrellas, y por último llegaron a Vilna, que es gris, y en él los pájaros pueden volar sin peligro.

»Con ellos llegaron muchos de aquellos Vali menores que los amaban, que habían tocado junto a ellos y habían afinado su música a la suya, y son estos los Mánir y los Súruli, los silfos de los vientos y los aires.

»Ahora bien, viajaron muy de prisa, pero Melko llegó antes que ellos, pues se había precipitado llameando a través de los aires con una impetuosa rapidez, y hubo un tumulto en el mar donde se había zambullido y las montañas sobre él escupieron fuego y la tierra se desgajó y se estremeció; pero Manwë al verlo montó en cólera.

»Después llegaron Ulmo y Aulë, y con Ulmo no había nadie, salvo Salmar, que fue luego conocido como Noldorin pues, aunque había bondad en el corazón de ese poderoso, los pensamientos más profundos los tenía en la soledad, y se mostraba callado, desapegado y altivo aun frente a los Ainur; pero con

Aulë estaba la gran señora Palúrien, que se deleitaba en la abundancia y los frutos de la tierra y por esa razón fue llamada Yavanna entre los Eldar. Acompañándolos viajó una gran hueste compuesta por los seres de los árboles y de los bosques, del valle y la floresta y de las laderas de las montañas, o aquellos que cantan entre la hierba por la mañana y entonan cánticos entre las espigas erguidas al atardecer. Son éstos los Nermir y los Tavari, Nandini y Orossi, duendecillos, ninfas, hadas, espíritus traviesos y no sé cuántos nombres más reciben, pues son muy numerosos; sin embargo, es preciso no confundirlos con los Eldar, pues han nacido antes que el mundo y son más viejos que lo que éste tiene de más viejo, y no están hechos de su materia, y se ríen mucho de él, pues no habiendo tenido nada que ver con su hechura, es para ellos sobre todo cosas de juego; sin embargo los Eldar pertenecen al mundo y lo aman con un amor ardiente, y por esa razón sienten siempre nostalgia, aun en la felicidad plena.

»Pues bien, detrás de esos grandes capitanes vinieron Falman-Ossë de las olas del mar y Ónen, su consorte, y con ellos las tropas de las Oarni y los Falmaríni y los Wingildi de las largas trenzas, pues son éstos los espíritus de la espuma y el oleaje del océano. Ahora bien, Ossë era vasallo y subordinado de Ulmo, por temor y reverencia, que no por amor. Tras él llegaron Tulkas Poldórëa, orgulloso de sus fuerzas, y los hermanos Fánturi, Fantur de los Sueños, que es Lórien Olofántur, y Fantur de la Muerte, que es Vefántur Mandos, y también aquellas dos a las que se llama Tári, pues son señoras muy respetadas, reinas de los Valar. Una de ellas era la esposa de Mandos, y es conocida por todos como Fui Nienna en razón de su lobreguez, y le complacen la aflicción y las lágrimas. Muchos otros nombres tiene que rara vez se pronuncian y son todos luctuosos, pues es Núri la que suspira y Heskil la que da hálito al invierno, y todos deben inclinarse ante ella como Qalmë-Tári, la esposa de la muerte; pero he aquí que la otra era la esposa de Oromë el cazador, que es llamado Aldaron, rey de los bosques, que grita de alegría en la cima de las montañas y es casi tan lujurioso como Tulkas, el de la perpetua juventud. Oromë es el hijo de Aulë y Palúrien, y la Tári que es su esposa es conocida por todos como Vána la bella, que ama la alegría, la juventud y la belleza, y es el más feliz de todos los seres, pues es Tuilérë o, como decían los Valar,

Vána Tuivána, la que trae la primavera, y todos cantan sus alabanzas como Tári-Laisi, la esposa de la vida.

»Sin embargo, cuando todos éstos ya habían cruzado los confines del mundo y Vilna se había alborotado a su paso, aun llegaron de prisa Makar y su feroz hermana Meássë; y habría sido mejor que no hubieran encontrado el mundo y se hubieran quedado para siempre con los Ainur más allá de Vaitya y las estrellas, pues ambos eran espíritus de temperamento pendenciero y, con otros espíritus menores que les acompañaban, fueron los primeros en sumarse a las discordancias de Melko y en ayuda de la propagación de su música.

»Último de todos llegó Ómar, que es llamado Amillo, el más joven de los grandes Valar, y cantaba mientras se acercaba.

»Entonces, cuando todos estos grandes espíritus estuvieron reunidos juntos en los confines del mundo, Manwë les habló diciendo: —¡Escuchad, pues! ¿Cómo pueden los Valar habitar este bello lugar, o ser felices y regocijarse en su bondad, si se permite que Melko lo destruya provocando fuegos y torbellinos, de modo que no tenemos dónde reposar en paz, y la tierra no pueda florecer o los designios de Ilúvatar consigan cumplirse?

»Entonces todos los Valar se encolerizaron con Melko, y sólo Makar habló contra Manwë; pero el resto escogieron a algunos de entre ellos para que fueran en busca del hacedor del mal, y éstos fueron Mandos y Tulkas, pues tan pavoroso era el aspecto de Mandos que Melko lo temía más que a nada, salvo a la fuerza del brazo de Tulkas, y Tulkas era el otro.

»Ahora bien, esos dos lo buscaron y lo obligaron a comparecer ante Manwë, y Tulkas, cuyo corazón no sentía afecto por la retorcida astucia de Melko, le asestó a éste un puñetazo y él lo soportó en aquel momento, pero nunca olvidó. No obstante les habló gentilmente a los Dioses, diciendo que no era mucho el daño que ocasionaba, y que en realidad estaba disfrutando de la novedad del mundo; tampoco, dijo, pretendía hacer nada contra el señorío de Manwë o la dignidad de señores como Aulë y Ulmo, ni indudablemente causar daño a nadie que estuviera cerca. Su consejo era más bien que cada uno de los Valar partiera ahora y morase entre aquellas cosas que amaba sobre la Tierra, sin que ninguno intentase prolongar su gobierno más allá de sus justos límites. Había en esto cierta alusión encubierta a

Manwë y Ulmo, aunque entre los Dioses hubo algunos que aceptaron de buena fe sus palabras y estuvieron dispuestos a seguir su consejo, pero otros desconfiaron; y en pleno debate Ulmo se levantó y se encaminó a los Mares Extremos que están más allá de las Tierras Exteriores. No le gustaban las palabras grandilocuentes ni las reuniones numerosas, y se proponía residir en aquellas aguas profundas, inmóviles y vacías, dejando el gobierno del Gran Mar y los mares menores a sus vasallos Ossë y Ónen. Sin embargo, siempre sumido en las profundidades de los más remotos recintos marinos de Ulmonan, dominaba con su magia los débiles estremecimientos de los Mares Sombríos, y regía los lagos y los manantiales y los ríos del mundo.

»Pues bien, así eran las cosas en la Tierra en aquellos días, y no han cambiado desde entonces salvo por mediación de los trabajos de los Valar de antaño. Las regiones más poderosas son las Grandes Tierras que los Hombres habitan y recorren ahora, y donde los Elfos Perdidos cantan y bailan en las colinas; pero más allá de los límites más occidentales se extienden los Grandes Mares, y en esas vastas aguas del oeste hay muchas tierras menores e islas antes de alcanzar los mares solitarios, cuyas olas susurran alrededor de las Islas Mágicas. Más lejos aún, y pocas son las embarcaciones de los hombres mortales que se hayan aventurado tanto, están los Mares Sombríos donde flotan las Islas del Crepúsculo y la Torre de Perla se eleva pálida sobre el cabo más occidental; pero todavía no había sido construida, y los Mares Sombríos se extendían oscuros a lo lejos hasta su costa más extrema, en Eruman.

»Ahora bien, las Islas del Crepúsculo son consideradas las primeras de las Tierras Exteriores, compuestas por las Islas, Eruman y Valinor. Eruman o Arvalin está al sur, pero los Mares Sombríos se extienden incluso hasta las costas de Eldamar al norte; sin embargo, los barcos tienen que navegar más lejos todavía para llegar a estas playas plateadas, pues más allá de Eruman se alzan las Montañas de Valinor trazando un gran anillo que se curva hacia el oeste, y los Mares Sombríos al norte de Eruman se adentran en una vasta bahía, de modo que las olas baten incluso a los pies de los grandes acantilados y las Montañas se levantan junto al mar. Allí está Taniquetil, glorioso de contemplar, la más alta de las montañas, vestida de la más pura nieve, y que mira desde lo alto de la bahía hacia el sur más allá de Eruman y hacia el norte más allá de la Bahía de Faëry; en verdad, la totalidad de los Mares Sombríos, incluso las velas de los barcos sobre las aguas del gran océano iluminadas por el sol y las multitudes afanadas en los puertos occidentales de las tierras de los Hombres pudieron verse más adelante desde allí, aunque la distancia se calcule en leguas inimaginables. Pero Sol todavía no había nacido y las Montañas de Valinor no se habían levantado, y el valle de Valinor yacía extenso y frío. Nunca he visto ni oído nada sobre aquello que hay más allá de Valinor, aunque tengo la certeza de que allí se extienden las oscuras aguas de los Mares Exteriores, que no tienen mareas, y son tan frías y leves que ninguna barca puede navegar por ellas ni ningún pez penetrar en sus profundidades, salvo los peces encantados de Ulmo y su carro mágico.

»Hacia allí había partido ahora, pero los Dioses celebraron consejo para tratar las palabras de Melko. Aulë y su esposa Palúrien, los más afectados por los torbellinos de Melko y que no confiaban en sus promesas, aconsejaron a los Dioses no separarse como él proponía, pues era posible que deseara atacarlos por separado o dañar sus posesiones. —¿No es acaso —dijeron— más poderoso que cualquiera de nosotros excepto Manwë? Mejor será que edifiquemos una morada donde podamos habitar alegremente todos juntos, viajando sólo cuando sea necesario para el cuidado y la vigilancia de nuestros bienes y feudos. En ella podrían vivir cuanto deseen aun aquellos que a veces no están de acuerdo, y encontrar allí reposo y solaz después de sus trabajos en el mundo. —La mente y los dedos le escocían ya a Aulë de deseos de hacer cosas, y por eso continuó insistiendo en esta cuestión; y a la mayoría de los Dioses les pareció un buen consejo, y viajaron por el mundo en busca de un sitio para vivir en él. Fueron aquellos los días del Crepúsculo (Lomendánar), pues había luz, argentina y dorada, pero no estaba reunida, sino que fluía y se estremecía en corrientes irregulares por los aires, o a veces caía gentilmente en una lluvia esplendorosa y corría como agua por la tierra; y en ese tiempo Varda en sus juegos sólo había puesto unas pocas estrellas en el cielo.

»En esta penumbra los Dioses fueron sigilosamente de norte a sur y pudieron ver poco; a decir verdad en las más profundas de estas regiones encontraban un gran frío y soledad, y la égida de Melko ya fortalecida y potente; pues Melko y sus sirvientes estaban excavando en el norte, construyendo los tétricos recintos de Utumna, dado que no tenía intención de vivir entre los demás aunque por el momento fingiera paz y amistad.

»Ahora bien, por causa de la oscuridad Aulë convenció a Melko de que construyera dos torres, una en el norte y otra en el sur, pues se proponía colocar sobre cada una de ellas una lámpara poderosa. A éstas las hizo el mismo Aulë de oro y de plata, y Melko levantó los pilares y eran éstos muy altos y brillaban como un pálido cristal azul; y cuando Aulë los golpeó con la mano resonaron como el metal. Se elevaron a través del aire inferior hasta alcanzar Ilwë y las estrellas, y Melko dijo que estaban hechas de una sustancia imperecedera de gran resistencia que él mismo había inventado; y mentía, porque sabía que eran de hielo. A la del norte le dio el nombre de Ringil, y a la del sur, Helkar, y las lámparas estaban prontas y fueron puestas sobre ellas cargadas de luz reunida, plateada la del norte y dorada la del sur. Esta luz la habían recogido Manwë y Varda generosamente del cielo, para que los Dioses pudieran explorar mejor las regiones del mundo y elegir la más bella como morada.

»Así pues bajo esa luz llameante viajaron al este y al oeste, y el este era un baldío de tierras ajadas, y el oeste estaba cubierto de vastos mares de oscuridad, pues en verdad se habían reunido ahora en esas Islas del Crepúsculo y desde allí miraban hacia el oeste, cuando he aquí que las lámparas del norte y del sur parpadearon y se desplomaron, y al desplomarse, las aguas se levantaron en torno a las islas. Pues bien, estas cosas ellos no las entendieron; pero sucedió que el resplandor de aquellas luces había derretido el hielo traicionero con que estaban hechos los pilares de Melko, Ringil y Helkar, y grandes flujos de agua de su deshielo se habían vertido en los Mares Sombríos. Tan grandes fueron éstos que esos mares, que al principio no eran de gran tamaño, sino claros y cálidos, se hicieron negros y vastos, y sobre ellos había vapores y sombras profundas por causa de las grandes aguas frías que se virtieron en ellos. Así fue cómo las poderosas lámparas cayeron de las alturas, y el estruendo del derrumbe sacudió las estrellas, y parte de su luz se esparció otra vez por el aire, pero abundante fue la que fluyó por tierra provocando incendios y desiertos con su amplio volumen antes de recogerse en lagos y estanques.

»Llegó entonces el momento de la primera noche, y fue ésta muy larga; pero los Valar estaban sumamente furiosos por la traición de Melko, y era probable que fueran anegados por los mares sombríos que se levantaban ahora lamiéndoles los pies y cubriendo muchas islas con su oleaje.

»Entonces Ossë, pues Ulmo no se encontraba allí, reunió en torno a sí a las Oarni, y usando su poder arrastraron juntos la isla donde se encontraban los Valar hacia el oeste de las aguas hasta alcanzar Eruman, cuyas altas costas contuvieron la furiosa inundación... y ésa fue la primera marea.

»Dijo entonces Manwë: —Ahora haremos rápidamente una morada y un baluarte contra el mal. —De modo que se dirigieron a Arvalin y vieron un amplio espacio abierto más allá que se extendía por leguas aún desconocidas hasta los Mares Exteriores. Aquel, dijo Aulë, sería un espacio adecuado para levantar un gran edificio y crear reinos de deleite; por tanto los Valar y todos sus súbditos recogieron en primer lugar las rocas y las piedras más poderosas de Arvalin y levantaron con ellas enormes montañas entre aquel lugar y la llanura que llaman ahora Valinor, o tierra de los Dioses. En verdad, fue el mismo Aulë quien trabajó durante siete edades a pedido de Manwë erigiendo Taniquetil, y el mundo retumbaba en las tinieblas y Melko oyó el ruido de estos trabajos. Por causa de su gran mampostería es Erumáni ahora muy ancha y desnuda y de un maravilloso nivelado, pues retiraron todas las piedras y las rocas que había allí; pero las Montañas de Valinor son escarpadas y de una altura impenetrable. Viendo por fin que se alzaban poderosas entre Valinor y el mundo, los Dioses respiraron con tranquilidad; pero Aulë y Tulkas viajaron con muchos de los suyos, trayendo al regresar todos los mármoles y buenas piedras, hierro y plata y oro y bronce, y toda clase de materiales que pudieron. Los apilaron en medio de la llanura y sin demora Aulë empezó a trabajar vigorosamente.

»Al fin dijo: —No es bueno trabajar en medio de estas tinieblas, y fue una mala acción la de Melko que arruinó aquellas bellas lámparas. —Pero Varda, respondiendo, dijo—: Hay mucha luz todavía en los aires, y también fluyendo vertida sobre la tierra —y tuvo deseos de recoger un nuevo acopio y levantar un fanal en Taniquetil. Pero Manwë no quiso que se recogiera del cielo más resplandor, porque la oscuridad era ya la de la noche, pero a su pedido Ulmo emergió de sus profundidades y viajó a los lagos resplandecientes y a los estanques fulgurantes. De allí recondujo ríos de luz para recogerlos en grandes vasijas, y con ellas volvió a Valinor. Allí toda la luz se vertió en dos grandes calderos que Aulë había preparado a oscuras en ocasión de su regreso, y que reciben los nombres de Kulullin y Silindrin.

»Ahora bien, en el valle más central cavaron dos grandes pozos que están a leguas de distancia el uno del otro, aunque muy cerca de la vastedad de esa llanura. En uno puso Ulmo siete rocas de oro traídas de las más silenciosas profundidades del mar, y luego fue arrojado allí un fragmento de la lámpara que había ardido un tiempo sobre Helkar, en el sur. Luego el pozo fue cubierto con tierras fértiles creadas por Palúrien, y acudió Vána, la que ama la vida y la luz del sol y ante cuyo canto las flores se alzan y se abren, y el murmullo de las doncellas a su alrededor era como el dichoso ruido de la gente que se estremece al salir al exterior por primera vez en una mañana luminosa. Allí cantó sobre el montículo la canción de la primavera, y bailó alrededor, y lo regó con grandes cantidades de esa luz dorada que Ulmo había traído de los lagos donde se habían derramado; y de este modo, al final Kulullin casi rebosaba.

»Pero en el otro pozo arrojaron tres perlas enormes que encontró Ossë en el Gran Mar, y tras ellas arrojó Varda una pequeña estrella, y lo cubrieron de espumas y nieblas blancas y luego espolvorearon suavemente tierra sobre él, pero Lórien, que ama los crepúsculos y las sombras temblorosas, y los dulces perfumes que viajan en los vientos de la tarde, y que es el señor de los sueños y la imaginación, se sentó cerca y susurró rápidas palabras inaudibles, mientras los espíritus que estaban a su servicio tocaban junto a él melodías que se oían apenas, como la música que se filtra en la oscuridad desde moradas lejanas; y los Dioses vertieron en ese lugar ríos de resplandor blanco y de la luz plateada que Silindrin contuvo casi hasta el borde... y después de haberlos vertido, Silindrin aún no estaba llena.

»Entonces acudió Palúrien, también llamada Kémi, Señora de la Tierra, esposa de Aulë, madre del señor de los bosques, y tejió hechizos alrededor de esos dos sitios, profundos encantamientos de vida y crecimiento, de brote de hojas, de flores y de producción de frutos... pero no añadió palabras de marchitamiento a su canción. Después de haber cantado meditó allí largo rato, y los Valar se sentaron en círculo alrededor, y la llanura de Valinor estaba oscura. Luego, al cabo de un tiempo, llegó por fin un brillante resplandor de oro entre las tinieblas, y los Valar y quienes los acompañaban lanzaron un grito de alegría y alabanza. He aquí que del lugar que había sido regado con la luz de Kulullin surgió un brote esbelto, y su corteza arrojaba una refulgencia de oro pálido; empero esa planta creció de prisa, de modo que en siete horas había allí un árbol de poderosa estatura y todos los Valar y los suyos pudieron sentarse bajo sus ramas. De gran belleza de forma y buen desarrollo era el tronco, y nada había en él que quebrara la suavidad de la corteza, que a gran altura sobre la tierra emanaba una delicada luz amarilla. Entonces brotó en todas direcciones sobre sus cabezas un hermoso encaje de frondas, y de todas las ramitas y miembros más pequeños nacieron yemas doradas, que se abrieron en hojas de un verde profundo y bordes resplandecientes. Ya era la luz que emitía ese árbol amplia y hermosa, pero mientras los Valar lo contemplaban, brotaron de él capullos con tanta profusión que todas sus ramas quedaron ocultas por largos racimos oscilantes de flores doradas cual millares de lámparas colgantes, y la luz se derramaba desde sus puntas y caía a tierra con un dulce sonido.

»Alabaron entonces los Dioses a Vána y a Palúrien y se regocijaron en la luz diciéndoles: —He aquí que éste es un árbol muy bello en verdad, y debe recibir un nombre. —Y Kémi dijo—: Reciba el nombre de Laurelin por el brillo de su florecer y la música de su rocío —pero Vána prefería llamarlo Lindelöksë, y ambos nombres perduraron.

»Habían pasado ya doce horas desde que brotara Lindelöksë por vez primera, y a esa hora un destello plateado penetró en el dorado resplandor, y he aquí que los Valar vieron que un brote se alzaba en el sitio donde se habían vertido los estanques de Silindrin. Tenía la corteza de un tierno color blanco que resplandecía como perlas, y creció tan rápido como había crecido

Laurelin, y mientras crecía, la gloria de Laurelin menguaba y sus flores brillaban menos hasta que relumbró levemente, como si durmiese; pero he aquí que el otro alcanzó una estatura tan alta como la de Laurelin, y el tronco era aún más proporcionado y esbelto, y su corteza parecía de seda, pero las ramas altas eran más gruesas y enmarañadas y densas, y de ellas brotaron masas de hojas lanceoladas, de un color verde azulado.

»Entonces los Valar se quedaron mirando maravillados, pero Palúrien dijo: —No ha terminado aún este árbol su crecimiento. —Y he aquí que mientras hablaba, floreció, y las flores no colgaban en racimos, sino que cada una tenía su propio tallo y se balanceaban a la vez; recordaban a las perlas y la plata y las estrellas resplandecientes, y ardían con una luz blanca; y parecía que el corazón del árbol latiera, y por ello la radiación luminosa se estremecía con ritmo creciente y menguante. El tronco destilaba una luz como de plata líquida que se vertía en tierra y que iluminaba de un modo imponente la llanura aunque sin embargo no llegaba tan lejos como la luz del árbol de oro, y a causa también de las grandes hojas y del latido de su vida interior, arrojaba un continuo revoloteo de sombras entre sus brillantes estanques, negras aquéllas y éstos muy claros. Entonces Lórien no pudo contener su alegría, e incluso Mandos sonrió. Y Lórien dijo: —He aquí que le daré a este árbol un nombre, y lo llamaré Silpion. —Y ése ha sido siempre su nombre desde entonces. Entonces Palúrien se puso de pie y les dijo a los Dioses—: Recoged ahora toda la luz líquida que gotea de este bello árbol y almacenadla en Silindrin, y que mane desde allí, pero de manera muy parca. Mirad, cuando las doce horas de su plena luz hayan transcurrido, el árbol volverá a menguar, y entonces volverá a encenderse Laurelin; pero para que no se agote, regadlo siempre gentilmente con agua de la caldera de Kulullin a la hora en que Silpion se atenúa, y con Silpion haced lo mismo, volviendo a verter la luz recogida del profundo Silindrin toda vez que mengüe el árbol de oro. ¡Luz es la savia de estos árboles y su savia es luz!

»Y con estas palabras quería ella decir que aunque a estos árboles había que regarlos con luz para que tuvieran savia y vida, de su desarrollo y vida hacían siempre luz en gran abundancia, muy por encima de la que sus raíces absorbían; y los

Dioses atendieron a su pedido, y Vána hizo que una de sus propias doncellas, la constante Urwen, se hiciera cargo de la tarea de regar a Laurelin mientras que Lórien pidió a Silmo, un joven al que amaba, que tuviera siempre el cuidado de refrescar a Silpion. Por ello que se dice que cada vez que los árboles eran regados había un maravilloso resplandor de oro y plata, y se mezclaban luces de gran belleza antes de que un árbol menguara del todo o el otro alcanzara su plena gloria.

»Ahora bien, por causa de estos brillantes árboles tuvo Aulë luz en abundancia para sus trabajos, y emprendió muchas tareas, y Tulkas lo ayudó mucho, y Palúrien, madre de la magia, estaba junto a Aulë. Primero levantaron sobre Taniquetil una gran morada para Manwë, y se instaló una torre de vigilancia. Desde allí enviaba a sus veloces halcones y los recibía de vuelta, y hacia allí viajó a menudo en días posteriores Sorontur, Rey de las Águilas, al que Manwë concedió gran poder y sabiduría.

»Esa mansión se construyó con mármoles blancos y azules, y se levantaba en medio de los campos de nieve, y sus tejados estaban fabricados de una red hecha de ese aire azul llamado *ilwë*, que está por encima del blanco y el gris. Esta red fue invención de Aulë y su esposa, pero Varda la salpicó de estrellas, y Manwë habitó allí debajo; aunque en la llanura bajo el pleno resplandor de los árboles había un grupo de estancias erigidas como una ciudad hermosa y risueña, y esa ciudad recibió el nombre de Valmar. Y en la construcción de Valmar no se escatimaron metales ni piedras, ni la madera de árboles poderosos. Los tejados eran de oro y los suelos de plata y las puertas de bronce bruñido; fueron levantados con hechizos, y las piedras fueron unidas por la magia. Separado de éstas y en el límite del valle abierto había un gran patio, y éste era la casa de Aulë, y estaba repleta de redes mágicas tejidas con la luz de Laurelin, el resplandor de Silpion y el centelleo de las estrellas; pero se hicieron otras con hebras de oro y plata y hierro y bronce batidos hasta alcanzar la delgadez del filamento de una araña, y todas estaban tejidas con belleza en la forma de las historias de la música de los Ainur, representando las cosas que fueron y serán, o aquellas que han tenido ser sólo en la gloria de la mente de Ilúvatar.

»En este patio se encontraban algunos de los árboles que crecieron más tarde sobre la tierra, y entre ellos yacía un estanque de aguas azules. Los frutos caían allí durante todo el día con un ruido sordo sobre la hierba de sus márgenes, y eran recogidos por las doncellas de Palúrien para su deleite y el de su señor.

»Ossë también tenía una gran casa, y vivía en ella cada vez que se celebraba un cónclave de los Valar o se cansaba del ruido de las olas en sus mares. Ónen y las Oarni llevaron millares de perlas para su edificación, y los suelos eran de agua de mar, y los tapices tenían el brillo de las pieles plateadas de los peces, y estaba techado con espuma. Ulmo no residía en Valmar y viajó de regreso tras la construcción a los Mares Exteriores, y si tenía necesidad de permanecer un tiempo en Valinor se alojaba como huésped en las estancias de Manwë; pero esto no ocurría a menudo. Lórien también vivía lejos, y su morada era grande y estaba tenuemente iluminada, y poseía amplios jardines. Otorgó a sus estancias el nombre de Murmuran, que Aulë hizo con neblinas recogidas más allá de Arvalin, sobre los Mares Sombríos. Había sido erigida en el sur al pie de las Montañas de Valinor en los confines del reino, pero sus jardines se prolongaban maravillosamente a un lado y otro serpenteando casi hasta el pie de Silpion, cuyo resplandor los iluminaba de manera extraña. Estaban repletos de laberintos y rincones difíciles de alcanzar, pues Palúrien había dotado a Lórien de una fortuna en tejos y cedros, y grupos de pinos que exudaban olores adormecedores en el crepúsculo, y se levantaban éstos sobre estanques profundos. En los bordes de los estanques remoloneaban luciérnagas, y Varda había colocado estrellas en sus profundidades para deleite de Lórien; aunque los espíritus de Lórien cantaban maravillosamente en estos jardines, y el perfume de las flores nocturnas y las canciones de los adormecidos ruiseñores los llenaban de gran encanto. También crecían allí amapolas que resplandecían rojas en el crepúsculo, y a éstas llamaron los Dioses *fumellar*, las flores del sueño, y Lórien las utilizaba a menudo en sus encantamientos. En medio de estas amenidades había un anillo de sombríos cipreses que se levantaban altísimos sobre la profunda tina de Silindrin. Allí reposaba sobre un lecho de perlas, y su superficie inmóvil estaba tornasolada con estremecimientos de plata, y sobre ella caía la sombra de los árboles, y las Montañas de Valinor podían encontrar allí sus rostros espejados. Cuando Lórien la escrutaba, contemplaba

muchas visiones de misterio en su superficie, y no permitía que la
agitaran para despertarla, salvo cuando Silmo acudía silenciosa-
mente con una urna de plata para llevarse un tanto de su frescor
estremecido, y partía luego suavemente de allí a regar las raíces
de Silpion antes de que el árbol de oro se calentara.

»De otro modo pensaba Tulkas, que vivía en el centro de
Valmar. Muy juvenil es él, y fuerte de miembros y lujurioso, y
por eso se le da el nombre de Poldórëa, el que ama los juegos
y el tiro al arco y la pelea con los puños, la lucha, la carrera y el
salto, y las canciones que vayan bien con el movimiento de una
copa bien colmada en el aire y con los brindis. No obstante no
es provocador ni asesta golpes sin motivo como Makar, aunque no hay ninguno de los Valar ni de los Úvanimor (que son
monstruos, gigantes y ogros) que no tema los tendones de su
brazo ni el golpe de su puño enguantado de hierro cuando
tiene motivos para la cólera. Es la suya una morada de alegría
y festejos; y se erigió alta en el aire con multitud de niveles y
tenía una torre de bronce y pilares de cobre que se unían en
una amplia arcada. En el patio los hombres jugaban y rivaliza-
ban entre sí en intrépidas proezas, y allí a veces la hermosa
Nessa, esposa de Tulkas, repartía copas del mejor vino y las
más refrescantes bebidas entre los competidores. Pero a ella
más que nada le gustaba retirarse a un lugar de prados hermosos, cuyo césped Oromë, su hermano, había escogido de entre
los claros más umbrosos de su bosque, y Palúrien lo había
plantado con hechizos y por ello estaba siempre verde y suave.
Allí bailaba ella entre sus doncellas durante el tiempo en que
Laurelin florecía, pues ¿no es más grande aún en la danza que
la misma Vána?

»En Valmar moraba también Noldorin, conocido hace mucho tiempo como Salmar, que a veces tocaba el arpa y las liras, y
otras veces se sentaba bajo Laurelin mientras elevaba una dulce
música tocada con un instrumento de arco. Allí cantaba con regocijo a su compás Amillo, al que se le da el nombre de Ómar,
cuya voz es la más bella de las voces, y que conoce todas las canciones en todas las lenguas; pero si no cantaba acompañando al
arpa de su hermano, gorjeaba en los jardines de Oromë donde
al cabo de un tiempo Nielíqui, la pequeña doncella, apareció
danzando por los bosques.

»Ahora bien, Oromë dominaba vastos territorios, que él amaba en la misma medida en que los amaba Palúrien, su madre. He aquí que los bosques plantados en la planicie de Valinor e incluso al pie de las montañas no tienen comparación en la Tierra. Allí se deleitaban las bestias, los ciervos entre los árboles y los rebaños de vacas en las anchas tierras de pastoreo y las praderas; había bisontes allí, y caballos que erraban desenjaezados, pero jamás invadían los jardines de los Dioses; y sin embargo gozaban siempre de paz y no tenían miedo, pues no había entre ellos animales de presa, ni tampoco iba Oromë de caza a Valinor. Aunque ama profundamente estos reinos pasa mucho tiempo en el mundo exterior, con más frecuencia aún que Ossë y tan a menudo como Palúrien, y se convierte entonces en el más grande de todos los cazadores. Pero en Valmar sus recintos son amplios y bajos, e innumerables pieles y cueros de gran riqueza y precio están dispuestos allí cubriendo los suelos y colgados en los muros, y también lanzas, arcos y cuchillos hay allí. En el centro de cada habitación y cada sala crece un árbol viviente que sostiene el techo, y su tronco está lleno de trofeos y cornamentas. Allí se reúne la gente de Oromë vestida de verde y castaño y hay un barullo de embravecida alegría, y el señor de los bosques muestra una viva algarabía; pero Vána, su esposa, cada vez que puede hacerlo, sale de allí a hurtadillas. Lejos de los recintos sonoros de la casa se extienden los jardines de Vána, vigorosamente cercados por cercos de espinos blancos de gran tamaño que los separan de tierras más salvajes, y que florecen como nieves eternas. Su más íntima soledad está amurallada de rosas, y es éste el sitio más amado de la bella señora de la primavera. En el centro de este lugar de aire perfumado puso Aulë hace ya mucho tiempo ese caldero, el dorado Kulullin, siempre lleno del resplandor de Laurelin, como de agua brillante, y de él fabricó una fuente de tal hechura que la salud y la felicidad de la luz pura llenaba todo el jardín. Los pájaros cantaban allí todo el año con la garganta repleta de la primavera, y las flores crecían en un alboroto de capullos y de vida gloriosa. Sin embargo, el esplendor de la tina de oro nunca se derramaba salvo cuando las doncellas de Vána, conducidas por Urwen, abandonaban el jardín a la hora en que Silpion menguaba y regaban las raíces del árbol de fuego; pero en torno a la fuente había

siempre una luz con ese resplandor diurno de color ámbar,
mientras las abejas se afanaban entre las rosas, y por allí camina-
ba Vána con pie ligero y las alondras cantaban por encima de su
cabeza dorada.

»Tan bellas eran estas moradas y tan grande el resplandor
de los árboles de Valinor, que Vefántur y Fui, su lacrimosa mujer, no podían soportar estar allí mucho tiempo, y se marchaban lejos al norte de esas regiones donde, bajo las raíces de las
montañas más frías y boreales de Valinor que se alzan allí de
nuevo cerca de Arvalin, pidieron a Aulë que les excavara un recinto. Así lo hizo entonces, para que todos los Dioses tuvieran
una morada a su gusto, y ellos y todos los miembros de su corte
sombría lo ayudaron. Muy vastas eran aquellas cavernas que hicieron, se extendían aun por debajo de los Mares Sombríos, y
están llenas de lobreguez y repletas de ecos, y toda esa profunda
morada la conocen los Dioses y los Elfos con el nombre de Mandos. Allí, en una sala de luctuoso color negro, se sentaba Vefántur, y le dio a esa sala su propio nombre, Vê. Estaba iluminada
por una sola vasija colocada en su centro, en la que había unas
pocas gotas del rocío pálido de Silpion; las cortinas estaban hechas de vapores oscuros y los suelos y columnas eran de azabache. Allí en días posteriores viajaban los Elfos de todos los clanes que, por infortunio, morían en combate o de pena por
aquellos que eran asesinados. Sólo así podían morir los Eldar, y
era nada más que por un tiempo. Allí Mandos dictaba las suer-
tes de su destino, y allí los Eldar esperaban en la oscuridad soñando con sus pasadas hazañas hasta llegado el momento por él
designado en que volverían a nacer entre sus descendientes y
podrían reír y cantar otra vez. Fui no iba mucho a Vê, pues se
dedicaba ante todo a destilar los humores salinos de los que están hechas las lágrimas, y tejía nubes negras que echaba a flotar
para que recorrieran el mundo recogidas por los vientos, y sus
redes sin peso se asentaban de vez en cuando sobre los que allí
vivían. Ahora bien, estas telas eran de desesperación y luto inconsolable, dolor y ciega pena. La sala que más le gustaba era
una aún más amplia y oscura que Vê, y también ella le dio su
propio nombre llamándola Fui. Allí, delante de su asiento negro ardía en un brasero un único carbón vacilante, y el techo
era de alas de murciélago, y los pilares que lo sostenían y los

muros que lo cercaban estaban hechos de basalto. Allí iban los hijos de los Hombres a escuchar su destino, y allí son llevados por la multitud de males que la maligna música de Melko incorporó al mundo. Las matanzas y los incendios, las hambrunas y las desdichas, las enfermedades y los golpes asestados en la oscuridad, la crueldad, el frío penetrante, la angustia y la propia locura los empujan allí; y Fui lee en sus corazones. A algunos los mantiene en Mandos bajo las montañas y a algunos los envía más allá de las colinas y Melko los atrapa y los lleva a Angamandi o los Infiernos de Hierro, donde pasan días muy malos. También a algunos, y éstos son la mayoría, los manda a bordo de la nave negra Mornië, que de vez en cuando permanece anclada en el puerto oscuro del norte, a la espera de aquellas ocasiones en las que la triste pompa la lleva a la playa al pie de los ásperos caminos de Mandos.

»Entonces, cuando está cargada, por propia iniciativa despliega sus velas negras, e impulsada por una suave brisa recorre esas costas. Todos los que están a bordo, al llegar al sur, dedican una mirada de total nostalgia y arrepentimiento a ese valle profundo entre las montañas donde es posible atisbar la distante llanura de Valinor; y esa abertura está cerca de Taniquetil, donde se encuentra la ribera de Eldamar. No contemplan nada más de ese luminoso lugar, pues son arrastrados hacia las amplias llanuras de Arvalin. Allí vagan en el crepúsculo, acampando donde pueden; no obstante están dotados de canto, y alcanzan a ver las estrellas, y esperan pacientes la llegada del Gran Final.

»Pocos son, y felices en verdad, aquellos a quienes se manifiesta Nornorë, el heraldo de los Dioses. Descienden entonces con él en cuádrigas o montados en magníficos caballos al valle de Valinor y festejan en los recintos de Valmar, morando en las estancias de los Dioses hasta la llegada del Gran Final. Se encuentran muy lejos de las montañas negras del norte o de las llanuras neblinosas de Arvalin, y la música y la luz clara les pertenecen, y en ellas se deleitan.

»¡Y bien! He descrito las estancias de todos los Dioses que levantó Aulë con su maestría en Valinor, pero Makar y su fiera hermana Meássë se construyeron por sí mismos una morada, ayudados sólo por su propia gente, y ciertamente era un lugar muy lúgubre.

»Se levantaba en los confines de las Tierras Exteriores, y no estaba muy lejos de Mandos. Estaba hecha de hierro y carecía de adornos. Allí luchaban los vasallos de Makar vestidos con armaduras, y se oía gran clamor y gritos y bramidos de trompetas, pero Meássë se paseaba entre los guerreros instándolos a que se asestaran más golpes todavía, o reviviendo a los desmayados para que pudieran seguir en la contienda; y tenía los brazos ensangrentados hasta los codos por aventurarse en aquella batahola. Ninguno de los Dioses iba nunca allí, salvo Tulkas, y si visitaban a Mandos lo hacían dando un rodeo por senderos circundantes para evitar pasar cerca de ese recinto tumultuoso; pero Tulkas luchaba a veces allí a manos desnudas con Makar o distribuía pesados golpes entre los luchadores, y esto lo hacía para que la vida gentil de la que disfrutaba no lo debilitara, pues no amaba la compañía de aquella gente y ésta, a su vez, no lo amaba a él ni a su gran fuerza serena. Ahora bien, continuamente se libraban batallas en la corte de Makar, salvo cuando los hombres se reunían en los salones para celebrar festines o en las ocasiones en que Makar y Meássë estaban lejos, cazando juntos lobos y osos en las montañas negras. Pero en aquella casa había un gran despliegue de multitud de armas de guerra, y escudos de gran tamaño y brillantemente pulidos colgaban de los muros. Estaba iluminada con antorchas y se cantaban en ella fieros cantos de victoria, de saqueo y de pillaje, y la luz roja de las antorchas se reflejaba en las hojas desnudas de las espadas. Allí se sientan a menudo Makar y su hermana para escuchar los cantos, y Makar tiene una bisarma enorme sobre las rodillas, y Meássë sostiene una lanza. Pero en aquellos días, antes de que Valinor se cerrase, estos dos viajaban sobre todo por la Tierra y con frecuencia se ausentaban de su territorio, pues amaban los torbellinos desenfrenados que Melko desataba por el mundo.

»Por tanto así se construyó Valinor y en ella reina una gran paz, y los Dioses se regocijan porque esos espíritus pendencieros no permanecen mucho tiempo entre ellos, y Melko no se acerca.

Entonces dijo una niña entre los allí reunidos, muy sedienta tanto de cuentos como de poesías: —Me gustaría que no hubiera ido nunca allí desde entonces, y que yo hubiera podido ver esa tierra todavía nueva y resplandeciente, tal como Aulë la dejó. —Ahora bien, ya había oído a Rúmil contar esa historia, y había meditado mucho sobre ella, pero era nueva para la mayoría de los presentes, como lo era para Eriol, y todos quedaron asombrados. Entonces dijo Eriol—: Muy fuertes y gloriosos son los Valar, y de buen grado escucharía aún más detalles de esos días de antaño si no viera brillar las Velas del Sueño que ahora vienen hacia aquí. —Pero otro niño habló desde un cojín cerca de la silla de Lindo y dijo—: Pues yo de buen grado visitaría los recintos de Makar y conseguiría quizá una espada o un cuchillo para lucirlo; sin embargo, me parece que estaría bien ser huésped de Oromë en Valmar —. Y Lindo, riendo, dijo—: Estaría muy bien, por cierto —y con esas palabras se levantó y ya no se contaron más historias aquella noche.

NOTAS

Cambios de los nombres que aparecen en
La llegada de los Valar y la construcción de Valinor

Ónen   < *Ówen* (sólo la primera vez que aparece; luego *Ónen*, tal como fue escrito la primera vez).

Eruman y *Arvalin*   Los nombres de esta región se escribieron originalmente como *Habbanan* y *Harmalin*, pero fueron reemplazados a lo largo de todo el cuento (excepto en dos casos en que *Habbanan* fue pasado por alto) por *Eruman* (en una ocasión *Erumáni*) y *Arvalin*. (En las tres últimas apariciones *Habbanan* > *Arvalin*, mientras que en las más tempranas *Habbanan* > *Eruman*; pero la diferencia probablemente no es relevante, pues los nombres *Habbanan / Harmalin* y más tarde *Eruman / Arvalin* eran intercambiables). En *La Cabaña del Juego Perdido* los cambios fueron *Harwalin* > *Harmalin* > *Arvalin*.

Lomendánar   < *Lome Danar*.

Silindrin   < *Telimpë* (*Silindrin*) (sólo la primera vez que aparece; luego el nombre es *Silindrin* tal como fue escrito la primera vez).

Lindeloksë   < *Lindelótë*.

Comentario sobre
La llegada de los Valar y la construcción de Valinor

Es mejor analizar divididos en secciones los abundantes datos que procura Rúmil en esta ocasión, y comienzo por:

I) La llegada de los Valar y su encuentro con Melko.

La descripción de la entrada de los Valar al mundo no se conservó, aunque la crónica que de ellos se hace en este pasaje es el origen último del texto que aparece en el *Valaquenta* (v. *El Silmarillion*); pero no hay, sin embargo, un desarrollo continuo en los manuscritos. El pasaje tiene gran interés, pues aquí aparecen juntas muchas figuras de la mitología que se conservarían posteriormente, junto a otras que no lo hicieron. Es notable cómo muchos de los nombres de los Valar en los primeros escritos nunca fueron reemplazados o modificados: *Yavanna, Tulkas, Lórien, Nienna, Oromë, Aldaron, Vána, Nessa,* que aparecen por primera vez en este cuento, y *Manwë, Súlimo, Varda, Ulmo, Aulë, Mandos, Ossë, Salmar,* que habían aparecido ya antes. Algunos se conservaron de manera modificada: *Melkor* en lugar de *Melko, Uinen* (que ya aparece más tarde en los *Cuentos Perdidos*) en lugar de *Ónen, Fëanturi* en lugar de *Fánturi;* mientras que otros, como Yavanna *Palúrien* y Tulkas *Poldórëa* sobrevivieron largo tiempo en la tradición de «El Silmarillion» antes de ser reemplazados por *Kementári* (aunque cf. *Kémi* «Señora de la Tierra» en este cuento) y *Astaldo.* Pero algunos de estos primeros Valar desaparecieron en la etapa o fase que prosiguió a los *Cuentos Perdidos:* Ómar-Amillo, y los bárbaros dioses guerreros Makar y Meássë.

Aquí aparecen también ciertos parentescos que llegaron a sobrevivir hasta la versión definitiva. Así, Lórien y Mandos fueron desde el principio «hermanos», cada cual con su asociación especial con los «sueños» y la «muerte», respectivamente; y Nienna tuvo desde el principio una estrecha relación con ellos, aquí como la «esposa de Mandos» aunque más tarde se convertiría en la hermana de los Fëanturi. La concepción original de Nienna era sin duda más sombría y aterradora, una diosa de la muerte en una relación más estrecha con Mandos de lo que llegarían a ser después. Las inciertas relaciones de Ossë con Ulmo se remontan a los comienzos; pero la altivez y desapego de Ulmo desaparecieron más tarde, al menos como rasgo de su divino «carácter» explícitamente descrito. Vána era ya la esposa de Oromë, pero Oromë era el hijo de Aulë y (Yavanna) Palúrien; en la evolución posterior de los mitos Vána perdió terreno con relación a Nienna, mientras que Oromë lo ganó, convirtiéndose finalmente en uno de los grandes Valar, los *Aratar*.

Es particularmente interesante el pasaje en referencia al ejército de espíritus menores que acompañaban a Aulë y Palúrien, mediante el que se aprecia la antigüedad de la concepción de los Eldar, de naturaleza del todo distinta de la de los «diablillos, ninfas, hadas, duendes, etcétera», pues los Eldar «pertenecen al mundo» y están atados a él, mientras que los otros seres son anteriores a la creación del mundo. En la obra posterior no hay rastro de ninguna explicación semejante para el elemento «feérico» de la población del mundo: hay pocas referencias a los Maiar, y por cierto no se dice que entre ellos se incluyan seres que «cantan entre las hierbas por la mañana y entonan cánticos entre el grano erguido al atardecer»*.

Salmar, compañero de Ulmo que hemos visto en *La Música de los Ainur*, se identifica ahora con Noldorin, al que menciona Vairë en *La Cabaña del Juego Perdido*; lo que es posible discernir de su historia aparecerá más tarde. Los escritos posteriores no dicen nada de él salvo que llegó con Ulmo y fabricó sus cuernos (*El Silmarillion*).

En el desarrollo posterior de esta narración no se hace mención de que Tulkas (¡o Mandos!) fuera a cercar a Melkor en el comienzo mismo de la historia de los Valar en Arda. En *El Silmarillion* nos enteramos en cambio de la gran guerra librada entre los Valar y Melkor «antes de que Arda estuviera del todo acabada» y cómo llegó desde «el cielo lejano», lo que causó su derrota y motivó su huida de Arda, cuando se puso a cavilar «en las tinieblas exteriores».

---

* Cf. *El Silmarillion*: «Con los Valar vinieron otros espíritus que comenzaron a existir también antes que el Mundo, del mismo orden de los Valar, pero de menor poder. Son éstos los Maiar, el pueblo bajo los Valar, que son sus servidores y asistentes. El número de estos espíritus no es conocido por los Elfos y pocos tienen nombre en las lenguas de los Hijos de Ilúvatar». Una versión anterior de este pasaje dice: «Muchos espíritus menores trajeron [los Valar] en su séquito, tanto grandes como pequeños, y a algunos los Hombres los han confundido con los Eldar o Elfos; pero estaban equivocados, porque existieron antes que el mundo, y los Elfos y los Hombres despertaron por primera vez en el mundo después de la llegada de los Valar».

II) La primera concepción de las Tierras Occidentales
y los Océanos

En *La Cabaña del Juego Perdido* la expresión «Tierras Exteriores» se empleaba para designar a las tierras al este del Gran Mar, posteriormente la Tierra Media; este nombre se reemplazó después por «Grandes Tierras». Las Tierras Exteriores se definen ahora como las Islas del

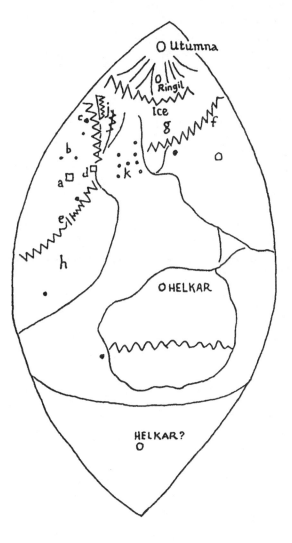

El mapa primitivo

Crepúsculo, Eruman (o Arvalin) y Valinor. Un curioso uso de la terminología que encontramos a menudo en los *Cuentos Perdidos* es el que hace que el «mundo» equivalga a las Grandes Tierras, o a la superficie entera de la tierra al oeste de las Tierras Exteriores; de este modo, las montañas «se alzaban poderosas entre Valinor y el mundo», y el Rey Inwë pudo escuchar «los lamentos del mundo».

Conviene reproducir aquí un mapa que aparece de hecho en el texto de un cuento escrito más tarde (titulado *El robo de Melko y el Oscurecimiento de Valinor*). Este mapa, dibujado en una página manuscrita con el texto escrito alrededor de él, no es más que un rápido boceto a lápiz, ahora borroso y tenue, muchos de cuyos rasgos son de interpretación difícil o imposible. Lo he vuelto a dibujar lo más exactamente que pude; el único rasgo perdido son unas letras indescifrables que empiezan con M y preceden a la palabra Ice *(hielo)*. He añadido las letras *a, b, c,* etcétera para que sea posible seguir más fácilmente la exposición.

Utumna (más tarde Utumno) se sitúa en el extremo norte, al norte de la lámpara-pilar Ringil; parece que la posición del pilar del sur no era del todo definitiva según este mapa. El cuadrado marcado como *a* es evidentemente Valmar, y creo que los dos puntos señalados con *b* son los Dos Árboles, de los que posteriormente se dice que estaban al norte de la ciudad de los Dioses. El punto marcado como *c* es casi seguro que representa el dominio de Mandos (cf. el párrafo donde se cuenta que Vefántur Mandos y Fui Nienna le pidieron a Aulë que les excavara un recinto «bajo las raíces de las montañas más frías y boreales de Valinor»)*; es difícil que el punto al sur de éste represente el recinto de Makar y Meássë, pues se dice que aunque no estaba lejos de Mandos, se levantaba «en los confines de las Tierras Exteriores».

La zona que he señalado como *h* es Eruman / Arvalin (que recibiría el nombre definitivo de Avatar), anteriormente *Habbanan / Harmalin (Harwalin)*, que son simples alternativas.

---

* En *El Silmarillion* las Estancias de Mandos estaban «en el oeste de Valinor». El texto definitivo del *Valaquenta* dice en realidad «al norte», pero lo reemplacé por «el oeste» en la obra publicada (e igualmente «norte» por «oeste») teniendo en cuenta que en el mismo pasaje se dice que los recintos de Nienna están «al oeste del Oeste, en los confines del mundo», pero cerca de los de Mandos. En otros pasajes queda claro que los recintos de Mandos se concebían en la costa del Mar Exterior; cf. *El Silmarillion:* «Porque el espíritu de Beren, a requerimiento de Lúthien, se demoró en las Estancias de Mandos, resistiéndose a abandonar el mundo mientras ella no fuera a decir un último adiós a las lóbregas costas del Mar Exterior, en el que se internan los Hombres que mueren para no volver nunca más». Las concepciones «al norte en Valinor» y «en las costas del Mar Exterior» no son sin embargo contradictorias, y lamento esta dudosa intromisión editorial.

Más tarde, en un mapa del mundo trazado en la década de 1930, la costa occidental del Gran Mar sigue una suave curva regular hacia el oeste, de norte a sur, mientras que las Montañas de Valinor siguen virtualmente la misma curva en sentido contrario hacia el este; donde las dos curvas se unen en el punto medio se encuentran Túna y Taniquetil. De este modo, se extienden dos zonas de tierra con formas de V prolongadas hacia el norte y el sur desde el punto medio, entre las Montañas y el Mar, que van alejándose de continuo la una de la otra; y reciben el nombre de Eruman (hacia el norte) y Arvalin (hacia el sur).

En el pequeño mapa primitivo la línea de montañas ya es así, y se la describe en el texto como «un gran anillo que se curva hacia el oeste» (la curva es hacia el oeste si se tienen en cuenta las extremidades más que la porción central). Pero la curva de la costa es distinta. Desdichadamente el pequeño mapa es en este caso muy confuso, pues hay varias líneas (señaladas con *j*) que se extienden hacia el norte a partir de Kôr (señalada con *d*), y es imposible saber si las marcas indican una tachadura o representan cadenas de montañas paralelas. Pero creo que, de hecho, estas líneas señalan simplemente posibles cambios en la curva de las Montañas de Valinor, al norte; y no me cabe duda de que en esa época mi padre no había pensado en una región «baldía» al norte de Kôr y al este de las montañas. Esta interpretación del mapa concuerda con lo que se dice en el cuento: «los Mares Sombríos al norte de Eruman se adentran en una vasta bahía, de modo que las olas baten incluso a los pies de los grandes acantilados y las Montañas se levantan junto al mar» y Taniquetil «mira desde lo alto de la bahía hacia el sur más allá de Eruman y hacia el norte más allá de la Bahía de Faëry». De acuerdo con este punto de vista, el nombre *Eruman* (luego *Araman*), al principio una alternativa para *Arvalin*, se adoptó para designar los baldíos del norte cuando el plano de las regiones de la costa se hizo más simétrico.

Se dice en el cuento que «en esas vastas aguas del Oeste hay muchas tierras menores e islas antes de alcanzar los mares solitarios cuyas olas susurran alrededor de las Islas Mágicas». Los pequeños círculos del mapa (señalados con *k*) son evidentemente una representación esquemática de estos archipiélagos (más adelante se darán nuevos detalles sobre las Islas Mágicas). Los Mares Sombríos, como resultará más claro después, constituían una región del Gran Mar al oeste de Tol Eressëa. Las otras letras del mapa se refieren a rasgos que no han aparecido todavía en la narración.

En este cuento encontramos la importante idea cosmológica de los Tres Aires, Vaitya, Ilwë y Vilna, y la del Océano Exterior, sin mareas, frío y «leve». Se dijo en *La Música de los Ainur* que Ulmo habita en el Océano Exterior y que dio a Ossë y Ónen «gobierno de las olas y los mares menores»; se lo llama allí «el viejo de Vai» (modificación de Ulmonan). Entonces queda patente que *Ulmonan* es el nombre de sus recintos en el Océano Exterior, y también que los «mares menores» gobernados por Ossë y Ónen incluyen al Gran Mar.

Existe un dibujo muy temprano y sumamente notable en el cual puede verse el mundo seccionado en vertical, y aparece como un enorme barco «vikingo», en el que el mástil surge del punto más alto de las Grandes Tierras mostrando una única vela sobre la que están Sol y Luna, cuerdas amarradas al Taniquetil y a una gran montaña en el extremo este, y una proa curvada (las marcas negras sobre la vela son una mancha de tinta). Este dibujo fue trazado bastante rápidamente con lápiz blando en una hoja pequeña; y está estrechamente relacionado con la cosmología de los *Cuentos Perdidos*.

Aporto a continuación una lista de los nombres y palabras escritos en el dibujo junto con, en la medida de lo posible, sus significados (aunque sin detalles etimológicos, para los que se ha de recurrir al Apéndice sobre los Nombres, donde los nombres y las palabras que aparecen sólo en este dibujo reciben sus propias entradas por separado).

I Vene Kemen   Éste es claramente el título del dibujo; podría significar «La Forma de la Tierra» o «El Navío de la Tierra» (véase el Apéndice sobre los Nombres, bajo *Glorvent*).

Nūme   Oeste.

Valinor, Taniquetil   (La enorme altura de Taniquetil, aun teniendo en cuenta el formalismo del dibujo, es notable: se le describe en el cuento tan alto que «las multitudes afanadas en los puertos occidentales en las tierras de los Hombres pudieron verse luego desde allí». El cuadro de mi padre de 1927-1928 [*Pictures by J. R. R. Tolkien*, n.º 31] muestra su fantástica altura).

Harmalin   Nombre anterior de *Arvalin*.

i aldas   «Los Árboles» (que se levantan al oeste de Taniquetil).

Toros valinoriva   *Toros* es un término de significado oscuro, pero si la primera letra de la primera palabra es T, representa un caso bastante atípico. Parece referirse a las Montañas de Valinor.

Tolli Kimpelear   Éstas deben de ser las Islas del Crepúsculo, pero no he encontrado ningún otro sitio donde aparezca la palabra *Kimpelear* o nada parecido.

Tol Eressëa   «La Isla Solitaria».

I Tolli Kuruvar   «Las Islas Mágicas».

Haloisi Velike   «El Gran Mar».

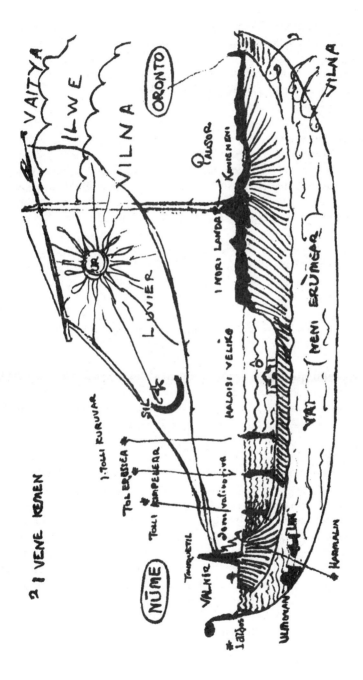

Ô «El Mar». (¿Qué es la estructura en el fondo del mar que se muestra bajo el nombre *Ô*? Tiene que ser sin duda la morada de Ossë bajo el Gran Mar a la que se hace referencia en el próximo cuento).
I Nori Landar   Significa probablemente «Las Grandes Tierras».
Koivienéni   Palabra precursora de *Cuiviénen*, las Aguas del Despertar.
Palisor   La tierra donde despertaron los Elfos.
Sil   «Luna».
Ûr   «Sol».
Luvier   «Nubes».
Oronto   «Este».
Vaitya, Ilwë y *Vilna* aparecen en las tres capas descritas en el cuento y *Vilna* reaparece en la esquina inferior derecha del dibujo. Nada se dice en los *Cuentos Perdidos* que explique este último rasgo, ni queda claro del todo lo que representan las líneas rizadas en el mismo rincón.
Ulmonan   Las estancias de Ulmo.
Uin   La Gran Ballena, que aparece más adelante en los *Cuentos*.
Vai   El Océano Exterior.
Neni Erùmear   «las Aguas más Exteriores» = Vai.

El dibujo deja ver que el mundo flota en y sobre Vai. Así lo describe el mismo Ulmo en un cuento posterior:

He aquí que no hay sino un único Océano, y ése es Vai, pues lo que Ossë considera océanos no son sino mares, aguas que yacen sobre los huecos de la roca (...) En estas vastas aguas flota la ancha Tierra, sostenida por la palabra de Ilúvatar (...)

En el mismo pasaje, Ulmo habla de las islas de los mares y dice que («salvo unas pocas que flotan todavía sin trabas») «se yerguen ahora como pináculos sobre sus profundidades de algas», como puede verse bien en el dibujo.

Podría parecer plausible que hubiera alguna conexión (tanto física como etimológica) entre *Vai* y *Vaitya*, el más exterior de los Tres Aires, «lento y revestido de oscuridad que envuelve el mundo por fuera y se extiende más allá» (en un punto posterior de los *Cuentos* hay una referencia al «oscuro y tenue reino de Vaitya que está fuera de todas las cosas»). En la "fase" siguiente de la cosmología mítica (que data de la década de 1930 y que está muy clara y ampliamente documentada e ilustrada en una obra llamada *Ambarkanta*, La Forma del Mundo), el mundo entero está contenido dentro de *Vaiya*, una palabra que significa «pliegue, envoltura»; Vaiya «se asemeja más al mar por debajo de la

Tierra y al aire por sobre ella» (lo que concuerda con la descripción de las aguas de Vai como muy «leves», de tal modo que ninguna barca puede navegar sobre ellas, ni nadar en ellas ningún pez, salvo los peces encantados de Ulmo y su carro); y en Vaiya bajo la Tierra habita Ulmo. De modo que Vaiya es en parte una derivación de Vaitya y en parte de Vai.

Ahora bien, como en la primera lista de palabras en qenya (véase el Apéndice sobre los Nombres) tanto *Vaitya* («el aire exterior más allá del mundo») como *Vai* («el océano exterior») derivan de la raíz *vaya*, «envolver», y dado que se dice en este cuento que Vaitya «envuelve el mundo», podría creerse que Vaitya-Vai era ya en la primera cosmología una sustancia envolvente continua, y que la cosmología posterior en este punto sólo convierte en explícito lo que estaba presente, aunque inexpresado, en los *Cuentos Perdidos*. Pero ciertamente no hay sugerencia alguna de esta idea en ninguno de los primeros escritos; y cuando volvemos a mirar el dibujo, parece insostenible. Porque Vai evidentemente *no* es un *continuum* en relación con Vaitya; y si la aparición de Vilna en la parte inferior del dibujo significa que la Tierra y el océano Vai sobre el que está y en el que flota estuvieran contenidos dentro de los Tres Aires, de los que vemos la reaparición del más interior (Vilna) bajo la tierra y Vai, entonces la sugerencia de que Vaitya-Vai constituyeran un *continuum* es todavía mucho menos probable.

Y también nos enfrentamos a la desconcertante representación del mundo como un barco. Sólo en un lugar se sugiere que mi padre quizá concibiera el mundo de esta manera: el pasaje que cité antes, en el que Ulmo habla a los Valar acerca de Vai, y que concluye:

> Oh, Valar, no conocéis todas las maravillas y las muchas cosas secretas que hay *bajo la quilla oscura de la Tierra* donde tengo mis poderosos recintos de Ulmonan, con las que no habéis soñado nunca.

Pero en el dibujo Ulmonan no está debajo de la quilla del barco, sino dentro de su casco; y me inclino a creer que las palabras de Ulmo «bajo la quilla oscura de la Tierra» se refieren a la forma misma de la Tierra, que ciertamente se parece a la de un barco. Además, un examen detallado del dibujo me sugiere muy fuertemente que el mástil y la vela, y aún más nítidamente la proa curvada, *se añadieron después*. ¿Es posible que la forma de la Tierra y de Vai tal como las había dibujado —con la apariencia del casco de un barco— le sugirieran a mi padre la idea de añadirles mástil, vela y proa, como un *jeu d'esprit*, sin que representaran ningún significado más profundo? Eso no es característico de él ni tampoco probable, pero no se me ocurre ninguna otra explicación*.

III) Las Lámparas

En esta parte de la narración el cuento difiere notablemente de las versiones posteriores. No hay aquí mención de que los Valar morasen en la Isla de Almaren después de la hechura de las Lámparas *(El Silmarillion)* ni, por supuesto, del regreso de Melko desde «fuera», pues aquí no sólo no abandonó Melko el mundo después de entrar en él, sino que él mismo construyó los pilares de las Lámparas. En esta historia, aunque algunos desconfiaron de Melko, su astuta cooperación (a tal punto que él mismo fue quien dio nombre a los pilares) fue aceptada, mientras que en la historia posterior su hostilidad y malicia eran conocidas y manifiestas para los Valar, aunque no se enteraron de que había regresado a Arda y construido Utumno hasta que fue demasiado tarde. En este cuento una capacidad de embaucar, una artera bajeza en la conducta de Melko que no podía sobrevivir (sin embargo, su engañosa construcción de los pilares de hielo sobrevivió hasta las versiones de la década de 1930).

Más tarde fueron las mismas Lámparas las que recibieron nombre (después de inventadas y descartadas algunas formas intermedias, definitivamente se llamaron *Illuin* la Lámpara del norte y *Ormal* la del sur). En *El Silmarillion* Ringil (que contiene la raíz *ring,* «frío») sobrevivió sólo como el nombre de la espada de Fingolfin, pero Helcar es el nombre del Mar Interior que «se encontraba donde habían estado las raíces de la montaña de Illuin». En este cuento, Helkar era el nombre del pilar del sur, no el del norte. Ahora bien, *helkar* significaba «frío absoluto» (véase el Apéndice sobre los Nombres), lo que muestra que Helkar estaba originalmente en el extremo sur (como lo está en una de las dos posiciones que se le dan en el pequeño mapa), así como Ringil estaba en el extremo norte. No hay mención en el cuento de la formación de los Mares Interiores tras la caída de las Lámparas; esta idea apareció posteriormente, pero no hay duda de que surgió de la historia de los pilares de hielo derritiéndose.

---

* Si esto es así, y si *I Vene Kemen* significa «El Navío de la Tierra», entonces este título debió de haberse añadido al dibujo al mismo tiempo que el mástil, la vela y la proa. — En la pequeña libreta a la que me he referido anteriormente, hay una nota aislada: «Mapa del Navío del Mundo».

No hay referencia posterior a la construcción de las Montañas de Valinor con grandes rocas reunidas en Eruman/Arvalin, de manera que la región quedó definitivamente llana y sin rocas.

IV) Los Dos Árboles

Esta historia, la más temprana, del surgimiento de los Dos Árboles arroja luz sobre algunos elementos de versiones posteriores, que se concentrarían más en la expresión. El elemento conservado de que el terreno bajo Silpion (Telperion) «se moteaba con la sombra de las hojas temblorosas» *(El Silmarillion)* tuvo su origen en el «latido» del «corazón del árbol». La concepción de la luz como sustancia líquida que «caía a tierra», corría en ríos y era vertida en calderos, aunque no se ha perdido en la obra publicada, aparece aquí expresada de manera más física y vigorosa. Algunos rasgos no se cambiaron nunca, como las flores arracimadas de Laurelin y el borde brillante de sus hojas.

Por otro lado hay notables diferencias entre esta versión y las posteriores: quizá la más importante sea que Laurelin fuera originalmente el Árbol de los Eldar. Los Dos Árboles tenían aquí períodos de doce horas, no de siete como los tuvieron después*; y los preparativos de los Valar para el nacimiento de los Árboles, con todos sus detalles de «magia» física, fueron después abandonados. Los dos grandes «calderos» Kulullin y Silindrin sobrevivieron en «las grandes tinas como lagos resplandecientes» en las que Varda atesoraba «los rocíos de Telperion y la lluvia que caía de Laurelin» *(El Silmarillion)*, aunque los nombres desaparecieron, como desapareció la necesidad de regar los Árboles con la luz recogida en las tinas o calderos o, de cualquier modo, no se mencionan después. Urwen ("Doncella de Sol") fue la precursora de Arien, Maia de Sol; y Tilion, timonel de la Luna en *El Silmarillion*, que «se tendía a soñar junto a los estanques de Estë [la esposa de Lórien], bajo los titilantes rayos de Telperion» quizá sea deudor de la figura del Silmo, a quien Lórien amaba.

Como ya he observado antes, «en la evolución posterior de los mitos Vána perdió terreno en relación con Nienna», y aquí son Vána y

---

* Las palabras de Palúrien: «Mirad, *cuando las doce horas de su plena luz hayan transcurrido, el árbol* volverá a menguar» parecen implicar un tiempo prolongado más allá de las doce horas; pero probablemente el período de mengua no se conocía con exactitud. En una lista de nombres del cuento de *La Caída de Gondolin* se dice que Silpion iluminaba todo Valinor con luz plateada «durante la mitad de las veinticuatro horas».

(Yavanna) Palúrien las parteras del nacimiento de los Árboles, no Yavanna y Nienna, como ocurriría después.

En cuanto a los nombres de los Árboles, *Silpion* fue durante largo tiempo el nombre del Árbol Blanco; *Telperion* no apareció hasta mucho después, y aun entonces *Silpion* se mantuvo y es mencionado en *El Silmarillion* como uno de sus nombres. *Laurelin se* remonta a los comienzos y nunca cambió, pero sus otros nombres en los *Cuentos Perdidos*, *Lindeloksë* y otras formas similares, no se mantuvieron.

V) Las Moradas de los Valar

Esta descripción de las mansiones de los Valar se perdió en amplia medida en versiones subsiguientes. En la obra publicada no se dice nada de la morada de Manwë, salvo el simple hecho de que sus recintos se alzaban «sobre las nieves eternas, en Oiolossë, la más alta torre de Taniquetil». Aquí aparece ahora Sorontur, Rey de las Águilas, un visitante de los recintos de Manwë (cf. *El Silmarillion*: «Porque Manwë, para quien todas las aves son caras y a quien éstas traen nuevas hasta Taniquetil desde la Tierra Media, había enviado la raza de las Águilas»); de hecho había aparecido ya en el cuento de *La Caída de Gondolin* como «Thorndor [nombre gnómico], Rey de las Águilas, al que los Eldar llaman Ramandur»; Ramandur fue después reemplazado por el nombre Sorontur.

De Valmar y las moradas de los Valar en la ciudad apenas sobrevivió nada en escritos posteriores, y sólo se conservan aquí y allá frases («las calles doradas» y «las bóvedas de plata» de Valmar, «Valmar, la de las muchas campanas») que sugieren la solidez de la descripción original, donde la casa de Tulkas de muchos niveles tenía una torre de bronce, y los salones de Oromë estaban sostenidos por árboles vivientes con trofeos y cornamentas colgados de sus troncos. Esto no significa que todas esas imágenes fueran definitivamente abandonadas; como he dicho en el Prefacio, prosiguió a los *Cuentos Perdidos* una versión tan comprimida que no era más que un sumario (ése era el propósito), y de él surgiría el posterior desarrollo de la mitología: un proceso de reexpansión. Muchas cosas de las que no hubo nuevas referencias después de los *Cuentos Perdidos* pueden haber seguido existiendo en estado de suspensión, por así decirlo. Es cierto que Valmar siguió siendo una ciudad con puertas, calles y viviendas. Pero en el contexto de la obra posterior apenas nos es posible concebir que el tempestuoso Ossë fuera propietario de una casa en Valmar, aunque los suelos fueran de agua salada y los techos de espuma; y, por supuesto, los recintos de Makar y Meássë (donde la vida descrita es en cierto modo deudora de los mitos de la Batalla Incesante de la antigua Escandinavia) desaparecieron junto con esas divinidades: una «facción pro Melko» en Valinor por fuerza resultaría un estorbo.

Varias características de las descripciones originales se conservaron: las escasas visitas de Ulmo a Valmar (cf. *El Silmarillion*), la frecuencia con que Palúrien y Oromë visitan «el mundo exterior», la asociación de los jardines de Lórien con Silpion y la de los jardines de Vána con Laurelin *(ibid.)*; y mucho de lo que se cuenta aquí de los «caracteres» divinos se ha conservado, aunque se exprese de manera diferente. También aquí aparece Nessa, ya como la esposa de Tulkas y hermana de Oromë, excelente en la danza; y Ómar-Amillo es ahora llamado el hermano de Noldorin-Salmar. Figura en otro sitio que Nielíqui era hija de Oromë y Vána.

VI) Los Dioses de la Muerte y el Destino de los Elfos
y los Hombres

Esta sección del cuento contiene los elementos más sorprendentes y complicados. Mandos y su esposa Nienna aparecen en la crónica de la llegada de los Valar al mundo al principio del cuento, donde se los llama «Fantur de la Muerte, Vefántur Mandos» y «Fui Nienna», «señora de la muerte». En el pasaje de este texto se dice que Vefántur dio a su morada el nombre de Vê, el suyo propio, mientras que más tarde (en *El Silmarillion*) se le dio a él el nombre de su morada; pero en el escrito anterior hay una distinción entre la región (Mandos) y los recintos (Vê y Fui) dentro de ella. No hay aquí indicación alguna de un Mandos «Juez de los Valar» que «condena y enjuicia sólo por orden de Manwë», que es uno de los más notables aspectos de la posterior concepción de este Valar; tampoco, dado que Nienna es la esposa de Mandos, ha aparecido Vairë la Tejedora, su esposa en la historia posterior, con sus tapices que retratan «todas las cosas que han sido alguna vez en el Tiempo» y visten las estancias de Mandos «cada vez más amplias a medida que transcurren las edades»; en los *Cuentos Perdidos* se da el nombre de Vairë a un Elfo de Tol Eressëa. En el presente cuento hay tapices que representan «las cosas que fueron y serán» en los salones de Aulë.

Lo más importante del pasaje sobre Mandos es que en él aparece claramente el destino de los Elfos al morir: esperan en las estancias de Mandos hasta que Vefántur decreta su liberación para que renazcan en su propia descendencia. Esta última idea ha aparecido ya en *La Música de los Ainur*, y continuó siendo la concepción inmutable de mi

padre de cómo funcionaba la "inmortalidad" de los Elfos durante muchos años; de hecho la idea de que los Elfos sólo podían morir a causa
de las heridas inflingidas por armas, o de tristeza, nunca cambió; de
hecho ya ha aparecido también en *La Música de los Ainur (ibid.)*: «los
Eldar moran en él [el mundo] hasta el Gran Final, a no ser que se les
dé muerte o se marchiten de dolor»; pasaje que sobrevivió tan sólo ligeramente alterado en *El Silmarillion*.

Sin embargo, en caso de Fui Nienna nos encontramos con ideas
que entran en profunda contradicción con el pensamiento central
de la posterior mitología (y hay también presente en este pasaje una
saturación de conceptos diametralmente diferentes en la concepción
mítica, como en la idea de «destilar los humores salinos de los que están hechas las lágrimas», o en las nubes negras tejidas por Nienna que
se depositan sobre el mundo como «desesperación, y luto inconsolable, dolor y ciega pena»). Aquí leemos que Nienna es la juez de los
Hombres en sus recintos, que tienen el nombre de *Fui*, según ella misma se llama; y a algunos los retiene en la región de Mandos (donde se
encuentran sus recintos), mientras que la mayor parte sube a bordo de
la negra nave Mornië, que simplemente traslada a estos muertos a lo
largo de la costa hasta Arvalin, donde yerran en la penumbra hasta
que llegue el fin del mundo. Pero a otros incluso se los envía a Melko,
con el que han de sufrir «días muy malos» en Angamandi (¿en qué
sentido están muertos o son mortales?); y (esto es lo más extraordina-
rio) hay muy pocos que van a vivir entre los Dioses a Valinor. Estamos
muy lejos del Don de Ilúvatar, por el que el destino de los Hombres no
está ligado al mundo, pues lo abandonan para partir no se sabe a dónde*; y este es el verdadero significado de la Muerte (pues la muerte de
los Elfos es una «muerte aparente», como se cuenta en *El Silmarillion*):
la salida definitiva e inevitable.

Pero una cierta luz, aunque de especie muy mortecina, puede
arrojarse sobre la idea de que los Hombres, después de la muerte, vayan a errar a la penumbra de Arvalin donde «acampan donde pueden» y «esperan pacientes la llegada del Gran Final». Debo remitirme
aquí a los detalles de los nombres que se cambiaron en esta región. Es

---

* Cf. *El Silmarillion:* «Algunos dicen que también los Hombres van a las Estancias de Mandos, pero allí no esperan en el mismo sitio que los Elfos, y sólo
Mandos bajo la égida de Ilúvatar, aparte de Manwë, saben a dónde van después
de reunirse en las estancias silenciosas junto al Mar Exterior». También *ibid.*:
«Porque el espíritu de Beren, a requerimiento de Lúthien, se demoró en las Estancias de Mandos, resistiéndose a abandonar el mundo mientras ella no fuera a
decir un último adiós a las lóbregas costas del Mar Exterior, en el que se internan
los Hombres que mueren para no volver nunca más».

evidente, por la primera lista de palabras o los diccionarios de las dos lenguas (para los que puede consultarse el Apéndice sobre los Nombres), que el significado de *Harwalin* y *Arvalin* (y probablemente también de *Habbanan*) era «cerca de Valinor» o «cerca de los Valar». Usando el diccionario de gnómico se comprueba que el significado de *Eruman* era «más allá de la morada de los Mánir (esto es, al sur de Taniquetil, donde moraban los espíritus del aire de Manwë), y este diccionario deja también claro que la palabra *Mánir* estaba emparentada con la gnómica *manos*, que se define como «un espíritu que ha ido hacia los Valar o a Erumáni», y *mani*, como «bueno, sagrado». El sentido de estas conexiones etimológicas resulta muy poco claro.

Pero existe también un poema de época muy primigenia que trata sobre esta región. Fue escrito, según las notas de mi padre, en Brocton Camp, Staffordshire, en diciembre de 1915 o en Étaples en junio de 1916; y se titula *Habbanan bajo las Estrellas*. En uno de los tres textos (entre los que no hay variantes) hay un título en inglés antiguo: *þā gebletsode* [«bendito»] *felda under þām steorrum*, y en dos de ellos *Habbanan* fue reemplazado por *Eruman* en el título; en el tercero figuraba *Eruman* desde el principio. El poema es precedido por un breve preámbulo en prosa.

Habbanan bajo las Estrellas

Pues bien, Habbanan es la región donde uno se halla cerca de los lugares que no son de los Hombres. Allí el aire es muy dulce y muy vasto el cielo por causa de la anchura de la Tierra.

En Habbanan bajo los cielos
donde terminan todos los caminos, aun los más largos,
hay un sonido de guitarras distantes
y distantes ecos de una canción,
porque allí los hombres se agrupan en círculo
alrededor de su fuego rojo mientras una voz canta...
Y todo alrededor es noche.

★

No una noche como la nuestra, pobres desdichados,
donde cerca de la Tierra en brumas se bloquea
con una envolvente niebla la salida de las estrellas,
allí se arrastra un delgado humo errante

oscureciendo con su velo apenas visible
la silenciosa serenidad de los abismos.

★

Un globo de vidrio oscuro facetado de luz
en el que los espléndidos vientos huyen crepusculares;
espacios inexplorados de una planicie olorosa
que permanecen atentos a la luna mucho tiempo tendida
y reciben la ígnea lluvia de meteoros...
Tal es allí la noche.

★

Allí de súbito advirtió mi corazón
que aquellos que cantan sobre la Víspera,
los que respondían a las estrellas, brillantes de luz
con la resplandeciente música de sus extrañas guitarras,
eran sus errantes hijos
acampados en aquellas praderas etéreas
donde la inmaculada vestimenta de Dios
recubre gloriosa sus poderosas rodillas.

★

En la primigenia lista de palabras en qenya encontramos una última
prueba. El grupo original de vocablos en esta lista data (según creo;
véase Apéndice sobre los Nombres) de 1915, y entre ellos, bajo la raíz
mana (de la que deriva *Manwë*) aparece la palabra *manimo*, que se define como un alma que está en *manimuine*, «el Purgatorio».

Este poema y este vocablo en la lista de palabras ofrecen un peculiar y muy sugerente atisbo de la concepción mítica en su primera fase;
porque aquí las ideas extraídas de la teología cristiana están presentes
de manera explícita. Es desconcertante encontrarlas aún en este cuento, dado que en él se narra el destino de los Hombres muertos después
del juicio a que han sido sometidos en el recinto negro de Fui Nienna.
Algunos («y éstos son la mayoría») son trasladados por el barco de la
muerte a (Habbanan) Eruman, donde yerran en la penumbra y esperan
pacientes hasta que llegue el Gran Final; otros son atrapados por Melko
y sometidos a tormento en Angamandi, «los Infiernos de Hierro»; y

unos pocos van a morar con los Dioses a Valinor. Considerándolo junto con el poema y las pruebas que arrojan los primeros «diccionarios»,
¿puede no ser otra cosa que un reflejo del Purgatorio, el Infierno y el
Paraíso?

Esto resulta tanto más singular si nos referimos al pasaje final del
cuento de *La Música de los Ainur*, donde Ilúvatar dice: «Pero a los Hombres les otorgaré un nuevo don, más grande todavía», el don de poder
«modelar y proyectar su vida aún más allá de la Música original de los
Ainur, que para todas las demás cosas es su destino», y donde se dice
que «es propio de la naturaleza de este don que los Hijos de los Hombres sólo habiten un breve tiempo en el mundo; no obstante, no mueren (...) para siempre». En la forma definitiva que aparece en *El Silmarillion*, este pasaje permaneció bastante íntegro. Es cierto que en la
versión más temprana no encontramos las frases:

> Pero los Hijos de los Hombres mueren en verdad, y abando-
> nan el mundo; por lo que se los llama los Huéspedes o los Foraste-
> ros. La Muerte es su destino, el don de Ilúvatar, que hasta los mis-
> mos Poderes envidiarán con el paso del Tiempo.

Aun así, parece claro que esta idea central, el Don de la Muerte, estaba
ya presente.

Debo dejar estar esta cuestión como un acertijo que no soy capaz
de resolver. La explicación más obvia del conflicto de ideas que se da
en estos cuentos sería suponer que *La Música de los Ainur* es posterior a
La Llegada de los Valar y *la Construcción de Valinor*, pero como ya he dicho anteriormente, todo parece apuntar a lo contrario.

Por último, es posible observar la característica ironía lingüística
por la que *Eruman* en última instancia se convirtió en Araman. Pues
Arvalin significaba simplemente «cerca de Valinor», y era el otro nombre, *Eruman*, el que tenía relación con los espíritus de los muertos;
pero *Araman*, casi con toda certeza, significa simplemente «junto a
Aman». Y sin embargo el mismo elemento *man*, «bueno», se mantien-
dría, pues *Aman* derivó de él («el Estado Intacto»).

Quedan por destacar dos cuestiones menores en la conclusión del
cuento. Aquí Nornorë es el Heraldo de los Dioses; más tarde éste fue
Fionwë (después Eonwë). Y en la referencia a «ese valle profundo entre las montañas desde donde es posible atisbar la distante llanura de
Valinor», cerca de Taniquetil, encontramos la primera mención al
hueco abierto en las Montañas de Valinor donde se alzaba la colina de
la ciudad de los Elfos.

En las páginas en blanco cerca del final del texto de este cuento, mi padre escribió una lista de nombres secundarios de los Valar (como Manwë *Súlimo*, etc.). Algunos de estos nombres aparecen en el texto de los *Cuentos*; los que no están allí pueden encontrarse en el Apéndice sobre los Nombres incluidos en la entrada del nombre primario. Encontramos en esta lista que Ómar-Amillo es el gemelo de Salmar-Noldorin (se los llama hermanos en el cuento); que Nielíqui es la hija de Oromë y Vána; y que Melko tiene un hijo («de Ulbandi») llamado Kosomot: éste, como se verá más tarde, era Gothmog, Señor de los Balrogs, al que Ecthelion dio muerte en Gondolin.

IV

EL ENCADENAMIENTO DE MELKO

Prosiguiendo al final del cuento de Rúmil sobre *La Llegada de los Valar* *y la Construcción de Valinor* hay un largo interludio antes del siguiente, aunque el manuscrito continúa sin que ni siquiera se interrumpa el párrafo. Pero en la tapa del cuaderno de notas a *El Encadenamiento de Melko* se le da un título independiente, y éste es el que he adoptado. El texto continúa estando escrito en tinta sobre un manuscrito a lápiz borrado.

Esa noche Eriol oyó de nuevo en sueños la música que tanto lo había conmovido la primera noche; y a la mañana siguiente fue otra vez al jardín temprano. Allí se encontró con Vairë, y ella lo llamó *Eriol*: «ésa fue la primera hechura y pronunciación del nombre». Eriol le habló a Vairë de «la música de ensueños» que había oído, pero ella le dijo que no se trataba de música de ensueños, sino de la flauta de Timpinen, «al que los gnomos Rúmil, Pequeñocorazón y otros de mi casa llaman Tinfang». Le dijo que los niños lo llamaban Tinfang Trino; y que tocaba y bailaba en los atardeceres de verano por la alegría de las primeras estrellas: «a cada nota una nueva sale titilando y resplandeciendo. Los Noldoli dicen que salen demasiado temprano si Tinfang Trino toca, y lo aman, y los niños se asoman a menudo por la ventana por temor de que pase sin ser visto por los prados en sombra». Le dijo a Eriol que era «más tímido que un cervatillo, rápido en esconderse y escapar como un ratón de campo; basta pisar una ramilla y desaparece, y su flauta se oye burlona desde lejos».

—Y una magia maravillosa habita esa flauta —dijo Eriol—, si eso es sin duda lo que he escuchado aquí hace ya dos noches.

—No hay nadie —dijo Vairë—, ni siquiera los Solosimpi, que puedan rivalizar en ello con él, aunque esos mismos flautistas lo consideran un pariente; sin embargo se dice en todas partes que ese extraño espíritu no pertenece por completo a la naturaleza de los Valar, ni a los Eldar, sino que es a medias un duende de los bosques y los valles, uno de los miembros del gran séquito de los hijos de Palúrien, y a medias un Gnomo o un Flautista de la Costa[1]. Sea como fuere, es sin duda una criatura maravillosamente sabia y extraña, y viajó hacia allá con los Eldar hace mucho, y no marchaba ni reposaba entre ellos sino que iba siempre a la cabeza tocando de modo extraño, o sentándose a veces con apartada reserva. Ahora toca por los jardines terrestres, pero prefiere Alalminórë, y éste es el jardín que ama por sobre todos. De vez en cuando echamos de menos su flauta durante largos meses, y decimos entonces: «Tinfang Trino se ha ido a romper corazones por las Grandes Tierras, y muchos de aquellos que habitan las regiones lejanas lo escucharán esta noche tocando al atardecer». Pero de pronto su flauta vuelve a escucharse otra vez a la dulce hora del crepúsculo vespertino o tocando bajo una luna gigantesca, y las estrellas brillan con fuerza y se tiñen de azul.

—Sí —dijo Eriol—, y los corazones de quienes lo escuchan palpitan con creciente añoranza. Tuve la impresión de que mi deseo era abrir la ventana y saltar, tan dulce era el aire que me llegaba desde fuera; ni siquiera beber más me bastaba, y según escuchaba sentía deseos de seguir, no sé bien a quién, no sé bien a dónde, fuera, a la magia del mundo bajo los astros.

—Entonces sin duda era Timpinen el que tocó para ti —dijo Vairë— y debes sentirte honrado, porque hace ya muchas noches que en el jardín no se oyen esas melodías. Ahora, sin embargo, pues tal es el misterio de ese espíritu, amarás para siempre los crepúsculos de verano y las noches estrelladas, y su magia provocará que el corazón te duela de un modo inconsolable.

—Pero ¿no lo habéis escuchado muchas veces y a menudo, todos los que vivís aquí? —dijo Eriol—. Sin embargo, no me parece que estéis soportando un anhelo comprendido a medias y que podría no satisfacerse.

—Y no lo soportamos, en efecto, pues tenemos *limpë* —dijo ella—, *limpë*, la única cura posible, del que basta un trago para que el corazón pueda desentrañar cualquier música y cualquier canto.

—Entonces —dijo Eriol—, quizá podría yo apurar una copa de esa buena bebida. —Pero Vairë le dijo que eso sería posible sólo si iba en busca de Meril, la reina.

Como consecuencia de esa conversación entre Eriol y Vairë en el prado aquella jornada tan armoniosa Eriol se puso en marcha no muchos días después; y Tinfang Trino había tocado para él muchas veces a la caída de la noche, bajo la luz de las estrellas y el brillo de la luna, hasta que su corazón estuvo satisfecho. En esa ocasión Pequeñocorazón fue su guía, y él buscó las estancias de Meril-i-Turinqi en su *korin* de olmos.

Ahora bien, la casa de esa bella señora estaba en la ciudad misma, pues al pie de la gran torre que Ingil había construido había una amplia arboleda de los más antiguos y hermosos olmos que poblaran esa Tierra de Olmos. Altos hasta el cielo se elevaban en tres niveles decrecientes de brillante follaje, y la luz del sol que se filtraba entre ellos era muy fresca y de un verde dorado. Entre ellos había un prado extenso y verde de hierbas delicadas como una red de hilos de seda, y alrededor los árboles trazaban un círculo, de modo que las sombras eran densas en los límites, pero el resplandor del sol caía todo el día en su centro. Allí se levantaba una hermosa casa, y estaba toda construida de blanco, de tal blancura que resplandecía, pero sobre el techo crecían un musgo tan denso y siemprevivas y tantas extrañas plantas trepadoras que el material del que otrora había sido hecho ya no se discernía bajo el glorioso laberinto de colores, dorados y bermejos, escarlatas y verdes.

Innumerables pájaros parloteaban en sus aleros; y algunos cantaban sobre los tejados, mientras tórtolas y torcaces volaban en círculo sobre los límites del *korin* o se dejaban caer en el césped para tomar el sol. Toda aquella vivienda estaba envuelta en flores. Racimos de capullos la rodeaban, tallos y zarcillos, espiguillas y espinas florecidas, flores en panículas y umbelas o que alzaban sus amplios rostros hacia el sol. Allí liberaban al aire ligeramente agitado sus variados aromas, que se mezclaban en una gran fragancia de supremo y maravilloso hechizo, y los tintes y colores parecían esparcirse y juntarse de acuerdo con la casualidad y la alegría de su propio crecimiento. Durante todo el día zumbaban allí las abejas entre las flores; volaban por encima del techo y los macizos perfumados y los senderos, y aun por las frescas galerías de la casa. Ahora bien, cuando Pequeñocorazón y Eriol ascendían la colina el mediodía había pasado, y el sol brillaba decidido sobre el flanco occidental de la torre de

Ingil. No tardaron en llegar a un poderoso muro de bloques de piedra labrada que se inclinaba hacia fuera, aunque sobre él crecían hierbas y campánulas y margaritas amarillas.

Encontraron en el muro una portezuela, y más allá se extendía un claro bajo los olmos y un sendero bordeado por arbustos en un lado, y en el otro por una pequeña corriente que susurraba sobre un lecho de hojarasca. La corriente conducía hasta el borde del prado, y una vez allí dijo Pequeñocorazón, señalando la casa blanca: —He aquí la morada de Meril-i-Turinqui, y como no tengo yo asunto alguno con tan grande señora, emprenderé el camino de regreso. —Entonces Eriol continuó solo por el prado soleado hasta que se encontró hundido casi hasta los hombros entre las altas flores que crecían delante de las galerías; y al aproximarse aún más, llegó hasta él una música, y una hermosa señora rodeada por muchas doncellas avanzó a su encuentro. Luego dijo sonriente—: Bienvenido, oh, marinero de múltiples mares. ¿Por qué buscas el agrado de mis tranquilos jardines y su gentil sonido cuando tendrías que encontrar tu alegría en las brisas saladas del mar, el olor del viento y una barca oscilante?

Durante un rato Eriol no pudo responder, pues la belleza de esa señora y el encanto de ese sitio florido le habían paralizado la lengua; sin embargo, después de un momento musitó que mares había visto bastantes, pero jamás se sentiría saciado de esta tan agraciada tierra. —No —dijo ella—, un día de otoño soplarán los vientos y quizá una gaviota arrastrada por ellos se lamentará en lo alto, y entonces te sobrevendrá un gran deseo recordando las negras costas de tu país[2].

—No, señora —dijo Eriol, y ahora hablaba con voz impaciente—, no es así, porque el espíritu que tañe la flauta en los prados umbríos ha colmado mi corazón de música, y ahora me consume la sed de un trago de *limpë*.

Entonces el rostro sonriente de Meril se puso de inmediato grave, y ordenando a sus doncellas que se marchasen, rogó a Eriol que la siguiera a un sitio cerca de la casa alfombrado de hierbas frescas aunque no demasiado cortas. Crecían allí árboles frutales, y sobre las raíces de uno de ellos, un manzano vetusto de gran circunferencia, la tierra había sido apilada de tal forma que alrededor del tronco había un ancho asiento, mullido y cubierto de hierba. Allí se sentó Meril, contempló a Eriol y le dijo: —¿Sabes, pues, lo que pides? —Y él contestó—: No sé nada, salvo que quiero conocer el alma de todas las canciones y todas las músicas, y así quedarme para siempre con amigos y parientes junto a este maravilloso pueblo de los Eldar de la Isla, y quedar libre de la inconsolable nostalgia, aun hasta la Partida, ¡e incluso hasta el Gran Final!

Pero Meril dijo: —La amistad es posible, tal vez, pero no el parentesco, porque el Hombre es Hombre, y el Elda, Elda, y lo que Ilúvatar ha hecho diferente no puede volverse igual mientras perdure el mundo. Aun cuando te quedaras aquí hasta el Gran Final y por virtud del *limpë* no te toparas con la muerte, debes morir y abandonarnos, porque el Hombre por fuerza ha de morir alguna vez. Y escucha, oh, Eriol, no creas poder escapar de la inconsolable nostalgia con un trago de *limpë*, porque entonces sólo cambiarías de deseo, reemplazando el viejo por uno nuevo más profundo y agudo. El deseo insatisfecho habita los corazones de ambas razas de los llamados Hijos de Ilúvatar, pero es más intenso en los Eldar, porque sus corazones están llenos de la visión de una grande y gloriosa belleza.

—Sin embargo, oh, reina —contestó Eriol entonces—, déjame sólo probar esa bebida y ser por largo tiempo amigo de tu pueblo, oh reina de los Eldalië, para que pueda ser como los felices hijos de Mar Vanwa Tyaliéva.

—No, ni siquiera puedo hacer eso —dijo Meril—, pues es cuestión mucho más grave dar esta bebida a quien ha conocido ya la vida y los días que pasan en las tierras de los Hombres que a un niño que poco más sabe; sin embargo, aun a éstos hacemos esperar largo tiempo antes de ofrecerles el vino de la canción, enseñándoles primero nuestros conocimientos ancestrales y poniendo a prueba sus almas y corazones. Por tanto, te pido que permanezcas aquí aún más tiempo y aprendas todo lo que puedas en esta nuestra isla. Pues ¿qué sabes del mundo o de los antiguos días de los Hombres, o de las remotas raíces de las cosas que ahora son, o de los Eldalië y toda su sabiduría, para pretender tomar nuestra copa de poesía y juventud?

—La lengua de Tol Eressëa la conozco, y de los Valar tengo noticia, y del principio del gran mundo, y de la construcción de Valinor; he escuchado la música y la poesía y la risa de los Elfos, y todo ello lo he encontrado verdadero y bueno, y mi corazón sabe y me ha dicho que en adelante lo amaré todo siempre y sólo lo amaré. —Así respondió Eriol, y su corazón estaba apesadumbrado por la negativa de la Reina.

—Pero nada sabes de la llegada de los Elfos, del destino por el que se mueven, ni de su naturaleza ni del lugar que Ilúvatar les ha dado. Poco te inquieta el gran esplendor de su patria en Eldamar sobre la colina de Kôr, ni todo el dolor de nuestra partida. ¿Qué sabes tú de nuestros trabajos en los oscuros caminos del mundo, y de la angustia que hemos padecido por causa de Melko; de los dolores que hemos sufrido, y sufrimos todavía, por causa de los Hombres, de todos los temores que oscurecen nuestras esperanzas por causa de los Hombres? ¿Conoces acaso los mares de lágrimas que se extienden entre nuestra vida en Tol Eressëa y aquella época de gozo que conocimos en Valinor? Oh, hijo de los Hombres, que querrías compartir el destino de los Eldalië, ¿qué sabes de nuestros altos deseos y de todas las cosas que esperamos que ocurran todavía? Porque he aquí que si bebes esta bebida, has de conocer y amar todas esas cosas, siendo tu corazón el nuestro. Más aún, si incluso en la Partida los Eldar y los Hombres libraran una guerra final, deberías estar con nosotros en contra de los descendientes de tu estirpe y amigos, y no podrías volver a tu patria hasta ese momento aun cuando te royera la nostalgia; y los deseos que consumen a veces a un hombre adulto que ha bebido *limpë* son un fuego de inimaginable tormento. ¿Sabías esas cosas, oh, Eriol, cuando viniste aquí con tu petición?

—No, no las sabía —dijo Eriol con tristeza—, aunque a menudo he interrogado a la gente sobre ellas.

—Pues he aquí entonces —dijo Meril— que empezaré una historia, y algo te contaré antes de que la larga tarde se desvanezca; pero luego tendrás que irte de aquí otra vez pacientemente. —Y Eriol inclinó la cabeza—. Entonces —continuó Meril—, ahora te contaré de una época de paz que hubo una vez en el mundo, y que se conoce como «las Cadenas de Melko»[3]. Te hablaré de la Tierra tal como los Eldar la encontraron y de cómo despertaron en ella.

»He aquí que Valinor ha sido construida y los Dioses viven en paz, porque Melko está lejos excavando y fortificándose con hierro y frío, pero Makar y Meássë cabalgan en los vendavales y se regocijan en los terremotos y en el dominio de las furias de los mares antiguos. Clara y bella es Valinor, pero hay un profundo crepúsculo en el mundo, porque los Dioses han recogido la mayor parte de la luz que otrora fluía por los aires. Rara vez cae ahora la lluvia refulgente, y reina una penumbra iluminada de pálidos rayos o teñida de rojo cuando Melko salpica el cielo desde una montaña desgarrada por el fuego.

»Entonces Palúrien Yavanna abandonó los jardines frutales para examinar las vastas tierras de su dominio, y erró por los oscuros continentes sembrando semillas y meditando sobre valles y montañas. Sola en ese sempiterno crepúsculo entonó cantos del más supremo encantamiento, y tan profunda era su magia que flotaban sobre los sitios rocosos y sus ecos se demoraban durante años por las colinas y las planicies desiertas, y todas las buenas magias de los días posteriores son susurros de los recuerdos que dejó su resonante canto.

»Entonces empezaron a crecer allí cosas: hongos y extrañas plantas llenaron los lugares húmedos, y líquenes y musgos se arrastraron furtivos sobre las rocas y les comieron las caras, y las rocas se desmoronaron y se convirtieron en polvo, y las plantas trepadoras murieron en él, y hubo allí mantillo, y en él crecieron en silencio helechos y plantas verrugosas, y extrañas criaturas asomaron la cabeza por las grietas y treparon por las piedras. Pero Yavanna lloró, porque no era éste el bello vigor en el que había pensado... y entonces se le acercó Oromë brincando en el crepúsculo, pero Tuivána no deseaba abandonar el resplandor de Kulullin, ni Nessa los verdes prados de su baile.

»Entonces Oromë y Palúrien sumaron todo su poder, y Oromë sopló fuertes toques de cuerno como si quisiera despertar todas las rocas grises a la vida lozana. Y he aquí que ante los bramidos del cuerno, los grandes bosques se encabritaron y se lamentaron alrededor de las colinas, y todos los árboles de hojas oscuras cobraron ser, y el mundo se cubrió de pinares y del olor de los árboles resinosos, y los abetos y los cedros pendieron sus cortinajes azules y verde oliva por las laderas, y los tejos iniciaron sus existencias de siglos. Ahora estaba Oromë menos lóbrego, y Palúrien se sintió consolada al ver la belleza de las primeras estrellas de Varda replandeciendo en los pálidos cielos a través de las ramas de los primeros árboles, y al escuchar el murmullo de los bosques en penumbra y el crujir de las ramas cuando Manwë agitaba el aire.

»En ese tiempo muchos espíritus extraños viajaron al mundo pues había allí lugares agradables, oscuros y tranquilos donde pudieron morar. Algunos vinieron de Mandos, espíritus vetustos que viajaron con él desde el lugar donde moraba con Ilúvatar y que son más viejos que el mundo y muy lóbregos y secretos, y otros de las fortalezas del Norte donde Melko habitaba entonces, las profundas mazmorras de Utumna. Eran malsanos y maliciosos; trajeron consigo la astucia, el desasosiego y el horror, convirtiendo la oscuridad en algo maligno y terrible, algo que no había sido antes. Pero unos pocos bailaban con pasos gentiles exudando perfumes de la tarde, y éstos venían de los jardines de Lórien.

»El mundo todavía está lleno de ellos en los días luminosos, demorándose solos en el corazón umbrío de los bosques primordiales, invocando cosas secretas a través de los baldíos estrellados, y visitando con frecuencia cavernas en las montañas que muy pocos han encontrado: pero los pinares están todavía demasiado llenos de estos espíritus que nada tienen de élfico o humano como para que los Eldar o los Hombres puedan sentirse tranquilos.

»Cuando esta gran obra estuvo cumplida, de buen grado hubiera descansado Palúrien de sus prolongados trabajos, regresando para probar los dulces frutos de Valinor y refrescarse bajo el árbol de Laurelin cuyo rocío es luz mientras Oromë vagaría de nuevo por los hayedos de las llanuras de los grandes Dioses; pero Melko, que durante largo tiempo se había escondido temeroso de la ira de los Valar por su comportamiento traicionero con sus lámparas, estalló entonces en una gran violencia, pues creía que el mundo, abandonado por los Dioses, era suyo y de los suyos. Bajo los suelos del mismo Ossë hizo que la Tierra temblara y se partiera y que sus fuegos inferiores se mezclaran con el mar. Tormentas de vapor y vastos movimientos marítimos avanzaron con gran estruendo sobre el mundo, y los bosques gruñeron y se quebraron. El mar se abalanzó sobre la tierra y la desgarró, y vastas regiones se hundieron bajo su furia o fueron desgajadas en múltiples islotes dispersos, y en la costa se excavaron cavernas. Las montañas oscilaron, y sus corazones se derritieron, y la piedra se virtió como fuego líquido por las laderas cubiertas de cenizas llegando aun hasta el mar, y el bramido de las grandes batallas de las playas de fuego alcanzó rugiendo aún a las Montañas de Valinor, y ahogó el canto de los Dioses. Entonces se levantaron Kémi Palúrien, la armoniosa Yavanna dadora de frutos y Aulë, quien ama todas las obras de ella y las sustancias de la tierra, y subieron a las estancias de Manwë y le hablaron, diciéndole que todo lo que era bueno se iba a arruinar para siempre por causa de la ígnea malicia del corazón destemplado de Melko, y Yavanna rogó que toda su larga obra en el crepúsculo no fuera anegada y sepultada. Mientras hablaban allí, llegó Ossë iracundo como un embate entre arrecifes, pues estaba furioso por el quebrantamiento de su reino y temía el disgusto de Ulmo, su señor. Entonces se levantó Manwë Súlimo, Señor de los Dioses y de los Elfos, y Varda Tinwetári estaba junto a él, y habló con una voz atronadora desde Taniquetil, y los Dioses de Valmar la oyeron, y Vefántur reconoció la voz en Mandos, y Lórien se enardeció en Murmuran.

»Entonces se celebró un gran consejo entre los Dos Árboles a la hora en que las luces se mezclaban, y Ulmo fue allí desde las profundidades exteriores; y de las palabras allí habladas los Dioses trazaron un plan de sabiduría, y en él estaban el pensamiento de Ulmo y gran parte de la habilidad de Aulë y el amplio conocimiento de Manwë.

»He aquí que Aulë reunió seis metales: cobre, plata, estaño, plomo, hierro y oro, y tomando una porción de cada uno fabricó con su magia un séptimo al que llamó por ello *tilkal**, y éste tenía todas las virtudes de los seis y muchas propias. Su color era verde brillante o rojo según variara la luz, y nada podía romperlo, y sólo Aulë era capaz de moldearlo. Entonces forjó una poderosa cadena, haciéndola de los siete metales soldados mediante hechizos en una sustancia de suprema dureza y brillo y suavidad, pero de *tilkal* no tuvo bastante sino para añadir un poco a cada eslabón. Sin embargo hizo dos esposas de *tilkal* solamente, y

---

*   Nota al pie de página en el manuscrito: «T(*ambë*) I(*lsa*) L(*atúken*) K(*anu*) A(*nga*) L(*aurë*); *ilsa* y *laurë* son los nombres "mágicos" de los ordinarios *telpë* y *kulu*».

cuatro grilletes de la misma sustancia. Ahora bien, la cadena se llamó *Angaino*, la opresora, y las esposas *Vorotemnar*, las que atan para siempre, y los grilletes recibieron el nombre de *Ilterendi* porque no pueden ser limados ni mellados.

»Pero el deseo de los Dioses era salir en búsqueda de Melko con gran poder e instarlo, si era posible, a que se dedicara a más nobles tareas; no obstante se proponían, si ninguna otra cosa era posible, someterlo por la fuerza o la astucia, y encerrarlo en un cautiverio del que no hubiera escapatoria.

»Ahora bien, mientras Aulë se afanaba en la herrería, los Dioses vistieron armaduras que recibieron de Makar, y éste de buen grado los vio ceñirse las armas y prepararse como si fueran a la guerra, aunque su cólera se dirigía contra Melko. Y cuando los Grandes Dioses y todas sus gentes estuvieron armados, montó Manwë en un carro azul, cuyos tres caballos eran los más blancos que recorrían los dominios de Oromë, y en la mano llevaba un gran arco blanco que podía disparar flechas como ráfagas de viento a través de los más anchos mares. Fionwë, su hijo, estaba tras él, y Nornorë, que era su heraldo, corría por delante; pero Oromë cabalgaba solo en un caballo alazán y llevaba una lanza, y Tulkas daba poderosas zancadas junto a sus estribos vestido con una túnica de cuero y un cinturón de bronce, y no llevaba armas, salvo un guantelete en la mano derecha, forjado en hierro. Telimektar, su hijo, de talla apenas suficiente para intervenir en la guerra, iba junto a él con una larga espada a la cintura, ceñida por una faja de plata. En un carro negro avanzaban los Fánturi con un caballo negro del lado de Mandos y uno tordo del lado de Lórien, y Salmar y Ómar llegaron por detrás corriendo velozmente, pero Aulë, que se había demorado demasiado en la herrería, era el último, y no estaba armado, pero había cogido su martillo de largo mango al terminar la forja y se dirigía de prisa a los límites del Mar Sombrío, y cuatro herreros cargaban tras de él su larguísima cadena.

»En aquellas costas Falman-Ossë les salió al encuentro y los transportó a través de las aguas en una poderosa balsa sobre la que él mismo viajaba revestido en una cota de malla resplandeciente; pero Ulmo Vailimo se les había adelantado mucho, bramando en su carro de aguas profundas y tocando airado un cuerno hecho de caracolas. De este modo fue que los Dioses atravesaron el mar y sortearon las islas, y pusieron pie en las vastas tierras, y marcharon con gran poder y cólera más profundamente hacia el Norte. Así cruzaron las Montañas de Hierro y Hisilómë, que se extiende oscuro más allá, y llegaron a los ríos y a las colinas de hielo. Allí Melko sacudió la tierra bajo sus pies, e hizo que las cumbres cubiertas de nieve eructaran llamas; sin embargo, a pesar de la grandeza del despliegue de sus vasallos, que infectaron todas las sendas, no consiguió interceptarles el camino. Allí, en lo más profundo del Norte, más allá aún del arruinado pilar Ringil, llegaron a los enormes portones de la profunda Utumna, y Melko los cerró con gran estrépito delante de sus mismas caras.

»Entonces Tulkas, furioso, los golpeó tronante con su gran puño, y los portones resonaron pero no cedieron; y Oromë, desmontando, tomó su cuerno y sopló en él con tan poderoso toque que los portones se abrieron instantáneamente, y Manwë alzó su voz inconmensurable y ordenó a Melko que saliera.

»Pero aunque en las profundidades de esas estancias Melko lo oyó y sintió dudas, no salió, sino que envió a su sirviente Langon, y por su mediación les dijo que se regocijaba y se maravillaba de ver a los Dioses ante sus puertas. Que de buen grado les daría la bienvenida, pero dada la pobreza de su morada no podía atender de manera adecuada a más de dos de ellos; y rogaba que ni Manwë ni Tulkas fueran parte del dúo, pues uno merecía y el otro exigía una hospitalidad de mayor esplendor y riqueza. Si esto no fuera del agrado de los Dioses, con gusto escucharía al heraldo de Manwë para que le informase de qué era eso que tanto deseaban los Dioses como para haber abandonado así los blandos divanes y la indolencia de Valinor, y hacerse presentes en los sitios lóbregos donde Melko trabajaba humildemente y llevaba a cabo su fatigosa obra.

»Entonces Manwë y Ulmo y todos los Dioses montaron en gran cólera ante la sutileza y aduladora insolencia de las palabras de Melko, y el furibundo Tulkas habría empezado a descender sin más las escaleras angostas que se perdían de vista más allá de las puertas si no hubiera sido porque los otros lo detuvieron, y Aulë juzgó que quedaba claro por las palabras de Melko que mostraba prudencia y cautela en aquella cuestión, y que se advertía claramente a cuáles de los Dioses temía más y no deseaba ver en sus estancias. —Por tanto —dijo—, concibamos un medio por el que esos dos puedan llegar a él sin que se dé cuenta, y quizá baste el miedo para que mejoren sus hábitos—. A esto asintió Manwë diciendo que todas sus fuerzas difícilmente podrían arrancar a Melko de su fortaleza, mientras que ese engaño tenía que urdirse con suma astucia para hacer caer en la trampa al maestro de la superchería—. Sólo por su orgullo es Melko vulnerable —dijo Manwë—, o por una batalla tal que desgarraría la tierra y derramaría el mal sobre todos nosotros—. Y Manwë intentó evitar toda disputa entre Ainur y Ainur. Por tanto, cuando los Dioses hubieron concertado un plan para atrapar a Melko aprovechando su abrumador orgullo, entretejieron astutas palabras supuestamente atribuidas al mismo Manwë y las pusieron en boca de Nornorë, que descendió y las pronunció ante el trono de Melko—. He aquí —dijo— que los Dioses han venido a pedir el perdón de Melko, pues al contemplar su gran enfado y el mundo destrozado por su furia se han preguntado los unos a los otros: "¿Por qué está disgustado Melko?", y los unos se respondieron a los otros, viendo los tumultos provocados por su poder: "¿No es acaso el más grande entre nosotros? ¿Por qué no vive el más poderoso de los Valar en Valinor? Sin duda tiene sus motivos para estar indignado. Vayamos nosotros a Utumna y roguémosle que viva en Valinor, para que Valmar no esté vacía de su presencia".

»"A esto sólo Tulkas se negó, pero Manwë se inclinó ante el consenso común (esto lo pergeñaron los Dioses sabiendo el rencor que Melko sentía por Poldórëa) y ahora han venido, obligando a Tulkas mediante la violencia, a rogarte que los perdones y que vuelvas a casa con ellos y completes su gloria, y que vivas, si tal es tu voluntad, en las estancias de Makar, hasta que Aulë pueda construirte una gran mansión; y sus torres sobrepasarán Taniquetil." —A esto respondió Melko con grandes ansias, pues su orgullo ilimitado ya había aflorado y había ahogado su astucia.

»—Por fin pronuncian los Dioses bellas palabras, y justas además, pero antes de que les conceda esa merced, mi corazón ha de apaciguarse por las viejas ofensas. Por tanto, han de venir aquí después de deponer las armas junto a los portones, y rendirme homenaje en éstas mis profundas estancias de Utumna; pero ¡atentos! a Tulkas no lo veré, y si voy a Valinor lo echaré de allí. —De todas estas cosas informó Nornorë, y Tulkas colérico golpeó sus manos una contra otra, pero Manwë respondió que los Dioses harían todo lo que deseaba el corazón de Melko; sin embargo Tulkas iría también, pero encadenado, para ser entregado al poder y los deseos de Melko; y a esto accedió Melko, ansioso por humillar a los Valar, y el encadenamiento de Tulkas le dio gran placer.

»Entonces los Valar dejaron sus armas junto a los portones, encomendando sin embargo que se montara guardia sobre ellas, y pusieron la cadena Angaino alrededor del cuello y los brazos de Tulkas, e incluso él apenas podía soportar aquel gran peso solo; y entonces siguieron a Manwë y a su heraldo por las cavernas del norte. Allí estaba Melko sentado en su trono, y esa cámara estaba iluminada por braseros llameantes y repleta de magia maligna, y formas extrañas entraban y salían continuamente con febriles movimientos, y serpientes de gran tamaño se enroscaban y desenroscaban sin descanso alrededor de los pilares que sostenían el alto techo. Entonces dijo Manwë: —He aquí que hemos venido y te saludamos en tus propias estancias; ven con nosotros y quédate en Valinor.

»Pero Melko no estaba dispuesto a renunciar tan fácilmente a su entretenimiento. —No —dijo—, primero tú, Manwë, has de venir y arrodillarte ante mí, y después de ti todos los Valar; pero el último será Tulkas, que deberá besarme el pie, pues guardo en mi memoria algo por lo que no profeso a Poldórëa un gran amor. —De hecho, se proponía dar una patada a Tulkas en la boca en pago por el puñetazo recibido hacía ya mucho, pero los Valar habían previsto algo parecido y fingieron humillarse para de ese modo sacar a Melko de su fortaleza de Utumna. En verdad, Manwë hasta el final tuvo esperanzas de paz y amistad, y los Dioses, ante su ruego, habrían estado dispuestos a recibir a Melko en Valinor mediante una tregua y con promesas de amistad, si no hubiera sido insaciable su orgullo e indoblegable su obstinación en hacer el mal. Ahora, sin embargo, poca merced quedaba para él en sus corazones, viendo que se empeñaba en exigir que Manwë le rindiera homenaje y en que Tulkas se inclinara ante aquellos pies despiadados; no obstante, el Señor de los Dioses y de los Elfos se aproximó al trono de Melko e hizo ademán de arrodillarse, pues ése era el plan para hacer caer en la trampa al malvado; pero he aquí que tal fue la ira que se inflamó en los corazones de Tulkas y Aulë ante aquella escena, que Tulkas cruzó la cámara de un salto a pesar de Angaino, y Aulë estaba detrás de él, y Oromë siguió a su padre, y en el recinto hubo un gran tumulto. Entonces Melko se puso en pie de un salto dando altas voces, y su gente acudió por todos aquellos torvos pasajes en su ayuda. Enseguida golpeó a Manwë con un mangual de hierro que llevaba, pero Manwë sopló suavemente sobre él y sus espiguillas de hierro se doblaron hacia atrás, y en ese momento Tulkas le asestó un golpe a Melko en los dientes con su puño de hierro, y él y Aulë lo retuvieron, y sin demora lo envolvieron treinta veces en la larga Angaino.

»Dijo entonces Oromë: —Me gustaría contemplar la opción de matarlo—. Y bien la habría puesto en práctica en verdad, pero todavía no es posible matar a los grandes Dioses[4]. Se le impuso a Melko entonces un amargo sometimiento, y se le obligó a golpes a caer de rodillas; por fuerza se le impuso que ordenase a todos sus vasallos no asaltar a los Valar; y de hecho la mayoría de éstos, asustados por la captura de su señor, huyeron hacia los sitios más oscuros.

»Ciertamente Tulkas sacó a Melko a la rastra ante los portones, y allí Aulë le puso en cada muñeca una de las Vorotemnar, y en cada tobillo un par de las Ilterendi, y el *tilkal* se tiñó de rojo en contacto con Melko, y esos grillos nunca desde entonces soltaron de sus manos y sus pies. Pues la cadena está forjada para cada uno de esos miembros, y Melko tuvo que soportarlas indefenso mientras Tulkas y Ulmo destruían los portones de Utumna y apilaban montañas de piedras sobre ellos. Y las grietas y los lugares cavernosos bajo la superficie de la tierra están llenos todavía de los espíritus oscuros que quedaron prisioneros el día en que Melko fue apresado, y sin embargo muchos son los caminos por los que encuentran salida al mundo exterior de tanto en cuanto: desde fisuras por las que gritan con las voces de la marejada sobre costas rocosas hasta oscuras corrientes subterráneas que serpentean invisibles durante muchas leguas, o a través de los arcos azules donde los glaciares de Melko alcanzan su término.

»Después de sucedidas estas cosas, volvieron los Dioses a Valmar por largos y oscuros caminos, vigilando a Melko a cada momento mientras éste rumiaba la rabia que lo consumía. Tenía el labio partido y su mirada había adquirido una extraña malicia desde que Tulkas le diera aquel golpe, pues para Tulkas contemplar la majestad de Manwë inclinada ante aquel maldito era para él insoportable, a pesar de que formase parte de un plan.

»A la llegada se estableció una corte sobre las laderas de Taniquetil, y Melko compareció ante todos los Vali[5], grandes y pequeños, atado y postrado delante del trono de plata de Manwë. Contra él hablaron Ossë, y Oromë, y Ulmo con profunda ira, y Vána con aborrecimiento, proclamando sus actos de crueldad y violencia; no obstante habló Makar en favor de Melko, aunque no con cariño, pues dijo: —No estaría bien que la paz durara para siempre: ya ningún golpe resuena en la eterna quietud de Valinor, por lo que, si nunca hubiese una acción guerrera y no se sintiera la alegría del tumulto ni aun en el mundo exterior, resultaría tedioso en verdad, y por mi parte no desearía yo tiempos semejantes—. Entonces se levantó Palúrien apenada y deshecha en lágrimas, y habló de la difícil situación de la Tierra y de la gran belleza de lo que ella había planeado, y de las cosas que deseaba ardientemente crear; de la riqueza de hierbas y flores, de los árboles y los frutos y los granos que podría producir la tierra si tan sólo hubiera paz en ella. —Procurad, oh, Valar, que los Elfos y los Hombres no estén desprovistos de todo solaz cuando les llegue la hora de encontrarse en la Tierra—. Pero Melko se retorció de rabia ante la mención del nombre de los Eldar y de los Hombres, y ante su propia impotencia.

»Ahora bien, Aulë prestó caluroso apoyo en esto a Palúrien, y tras él, muchos otros Dioses, pero Mandos y Lórien se mantuvieron en silencio; nunca hablan mucho en las asambleas de los Valar ni tampoco, todo sea dicho, en otras ocasiones, pero Tulkas se levantó airado en medio del tumulto de la reunión y se alejó de ellos, pues no podía soportar que se permitiese a Melko disfrutar de parlamento cuando creía que la culpa estaba clara. Hubiera preferido que se desencadenara a Melko y luchar allí mismo y en ese mismo momento solos en la planicie de Valinor, para darle de bofetadas como recompensa por sus muchos daños, en lugar de mantener elevados debates sobre ellos. Pero Manwë permanecía sentado y escuchaba, y se conmovió por el discurso de Palúrien; sin embargo consideraba que Melko era un Ainu y que era poderoso más allá de toda medida para bien o para mal del devenir del mundo; y por tanto dejó de lado la dureza y éste fue el veredicto: Por la duración de tres edades, mientras estuvieran disgustados los Dioses, Melko estaría encadenado en una cripta de Mandos con la cadena Angaino, y después tendría que trasladarse bajo la luz de los Dos Árboles, pero tan sólo para que durante cuatro edades permaneciera como sirviente en casa de Tulkas y le obedeciera en compensación por su antigua malicia. —Así —dijo Manwë—, y no sin dificultad podrás ganarte de nuevo el suficiente favor de los Dioses como para que toleren que habites en una casa propia y que tengas ciertos bienes entre ellos, como es propio de un Vala y un señor de los Ainur.

»Tal fue el veredicto de Manwë, y aun a Makar y a Meássë les pareció bien, aunque Tulkas y Palúrien lo consideraron peligrosamente clemente. Comienza así en Valinor su más prolongado período de paz y lo inicia también toda la tierra, mientras Melko habita en las más profundas criptas de Mandos y el corazón se le ennegrece dentro.

»He aquí que los tumultos del mar decrecen lentamente y los fuegos bajo las montañas se apagan; ya no tiembla la tierra y la ferocidad del frío y la terquedad de las montañas y los ríos de hielo se derriten hasta el norte más extremo y el sur más profundo, aun hasta las regiones donde se hallan Ringil y Helkar. Entonces viaja Palúrien una vez más por sobre la Tierra, y los bosques se multiplican y se extienden, y a menudo el cuerno de Oromë se escucha tras ella en la penumbra: es el momento en que la belladona y la brionia se arrastran en las espesuras, y el acebo y la encina aparecen sobre la tierra. Aún las caras de los acantilados se cubren de hiedras y plantas trepadoras gracias a la calma de los vientos y a la quietud del mar, y todas las cavernas y las costas se engalanan con tallos, y largas algas marinas cobran vida meciéndose dulcemente cuando Ossë mueve las aguas.

»Entonces se presenta aquel Vala y se sienta en un promontorio de las Grandes Tierras, ocioso en la quietud de su reino, y contempla cómo Palúrien llena el tranquilo crepúsculo de la Tierra de criaturas voladoras. Murciélagos y búhos a los que Vefántur dio libertad desde Mandos revolotean por el cielo, y ruiseñores enviados por Lórien desde Valinor trinan junto a aguas tranquilas. A lo lejos grazna un chotacabras, y en los lugares oscuros las serpientes que escaparon de Utumna cuando Melko fue apresado se mueven sin ruido; croa una rana en el borde desnudo de un estanque.

»Envió entonces noticia a Ulmo de las nuevas cosas que se habían hecho, y Ulmo ya no quiso que las aguas de los mares interiores siguieran deshabitadas; fue entonces al encuentro de Palúrien y ella le entregó hechizos, y los mares comenzaron a resplandecer de peces o extrañas criaturas que se arrastraban por el fondo; sin embargo, ninguno de los Valar o de los Elfos sabe de dónde provienen los moluscos y las ostras porque ya boqueaban en las aguas silenciosas, quizá arrojadas por Melko desde lo alto, y hubo perlas antes de que los Eldar soñaran con las gemas.

»Tres grandes peces luminosos en la oscuridad de los días sin sol acompañaban siempre a Ulmo, y en el techo de la morada de Ossë bajo el Gran Mar brillaban escamas fosforescentes. Fue aquél un tiempo de gran paz y quietud, y la vida echó profundas raíces en los suelos recién creados de la Tierra, y se sembraron semillas que sólo aguardaban a la luz para germinar, y se la conoce y se la alaba como la edad de "las Cadenas de Melko".

NOTAS

1 Aquí se añadió el siguiente pasaje, según parece muy poco después de haber sido escrito el texto, pero después fue tachado enérgicamente:

> La verdad es que es un hijo de Linwë Tinto, Rey de los Flautistas, que se perdió en los tiempos antiguos durante la gran marcha desde Palisor, y errando por Hisilómë encontró al solitario espíritu del crepúsculo (Tindriel) Wendelin, que bailaba en un claro rodeado de hayas. Enamorado de ella, abandonó de buen grado a los suyos y bailó para siempre en las sombras, pero mucho después sus hijos Timpinen y Tinúviel volvieron a unirse a los Eldar, y hay cuentos acerca de ambos, aunque rara vez se cuentan.

El nombre *Tindriel* estaba solo en el manuscrito tal y como se muestra, pero después se encerró entre paréntesis y se añadió

Wendelin en el margen. Éstas son las primeras referencias en la narración consecutiva a Thingol (Linwë Tinto), Hithlum (Hisilómë), Melian (Tindriel, Wendelin) y Lúthien Tinúviel; pero pospongo el comentario a estas alusiones.

2   Cf. la explicación de los nombres *Eriol* y *Angol* como "acantilados de hierro" que se menciona en el Apéndice sobre los Nombres (bajo *Eriol*).

3   Asociados con la historia de la estancia de Eriol (Ælfwine) en Tol Eressëa y los "Cuentos Perdidos" que allí escuchó, existen dos "esquemas" o sinopsis en los que se refleja el plan de la obra. Uno de ellos es, en gran parte, un resumen de los *Cuentos* tal y como fueron escritos; el otro, sin duda posterior, diverge del primero. En este segundo esquema, en el que el viajero se llama Ælfwine, el cuento de la segunda noche junto al Hogar de los Cuentos se atribuye a «Evromord el custodio de la Puerta», aunque el contenido de la narración era el mismo (la Llegada de los Dioses; la Hechura del Mundo y la Construcción de Valinor; la Plantación de los Dos Árboles). Después de esto aparece escrito, como añadido posterior: «Ælfwine va a rogarle *limpë* a Meril; ésta le ordena que se marche de vuelta». La tercera noche junto al Hogar de los Cuentos se describe de la manera siguiente:

> El Custodio de la Puerta continúa con el Crepúsculo Primordial. Las Furias de Melko. Las Cadenas de Melko y el despertar de los Elfos. (Cómo Fankil y muchas formas oscuras escapan al mundo). [Atribuido a Meril, pero para ser incorporado del mismo modo que aquí y muy abreviado].

Parece seguro que ésta era una revisión que se quedó solamente en intención, y nunca fue llevada a cabo. Es notable que en el texto actual, como también en el primero de estos dos "esquemas", la función de Rúmil en la casa es la de custodio de la puerta; y Rúmil, no Evromord, fue el nombre que se preservó mucho después como el del narrador de La Música de los Ainur.

4   El texto, tal como fue escrito originalmente, decía: «pero no es posible matar a los grandes Dioses, aunque sí a sus hijos y a todas las gentes menores de los Vali, aunque sólo a manos de alguno de los Valar».

5   *Vali* es una modificación de *Valar*. Cf. las palabras de Rúmil: «ellos a quienes ahora llamamos los Valar (o los Vali, eso carece de importancia)».

Comentario de
El Encadenamiento de Melko

En el interludio entre este cuento y el último nos encontramos con la figura de Timpinen o Tinfang. Este ser ya había existido en la mente de mi padre durante algunos años, y hay dos poemas sobre él. El primero se titula *Tinfang Trino (Tinfang Warble)*; es muy breve, pero existe en tres versiones. De acuerdo con una nota de mi padre, el original fue escrito en Oxford en el año 1914 y se reescribió en Leeds en "1920-1923". Se publicó finalmente en 1927 en una forma modificada, que presento aquí*.

Tinfang Trino

¡Oh, el ululato! ¡Oh el ululato!
¡Cómo gorjea con su flauta!
¡Oh, el ululato de Tinfang Trino!

Bailando solo,
saltando sobre una piedra,
brincando como un cervatillo
en el crepúsculo sobre el prado,
¡y su nombre es Tinfang Trino!

Ha aparecido la primera estrella
y en su lámpara brota
una llama de azul titilante.
No ulula para mí,
no ulula para ti,
no silba para ninguno de vosotros.
Su música es sólo suya,
¡las melodías de Tinfang Trino!

En la primera versión a Tinfang se le llama "leprawn", y en el primer glosario de la lengua gnómica es un "duende".

El segundo poema se titula *Sobre Viejas Colinas y a lo Lejos (Over Old Hills and Far Away)*. Existen de él cinco versiones, de las cuales la primera lleva también un título en inglés antiguo (con el mismo significado):

* Se publicó en un periódico al que, en el recorte que de él se conserva, se designa «I.U.M[agazine]».

eond fyrne beorgas heonan feor. Según las notas de mi padre fue escrito en Brocton Camp, en Staffordshire, entre diciembre de 1915 y febrero de 1916, y reescrito en Oxford en 1927. La versión final presentada aquí difiere de las versiones anteriores en muchos detalles de palabras aisladas y en versos enteros, de los que al final apunto algunos ejemplos de cierto interés.

Sobre Viejas Colinas y a lo Lejos

Era temprano y tranquilo en la noche de junio,
pocas eran las estrellas y la luna estaba lejos,
languidecían los árboles cabeceando, y silenciosas se arrastraban
las sombras que despertaban bajo ellos mientras dormían.

5   Con pasos rápidos y furtivos me acerqué a la ventana
abandonando mi lecho blanco y sin hacer;
y algo fascinante, lejano y extraño,
como un perfume de flores de las orillas del lago
que reposa en el País de los Elfos y llueve en luz de estrellas
10 titila y relumbra, se acercó a los cristales
de mi alta ventana enrejada ¿O era un sonido?
Escuché y miré maravillado el suelo.
Pues de lejos llegaba una nota filtrada
de dulce encanto, ora clara, ora remota,
15 tan clara como una estrella en un estanque junto a los juncos,
tan leve como el resplandor del rocío en las briznas.

Abandoné entonces la ventana y seguí la llamada
bajando las crujientes escaleras y cruzando la sala,
y saliendo por una puerta que batió, alta y gris,
20 y atravesando el prado, ¡y lejos, más y más lejos!

Era Tinfang Trino quien bailaba allí,
tocando la flauta y sacudiendo sus blancos y viejos cabellos
hasta que centellearon como escarcha bajo la luz de la luna en
[invierno;
y las estrellas lo rodeaban, titilando al compás de su melodía,
25 brillando azules como chispas en la neblina,
como brillan y titilan siempre cuando toca.

Mis pies sólo arrojaban el fantasma de un ruido

sobre la resplandeciente grava blanca que lo circundaba,
donde relucían sus pies pequeños en un círculo de arena,
30   y los dedos eran blancos en su mano estremecida,
y había saltado al aire ante el guiño de una estrella
con su gorro aleteante y sus cabellos lustrosos;
y se había echado al hombro la larga flauta,
donde colgaba de un lazo plateado y negro.

35   Su cuerpo esbelto y pequeño se volvió delgado como una sombra,
y se deslizó entre los juncos como la niebla en un claro;
y rió como la plata fina, y tañó una nota alta,
mientras sacudía en las sombras su umbría chaqueta.
¡Oh!, las puntas de sus zapatillas estaban retorcidas y rizadas,
40   pero él bailaba como el viento en la intemperie del mundo.

Se ha marchado, y el valle está vacío y desnudo
donde solo me quedo y solo contemplo.
Entonces de pronto desde los prados lejanos,
otra vez desde los juncos junto al estanque luminoso,
45   luego remotas desde una arboleda de musgos espesos
llegan unas pocas notas rápidas de dulce tañido.

Salto sobre el arroyo y me alejo de prisa del claro,
pues era Tinfang Trino el que tocaba;
he de seguir el ululato de su flauta del crepúsculo
50   sobre juncos, sobre cañas, bajo ramas y sobre raíces
y sobre campos oscuros, y entre hierbas crepitantes
que murmuran y se inclinan cuando el viejo elfo pasa,
sobre viejas colinas y a lo lejos
donde tocan dulcemente las arpas de los Elfos.

Versión anterior:

1-2   Érase una vez una tranquila tarde de junio...
Y me pareció que las estrellas brillaban demasiado pronto...
Cf. el texto en prosa, pág. 117: «Los Noldoli dicen que
[las estrellas] salen demasiado temprano si Tinfang Trino
toca».
8   desde las costas del lago] junto al lago de las hadas
9   País de los Elfos] corrección hecha al texto de la versión final
que reemplaza a «el País de Faëry».

24   Hasta que las estrellas salieron, según parece, demasiado pronto.
      Cf. nota del verso 2.
25   Siempre salen cuando trina y toca,
26   Y brillan azules mientras siga allí.
      Cf. el texto en prosa, pág. 118: « o tocando bajo una luna gigan-
      tesca, y las estrellas brillan con fuerza y se tiñen de azul».
54   los Elfos] corrección hecha al texto de la versión final, que re-
      emplaza a «las Hadas».

★

La primera parte de la historia *El Encadenamiento de Melko* llegó a tener
una forma muy diferente en versiones posteriores, en las que (v. *El Silmarillion*) durante la estadía de los Valar en la Isla de Almaren, bajo la
luz de las Dos Lámparas, «las semillas que Yavanna había sembrado
empezaron a brotar y germinar con prontitud, y apareció una multitud
de cosas que crecían, grandes y pequeñas, musgos y hierbas y grandes
helechos, y árboles con copas coronadas de nubes»; y que «acudieron
bestias y moraron en las llanuras herbosas, o en los ríos y los lagos, o se
internaron en las sombras de los bosques». Ésta fue la Primavera de
Arda; pero detrás de la llegada de Melkor y la excavación de Utumno,
«las plantas verdes enfermaron y se pudrieron, las algas y el cieno ahogaron los ríos; se crearon cenagales rancios y ponzoñosos, donde se
multiplicaban las moscas; y los bosques se volvieron peligrosos y oscuros, moradas del miedo; y las bestias se transformaron en monstruos de
cuerno y marfil, y tiñeron la tierra con sangre». Luego se produjo el
derrumbe de las Lámparas, y «así llegó a su fin la Primavera de Arda».
Después de la construcción de Valinor y la aparición de los Dos Árboles
«la Tierra Media yacía en una luz crepuscular bajo las estrellas», y de los
Valar, sólo Yavanna y Oromë volvían allí en ocasiones: «Yavanna andaba por allí por las sombras, lamentando que el nacimiento y la promesa
de la Primavera de Arda se hubiesen detenido. Y puso a dormir a muchas criaturas nacidas en la Primavera, para que no envejecieran, y
aguardaran el momento de despertar, que aún no había llegado».
«Pero las más antiguas criaturas vivientes habían aparecido ya: en los
mares las grandes algas, y en la tierra la sombra de grandes árboles; y
en los valles vestidos de tinieblas había oscuras criaturas, antiguas y vi-
gorosas».

Por otra parte, en esta primera narración no hay mención alguna
de nada que empezara a crecer durante el tiempo en que las Lámparas
brillaron, y los primeros árboles y arbustos aparecieron bajo los hechizos de Yavanna en el crepúsculo que prosiguió a su derrumbamiento.

Además en la última oración de este cuento «se sembraron semillas», en ese tiempo de gran "quietud crepuscular" mientras Melko permanecía encadenado, «que sólo aguardaban a la luz para germinar». Así pues, en la primera historia Yavanna siembra en la oscuridad semillas que (según parece) espera que crezcan y florezcan en posteriores días de luz, mientras que en todas las versiones subsiguientes la diosa ya no siembra en tiempos de oscuridad, en cambio hace dormir a muchas cosas que habían surgido a la luz de las Lámparas durante la Primavera de Arda. Pero tanto en el primer cuento como en *El Silmarillion* se sugiere que Yavanna prevé que la luz llegará por fin a las Grandes Tierras, a la Tierra Media.

La concepción de una luz líquida que fluye en los aires de la Tierra es de nuevo muy patente, y parece que según la idea original las eras de crepúsculo del mundo al este del mar estaban todavía iluminadas por restos de esta luz («Rara vez cae ahora la lluvia refulgente, y reina una penumbra iluminada de pálidos rayos», pág. 127), como también por las estrellas de Varda, aun cuando «los Dioses han recogido la mayor parte de la luz que otrora fluía por los aires» *(ibid.)*.

La renovada violencia cósmica es probablemente la precursora de la gran Batalla de los Poderes de la mitología posterior *(El Silmarillion)*; pero en este primer cuento los trastornos de Melko son la causa de la visita de los Valar, mientras que la Batalla de los Poderes, que cambió la forma de la Tierra Media, fue su consecuencia. En *El Silmarillion* fue el descubrimiento de los recientemente despiertos Elfos por parte de Oromë lo que llevó a los Valar a asaltar Utumno.

En sus ricos detalles narrativos, como en su aire "primitivo", el relato que narra Meril-i-Turinqi acerca de la captura de Melko tiene poca relación con el texto posterior; y el tono de la reunión en Utumna y los traicioneros cambios de los Valar para atraparlo también le son ajenos. Pero algunos elementos sobrevivieron: la cadena Angainor forjada por Aulë (aunque no el maravilloso metal *tilkal* con un nombre derivado de manera tan poco característica), la lucha entre Tulkas y Melko, el cautiverio de Melko en Mandos durante «tres edades», y la idea de que su fortaleza no fuese destruida hasta los cimientos. También se puede comprobar que el carácter clemente y confiado de Manwë se definió tempranamente; mientras que la referencia al hecho de que Mandos hable en escasas ocasiones prefigura quizá la observación de que emite sus juicios sólo a pedido de Manwë. Ya está presente el origen de los ruiseñores en el dominio de Lórien.

Por último, puede parecer, por la narración del viaje de los Valar en este cuento, que Hisilómë (que sobrevivió sin otro cambio que el nombre quenya de Hithlum) fuera aquí una región completamente diferente al posterior Hithlum, dado que se lo sitúa *más allá* de las Montañas de Hierro: en *El Silmarillion* se dice que las Montañas de Hierro fueron levantadas por Melkor «como cerca defensiva de la ciudadela de Utumno»: «se erguían sobre los límites de esas regiones de frío sempiterno, en una gran curva desde el este al oeste». Pero de hecho las «Montañas de Hierro» corresponden aquí a las posteriores «Montañas de Sombra» *(Ered Wethrin)*. En una lista de nombres anotada que acompañaba al cuento de *La Caída de Gondolin*, el nombre Dor Lómin se define de la siguiente manera:

> *Dor Lómin* o la "Tierra de Sombra" era aquella región que los Eldar llamaron *Hisilómë* (y esto significa "Crepúsculos Sombríos") (...) y recibe ese nombre por la escasa luz solar que asoma por sobre las Montañas de Hierro al este y al sur.

En el pequeño mapa reproducido anteriormente la línea de picos que he señalado con *f* representa casi con toda certeza esas montañas, y la región al norte de ellas, señalada con *9*, es entonces Hisilómë.

El manuscrito continúa, desde el punto en que he terminado el texto de este capítulo, sin interrupciones; pero este punto es el final de una sección en la narración mitológica (con una breve interrupción de Eriol), y el resto del cuento de Meril-i-Turinqi se reserva para el siguiente capítulo. De este modo, de un cuento he hecho dos.

V

LA LLEGADA DE LOS ELFOS
Y LA CONSTRUCCIÓN DE KÔR

Tomo este título de la cubierta de la libreta (donde se añade también «Cómo los Elfos hicieron las Gemas») porque, como he observado ya, la narración continúa sin un nuevo encabezamiento.

Dijo Eriol entonces: —Pienso qué triste fue la liberación de Melko, aunque pareciera misericordiosa y justa, pero ¿cómo pudieron los Dioses hacer semejante cosa?

Entonces Meril[1] continuó relatando:

—Un tiempo después, el tercer período del cautiverio de Melko bajo las estancias de Mandos casi había concluido. Manwë estaba sentado en la cumbre de la montaña y observaba con ojos penetrantes las sombras de más allá de Valinor, y los halcones volaban hacia él y al exterior portando muchas grandes nuevas, pero Varda entonaba un canto y miraba hacia la llanura de Valinor. A esa hora brillaba Silpion y los techos de Valmar parecían negros y plateados bajo sus rayos; y Varda estaba alegre, pero de pronto habló Manwë, diciendo: «He aquí que hay un resplandor de oro bajo los pinos y el más profundo anochecer del mundo está lleno de ligeras pisadas. ¡Han llegado los Eldar, oh Taniquetil!». Entonces Varda se irguió rápidamente y extendió los brazos hacia el norte y el sur, y se destrenzó los largos cabellos, y entonó el Canto de los Valar, e Ilwë se llenó de la belleza de su voz.

»Entonces descendió a Valmar y a la morada de Aulë, que estaba fabricando vasijas de plata para Lórien. A su lado había una jofaina llena del resplandor de Telimpë[2] que utilizaba con astucia en sus artes, y Varda se presentó ante él y dijo: "¡Han llegado los Eldar!", y Aulë arrojó al suelo el martillo diciendo: "Entonces Ilúvatar los ha enviado por fin", y el martillo, golpeando contra unos lingotes de plata que estaban en el suelo, dio vida por su magia a unas chispas argentinas, que remontaron a través de sus ventanas hacia los cielos. Varda, viendo esto, tomó parte del resplandor de la jofaina y lo mezcló con plata derretida para darle mayor estabilidad, y viajó con sus alas veloces, y puso estrellas en el firmamento en gran abundancia, de modo que los cielos se volvieron maravillosamente claros y su gloria se duplicó; y las estrellas que creó entonces poseen el poder del adormecimiento, pues la plata de sus cuerpos proviene del tesoro de Lórien y su resplandor había estado mucho tiempo en Telimpë, en su jardín.

»Algunos han dicho que las Siete Estrellas fueron puestas por Varda en esa ocasión para conmemorar la llegada de los Eldar, y que Morwinyon, que resplandece sobre el borde occidental del mundo, fue dejada caer al regresar con gran prisa, a Valinor. Ahora bien, éste es ciertamente el verdadero origen de Morwinyon y su belleza, pero las Siete Estrellas no fueron puestas por Varda, siendo en realidad las chispas de la forja de Aulë, cuyo resplandor en los cielos antiguos inspiró a Varda el deseo de crear astros rivales; aunque nunca lo logró.

»Pero mientras Varda está aún empeñada en esta gran obra, he aquí que Oromë se precipita por la llanura, y tirando de las riendas da grandes voces de manera que todos los oídos de Valmar puedan oírlo: "*Tulielto! Tulielto!* ¡Han llegado, han llegado!*". Luego se detiene a mitad de camino entre los Dos Árboles y toca su cuerno, y las puertas de Valmar se abren, y los Vali salen en tropel a la llanura porque adivinan que noticias de grandes nuevas han llegado al mundo. Entonces habló Oromë: "He aquí que los bosques de las Grandes Tierras, aun en Palisor, la región más central y donde los pinares murmuran incesantes, están llenos de un ruido extraño. Por allí me encontraba vagando cuando, de repente, fue como si las gentes se levantaran pronto bajo las tardías estrellas. Hubo un estremecimiento entre los árboles distantes y de pronto se pronunciaron palabras, y unos pies fueron de un lado al otro. Me pregunté entonces qué sería aquello que Palúrien, mi madre, habría obrado en secreto, y fui a buscarla y se lo pregunté, y ella respondió: 'No es esto obra mía, sino que es fruto de la mano de uno mucho más grande. Ilúvatar ha despertado a sus hijos por fin; cabalga de regreso a Valinor y dile a los Dioses que los Eldar sin duda han llegado'".

»Entonces toda la gente de Valinor gritó: «*I·Eldar tulier.* los Eldar han llegado". —Y no fue hasta entonces que los Dioses supieron que su alegría había sido imperfecta, o que habían esperado hambrientos a que se completase, pues ahora se dieron cuenta de que el mundo había sido un lugar vacío, plagado de soledad, al no tener criaturas que le fueran propias.

»Ahora una vez más se celebra una asamblea y Manwë se sienta ante los Dioses allí, entre los Dos Árboles, y éstos habían ya alumbrado con su luz cuatro edades. Todos y cada uno de los Vali se habían dirigido allí, aun Ulmo Vailimo con gran prisa desde los Mares Exteriores, y su rostro estaba ansioso y complacido.

»Ese día Manwë liberó a Melko de Angaino antes de que el tiempo de su condena se hubiera cumplido, pero las esposas y los grilletes de *tilkal* no le fueron aflojados, y los llevaba todavía en las muñecas y los tobillos. La gran alegría ciega aún la presciencia de los Dioses. Última de todos llegó Palúrien Yavanna, que venía de prisa desde Palisor; y los Valar debatieron acerca de los Eldar; pero Melko permaneció sentado a los pies de Tulkas mientras fingía una complacida y humilde dicha. Finalmente se decide entre los Dioses que algunos de los Eldar recién llegados sean invitados a Valinor, para hablar allí con Manwë y los suyos de su llegada al mundo y de los deseos que éste les despertaba.

»Entonces Nornorë, cuyos pies resplandecen invisibles debido a su gran velocidad, se lanza desde Valinor portando la embajada de Manwë, y va sin demora tanto por tierra como por mar hasta Palisor. Allí encuentra un sitio profundamente enclavado en un valle rodeado de laderas cubiertas de pinos; su suelo es un estanque de aguas amplias, y su techo el crepúsculo tachonado de las estrellas de Varda. En aquel lugar había oído Oromë el despertar de los Eldar, y todos los cantos lo llaman Koivië-néni o las Aguas del Despertar.

»Ahora bien, todas las laderas de ese valle y el margen desnudo del lago, y aun las rugosas estribaciones de las montañas lejanas están llenas de gente que contempla con maravilla las estrellas, y algunos cantan ya con voces muy hermosas. Pero

Nornorë se encontraba de pie sobre una colina, asombrado de la hermosura de esa gente, y como era un Vala le parecieron maravillosamente pequeños y delicados y sus rostros anhelantes y tiernos. Entonces habló con la poderosa voz de los Valar y todas aquellas caras relucientes se volvieron hacia ella.

»"Escuchad, oh Eldalië, se os ha deseado durante toda la era del Crepúsculo, y se os ha buscado por todas las eras de paz, y traigo un mensaje de parte del mismo Manwë Súlimo, Señor de los Dioses, que habita sobre Taniquetil en paz y sabiduría para vosotros, que sois los Hijos de Ilúvatar, y éstas son las palabras que puso en mi boca para que las pronuncie: Que unos pocos de entre vosotros regresen conmigo pues, ¿no soy yo acaso Nornorë, heraldo de los Valar? Y que entren en Valinor y hablen con él, con el fin de que le sea posible saber de vuestra llegada y de todos vuestros deseos".

»Grande fue la agitación y la maravilla que entonces hubo alrededor de las aguas de Koivië, y el resultado fue que tres de los Eldar avanzaron atreviéndose a partir con Nornorë, y él los llevó a Valinor, y sus nombres, tal como los transmitieron los Elfos de Kôr, eran Isil Inwë, Finwë Nólemë, que fue el padre de Turondo, y Tinwë Lintö, padre de Tinúviel; pero los Noldoli los llaman Inwithiel, Golfinweg y Tinwelint. Más tarde se convirtieron en grandes entre los Eldar, y los Teleri fueron aquellos que siguieron a Isil, y su familia y descendientes son la estirpe real de Inwir, a cuya sangre yo pertenezco. Nólemë fue señor de los Noldoli, y de su hijo Turondo (o Turgon, como lo llamaron) se cuentan grandes historias, pero Tinwë[3] no estuvo largo tiempo con los suyos, y se dice en cambio que vive todavía como señor de los Elfos desperdigados por Hisilómë, bailando en sus rincones crepusculares con Wendelin, su esposa, un espíritu venido hace mucho, mucho tiempo de los serenos jardines de Lórien; en cambio, Isil Inwë se convirtió en el más grande de los Elfos, y el pueblo reverencia su poderoso nombre hasta el día de hoy.

»He aquí que los tres Elfos llevados por Nornorë se presentaron ante los Dioses, y fue justo a la hora del cambio de luces, y Silpion menguaba, pero Laurelin estaba despertando para alcanzar su mayor gloria, aunque Silmo estuviera vaciando entonces la urna de plata sobre las raíces del otro Árbol. Entonces aquellos

Elfos se sintieron por completo deslumbrados y asombrados por el esplendor de la luz, pues sus ojos sólo conocían la penumbra y no habían visto todavía nada más brillante que las estrellas de Varda, y la belleza y la majestuosa fuerza de los Dioses reunidos en cónclave los llenaron de reverente respeto, y los techos de Valmar que resplandecían a lo lejos en la llanura los hicieron temblar, y se inclinaron en reverencia; pero Manwë les dijo: "¡Levantaos, oh Hijos de Ilúvatar, porque muy complacidos están los Dioses con vuestra llegada! Contadnos cómo habéis llegado; cómo encontrasteis el mundo; qué os parece a vosotros que sois sus primeros vástagos, o de qué deseos os llena".

»Pero Nólemë, respondiendo, dijo: "¡Oh, muy poderoso, de dónde en verdad venimos! Pues me parece que acabo de despertar de un sueño eternamente profundo, cuyos vastos ensueños ya se han olvidado". Y Tinwë agregó que su corazón le decía que era un recién llegado de regiones sin límites, aunque no alcanzaba a recordar por qué extraños y oscuros senderos había sido traído hasta aquí; y por último habló Inwë, que había estado contemplando a Laurelin mientras los otros hablaban, y dijo: "No sabiendo de dónde vengo ni por qué senderos lo hice, ni hacia dónde transito, el mundo en que estamos no es para mí sino una gran maravilla, y me parece que lo amo por entero; sin embargo, lo que más siento es el deseo de la luz".

»Entonces Manwë vio que Ilúvatar había borrado de la mente de los Eldar todo conocimiento del modo de su llegada, y que los Dioses no debían revelárselo, y se asombró muy grandemente; pero Yavanna, que también escuchaba, retuvo el aliento ante la puñalada que le asestaron las palabras de Inwë al decir que sentía deseos de luz. Entonces miró a Laurelin y su corazón pensó en los fructíferos huertos de Valmar, y le susurró algo a Tuivána, que estaba sentada junto a ella contemplando la tierna gracia de esos Eldar; entonces las dos le dijeron a Manwë: "He aquí que la Tierra y sus sombras no son sitio para tan bellas criaturas, a las que sólo el corazón y la mente de Ilúvatar pudieron haber concebido. Hermosos son los pinares y las espesuras, pero están llenos de espíritus que nada tienen de feérico, y los hijos de Mandos caminan errantes por las tierras exteriores, y los vasallos de Melko acechan en lugares extraños; y nosotros mismos no querríamos privarnos de la contemplación de esta dulce gente. Su risa distante se ha filtrado hasta nuestros oídos desde Palisor, y nos gustaría escuchar siempre esos ecos a nuestro alrededor en nuestras estancias y nuestros jardines de Valmar. Que los Eldar habiten entre nosotros y que el pozo de nuestra alegría se llene con nuevos manantiales que no puedan secarse".

»Entonces se elevó un clamor entre los Dioses, y la mayoría habló en favor de Palúrien y Vána, mientras que Makar dijo que Valinor había sido construida para los Valar, "y ya parece un jardín de rosas para bellas señoras en lugar de una morada de hombres. ¿Por qué queréis llenarlo de hijos del mundo?". Meássë lo apoyó en esto, y Mandos y Fui se mostraron fríos con los Eldar, como con todo lo demás; sin embargo Varda respaldó con vehemencia a Yavanna y a Tuivána, y en verdad su amor por los Eldar ha sido siempre el más grande entre los habitantes de Valinor; y Aulë y Lórien, Oromë y Nessa y Ulmo proclamaron vigorosamente su deseo de que los Eldar vivieran entre los Dioses. Por tanto, aunque Ossë habló oponiéndose cautelosamente a ello —quizá por los abrumadores celos y la rebeldía que sentía contra Ulmo—, el concilio decidió que los Eldar debían ser invitados, y los Dioses aguardaron tan sólo el veredicto de Manwë. He aquí que aun el astuto Melko, al ver hacia dónde se inclinaba la mayoría, infiltró su astuta voz entre las que pedían que se quedaran y, sin embargo, desde aquellos días ha difamado a los Valar diciendo que habían convocado a los Eldar como a una prisión por su codicia y por los celos que les provocaba su belleza. Así pues, a menudo mintió a los Noldoli en los tiempos posteriores, y cuando quería azuzar su desasosiego, decía con completa falta de verdad que sólo él se había opuesto a la voz general, hablando en favor de la libertad de los Elfos.

»Quizá, en verdad, si otra hubiera sido la decisión de los Dioses, el mundo habría sido un lugar más agradable ahora y el pueblo de los Eldar más feliz, pero jamás habrían alcanzado tal gloria, conocimiento y belleza que una vez alcanzaron, y aún menos los habría beneficiado ninguno de los consejos de Melko.

»Ahora bien, después de haber escuchado todo lo que se dijo, habló Manwë, y estaba complacido, porque en verdad su corazón se inclinaba hacia que los Eldar abandonaran Zel mundo en penumbra en favor de la luz de Valinor. Volviéndose hacia los tres Eldar, dijo: "Volved ahora con vuestros parientes y

Nornorë os conducirá allí de prisa, aun hasta Koivië-néni, en Palisor. He aquí que ésta es la palabra de Manwë Súlimo, y la voz del deseo de los Valar, que el pueblo de los Eldalië, los Hijos de Ilúvatar, viajen a Valinor y habiten allí en el esplendor de Laurelin y el resplandor de Silpion, y conozcan la felicidad de los Dioses. Serán dueños de una morada de insuperable belleza, y los Dioses los ayudarán a construirla".

»A eso respondió Inwë: "Estamos ciertamente complacidos con tu invitación, ¡y aquellos entre los Eldalië que han sentido ya el anhelo de la belleza de las estrellas se demorarán o descansarán hasta que sus ojos se hayan deleitado con la luz bendita de Valinor!". Después de eso Nornorë llevó a aquellos Elfos de regreso a las márgenes desnudas de Koivië-néni, y de pie sobre una roca Inwë transmitió el anuncio a todas aquellas huestes de los Eldalië que Ilúvatar despertó en primer lugar sobre la Tierra, y todos al escuchar sus palabras se preñaron de deseos de contemplar los rostros de los Dioses.

»Cuando Nornorë regresó y les dijo a los Valar que los Elfos en verdad vendrían y que Ilúvatar había puesto una gran multitud de ellos sobre la Tierra, los Dioses hicieron importantes preparativos. He aquí que Aulë reúne todas sus herramientas y materiales, y Yavanna y Tuivána vagan por la llanura aun hasta el pie de las montañas y las costas desnudas de los Mares Sombríos en busca de un hogar y una morada para ellos; pero Oromë sale directamente de Valinor hacia los bosques, pues conocía allí todos los oscuros rincones y había recorrido todos sus sombríos parajes, pues se proponía guiar al conjunto de los Eldar desde Palisor por sobre todas las anchas tierras hacia el oeste, hasta llegar a los confines del Gran Mar.

»A aquellas oscuras costas se dirigió Ulmo, y extraño fue el bramido del mar sin luz en aquellos antiguos días sobre la costa rocosa que aún mostraba las cicatrices de la tumultuosa furia de Melko. Falman-Ossë se sintió muy poco complacido al ver a Ulmo en los Grandes Mares, porque Ulmo había tomado esa isla en la que el mismo Ossë había llevado a los Dioses hasta Arvalin, salvándolos de las aguas crecientes cuando Ringil y Helkar se derritieron bajo sus lámparas centellantes. Eso había ocurrido muchas edades atrás, en los días en que los Dioses eran forasteros recién llegados en el mundo, y durante todo ese tiempo la isla había flotado pesarosa en los Mares Sombríos, desolada, salvo cuando Ossë trepaba por sus playas durante los viajes a las profundidades; pero ahora Ulmo se había encontrado con su isla secreta y había uncido a ella una multitud de los más grandes peces, y entre ellos se encontraba Uin, la más poderosa y vieja de las ballenas; y les había pedido que utilizaran sus fuerzas, y arrastraron con gran vigor la isla hasta las mismas costas de las Grandes Tierras, aun hasta la costa de Hisilómë al norte de las Montañas de Hierro, donde se retiraron todas las sombras más profundas cuando Sol salió por primera vez.

»Así que allí está ahora Ulmo, y aparece un destello en los bosques que en aquellos tranquilos días avanzaban aun hasta la espuma del mar, y he aquí que escucha los pasos de los Teleri repiqueteando entre los árboles, e Inwë va a la cabeza junto al estribo de Oromë. Penosa había sido su marcha, y oscuro y difícil el camino a través de Hisilómë, la tierra de la sombra, a pesar de la habilidad y el poder de Oromë. De hecho, mucho tiempo después de que la alegría de Valinor se les hubiera debilitado y desdibujado en la memoria, aún los Elfos cantaban tristemente sobre ella, y contaban historias acerca de muchos de sus congéneres que (según decían y dicen aún) se perdieron en aquellos viejos bosques donde siempre errarían afligidos. Todavía estaban allí mucho después cuando Melko encerró a los Hombres en Hisilómë, y aún bailan en aquellos lugares, después de que los Hombres hayan llegado ya a los sitios más claros de la Tierra. A Hisilómë los Hombres la llamaron Aryador, y a los Elfos Perdidos los llamaron el Pueblo de la Sombra, y lo temieron.

»No obstante, la mayoría de las grandes compañías de los Teleri llegaron a las playas y desde allí treparon a la isla que Ulmo había traído. Ulmo les aconsejó que no esperaran al resto de linajes y, aunque al principio no cedieron pues la sola idea les hacía llorar, al final pudieron convencerlos y fueron inmediatamente arrastrados a gran velocidad más allá de los Mares Sombríos y hasta la amplia bahía de Arvalin a las riberas de Valinor. Allí la distante belleza de los árboles que brilla a través de la abertura de las montañas hechiza sus corazones, y sin embargo siguen en pie mirando hacia atrás a través de las aguas por donde han venido, porque no saben dónde podrían estar aquellos linajes de sus otros parientes, y sin ellos ni siquiera sienten el deseo de la belleza de Valinor.

»Entonces, dejándolos silenciosos y dubitativos en la costa, Ulmo vuelve a arrastrar esa gran isla carro hasta las rocas de Hisilómë, y he aquí que, al calor del distante resplandor de Laurelin que iluminaba el borde occidental mientras se derramaba en la Bahía de Faëry, árboles nuevos y más tiernos empiezan a crecer sobre ella, y en las laderas asoma el verdor de las hierbas.

»En ese momento Ossë alza la cabeza por encima de las aguas, colérico. Siente como una ofensa que no hayan recurrido a él para trasladar a los Elfos y que para ello hayan tomado su propia isla sin pedirle autorización. Sigue de prisa la estela de Ulmo pero aun así se queda muy atrás, pues Ulmo había imbuido el poder de los Valar en Uin y las ballenas. Ya están allí sobre los acantilados los Noldoli, angustiados, creyéndose abandonados en la penumbra, y Nólemë Finwë, que los había conducido allí con gran trabajo tras los Teleri, iba entre ellos alentándolos. También lleno de dificultades había sido su periplo, pues el mundo es ancho y casi habían recorrido la mitad de él desde la muy distante Palisor, y en esos días ni el sol brillaba ni la luna lucía, y no había caminos ni de Elfos ni de Hombres. Oromë también había avanzado mucho cabalgando a cierta distancia por delante de los Teleri en marcha, y ahora había regresado a las tierras. Allí estaban los Solosimpi extraviados en los bosques que se extendían hasta profundas lejanías, y su cuerno resonó débilmente en los oídos de los que estaban en la costa, desde donde el Vala los buscó de un lado a otro de los oscuros valles de Hisilómë.

»Por tanto, Ulmo al llegar piensa ahora en transportar de prisa a los Noldoli hasta la ribera de Valinor, volviendo luego a por los demás cuando Oromë los hubiera conducido a la costa. Así lo hace, y Falman contempla este segundo traslado desde lejos echando espuma encolerizado, pero grande es la alegría de los Teleri y los Noldoli sobre esa costa donde la luz es la de las tardes del final del verano a causa del distante brillo de Lindeloksë. Allí los dejaré por un tiempo para poder relatarte los extraños sucesos que acaecieron a los Solosimpi debido a la ira de Ossë, y del primer asentamiento en Tol Eressëa.

»El temor cae sobre ellos en esa antigua oscuridad, y seducidos por la bella música del hada Wendelin, como otros cuentos relatan más plenamente en otro lugar, su colíder Tinwë Linto se perdió, y por mucho tiempo lo buscaron, mas en vano, y nunca volvió entre los suyos[4]. Por tanto, cuando oyeron el cuerno de Oromë resonando en el bosque grande fue su alegría, y siguiendo los ecos del sonido pronto son conducidos a los acantilados, y oyen el murmullo del mar sin luz. Mucho tiempo aguardaron allí, pues Ossë arrojó tormentas y sombras sobre el regreso de Ulmo, de modo que hubo de conducirse por caminos tortuosos, y los grandes peces titubearon al avanzar; sin embargo, por fin también ellos suben a esa isla y son conducidos hacia Valinor; y eligieron a un tal Ellu en el lugar de Tinwë, y desde entonces se lo llamó siempre el Señor de los Solosimpi[5].

»He aquí que aún no han llegado ni a la mitad de camino, y las Islas del Crepúsculo flotan todavía muy lejos, cuando Ossë y Ónen los abordan en las aguas occidentales del Gran Mar antes de alcanzar las nieblas de los Mares Sombríos. Entonces Ossë toma esa isla en su inmensa mano, y toda la gran fuerza de Uin apenas puede seguir arrastrándola, porque en la natación y en proezas de fuerza corporal en el agua ninguno de los Valar puede igualar a Ossë, ni siquiera el mismo Ulmo, y en verdad Ulmo no estaba cerca, pues se encontraba muy por delante pilotando en las tinieblas que Ossë había reunido el gran navío, haciéndolo avanzar con la música de sus caracolas. Ahora bien, antes de que pudiera regresar, Ossë había logrado detener la isla con ayuda de Ónen, y la estaba anclando al fondo del mar y nivelándola con maromas gigantes hechas de esas algas correosas y pólipos que en aquellos días oscuros habían ya crecido a lo largo de lentos siglos hasta alcanzar grosores inimaginables alrededor de los pilares de su casa en las profundidades del mar. Entonces, mientras insta Ulmo a las ballenas a invertir todas sus fuerzas y ayudando él mismo con todo su poder divino, Ossë apila rocas y piedras de masa ingente que la antigua cólera de Melko había esparcido por el fondo del mar, y hace con ellas una columna debajo de la isla.

»En vano brama el cuerno de Ulmo y Uin, con la aleta de su desmesurada cola, bate el mar hasta un hervor de ira, porque hacia allí conduce Ossë ahora a todo tipo de criaturas del mar profundo que fabrican sus propias casas y viviendas de pétrea concha; y las colocó alrededor de la base de la isla: había corales de toda clase y percebes y esponjas duros como la piedra. No obstante, durante mucho tiempo se libró esa lucha, hasta que al fin Ulmo volvió a Valmar airado y desanimado. Allí comunicó a los demás Valar que los Solisimpi no podían ser transportados todavía, porque la isla había quedado clavada en las aguas más solitarias del mundo.

»Allí se levanta esa isla todavía —y sin duda tú lo sabes, pues se la llama "la Isla Solitaria"— y no puede verse tierra alguna navegando muchas leguas desde sus acantilados, pues las Islas del Crepúsculo están profundamente adentradas en el nebuloso oeste sobre el regazo de los Mares Sombríos, y las Islas Mágicas se encuentran muy remotas en el este.

»Los Dioses por tanto ahora piden a los Elfos que construyan una morada y Aulë los ayudó a hacerlo, pero Ulmo vuelve a la Isla Solitaria, y he ahí que ahora ésta se alza sobre un pilar de roca afirmado en el lecho marino, y Ossë viaja de un lado al otro en la espuma de su empresa, anclando firmemente todas las islas desperdigadas de sus dominios al fondo del mar. Entonces fue cuando tuvo lugar el primer asentamiento de los Solisimpi en la Isla Solitaria, y la profunda separación de ese pueblo de los demás tanto en el habla como en las costumbres; pues debes saber que todas esas grandes empresas del pasado que no constituyen ahora más que un breve cuento no se consiguieron fácilmente ni en un instante, sino que una gran abundancia de hombres podría haber nacido y muerto entre el asentamiento de las Islas y la fabricación de las Naves.

»La isla donde habitaban había captado ya dos veces el resplandor de los gloriosos Árboles de Valinor, y por tanto era ya más bella y más fértil y en ella había más plantas dulces y hierbas que en cualquier otro sitio del mundo, en los que no se había visto nunca una luz poderosa; en verdad los Solisimpi dicen que los abedules ya crecían allí, y multitud de juncos, y sobre las laderas occidentales se extendía la hierba. También había allí muchas cavernas, y una extensión de arena blanca en la costa al pie de los acantilados negros y encarnados, y aquí estaba la morada de los Solisimpi aun en los días de aquel profundo pasado.

»Allí se sentó Ulmo en un promontorio y les dirigió palabras de consuelo y de la más profunda sabiduría; y les comunicó todos los conocimientos del mar, y ellos lo escucharon; y les enseñó música y ellos fabricaron con conchas flautas esbeltas. Por causa de los trabajos de Ossë, no hay ribera donde se encuentren esparcidas tantas caracolas maravillosas como en las playas blancas y las cobijadas grutas de Tol Eressëa, y los Solosimpi habitaban mucho en cavernas y las adornaban con aquellos tesoros del mar, y el sonido de sus melancólicas flautas pudo oírse durante muchos largos días, débilmente transportado por el viento.

»Entonces el corazón de Falman-Ossë se conmovió por ellos, y los habría dejado partir si no fuera por la nueva alegría y el orgullo que sentía porque la belleza de los Solosimpi morara allí en medio de sus dominios, de modo que las flautas le deleitaron los oídos para siempre, y Uinen[6] y las Oarni y todos los espíritus de las olas estaban enamorados de ellas.

»Así bailaban los Solosimpi al borde de las olas, y el amor del mar y de las costas rocosas penetró en sus corazones, aun cuando miraran con anhelo hacia las felices costas donde hacía mucho tiempo habían sido conducidos los Teleri y los Noldoli.

»Ahora bien, éstos, al cabo de una temporada, recuperaron la esperanza y su dolor se hizo menos amargo, pues se habían enterado de que sus parientes no vivían en tierra enemiga, y que Ulmo los tenía bajo su protección y cuidado. Por lo que satisficieron ahora el deseo de los Dioses y se dedicaron a la construcción de su morada; y Aulë les enseñó muchos conocimientos y les comunicó grandes habilidades, y también Manwë. Pero Manwë amaba más a los Teleri, y de él y de Ómar aprendieron con mayor profundidad que los demás Elfos el arte del canto y la poesía; pero los Noldoli eran los bienamados de Aulë, y aprendieron mucho de su ciencia, hasta que sus corazones se inquietaron deseando más conocimiento; pero al fin alcanzaron gran sabiduría y una habilidad muy sutil.

»He aquí que hay un sitio bajo en ese anillo de montañas que protege Valinor, y por allí el resplandor de los Árboles se filtra furtivo desde la llanura hacia más allá, y dora las oscuras aguas de la bahía de Arvalin[7], y una gran playa de la más fina arena, dorada al fulgor de Laurelin, blanca a la luz de Silpion, transcurre allí tierra adentro, donde en tiempos de la turbación de los mares antiguos un sombrío brazo de agua había avanzado hacia Valinor, pero ahora sólo es un delgado hilillo de festón blanco. A la cabeza de esta larga ensenada se levanta una colina solitaria que mira hacia las montañas de mayor altura. Ahora bien, sobre todos los muros de esa cala de los mares crecen abundantes florestas de árboles hermosos, pero la colina está cubierta tan sólo de hierba y en la cima crecen campánulas que tintinean suavemente ante el aliento de Súlimo.

»Ése era el lugar donde aquellos hermosos Elfos tenían intención de vivir, y los Dioses llamaron a esa colina Kôr porque era redonda y suave. Allí llevó Aulë todo el polvo de los metales mágicos que sus grandes obras habían producido y acumulado, y lo apiló al pie de esa colina, y la mayor parte de ese polvo era de oro, y una playa de oro se extendió desde el pie de Kôr hacia el lugar donde florecían los Dos Árboles. Sobre la cima de la colina los Elfos construyeron bellas viviendas de un blanco brillante, de mármoles y piedras extraidas de las Montañas de Valinor que resplandecían maravillosamente[8], de plata y de oro y de una sustancia de gran dureza y blanco luminosidad que lograban con caracolas fundidas en el rocío de Silpion, y había allí calles blancas bordeadas por árboles oscuros que serpeaban con giros graciosos o ascendían con tramos de delicadas escaleras desde la llanura de Valinor hasta la cúspide de Kôr; y cada una de esas relumbrantes casas estaba situada más alta que su vecina hasta llegar a la casa de Inwë, más alta que todas las otras, con una esbelta torre de plata proyectada al cielo como una aguja, y se instaló allí una lámpara de rayo penetrante que brillaba sobre las sombras de la bahía; pues las ventanas de la ciudad sobre la colina de Kôr miraban al mar.

»Había allí fuentes de gran hermosura y fragilidad, y techumbres y pináculos de cristal brillante y ámbar hechos por Palúrien y Ulmo, y los árboles crecían densos sobre los blancos muros y las terrazas, y sus frutos dorados resplandecían en abundancia.

»Ahora bien, cuando edificaron Kôr, los Dioses les dieron a Inwë y a Nólemë un brote de cada uno de aquellos árboles gloriosos, y crecieron hasta convertirse en esbeltos arbolillos feéricos, pero florecían eternamente sin marchitarse jamás, y los de los patios de Inwë eran los más hermosos, y entre ellos los Teleri cantaban cantos de felicidad, pero otros, también cantando, subían y bajaban las escalinatas de mármol y las voces anhelantes de los Noldoli podían oírse en los patios y en las salas; pero los Solosimpi aún vivían lejos en medio del mar y hacían música de viento en sus flautas de concha.

Ahora bien, a Ossë le agradan mucho esos Solosimpi, los flautistas de la costa, y si Ulmo no está cerca se sienta en un escollo en el mar y muchas de las Oarni están junto a él, y presta oídos a su voz y contempla sus bailes revoloteantes sobre la costa, pero no se atreve a volver a Valmar por causa del poder que Ulmo tiene en las asambleas de los Valar y .... la ira del poderoso Vala por el anclaje de las islas.

»A decir verdad, los Dioses apenas habían podido evitar la guerra; deseaban la paz y no toleraron que Ulmo reuniera al pueblo de los Valar y atacara a Ossë para desprender las islas de sus nuevas raíces. Por tanto, cabalga a veces Ossë sobre las espumas hasta la bahía de Arvalin[9] y contempla la gloria de las colinas, y siente nostalgia de la luz y la felicidad de la llanura, pero sobre todo del canto de los pájaros y sus rápidos aleteos en el aire claro, cansado ya de sus peces oscuros y de plata, silenciosos y extraños entre las aguas profundas.

»Pero un día algunos pájaros llegaron volando muy alto de los jardines de Yavanna, y algunos eran blancos y otros eran negros y otros eran a la vez blancos y negros; y desconcertados entre las sombras no encontraban dónde posarse; y Ossë los sedujo, y entonces ellos se posaron en sus hombros poderosos, y él les enseñó a nadar y les dio una gran fortaleza de alas, pues tenía tal vigor en los hombros como [¿ningún?] otro ser y era el más grande de los nadadores; y vertió aceites de peces sobre sus plumas para que resistieran al agua, y los alimentó de pececillos.

»Luego volvió a sus propios mares y ellos nadaban y volaban alrededor de él graznando y piando; y les mostró unos lugares para habitar en las Islas del Crepúsculo y también en los acantilados de Tol Eressëa, y allí aprendieron a zambullirse y coger peces con la lanza del pico, y sus voces se volvieron ásperas a causa de los sitios escarpados donde vivían, apartados de las dulces regiones de Valinor o gimiendo por la música de los Solosimpi y el suspiro del mar. Y ahora ha llegado al reino todo ese gran pueblo de gaviotas y pardelas; y hay allí frailecillos y éider y cormoranes y alcatraces y palomas zoritas, y los acantilados se llenan de parloteos y de olor a pescado, y en las cornisas se celebran grandes cónclaves, o entre los bancos de arena o los arrecifes sobre las aguas. Pero los más orgullosos de todas estas aves eran los cisnes, y a éstos Ossë los dejó vivir en Tol Eressëa, [¿volando?] a lo largo de sus costas o palmeando tierra adentro por los arroyos; y los puso allí como regalo y alegría para los Solosimpi. Pero cuando Ulmo oyó de esos nuevos hechos, se sintió descontento por los estragos que causaban entre los peces con los que él había llenado el agua ayudado por Palúrien.

»Ahora bien, los Solosimpi sienten gran deleite por [¿sus?] pájaros, criaturas nuevas para ellos, y por los cisnes, y he aquí que por sobre los lagos de Tol Eressëa ya navegan en balsas hechas con árboles derribados, y algunos uncen cisnes a ellas y cruzan velozmente las aguas; pero los más osados se aventuran en el mar y las gaviotas los arrastran, y cuando Ulmo lo vio se sintió muy complacido. Porque he aquí que los Teleri y los Noldoli se quejan mucho ante Manwë de la separación de los Solosimpi; y los Dioses desean que sean transportados hasta Valinor; pero Ulmo no concibe todavía que puedan conseguirlo sin la ayuda de Ossë y las Oarni, y de ningún modo quiere humillarse hasta ese punto. Pero ahora viaja velozmente de regreso al encuentro de Aulë, y estos dos marchan de prisa a Tol Eressëa, y Oromë estaba con ellos, y allí se produjo la primera tala de árboles del mundo fuera de Valinor. Ahora, de la madera aserrada de los pinos y los robles hace Aulë grandes barcas, parecidas a los cuerpos de los cisnes, y las cubre con la corteza de álamos plateados o .... con plumas recogidas del plumaje aceitoso de las aves de Ossë, y se clavan y se remachan [¿fuertemente?] con plata, y les talla proas imitando los cuellos erguidos de los cisnes, pero son huecas y no tienen pies; y mediante cuerdas de gran resistencia y delgadez se uncen a ellas gaviotas y pardelas, pues eran dóciles en manos de los Solosimpi, porque así había dispuesto Ossë sus corazones.

»Ahora bien, en las playas de las costas occidentales de Tol Eressëa, aun en Falassë Númëa (Oleaje Occidental), abundan las gentes del pueblo de los Elfos, y se acercan allí una gran cantidad sin duda de esas barcas-cisne, y el graznido de las gaviotas sobre ellas es incesante. Pero los Solosimpi acuden en gran número y embarcan en los cuerpos huecos de estos nuevos artefactos fruto de la habilidad de Aulë, y en un número cada vez mayor se dirigen a estas costas marchando al sonido de flautas y gaitas innumerables.

»Ahora ya están todos embarcados y las gaviotas vuelan vigorosamente hacia el cielo crepuscular, y Aulë y Oromë se encuentran en la barca de delante, la más poderosa de todas; a ella están uncidas setecientas gaviotas, y resplandece de plata y plumas blancas, y tiene un pico de oro y ojos de ámbar y azabache. Pero Ulmo viaja detrás en un carro tirado por peces, y hace sonar fuertemente la trompeta regocijándose por la frustración de Ossë y el rescate de los Elfos de la Costa.

»Y Ossë se siente abatido al ver el modo en que esas aves han provocado su ruina; sin embargo, dada la presencia de los tres Dioses y en verdad por el amor que les profesa a los Solosimpi, ya muy intenso, no estorbó a su blanca flota, y de ese modo llegaron a las extensiones grises del océano, a través de los sonidos apagados y las nieblas de los Mares Sombríos, aun hasta las primeras aguas oscuras de la bahía de Arvalin.

»Has de saber, pues, que la Isla Solitaria está en los confines del Gran Mar. Ahora bien, el Gran Mar, o las Aguas Occidentales, se encuentra más allá de los límites del extremo oeste de las Grandes Tierras, y en él hay muchas tierras e islas, y más allá de sus puertos se llega a las Islas Mágicas, y más allá todavía está Tol Eressëa. Pero más allá de Tol Eressëa está el muro de brumas y aquellas extensas nieblas marinas bajo las cuales se extienden los Mares Sombríos, y sobre ellos flotan las Islas del Crepúsculo, donde sólo en el tiempo más claro penetra un levísimo destello de la lejana luz de Silpion. Y en la más occidental de estas islas se levantaba la Torre de Perla construida en días posteriores y muy nombrada en los cantos; y así las Islas del Crepúsculo son consideradas las primeras de las Tierras Exteriores, junto con Arvalin y Valinor, y Tol Eressëa no se considera parte de las Tierras Exteriores ni de las Grandes Tierras, donde erraron más tarde los Hombres. Y la costa más lejana de esos Mares Sombríos es Arvalin o Erumáni hasta el lejano sur, pero más hacia el norte bañan las costas mismas de Eldamar, y son en ese lugar más amplios para quien viajara hacia el oeste. Más allá de Arvalin se yerguen aquellas enormes montañas de Valinor que, en un amplio anillo, doblan lentamente hacia el oeste; y los Mares Sombríos forman una vasta bahía al norte de Arvalin que se extiende directamente hasta el pie negro de las montañas, de modo que aquí bordean las aguas y no la tierra, y allí, en lo más interno de la bahía se levanta Taniquetil, glorioso de contemplar, la más elevada de las montañas, vestida de la más pura nieve, que contempla a través de Arvalin medio hacia el sur y medio hacia el norte a través de la poderosa Bahía de Faëry, y de este modo más allá de los mismos Mares Sombríos, de modo que todas las velas que sobre las aguas iluminadas por el sol cruzaron el Gran Mar en días posteriores (cuando los Dioses habían hecho esa lámpara) y todos los gentíos sobre los puertos occidentales de las Tierras de los Hombres podían verse desde la cima; y sin embargo esa distancia sólo puede calcularse en leguas inconcebibles.

»Y sucede que se acerca esa extraña flota a estas regiones y ojos ansiosos contemplan. Allí se levanta Taniquetil y es púrpura y oscuro de un lado, ensombrecido por la lobreguez de Arvalin y los Mares Sombríos, y gloriosamente iluminado del otro por causa de la luz de los Árboles de Valinor. Ahora bien, donde los mares bañaban esas costas de antaño, sus olas, mucho antes de romper, eran de pronto iluminadas por Laurelin si era de día o por Silpion si era de noche, y las sombras del mundo cesaban casi súbitamente, y las olas reían. Y una abertura en las montañas de aquellas costas dejaba entrever un atisbo de Valinor, y allí se levantaba la colina de Kôr, y la arena blanca acude al encuentro de la ensenada, aunque su pie se sumerge en aguas verdes, y, detrás, la arena de oro se extiende más de lo que el ojo puede sospechar, y en verdad, más allá de Valinor, hasta el lugar que nadie ha visto o escuchado salvo Ulmo; sin embargo, es cierto que allí se extienden las aguas oscuras de los Mares Exteriores: yacen sin olas y muy frías, y son tan leves que ningún barco puede flotar sobre ellas y pocos peces nadan en sus profundidades.

»Pero ahora sobre la colina de Kôr hay una muchedumbre que corre alborozada, y todas las gentes de los Teleri y los Noldoli salen por las puertas y esperan para recibir la llegada de la flota. Y ahora esas barcas abandonan las sombras y quedan atrapadas en el claro resplandor de la bahía interior, y ya las encallan en la arena, y los Solosimpi bailan y tocan la flauta, y el sonido se mezcla con el canto de los Teleri y la atenuada música de los Noldoli.

»Lejos atrás quedó Tol Eressëa en silencio, y sus bosques y costas estaban callados, pues casi toda aquella hueste de aves marinas había volado tras los Eldar y graznaban ahora en las costas de Eldamar; pero Ossë se encontraba abatido y sus salones de plata en Valmar permanecieron largo tiempo vacías, pues no se acercó a ellas durante un largo período, y se quedó al borde de la sombra, donde llegaba el gemido de sus aves marinas allá, a lo lejos.

»Ahora bien, los Solosimpi no habitaron mucho en Kôr; tenían extrañas moradas entre las rocas de la costa y Ulmo acudía y se sentaba entre ellos como tiempo atrás en Tol Eressëa, y vertía sobre ellos todo su conocimiento y todo su amor por la música, y ellos bebían con ansia. Hacían músicas y las tejían atrapando hebras de sonido susurradas por las aguas de las cavernas o por las crestas de las olas peinadas por vientos gentiles; y éstas las trenzaban con el gemido de las gaviotas y los ecos de sus propias y dulces voces en los lugares de su propio hogar. Pero los Teleri e Inwir recolectaban [¿cosechas?] de canto y poesía, y se hallaban sobre todo en compañía de los Dioses, bailando en las celestiales estancias de Manwë para alegría de Varda de las Estrellas, o llenando las calles y los patios de Valmar con el extraño encanto de sus pompas y festejos; para Oromë y Nessa bailaban sobre las hierbas verdes, y los claros de Valinor los reconocían mientras correteaban levemente entre los árboles iluminados de oro, y Palúrien se alegraba mucho al verlos. A menudo estaban con ellos los Noldoli y hacían mucha música, pues poseían multitud de dulcísimas arpas y violas y Salmar los amaba; pero el mayor deleite lo encontraban en las estancias de Aulë o en sus propios queridos hogares de Kôr, dando forma a muchas cosas hermosas y entretejiendo multitud de cuentos. Llenaban toda la ciudad con pinturas y tapices bordados y tallas de gran delicadeza, y aun Valmar se volvió más hermosa bajo sus hábiles manos.

»Es preciso contar ahora cómo los Solosimpi navegaban a menudo por los mares cercanos en sus barcas en forma de cisne, tirados por las aves o remando ellos mismos con grandes remos que habían construido imitando las patas palmeadas de los cisnes o los ánades; y dragaban el fondo marino, y obtuvieron riqueza de las delicadas conchas de aquellas mágicas aguas, y un incontable número de perlas del lustre más puro y estelar; y éstas eran a la vez gloria, deleite y envidia de los demás Eldar, que las deseaban para que brillaran como adorno de la ciudad de Kôr.

»Pero aquellos de entre los Noldoli a los que Aulë les había enseñado más laboriosamente trabajaban en secreto de un modo incesante, y de Aulë habían recibido una gran riqueza en metales y mármoles y piedras, y con permiso de los Valar recibieron también un gran acopio del resplandor de Kulullin y de Telimpë contenidos en ocultos cuencos. De Varda recibieron luz de estrellas y Manwë les dio hebras del *ilwë* más azul, agua de los más límpidos estanques de esa ensenada de Kôr y gotas de cristal de todas las fuentes centelleantes de los patios de Valmar. Recogieron rocío en los bosques de Oromë, y pétalos de flores de todos los tintes y dulzuras de los jardines de Yavanna, y perseguían los rayos de Laurelin y Silpion entre las hojas. Pero cuando todos estos tesoros bellos y radiantes estuvieron reunidos, obtuvieron de los Solosimpi muchas caracolas blancas y rosas, y la más pura espuma, y por fin unas pocas perlas. Estas perlas fueron su modelo, y el conocimiento de Aulë y la magia de los Valar sus herramientas, y todas las cosas más hermosas de la sustancia de la Tierra los materiales de su artesanía; y de todo ello los Noldoli inventaron y fabricaron con gran trabajo las primeras gemas. Hicieron cristales con las aguas de las fuentes tocadas con la luz de Silpion; el ámbar, la crisoprasa y los topacios relucían bajo sus manos; y trabajaron los granates y los rubíes fabricando su vítrea sustancia como les había enseñado Aulë, pero tiñéndolos con los jugos de las rosas y las flores rojas, y dotando a cada uno de un corazón de fuego. Algunos hicieron esmeraldas con las aguas de la ensenada de Kôr y los destellos de los herbosos claros de Valinor, y modelaron también zafiros con gran profusión [¿tiñéndolos?] con los aires de Manwë; había amatistas y muchas piedras de luna, berilos y ónices, ágatas de mármoles mezclados y muchas piedras menores, y se alegraron sus corazones, y no se contentaron con unas pocas, sino que crearon joyas de un número inconmensurable, hasta que todas las bellas sustancias estuvieron casi agotadas, y las grandes pilas de esas gemas no podían ya esconderse, pues resplandecían a la luz como lechos de brillantes flores. Luego tomaron las perlas que tenían y casi todas sus joyas y fabricaron una nueva gema de lechosa palidez salpicada con destellos como ecos de todas las otras piedras, y las consideraron muy hermosas, y éstas eran los ópalos; pero otros seguían trabajando, y de la luz de las estrellas y de gotas del agua más pura, del rocío de Silpion y del aire más tenue, hicieron los diamantes, y desafiaron a que cualquiera hiciera algo más bello.

»Entonces se puso en pie Fëanor de los Noldoli y viajó hasta los Solosimpi y les rogó que le dieran una perla de gran tamaño, y obtuvo además una urna llena del más luminoso resplandor fosforescente recogido de la espuma en los lugares oscuros, y con todo ello volvió a casa, y tomó todas las demás gemas y capturó su luz poniéndolas junto a lámparas blancas y candelabros de plata, y recogió el lustre de las perlas y los débiles semitonos de los ópalos y los [¿bañó?] en la fosforescencia y el radiante rocío de Silpion, y dejó caer allí tan sólo una pequeña gota de la luz de Laurelin, y dando a todas esas mágicas luces un cuerpo de vidrio perfecto que sólo él podía fabricar, porque ni siquiera Aulë era capaz de urdir otro semejante pues tan grande era la esbelta destreza de los dedos de Fëanor, hizo una joya, y brillaba con su propio resplandor ....[10] en la más completa oscuridad; y la colocó a su alcance y estuvo sentado largo tiempo contemplando su belleza. Y luego hizo otras dos, y no le restó más material; y fue en busca de los demás para que contemplaran su obra, y todos se llenaron del más grande asombro, y a aquellas joyas las llamó Silmarilli o, como decimos hoy en la lengua de los Noldoli, Silubrilthin[11]. Por tanto, aunque los Solosimpi sostuvieron que ninguna de las gemas de los Noldoli, ni siquiera el majestuoso brillo de los diamantes, sobrepasaría a sus tiernas perlas, todos los que los contemplaron alguna vez sostuvieron que los Silmarils de Fëanor eran las joyas más bellas que alguna vez hubieran brillado o [¿resplandecido?].

»Ahora Kôr está iluminada con toda esta riqueza en gemas y centellea del modo más maravilloso, y todos los parientes de los Eldaliё se han hecho ricos por la generosidad de los Noldoli, y el deseo de belleza de los Dioses ha sido satisfecho plenamente. Zafiros de gran [¿maravilla?] le fueron dados a Manwë y los lleva engarzados en la ropa, y Oromë tuvo un cinturón de esmeraldas, pero Yavanna amaba todas las gemas, y Aulë se deleitaba en los diamantes y las amatistas. Tan sólo a Melko no se le entregó ninguna, pues no había expiado sus muchos crímenes, y él las codició grandemente aunque no dijo nada, fingiendo que les concedía menos valor que a los metales.

»Pero ahora toda la parentela de los Eldalië ha encontrado su más grande beatitud, y la majestad y la gloria de los Dioses y su hogar han aumentado hasta alcanzar el mayor esplendor que el mundo haya visto, y los Árboles brillaban en Valinor, y Valinor devolvía su luz en un millar de centelleos de colores fragmentados; pero las Grandes Tierras aún estaban silenciosas y oscuras y muy solitarias, y Ossë se sentaba en las inmediaciones y veía la luz lunar de Silpion titilar sobre la grava de diamantes y cristales que los gnomos arrojan con prodigalidad a las orillas de los mares, y los vítreos fragmentos quebrados en su fabricación relucían sobre la ladera de Kôr que da al mar; pero los estanques entre las rocas oscuras estaban llenos de joyas, y los Solosimpi, con sus vestiduras cuajadas de perlas, bailaban alrededor de ellos, y ésa era la más bella de todas las costas, y la música de las aguas sobre las riberas de plata era cautivadora por encima de cualquier otro sonido.

»Éstas eran las rocas de Eldamar, y yo las vi hace mucho, pues Inwë era antepasado de mis antepasados[12]; y era [¿aun?] el de más edad entre los Elfos y todavía viviría majestuoso si no hubiera muerto durante la marcha en dirección al mundo, pero su hijo Ingil volvió hace mucho a Valinor y está allí con Manwë. Y soy también pariente de los danzantes de la costa, y sé que estas cosas que te cuento son verdaderas; y la magia y la maravilla de la Bahía de Faëry es tal que nadie que la haya visto como era entonces puede hablar de ella sin tener que tomar aliento y sin que se le quiebre la voz.

Entonces Meril, la Reina, terminó su largo cuento, pero Eriol no dijo nada, contemplando los largos rayos del sol poniente que relucían entre los troncos de los manzanos y soñando con Faëry. Al rato dijo Meril: —Ve ahora a casa, porque ya se desvanece la tarde, y contar esta historia ha lastrado mi corazón y el tuyo con el peso del anhelo. Pero ten paciencia y aguarda todavía antes de buscar amigos entre esa triste parentela de los Elfos de la Isla.

Pero Eriol dijo: —Incluso ahora ignoro, y no le es posible a mi corazón adivinarlo, cómo pudo desvanecerse toda esa belleza, o cómo no se impidió que los Elfos abandonaran Eldamar. Pero Meril dijo: —No, he prolongado el cuento demasiado por amor hacia aquellos días, y muchas grandes cosas han ocurrido entre la hechura de las gemas y el regreso a Tol Eressëa; pero muchos las conocen tan bien como yo, y Lindo o Rúmil de Mar Vanwa Tyaliéva podrían contarlas mejor que yo. —Entonces ella y Eriol volvieron a la casa de las flores, y Eriol se despidió antes de que la cara occidental de la torre de Ingil se volviera gris en el crepúsculo.

NOTAS

1 En el manuscrito dice *Vairë*, pero esto sólo puede ser un desliz.

2 La aparición de este nombre, *Telimpë*, aquí y otra vez más adelante en el cuento, como también en el de *Sol y Luna*, es curiosa; en el cuento de *La Llegada de los Valar y la Construcción de Valinor* el nombre se cambió en su primera aparición de *Telimpë (Silindrin)* a *Silindrin*, y en los casos siguientes se escribió desde un principio *Silindrin*.

3 En el manuscrito dice aquí *Linwë* y otra vez debajo; véase bajo la entrada de *Tinwë Linto* en los «Cambios de nombres» al final de estas notas.

4 Esta oración, desde «y seducidos...», se agregó después, aunque no mucho después, según parece, de escrito el texto.

5 Esta oración, desde «y eligieron a un tal Ellu...», se agregó en el mismo momento al que nos referimos en la nota 4.

6 La primera aparición de la forma *Uinen*, escrita así en el momento de la composición (esto es, sin que fuera una corrección de *Ónen*).

7 *Arvalin*: escrito así en el momento de la composición, no como corrección de *Habbanan* o *Harmalin* como anteriormente.

8 Cuando mi padre escribió estos textos, los escribió primero con lápiz y después lo hizo en tinta por encima borrando el texto en lápiz del cual aún pueden leerse algunos fragmentos aquí y allá, por lo que es posible ver que alteró un tanto el original escrito en lápiz a medida que avanzaba. Sin embargo, al llegar a las palabras «resplandecían maravillosamente» abandonó la escritura del nuevo texto en tinta, y desde este punto sólo tenemos el

manuscrito original a lápiz, en ocasión es muy difícil de leer pues fue hecho de prisa, y el tiempo lo ha debilitado y emborronado en parte. No siempre pude descifrar este texto, y utilizo paréntesis y signos de interrogación para señalar una lectura incierta, e hileras de puntos para indicar la extensión aproximada de las palabras ilegibles.

9 *Arvalin*: aquí y en las siguientes apariciones una corrección de *Habbanan*; véase nota 7. La explicación es evidentemente que el nombre Arvalin se decidió en el momento de reescribir el texto con tinta sobre el original a lápiz o antes aún; aunque la narración haya avanzado, aún estamos aquí en una etapa de composición temprana.

10 La palabra podría ser «hechizante».

11 Otras formas (que empiezan con *Sigm-*) preceden a *Silubrilthin*, aunque no se lee claramente. Meril habla como si el nombre gnómico fuera la forma usada en Tol Eressëa, aunque no resulta claro por qué.

12 «Antepasado de mis antepasados»: el escrito original decía «mi antepasado».

Cambios de nombres de
La Llegada de los Elfos y la Construcción de Kôr

Tinwë Linto < *Linwë Tinto* (este último es el nombre que aparece en un pasaje interpolado del cuento precedente, véase pág. 137, nota 1). En las dos apariciones siguientes de *Linwë* (véase nota 3 en la página anterior) el nombre no se cambió, evidentemente por descuido; en los dos pasajes agregados donde aparece el nombre (véanse notas 4 y 5 en la página anterior) la forma es *Tinwë (Linto)*.
Inwithiel < *Gim-githil* (el mismo cambio que aparece en *La Cabaña del Juego Perdido*).
Tinwelint < *Tintoglin*.
Wendelin < *Tindriel* (cf. el pasaje interpolado en el cuento anterior).
Arvalin < *Habbanan* a lo largo de todo el cuento excepto una sola vez. Véanse notas 7 y 9 de la página anterior.
Lindeloksë < *Lindelótë* (el mismo cambio en *La Llegada de los Valar y la Construcción de Valinor*).
Erumáni < *Harwalin*.

Comentario sobre
La Llegada de los Elfos y la Construcción de Kôr

Ya he tratado la gran diferencia de estructura de la narración al principio de este cuento, a saber, que aquí los Elfos *despertaron* durante el cautiverio de Melko en Valinor, mientras que en la historia posterior fue precisamente el hecho del Despertar lo que hizo a los Valar decidirse a hacerle la guerra a Melkor, lo que desembocaría en su cautiverio en Mandos. Por ello, el elemento crucial de la persecución de los Elfos en Cuiviénen llevada a cabo por Melkor con objeto de apresarlos (*El Silmarillion*), lógicamente, no está presente. La liberación de Melko de la prisión de Mandos ocurre aquí mucho más pronto, antes de la llegada de los "embajadores" élficos a Valinor, y Melko interviene en el debate acerca de la convocatoria.

La historia de la llegada de Oromë al encuentro de los Elfos que acaban de despertar queda patente que se remonta a los primeros tiempos (aunque aquí también Yavanna Palúrien estaba presente, por lo que vemos), pero al menos Manwë conocía la llegada de los Elfos, y esto resta fuerza y belleza a la historia, pues no había necesidad de que Oromë les comunicara el acontecimiento a los Grandes Valar. El nombre *Eldar* existía ya en Valinor antes del Despertar, y no se había planteado la historia de que fue Oromë quien los llamó «la Gente de las Estrellas»; como se verá en el Apéndice sobre los Nombres, *Eldar* tenía una etimología completamente distinta en esta época. La posterior distinción entre los *Eldar* que siguieron a Oromë en el viaje hacia el oeste hasta el océano y los *Avari*, los Renuentes, que no hicieron caso del llamamiento de los Valar, no está presente, y ciertamente no hay en el cuento la menor sugerencia de que ninguno de los Elfos que oyeron la llamada la rechazasen; hubo, sin embargo, de acuerdo con otro cuento (posterior), Elfos que no abandonaron nunca Palisor.

Aquí es Nornorë, el Heraldo de los Dioses, y no Oromë, el que condujo a los Elfos a Valinor y más tarde los devolvió a las Aguas del Despertar (y es destacable que aun en esta tan temprana versión, más proclive a las "explicaciones" que las posteriores, nada se dice de cómo se trasladaron desde los distantes lugares de la Tierra a Valinor, cuando más adelante la Gran Marcha sólo se llevaría a cabo tras muchas dificultades). El pasaje en el que Manwë interroga a los tres Elfos acerca de la naturaleza de su llegada al mundo, y la pérdida de todo recuerdo que precediera a su despertar, no sobrevivió más allá de los *Cuentos Perdidos*. Otra cambio importante de la estructura es el apoyo entusiasta que presta Ulmo a los partidarios de la llamada de los Elfos a Valinor; en *El Silmarillion*, Ulmo era el cabecilla de los que «sostenían que los Quendi tendrían que tener la libertad de andar como quisiesen por la Tierra Media».

Aporto a continuación la historia temprana de los nombres de los principales Eldar.

Elu Thingol (Quenya *Elwë Singollo*) comenzó como *Linwë Tinto* (o también simplemente *Linwë*); este nombre se cambió por *Tinwë Linto* (*Tinwë*). Su nombre gnómico era al principio *Tintoglin* y luego *Tinwelint*. Fue el líder de los Solosimpi (posteriormente los Teleri) en el Gran Viaje, pero fue seducido en Hisilómë por el "hada" *(Tindriel >)* *Wendelin* (posteriormente *Melian*), que vino de los jardines de Lórien en Valinor; se convirtió en señor de los Elfos de Hisilómë, y su hija fue *Tinúviel.* El líder de los Solosimpi en su lugar fue, de un modo desconcertante, *Ellu* (posteriormente *Olwë*, hermano de Elwë).

El señor de los Noldoli era *Finwë Nólemë* (también *Nólemë Finwë* y, más frecuentemente, simplemente *Nólemë*); el nombre *Finwë* se mantuvo a lo largo de la historia. En la lengua gnómica era *Golfinweg.* Su hijo era *Turondo*, en gnómico *Turgon* (posteriormente Turgon se convirtió en el nieto de Finwë, pues era el hijo del hijo de Finwë, Fingolfin).

El señor de los Teleri (posteriormente los Vanyar) era *(Ing >)* *Inwë*, aquí llamado *Isil Inwë*, en gnómico *(Gim-githil >)* *Inwithiel*. Su hijo, que construyó la gran torre de Kortirion, era *(Ingilmo >)* *Ingil*. El "clan regio" de los Teleri eran los Inwir. De este modo:

Cuentos Perdidos (última forma de los nombres)	*El Silmarillion*
Isil Inwë (gnómico Inwithiel) señor de los Teleri................... (su hijo Ingil)	Ingwë, señor de los Vanyar
Finwë Nólemë (gnómico Golfin-weg) señor de los Noldoli................ (su hijo Turondo, gnómico Turgon)	Finwë, señor de los Noldor (su nieto Turgon)
Tinwë Linto (gnómico Tinwelint), señor de los Solosimpi, más tarde señor de los Elfos de Hisilómë	Elwë Singollo (sindarin Elu Thingol), señor de los Teleri, más tarde señor de los Elfos Grises de Beleriand
Wendelin.............................. (la hija de ambos, Tinúviel).........	Melian (la hija de ambos, Lúthien Tinúviel)
Ellu, señor de los Solosimpi después de la pérdida de Tinwë Linto	Olwë, señor de los Teleri después de la pérdida de su hermano Elwë Singollo

★

En *El Silmarillion* se describe cómo Varda crea estrellas por segunda
vez antes de la llegada de los Elfos, preparándose para recibirlos:

> Entonces Varda abandonó el consejo y desde las alturas del Tani-
> quetil contempló la oscuridad de la Tierra Media bajo las estrellas
> innumerables, débiles y distantes, e inició entonces un gran traba-
> jo, la mayor de las labores de los Valar desde su llegada a Arda.
> Recogió el rocío plateado de las tinas de Telperion, y con él hizo
> estrellas nuevas y más brillantes preparando así la llegada de los
> Primeros Nacidos...

En la primera versión encontramos ya la concepción de que las estrellas fueron creadas en dos actos separados; que Varda creó estrellas
por segunda vez celebrando la llegada de los Elfos, aunque aquí los
Elfos habían despertado ya; y que las nuevas estrellas se hicieron con la
luz líquida caída del Árbol de la Luna, Silpion. El pasaje que acaba de
citarse de *El Silmarillion* prosigue afirmando que, en el momento de la
segunda creación de las estrellas, Varda «alta en el Norte, como reto a
Melkor, echó a girar la corona de siete poderosas estrellas: Valacirca,
la Hoz de los Valar y signo del destino»; pero aquí esto se niega, y se
sostiene un origen especial para la Osa Mayor, cuyas estrellas no fueron invención de Varda, sino chispas escapadas de la forja de Aulë. En
la pequeña libreta de notas ya mencionada, que está llena de anotaciones sueltas y proyectos garrapateados de prisa, este mito presenta una
forma diferente:

> La Hoz de Plata
> Las siete mariposas
> Aulë estaba fabricando una hoz de plata. Melko interrumpió su
> trabajo contándole una mentira acerca de la señora Palúrien. Aulë
> se encolerizó tanto que rompió la hoz de un golpe. Saltaron siete
> chispas que revolotearon hacia los cielos. Varda las atrapó y les dio
> sitio en los cielos como prueba del honor de Palúrien. Vuelan aho-
> ra para siempre en forma de hoz que gira y gira en torno al polo.
> Creo que no puede caber duda de que esta nota es anterior al pre-
> sente texto.
> La estrella Morwinyon, «que resplandece sobre el borde occiden-
> tal del mundo», es Arcturus; véase el Apéndice sobre los Nombres. En
> ningún lugar se explica por qué Morwinyon se concibe míticamente
> para estar siempre en el oeste.

Volviendo ahora a la Gran Marcha y al cruce del océano, el origen
de Tol Eressëa en la isla sobre la que Ossë llevó a los Dioses hacia las
tierras occidentales en la época de la caída de las Lámparas se perdió
necesariamente junto con la historia, y Ossë dejó de tener derecho de
propiedad sobre ella. La idea de que los Eldar llegaron por separado a
las costas de las Grandes Tierras en tres grandes compañías sucesivas
(en el orden Teleri — Noldori — Solosimpi, y posteriormente Vanyar
— Noldor — Teleri) se remonta al principio; pero aquí el primer pueblo y el segundo cruzaron el océano cada cual por su cuenta, mientras
que posteriormente lo hicieran juntos.

En *El Silmarillion* transcurrieron «muchos años» antes de que
Ulmo regresara en busca del último de los tres linajes, los Teleri, un
tiempo tan prolongado que llegaron a amar las costas de la Tierra
Media, y Ossë logró persuadir a algunos de que se quedaran (Círdan
el Carpintero de Barcos, y los Elfos de las Falas, con sus puertos de
Brithombar y Eglarest). No hay rastro de esto en la primera narración, aunque se insinúa ya que quienes llegaron últimos esperaron
largo tiempo el regreso de Ulmo. En la versión publicada la causa de
la ira de Ossë contra el traslado de los Eldar sobre la isla flotante ha
desaparecido, y el motivo que tuvo para anclar la isla en el océano es
completamente diferente: de hecho lo hizo a petición de Ulmo *(ibid.)*
quien, en todo caso, se oponía a la llamada de los Eldar a Valinor.
Pero el anclaje de Tol Eressëa como acto de rebeldía de Ossë permaneció durante largo tiempo en la historia. No está claro qué otras «islas desperdigadas de sus dominios» ancló Ossë en el fondo del mar;
pero como en el dibujo de la Barca del Mundo la Isla Solitaria, las Islas Mágicas y las Islas del Crepúsculo se muestran de la misma manera, erguidas «como pináculos sobre sus profundidades de algas», fueron éstas probablemente las que Ossë fijó (aunque Rúmil y Meril
todavía se refieran a las Islas del Crepúsculo como islas «flotantes» en
los Mares Sombríos).

En la antigua narración se deja bien en claro que Tol Eressëa se
fijó lejos, en medio del océano, y «no puede verse tierra alguna navegando muchas leguas desde sus acantilados». Ése fue en verdad el motivo de su nombre, que perdió su razón de ser cuando la Isla Solitaria
terminó situándose en la Bahía de Eldamar. Pero las palabras que se
dicen de Tol Eressëa en el último capítulo de *El Silmarillion* (que sufrió
relativamente poco trabajo y revisión), «la Isla Solitaria que mira al
oeste y al este», sin duda provienen de la antigua narración; en el
cuento *Ælfwine de Inglaterra* se encuentra el origen de esta frase: «la
Isla Solitaria que mira hacia el Este al Archipiélago Mágico y más allá
a las tierras de los Hombres, y hacia el Oeste a las Sombras tras las

que, a lo lejos, se vislumbra la Tierra Exterior, el reino de los Dioses». Las profundas diferencias que separan la lengua de los Solosimpi de las de otros clanes, a las que se hace referencia en este cuento, se conservan en *El Silmarillion*, pero la idea apareció en la época en la que Tol Eressëa estaba aún más lejos de Valinor.

Como se observa a menudo en la evolución de estos mitos, una idea primitiva sobrevive en un contexto completamente alterado: aquí, el crecimiento de los árboles y las plantas en las laderas occidentales de la isla flotante empezó con el segundo asentamiento en la Bahía de Faëry y al recibir la luz de los Árboles cuando los Teleri y los Noldoli desembarcaron, y más tarde se mantuvo hermosa y fértil después de haber sido anclada lejos de Valinor en medio del océano; en versiones posteriores esta idea se conservó en el contexto de la luz de los Árboles que pasaba a través del Calacirya y bañaba Tol Eressëa, que estaba situada cerca, en la Bahía de Eldamar. De manera semejante, parece que las enseñanzas que transmite Ulmo a los Solosimpi en música y conocimientos marinos, sentado en un promontorio de Tol Eressëa después de que la isla hubiera sido anclada en el fondo del mar, se transforma en las enseñanzas que imparte Ossë a los Teleri de «todas las ciencias del mar y de la música del mar», sentado en una roca frente a la costa de la Tierra Media *(El Silmarillion)*.

Es digno de atención el relato que se hace aquí sobre el hueco abierto en las Montañas de Valinor. En *El Silmarillion* fueron los Valar quienes lo abrieron, el Calacirya o Paso de la Luz, y sólo después de la llegada de los Eldar a Aman porque «aun entre las flores radiantes de los jardines, iluminados por los Árboles de Valinor [los Vanyar y los Noldor], deseaban a veces contemplar las estrellas»; mientras que en este cuento es un accidente "natural", relacionado con la larga ensenada que entraba desde el mar.

De la crónica de la llegada de los Elfos a las costas de las Grandes Tierras se deriva que Hisilómë era una región limítrofe con el Gran Mar, lo que concuerda con su identificación como la región señalada *g* en el primer mapa; y es realmente notable que nos topemos aquí con la idea de que los Hombres fueron encerrados en Hisilómë por Melko, una idea que sobrevivió hasta la forma más tardía del relato, en la que los Hombres del Este fueron recompensados después de la Nirnaeth Arnoediad por el traicionero servicio que hicieron a Morgoth con el confinamiento en Hithlum *(El Silmarillion,* cap. 20).

En la descripción de la colina y la ciudad de Kôr aparecen varios rasgos que nunca se perdieron en los relatos posteriores de Tirion sobre Túna. Cf. *El Silmarillion,* cap. 5:

LA LLEGADA DE LOS ELFOS 173

En lo alto de Túna se levantó la ciudad de los Elfos, los blancos muros y terrazas de Tirion; y la más alta torre de esa ciudad fue la Torre de Ingwë, Mindon Eldaliéva, cuya lámpara de plata era visible desde lejos, brillando entre las nieblas del mar.

El polvo de oro y "metales mágicos" que Aulë apiló al pie de Kôr empolvaba el calzado y los vestidos de Eärendil cuando éste subió la «larga escalinata blanca» de Tirion *(ibid.)*.
No se cuenta aquí si los vástagos de Laurelin y Silpion que los Dioses dieron a Inwë y Nólemë y que «florecían eternamente sin marchitarse jamás» eran también productores de luz, pero más adelante, en los *Cuentos Perdidos*, después de la Partida de los Noldoli, hay de nuevo una referencia a los Árboles de Kôr, y en ella los árboles dados a Inwë «brillaban todavía» mientras que los dados a Nólemë habían sido arrancados para «ir a parar nadie sabe dónde». En *El Silmarillion* se dice que Yavanna hizo para los Vanyar y los Noldor «un árbol menor a imagen de Telperion, aunque no daba luz propia»; se lo «plantó en el patio bajo la Mindon, y allí floreció, y los hijos de sus semillas fueron muchos en Eldamar». De él provenía el Árbol de Tol Eressëa.
Relacionado con esta descripción de la ciudad de los Elfos en Valinor, ofrezco aquí un poema titulado *Kôr*. Fue escrito el 30 de abril de 1915 (dos días después de *Pies de trasgo* y *Tú y Yo*), y de él existen dos textos: el primero, manuscrito, tiene un subtítulo, «En una ciudad perdida y muerta». El segundo, una copia mecanografiada, según parece tenía inicialmente el título de *Kôr*, pero se cambió luego por *La ciudad de los Dioses* y el subtítulo fue borrado; y el poema se publicó en Leeds en 1923 con este título*. No se le hicieron cambios al texto, salvo que en el penúltimo verso «ningún pájaro cantaba» había sido ya cambiado en el manuscrito por «ninguna voz vibraba». Parece posible, especialmente en vista de su subtítulo original, que el poema describa Kôr después de ser abandonada por los Elfos.

Kôr

En una ciudad perdida y muerta

Una colina parda, gigantesca, coronada por un baluarte
se yergue mirando a través de un mar azul

---

* Se publicó en una revista llamada *The Microcosm*, dirigida por Dorothy Ratcliffe; Volumen VIII, n.º 1, primavera de 1923.

bajo un cielo azur, sobre cuyo oscuro fondo
engarzados como contra un suelo de pórfido
resplandecen blancos templos de mármol y deslumbrantes salones;
y sombras oscuras, largas como dedos, se extienden
en franjas estremecidas sobre muros de marfil
proyectadas por sólidos árboles arraigados en piedras a la sombra,
como pilares pétreos, tallados, de la bóveda,
con fuste y capitel de basalto negro.
Allí unos lentos días para siempre olvidados cosechan
las sombras en silencio descartando las horas de abundancia;
y ninguna voz vibra; y las torres de mármol
blancas, calientes y mudas, por siempre arden y duermen.

★

La historia de la evolución de las aves marinas obrada por Ossë, y de cómo los Solosimpi acudieron finalmente a Valinor en barcas en forma de cisne y tiradas por gaviotas, para gran desdicha de Ossë, difiere notablemente de lo que se cuenta en *El Silmarillion*:

> Durante toda una larga edad [los Teleri] habitaron en Tol Eressëa; pero poco a poco hubo un cambio en ellos y fueron atraídos por la luz que fluía sobre el mar hacia la Isla Solitaria. Se debatían entre el amor a la música de las olas sobre las costas y el deseo de ver otra vez a las gentes de su linaje, y contemplar el esplendor de Valinor; pero al final, el deseo de la luz fue el más poderoso. Por tanto, Ulmo, plegándose a la voluntad de los Valar, les envió a Ossë, amigo de ellos, y éste, aunque entristecido, les enseñó el arte de construir naves, y cuando las naves estuvieron construidas, les llevó como regalo de despedida muchos cisnes de alas vigorosas. Entonces los cisnes arrastraron las blancas naves de los Teleri sobre el mar sin vientos; y así, por último y siendo los últimos, llegaron a Aman y a las costas de Eldamar.

Pero los cisnes siguieron siendo un regalo de Ossë a los Elfos de Tol Eressëa, y las barcas de los Teleri retuvieron la forma de las barcas construidas por Aulë para los Solosimpi: «y estos tenían forma de cisne, con picos de oro y ojos de oro y azabache» *(ibid)*.

El pasaje con la descripción geográfica que sigue es curioso; pues se parece sobremanera (e incluso algunas frases son idénticas) al del cuento de *La llegada de los Valar y la construcción de Valinor*. Más abajo se sugiere una explicación a esta repetición. Esta segunda versión proporciona de hecho poca información nueva; la única diferencia sustancial es la mención de Tol Eressëa. Ahora queda claro que los Mares Sombríos eran una región del Gran Mar al oeste de Tol Eressëa. En *El Silmarillion* la concepción había cambiado con el cambio de situación de Tol Eressëa: en tiempos del Ocultamiento de Valinor

> se levantaron las Islas Encantadas, y todos los mares de alrededor se llenaron de sombras y desconcierto. Y estas islas se extendieron como una red por los Mares Sombríos de norte a sur, antes de que el que navega hacia el oeste llegue a Tol Eressëa, la Isla Solitaria.

Hay otro elemento de repetición cuando se habla del hueco en las Montañas de Valinor y la colina de Kôr en el extremo de la ensenada, que ha sido descrito anteriormente en la misma historia. La explicación de esta repetición casi con toda certeza se debe a los dos niveles de composición del relato (véase la nota 8); porque el primero de estos pasajes corresponde a la parte revisada y el segundo al texto original en lápiz. Creo que mi padre, en su revisión, simplemente había aceptado el pasaje sobre el hueco en las Montañas, la colina y la ensenada más pronto en el texto, y si hubiera continuado revisando el cuento hasta el final, el segundo pasaje habría quedado eliminado. Podría sugerirse la misma explicación para la repetición del pasaje sobre las islas del Gran Mar y la costa de Valinor en el cuento de *La llegada de los Valar y la construcción de Valinor*; pero en ese caso más bien supondría que la revisión en tinta sobre el manuscrito original a lápiz se habría llevado a cabo cuando dicho manuscrito a lápiz ya estaba muy avanzado.

En *El Silmarillion* toda la cuestión de la hechura de las gemas por los Noldoli se sintetiza en estas palabras:

> Y sucedió que los albañiles de la casa de Finwë, que excavaban en las colinas en busca de piedra (pues se deleitaban en la construcción de altas torres), descubrieron por primera vez las gemas de la tierra, y las extrajeron en incontables miríadas; e inventaron herramientas para cortar las gemas y darles forma y las tallaron de múltiples maneras. No las atesoraron, sino que las repartieron libremente, y con este trabajo enriquecieron a toda Valinor.

De este modo, el rapsódico relato al final de este cuento de cómo se fabricaron las piedras con materiales "mágicos" —luz de estrellas e *ilwë*, rocío y pétalos, sustancias vítreas teñidas con el jugo de las flores... — se descartó, y los Noldor se convirtieron en mineros, hábiles por cierto,

pero excavando tan sólo lo que podía encontrarse en las rocas de Valinor. Por otra parte, en un pasaje anterior de *El Silmarillion*, se mantiene la idea antigua: «Los Noldor fueron también los primeros que
consiguieron hacer gemas». No es necesario subrayar cuánto se gana
con la discreción de la última redacción; en esta primera narración
los Silmarils no se destacan demasiado respecto a toda la maravilla
acumulada en las demás gemas de los Noldoli.

Otros rasgos que permanecieron en relatos posteriores son la generosidad de los Noldor, que regalan sus gemas y las esparcen sobre
las costas (cf. *El Silmarillion*: «Muchas joyas les dieron [a los Teleri] los
Noldor, ópalos y diamantes y cristales pálidos, que ellos esparcieron
sobre las costas y arrojaron a los estanques»); las perlas que los Teleri
extraían del mar *(ibid.)*; los zafiros que los Noldor dieron a Manwë
(«Su cetro es de zafiro, que los Noldor labraron para él»); y, por supuesto, Fëanor como artífice de los Silmarils aunque, como se verá en
el próximo cuento, Fëanor no era todavía el hijo de Finwë (Nólemë).

★

Concluyo este comentario con otro poema temprano relacionado con
el tema de este cuento. Se dice en la historia que los Hombres en Hisilómë tenían miedo de los Elfos Perdidos, a los que llamaban Pueblo
de la Sombra, y que el nombre que le daban a la tierra era *Aryador*. El
significado de esta palabra se halla en la lista primitiva de palabras
gnómicas, «tierra o lugar de la sombra» (cf. el significado de *Hisilómë* y
Dor Lómin).

El poema se titula *Canto de Aryador* y existen de él dos copias; de
acuerdo con las notas sobre ellos, se escribió en un campamento del
ejército cerca de Lichfield el 12 de septiembre de 1915. Que yo sepa,
nunca se imprimió. La primera copia, manuscrita, tiene también un título en inglés antiguo: *An léoþ Éargedores*; la segunda, mecanografiada, es
virtualmente idéntica, pero debe observarse que la primera palabra de
la tercera estrofa, «Ella»*, es una corrección de «Él» en ambas copias.

Canto de Aryador

En los valles de Aryador
junto al boscoso interior de la costa
los verdes prados del lago se curvan descendiendo

---

* El sol es femenino en la mitología de Tolkien.

por las laderas hacia el murmullo de los juncos
que en el crepúsculo susurran sobre Aryador:

«¿Oís los múltiples cencerros
de las cabras sobre las colinas
donde el valle desciende abruptamente desde los pinos?
¿Oís gemir a los bosques azules
cuando el Sol ha partido solo
a perseguir las sombras de las montañas entre los pinos?

Ella se ha perdido en las colinas
y las tierras altas lentamente se cubren
de gentes de la sombra que murmuran en los helechos;
y los cencerros se oyen aún,
y las voces en las colinas,
mientras al este comienzan a arder ya las estrellas.

Los Hombres encienden luces pequeñas
abajo a lo lejos junto a los arroyos que bajan de las
                                              [montañas
donde habitan entre los hayedos cerca de la costa,
pero en las alturas los grandes bosques
miran la luz que decae al oeste
y susurran al viento cosas de antaño,

cuando el valle era desconocido
y bramaban las aguas a solas,
y toda la noche bailaron descendiendo las gentes de la
                                              [sombra
cuando el Sol había partido
cruzando espesos bosques inexplorados
y las arboledas estaban llenas de rayos de luz errante.

Entonces se oyeron voces en las colinas
y un sonido de campanas fantasmales
y la marcha de las gentes de la sombra en lo alto.
En las montañas, junto a la costa,
en la olvidada Aryador
había baile y había música;
viejos cantos de viejos dioses en Aryador».

VI

EL ROBO DE MELKO
Y EL OSCURECIMIENTO DE VALINOR

También en esta ocasión el título ha sido tomado de la cubierta de la libreta que contenía el texto; la narración, escrita rápidamente todavía a lápiz (véase la nota 8 del anterior capítulo), con algunas correcciones simultáneas a la composición o posteriores, prosigue sin ninguna interrupción.

Entonces volvió Eriol a la Cabaña del Juego Perdido, y su amor por todas las cosas que veía alrededor y su deseo de comprenderlas se hicieron más profundos. Ansiaba continuamente saber algo más de la historia de los Eldar; nunca dejaba de estar entre los que iban cada noche al Salón del Hogar de los Cuentos; siendo así que, en una ocasión, cuando había transcurrido cierto tiempo como huésped de Vairë y Lindo, sucedió que Lindo habló de este modo a su requerimiento desde su profundo sillón:

—Escucha pues, oh Eriol, si deseas [saber] cómo fue que la belleza de Valinor quedó disminuida o cómo los Elfos se vieron obligados a abandonar las costas de Eldamar. Puede que sepas ya que Melko vivía en Valmar como sirviente de la casa de Tulkas en los días de la dicha de los Eldalië; allí alimentaba su odio por los Dioses y se consumía de celos por los Eldar, pero fue su codicia de la belleza de las gemas, a pesar de su fingido desinterés, lo que al final dominó a su paciencia e hizo que meditara con profundidad malvados designios.

»Ahora bien, en aquellos tiempos sólo los Noldoli conocían el arte de modelar esos bellos objetos, y a pesar de los ricos regalos que hacían a todos aquellos a quienes amaban, el tesoro que ellos poseían en joyas era con mucho el mayor; por tanto, siempre que le era posible, Melko se reunía con ellos, hablando con astucia. De este modo durante largo tiempo trató de que le regalaran joyas o de sorprender a algún incauto para aprender algo de su arte oculto, pero cuando de nada le sirvieron estos intentos, trató de sembrar malos deseos y discordias entre los Gnomos, contándoles aquella mentira acerca del Consejo, cuando los Eldar fueron llamados por primera vez a Valinor[1]. —Sois esclavos —les decía— o niños, si queréis; se os permite entreteneros con juguetes, pero sin descarriaros ni intentar saber demasiado; puede que los Valar os proporcionen días dichosos, tal y como los llamáis, pero tratad sólo de cruzar esos muros y conoceréis la dureza de sus corazones. He aquí que utilizan vuestra habilidad, y pretenden al reteneros que vuestra belleza sea adorno de sus reinos. Esto no es amor, sino orgulloso deseo; ponedlo a prueba. Pedid la herencia que Ilúvatar os tiene destinada: el entero ancho mundo para andar por él, con todos sus misterios aún inexplorados, y todas sus sustancias para utilizarlas como material de tales obras de artesanía como nunca podrían llevarse a cabo en estos estrechos jardines cercados de montañas y encerrados por un mar insuperable.

»Al oír estas cosas, a pesar del verdadero conocimiento que Nólemë poseía y les había impartido, hubo muchos cuyos corazones escucharon a medias a Melko, y la inquietud creció entre ellos, y Melko vertió aceite en el fuego de sus deseos. De él aprendieron muchas cosas que sólo a los grandes Valar les conviene saber pues, comprendidas a medias, cosas tan profundas y recónditas matan la felicidad; y además mucho de lo que Melko decía eran astutas mentiras o medias verdades, y los Noldoli dejaron de cantar, y sus violas guardaron silencio en la colina de Kôr, pues sus corazones iban envejeciendo un tanto a medida que crecían en conocimiento y se abotargaban en deseos, y los libros de sus saberes se multiplicaron como las hojas del bosque. Porque has de saber que en esos días Aulë, ayudado por los Gnomos, inventó alfabetos y escrituras, y sobre los muros de Kôr había muchas oscuras historias escritas con símbolos ideográficos, y también se escribieron allí o se tallaron sobre piedra runas de gran belleza, y Eärendel leyó allí muchos cuentos maravillosos hace mucho tiempo, y quizá pueda leerse más de uno todavía si la corrupción no lo ha convertido en polvo. Los otros Elfos no prestaban demasiada atención a estas cosas, y a veces se sentían tristes y temerosos ante la dicha disminuida de sus parientes. Gran alegría tuvo Melko ante ello, y trabajó con paciencia y sin prisa; sin embargo no estuvo más cerca de su objetivo pues, a pesar de todos sus intentos, la gloria de los Árboles y la belleza de las gemas y el recuerdo de la oscuridad de los caminos desde Palisor retenían a los Noldoli; y Nólemë hablaba siempre en contra de Melko y calmaba la inquietud y el descontento de los suyos.

»Por fin, tan grande fue su preocupación que lo consultó con Fëanor, y aun con Inwë y Ellu Melemno (que por entonces lideraba a los Solosimpi), y aceptó su consejo de que le hablara al mismo Manwë de los oscuros métodos de Melko.

»Y Melko al enterarse sintió gran ira contra los Gnomos, y yendo primero ante Manwë se inclinó muy profundamente, y contó cómo los Noldoli se atrevían a murmurarle cosas contra el señorío de Manwë, sosteniendo que en habilidad y en belleza ellos (a los que Ilúvatar había destinado ser dueños de toda la tierra) sobrepasaban con mucho a los Valar, para los que debían trabajar sin obtener recompensa. Mucha fue la pesadumbre del corazón de Manwë al escuchar estas palabras, pues temía hacía tiempo que la gran amistad de los Valar y los Eldar se rompiera por algún motivo, sabiendo que los Elfos eran hijos del mundo y que algún día deberían volver a su seno. Más todavía, ¿quién podría decir que todos estos hechos, aun la maldad aparentemente innecesaria de Melko, no fueran sino parte del destino fijado desde antaño? Sin embargo, el Señor de los Dioses se mostró frío con el delator, y he aquí que aún estaba interrogándolo, cuando llegó la embajada de Nólemë, y se les permitió que dijeran la verdad ante él. Por causa de la presencia de Melko, quizá hablaron menos hábilmente sobre su propia causa de lo que habrían podido hacer, y quizá aun el corazón de Manwë Súlimo estaba teñido con el veneno de las palabras de Melko, pues la ponzoña de la malicia de Melko es por cierto muy fuerte y sutil.

»No obstante, tanto Melko como los Noldoli fueron reprendidos y despachados. Por supuesto, a Melko se le ordenó volver a Mandos y permanecer allí un tiempo en penitencia, y que no se atreviera a caminar por Valmar por muchas lunas, no hasta que el gran festival que ahora se aproximaba hubiera sido celebrado; pero Manwë, temiendo que el descontento de los Noldoli contaminara los otros linajes, ordenó a Aulë que les encontrara otro sitio y los condujera allí, y les construyera una nueva ciudad donde pudieran vivir.

»Grande fue el dolor en la colina de Kôr cuando aquellas nuevas llegaron, y aunque todos estaban indignados por la traición de Melko, había ahora entre ellos una nueva amargura contra los Dioses, y las murmuraciones fueron más altas que antes.

»Un pequeño arroyo, y su nombre era *Híri*, bajaba de las colinas hacia el norte de la apertura y la costa donde estaba construida Kôr, y desde allí serpenteaba a través de la llanura nadie sabía hacia dónde. Quizá desembocara en los Mares Exteriores, pues al norte de las raíces de Silpion se hundía en la Tierra y allí había un lugar escarpado y un valle bordeado de rocas; y ése era el sitio donde los Noldoli se proponían vivir o, más bien, donde esperar a que la ira de Manwë abandonara su corazón, pues de ningún modo aceptaban la idea de dejar a Kôr para siempre.

»Abrieron cuevas en las paredes de ese valle y allí llevaron su tesoro en gemas, en oro, en plata y en cosas hermosas; pero las antiguas casas en Kôr quedaron vacías de sus voces, sólo llenas de sus pinturas y sus libros de conocimientos, y en las calles de Kôr y todos los senderos de Valmar resplandecían todavía las [¿gemas?] y los mármoles tallados testimonio de los días de felicidad de los Gnomos, que ahora llegaban a su declive.

»Va entonces Melko a Mandos y lejos de Valinor planea rebelión y venganza tanto contra los Gnomos como contra los Dioses. En verdad, habiendo habitado durante casi tres edades en las criptas de Mandos, se había ganado allí la amistad de ciertos espíritus sombríos y los había pervertido hacia el mal, prometiéndoles la [¿posesión?] de vastas extensiones y regiones de la Tierra, si acudían en su ayuda a su llamado si los necesitaba; y los convoca ahora a su alrededor en las oscuras hondonadas de las montañas que rodean Mandos. Desde allí envía espías, invisibles como sombras volátiles cuando Silpion está en flor, y se entera de los hechos de los Noldoli y de todo lo que ocurre en la llanura. Ahora bien, sucedió poco después que los Valar y los Eldar celebraron una gran fiesta, aquella de la que Manwë había hablado, y le ordenaron a Melko que no se presentara en Valmar en aquella ocasión; porque has de saber que un día cada siete años celebraban con regocijo la llegada de los Eldar a Valinor, y

cada tres años una menor para conmemorar la llegada de la flota blanca de los Solosimpi a las costas de Eldamar; pero cada
veintiún años, cuando estas dos fiestas coincidían juntas, celebraban una de gran magnificencia, y duraba siete días, y por esa
razón aquellos años eran llamados "Años de Doble Júbilo"*; y
estas fiestas todos los Koreldar, dondequiera estén ahora en el
ancho mundo, las celebran todavía. Ahora bien, esta fiesta que
se aproximaba era la de Doble Júbilo, y todas las huestes de los
Dioses y los Elfos se aprontaban para celebrarla de la manera
más gloriosa. Hubo pompas y largas procesiones de Elfos, que
cantando y bailando venían serpenteantes desde Kôr hasta las
puertas de Valmar. Se había trazado un camino en ocasión de
este festival desde la puerta occidental de Kôr hasta las toreci-
llas del poderoso arco que se abría en los muros de Valmar hacia el norte, donde estaban los Árboles. Era de mármol blanco y
lo cruzaban muchos gentiles arroyos que venían de las lejanas
montañas. Saltaba en este lugar convirtiéndose en esbeltos
puentes maravillosamente cercados de delicadas balaustradas
que brillaban como perlas; apenas éstos salvaban el agua, azuce-
nas de gran belleza que crecían desde el seno de las corrientes
que cruzaban gentiles la llanura asomaban sus amplios capullos
por sus bordes y los lirios marchaban a lo largo de sus orillas;
pues mediante hábiles excavaciones se había logrado que arro-
yuelos de las más límpidas aguas fluyeran de corriente a corriente bordeando todo ese largo camino con el fresco sonido del
agua ondulante. De vez en cuando crecían a cada lado árboles
poderosos, o el camino se ensanchaba en un claro y por arte de
magia las fuentes se alzaban altas en el aire para refresco de todos los que pasaban por allí.

»Venían ahora los Teleri conducidos por la gente vestida de
blanco de los Inwir, y el tañido de las arpas conjuntas hacía latir
el aire de la manera más dulce; y tras ellos iban los Noldoli mezclándose una vez más con su querida parentela por clemencia
de Manwë, para que el festival fuera debidamente celebrado,
pero la música que sus violas e instrumentos despertaban era
ahora más dulcemente triste que nunca antes. Por último venía
la gente de las costas, y sus flautas junto a sus voces hablaban de

---

* Agregado aquí en el margen: *Samírien.*

las sensaciones de las mareas y el susurro de las olas y el gemido quejumbroso de las aves que aman las costas, y las adentraban profundamente en la llanura.

»Entonces toda esa hueste formó ante las puertas de Valmar, y a una palabra y señal de Inwë, como una sola voz, irrumpieron al unísono a cantar el Canto de la Luz. Este canto lo había escrito y lo había enseñado Lirillo[2], y hablaba de la nostalgia que sentían los Elfos por la luz, de su terrible viaje a través del mundo oscuro llevados por el deseo de los Dos Árboles, y versaba de su suprema alegría al contemplar los rostros de los Dioses y de su renovado deseo de entrar una vez más en Valmar y caminar por las cortes benditas de los Valar. Entonces se abrieron las puertas de Valmar y Nornorë los invitó a entrar, y toda aquella brillante compañía atravesó las puertas. Allí Varda los recibió, erguida entre las compañías de Mánir y Súruli, y todos los Dioses les dieron la bienvenida, y luego hubo fiestas en todas aquellas grandes estancias.

»Ahora bien, de acuerdo con la costumbre en el tercer día se vestían todos de blanco y azul y subían a las alturas de Taniquetil, y allí Manwë les hablaba como le parecía adecuado de la Música de los Ainur y la gloria de Ilúvatar, y de las cosas por ser y de las que habían sido. Y ese día Kôr y Valmar estaban silenciosas y calladas, pero el techo del mundo y la cuesta de Taniquetil brillan con los resplandecientes vestidos de los Dioses y de los Elfos, y en todas las montañas resuena el eco de sus voces; pero después, el último día de júbilo, los Dioses iban a Kôr y se sentaban en las laderas de la brillante colina contemplando con amor aquella esbelta ciudad, y luego, bendiciéndola en nombre de Ilúvatar, partían antes de que Silpion floreciera; y así terminaban los días de Doble Júbilo.

»Pero ese aciago año, el corazón blasfemo de Melko osó elegir precisamente el mismísimo día del discurso de Manwë en Taniquetil para llevar a cabo sus planes; pues en esos momentos estarían sin guardia Kôr y Valmar y el valle rodeado de rocas de Sirnúmen: porque ¿en contra de quién necesitarían guardarse los Elfos o los Vala en aquellos días de la antigüedad?

»Arrastrándose, pues, con su gente oscura el tercer día de Samírien, como esa fiesta se llamaba, entró en las sombrías estancias de la morada de Makar (pues aun ese Vala salvaje había ido a

Valmar a honrar esa ocasión, y en verdad todos los Dioses habían ido allí salvo Fui y Vefántur, y aun Ossë estaba allí, disimulando durante esos siete días su enemistad con Ulmo y los celos que de él sentía). Allí un pensamiento acude al corazón de Melko, y se arma furtivamente y arma a los suyos con espadas muy afiladas y crueles, y esto les convenía, porque ahora todos penetran furtivos en el valle de Sirnúmen, donde habitaban en esos momentos los Noldoli, y he aquí que los Gnomos, por causa de lo que habían obrado en sus corazones las enseñanzas del mismo Melko, se habían vuelto precavidos y desconfiados, más de lo que era habitual en los Eldar de aquellos días. Había allí apostados al cuidado del tesoro guardas de innegable fuerza que no habían ido a la fiesta, a pesar de que esto era contrario a las costumbres y a las ordenanzas de los Dioses. Estalla ahora de pronto una amarga batalla en el corazón de Valinor y esos guardas son asesinados, incluso mientras la paz y el regocijo en Taniquetil a lo lejos son muy grandes; a decir verdad, por esa razón nadie oyó los gritos. Ahora Melko sabía que habría por siempre guerra entre él y todos los demás habitantes de Valinor, porque había matado a los Noldoli —huéspedes de los Valar— ante las puertas de sus propias moradas. Por su propia mano en efecto había dado muerte a Bruithwir, padre de Fëanor[3], e irrumpiendo en esa casa de piedra que él defendía puso sus manos sobre las más gloriosas de las gemas, los Silmarils, guardados en un cofre de marfil. Saquea todo ese gran tesoro de gemas, y cargando él y sus compañeros todo lo que pueden, busca cómo podría escapar.

»Debes saber que Oromë tenía grandes establos y un terreno de crianza de buenos caballos no muy lejos de ese sitio, donde había crecido un espeso bosque salvaje. Allí se dirige Melko furtivamente, y captura una manada de caballos negros intimidándolos con el terror que fue capaz de suscitar. Toda la compañía de ladrones se aleja a caballo después de destruir las cosas de menor valor que consideran imposible cargar. Trazando una vasta vuelta y avanzando con la velocidad de un huracán, velocidad que sólo los caballos divinos de Oromë montados por los hijos de los Dioses pueden conseguir, sortean Valmar desde lejos por el oeste, pasando por regiones no holladas donde la luz de los Árboles era débil. Mucho antes de que la gente descendiera de

Taniquetil y mucho antes del final de la fiesta y de que los Noldoli volvieran a sus casas y las encontraran saqueadas, Melko y sus
[¿ladrones?] habían cabalgado hacia el sur más profundo, habían encontrado allí un lugar bajo entre las montañas, y habían
entrado en las llanuras de Eruman. Bien podrían Aulë y Tulkas
lamentar su descuido dejando ese lugar tan bajo mucho tiempo
atrás, cuando levantaron aquellas colinas para evitar el paso de
todo mal desde el llano, pues ése era el lugar por donde acos-
tumbraban a entrar en Valinor después de sus excavaciones en
los campos de Arvalin[4]. Se dice en verdad que esta cabalgata
en semicírculo, laboriosa y peligrosa como fue, no era parte en
un principio del plan de Melko, pues antes se había propuesto
ir hacia el norte por sobre los pasajes cerca de Mandos; pero se
le advirtió que no lo hiciera, pues Mandos y Fui nunca abandonaban esos reinos, y su gente infestaba todas las hondonadas y
precipicios de las montañas del norte, y a pesar de toda aquella
lobreguez, Mandos no era un rebelde contra Manwë, ni un ins-
tigador de acciones malvadas.

»Muy lejos al norte (si se es capaz de resistir los fríos, como
Melko), se dice en las viejas leyendas que los Grandes Mares se
estrechan hasta convertirse en una cosa reducida, y sin ayuda de
barcas Melko y los suyos podrían haber entrado así en el mundo
sin problemas; pero no lo hicieron, y el triste cuento siguió su
curso designado, de lo contrario los Dos Árboles podrían haber
brillado aún, y los Elfos cantarían todavía en Valinor.

»Al fin acaba el día del festival y vuelven los Dioses a Valmar
por el blanco camino desde Kôr. Las luces titilan en la ciudad
de los Elfos y en ella reina la paz, pero los Noldoli se trasladan
tristemente por la llanura a Sirnúmen. Silpion resplandece a
esa hora, y antes de que la luz se atenúe, el primer lamento por
los muertos que se oyera en Valinor surge desde ese valle rocoso, pues Fëanor lamenta la muerte de Bruithwir; y muchos otros
Gnomos junto a él descubren que los espíritus de sus muertos
han volado camino de Vê. Entonces los mensajeros cabalgan de
prisa a Valmar llevando la noticia de esos hechos, y allí encuentran a Manwë, pues no había abandonado todavía esa ciudad
para dirigirse a su morada en Taniquetil.

»—¡Ay, oh Manwë Súlimo! —claman—, el mal ha horada-
do las Montañas de Valinor y ha caído sobre Sirnúmen de la

Llanura. Allí yace muerto Bruithwir, progenitor de Fëanor[5], y
muchos de los Noldoli junto a él, y todo nuestro tesoro de gemas y cosas hermosas y el amante trabajo de nuestras manos y
corazones durante tantos años ha sido robado. ¿Adónde ha ido,
oh, Manwë, cuyos ojos lo ven todo? ¿Quién ha cometido este
mal, pues los Noldoli claman venganza, oh, el más [¿justo?]?

»Entonces les dijo Manwë: —¡He aquí, oh, Hijos de los Noldoli, que mi corazón se entristece por vosotros, pues el veneno
de Melko os ha cambiado ya, y la codicia ha entrado en vuestros
corazones! Pues si no hubierais considerado vuestras gemas y
vuestras telas[6] de mayor valor que el festival de las gentes o las
ordenanzas de Manwë, vuestro señor, esto no habría sucedido, y
Bruithwir go-Maidros y aquellos otros desventurados serían aún
con vida y no peligrarían vuestras joyas. Lo que es más, mi sabiduría me enseña que, por causa de la muerte de Bruithwir y sus
camaradas, los más grandes males caerán sobre los Dioses y los
Elfos, y sobre los Hombres por venir. Sin los Dioses que os trajeron a la luz y os facilitaron todos los materiales de vuestra artesanía, instruyendo a vuestra primitiva ignorancia, ninguna de estas bellas cosas que tanto amáis hubiera llegado a ser; lo que fue
hecho puede ser hecho otra vez, pues el poder de los Valar no
cambia; pero valiosas que toda la gloria de Valinor y toda la gracia y la belleza de Kôr son la paz y la felicidad y la sabiduría, y
éstas, una vez perdidas, son más difíciles de recobrar. Cesad,
pues, de murmurar y hablar en contra de los Valar, o pensar en
vuestros corazones que sois iguales a ellos en majestad; en lugar
de eso partid ahora en penitencia, sabiendo sin duda que Melko
ha obrado este mal contra vosotros, y que vuestro trato secreto
con él os ha traído toda esta pérdida y dolor. Por lo tanto no
volváis a confiar en él, ni en ningún otro que susurre palabras
secretas de descontento entre vosotros, pues su fruto inevitable
es la humillación y el desaliento.

»Y la embajada se sintió avergonzada y amedrentada y volvió
completamente abatida a Sirnúmen; sin embargo, más pesadumbre había en el corazón de Manwë que en el de ellos, pues
mal estaban las cosas en verdad, y sin embargo preveía que estarían todavía peor; y así se resolvieron los destinos de los Dioses,
pues he aquí que a los Noldoli las palabras de Manwë les parecieron frías y desalmadas, y no conocían su dolor y su ternura; y

Manwë pensó que habían cambiado de un modo extraño y que estaban volcados hacia una codicia que sólo busca la comodidad, como niños con el corazón pleno de la pérdida de sus hermosas cosas.

»Ahora Melko se encuentra en las tierras baldías de Arvalin y no sabe cómo escapar, pues la oscuridad es allí muy grande, y no conoce esas regiones que se extienden hasta el sur más extremo. Por tanto, envió un mensajero proclamando el derecho inviolable de un heraldo (aunque éste fuera un sirviente renegado de Mandos al que Melko había pervertido) por el pasaje a Valinor, y allí, erguido ante las puertas de Valmar[7], pidió audiencia a los Dioses; y se le preguntó de dónde venía, y él dijo que de parte del Ainu Melko, y Tulkas le habría arrojado piedras desde los muros y lo habría matado, pero los otros no permitieron que se le maltratara, y a pesar de su enfado y aversión lo dejaron pasar a la amplia plaza de oro ante las estancias de Aulë. Y a la misma hora se enviaron jinetes a Kôr y a Sirnúmen convocando a los Elfos, pues se supuso que este asunto les atañía de cerca. Cuando todo estuvo pronto, el mensajero se colocó junto a la aguja de oro puro en la que Aulë había escrito la historia del encendido del Árbol de oro (en las estancias de Lórien se levantaba una de plata con otro cuento), y de pronto Manwë dijo: —¡Habla! —y su voz fue como el restallido de un trueno iracundo, y las estancias resonaron; pero el embajador, inmutable, transmitió su mensaje, diciendo:

»—El Señor Melko, regidor del mundo desde el este más oscuro hasta las cuestas exteriores de las Montañas de Valinor, a sus parientes los Ainur. He aquí que en compensación por diversas graves afrentas y por largo tiempo de injusto cautiverio a pesar de la nobleza de su condición y su sangre que ha sufrido a vuestras manos, ha tomado ahora, como le es debido, ciertos pequeños tesoros que guardaban los Noldoli, vuestros esclavos. Le es muy penoso haberse visto obligado a matar algunos para ello, pues debido a la maldad que abrigaban sus corazones le habrían hecho daño; sin embargo, eliminará de la memoria su blasfemo intento, y todas las pasadas injurias que vosotros los Dioses le habéis hecho las olvidará mostrando su presencia una vez más en ese sitio llamado Valmar, si prestáis oídos a sus condiciones y las satisfacéis. Pues debéis saber que los Noldoli deberán ser sus sirvientes y adornarle una casa; además, por su derecho exige... —pero en ese momento, mientras el heraldo alzaba aún más su voz henchido con aquellas palabras de insolencia, tan grande fue la ira de los Valar que Tulkas y varios de los de su casa saltaron sobre él y, asiéndole, le taparon la boca, y hubo tumulto en la plaza del consejo. En verdad Melko no pretendía ganar nada, salvo tiempo y la confusión de los Valar mediante esta embajada de insolencia.

»Entonces Manwë ordenó a Tulkas que soltara al heraldo, pero se alzaron los Dioses clamando con una sola voz: —Ése no es un heraldo, sino un rebelde, un ladrón y un asesino.

»—Ha mancillado la santidad de Valinor —gritó Tulkas— y nos ha arrojado su insolencia a los dientes—. La opinión de todos los Elfos era unívoca en esta cuestión. No tenían ninguna esperanza de recobrar las joyas salvo mediante la captura de Melko, que era ahora asunto fuera de toda esperanza, pero no estaban dispuestos a parlamentar de ninguna manera con Melko y lo tratarían como a un criminal, a él y a todos los suyos. (Y esto era lo que quiso decir Manwë al afirmar que la muerte de Bruithwir sería la raíz del más grande de los males, pues fue ese asesinato lo que más inflamaba tanto a los Dioses como a los Elfos)[8].

»Con este fin hablaron en los oídos de Varda y de Aulë, y Varda abrazó su causa ante Manwë, y Aulë lo hizo más decididamente todavía, pues su corazón estaba también dolido por el robo de tantas cosas de exquisita artesanía y manufactura; pero Tulkas Poldórëa no necesitaba ruegos, pues estaba inflamado de ira. Ahora bien, todos estos abogados conmovieron al consejo con sus palabras, de modo que al final fue decisión de Manwë que se enviara un mensaje de rechazo a las palabras de Melko y desterrarlo por siempre de Valinor junto con todos sus seguidores. Estas palabras le habría dirigido al embajador, ordenándole que fuera con ellas al encuentro de su amo, pero los pueblos de los Vali y de los Elfos se opusieron rotundamente, y conducidos por Tulkas llevaron al renegado al pico más alto de Taniquetil y allí, declarando que no era ningún heraldo y tomando como testigos a la montaña y las estrellas, lo arrojaron sobre las piedras de Arvalien, de modo que murió, y Mandos lo recibió en sus cavernas más profundas.

»Entonces Manwë, al ver en esta rebelión y su acto de violencia la semilla de la amargura, arrojó su cetro y lloró; pero los otros se dirigieron a Sorontur, Rey de las Águilas sobre Taniquetil, y mediante él se transmitieron las palabras de Manwë a Melko: —Márchate para siempre, oh maldito, no te atrevas nunca más a parlamentar con los Dioses ni con los Elfos. Tampoco tu pie ni el de nadie que te sirva volverán a pisar el suelo de Valinor mientras exista el mundo—. Y Sorontur buscó a Melko y le comunicó lo ordenado, y de la muerte de su embajador le informó [¿también?]. Entonces Melko habría matado a Sorontur, loco de furia por la muerte de su mensajero; y en verdad este hecho no estaba de acuerdo con la estricta justicia de los Dioses, por muy tentada que se sintiera la cólera de aquellos que estaban en Valmar; pero Melko se lo ha echado siempre en cara a los Dioses con extrema amargura, retorciéndolo y convirtiéndolo en un negro cuento de malicias; y entre el maligno y Sorontur hubo siempre desde entonces odio y guerra, más amarga todavía cuando Sorontur y los suyos se dirigieron a las Montañas de Hierro e hicieron de ellas su morada, vigilando todo lo que Melko hacía.

»Acude ahora Aulë a Manwë y le habla con palabras alentadoras, diciéndole cómo Valmar aún se mantiene intacta y que las Montañas son altas y un bastión seguro en contra del mal. —He aquí que si Melko desata otra vez conmoción en el mundo, ¿acaso no fue ya antes encadenado? Pues puede serlo otra vez; pero, mirad, pronto Tulkas y yo taparemos ese paso que lleva a Erumáni y los mares, para que Melko nunca pueda volver por ese camino.

»Pero Manwë y Aulë planean apostar guardias por todas esas montañas hasta el momento en que se conozcan los designios de Melko y los sitios de su morada.

»Entonces empieza Aulë a hablarle a Manwë acerca de los Noldoli, y ruega mucho por ellos diciendo que Manwë, absorto y ansioso, apenas ha cuidado de ellos, y que en verdad el mal había provenido sólo de Melko, mientras que los Eldar no son esclavos ni sirvientes, sino seres de una dulzura y una belleza maravillosas; que eran por siempre los huéspedes de los Dioses. Por lo tanto Manwë les ofrece volver a Kôr, y si lo desean, ocuparse de nuevo en la hechura de gemas y de telas, y que todas las cosas de belleza y valor que pudieran necesitar para sus trabajos les serían dadas aún con más prodigalidad que antes.

»Pero cuando Fëanor escuchó esta oferta, dijo: —Sí, pero ¿quién nos devolverá ese corazón dichoso sin el que los trabajos de encanto y magia no pueden hacerse? Y Bruithwir ha muerto, y muerto está también mi corazón—. Muchos, no obstante, regresaron a Kôr, y algo se recobró de la vieja alegría, aunque debido a la felicidad disminuida de sus corazones, sus esfuerzos no resultaron en gemas del lustre y la gloria de antaño. Pero Fëanor se quedó viviendo con unos pocos en Sirnúmen, hundido en la pena, y aunque día y noche lo intentaba no pudo nunca hacer joyas que se asemejaran a los antiguos Silmarils, que Melko le había arrebatado; ni tampoco, en verdad, lo ha logrado desde entonces ningún artesano. Por fin abandona el intento, prefiriendo más bien sentarse junto a la tumba de Bruithwir, llamada el Montículo de la Primera Pena*, y el nombre era muy adecuado, por todo el dolor que sobrevino como consecuencia de la muerte del que allí yacía. Allí rumió Fëanor amargos pensamientos, hasta que los vapores negros de su corazón le nublaron el cerebro, y se levantó y se encaminó a Kôr. Allí les habló a los Gnomos de sus males y sus penurias y de su fortuna y su gloria disminuidas, pidiéndoles que abandonaran la prisión de esa morada y fueran al mundo: —Los Valar se han vuelto cobardes; pero los corazones de los Eldar no son débiles, y veremos aquello que nos pertenece, y si no lo obtenemos a hurtadillas lo obtendremos por la violencia. Debe haber guerra entre los Hijos de Ilúvatar y Ainu Melko. ¿Qué, si perecemos en el intento? Las oscuras estancias de Vê son sólo un poco peores que esta brillante prisión...[9] —Y prevaleció sobre algunos otros, decidiéndose ir en persona ante el mismo Manwë y exigir que se permitiera a los Noldoli abandonar Valinor en paz, y ser puestos sin riesgo por los Dioses en las costas del mundo desde donde una vez habían sido trasladados.

»Entonces se entristeció Manwë por su pedido, y prohibió a los Gnomos pronunciar semejantes palabras en Kôr si deseaban todavía morar allí entre los otros Elfos; pero luego, abandonando

---

* En el margen aparecen escritos los nombres gnómicos: *«Cûm a Gumlaith o Cûm a Thegranaithos»*.

la aspereza, les contó muchas cosas acerca del mundo y sus cualidades y los peligros que ya había allí, y lo peor que podría advenir pronto por causa del regreso de Melko. —Mi corazón siente y mi sabiduría me dicta —dijo— que ya no transcurrirá una edad muy prolongada antes de que aquellos otros Hijos de Ilúvatar, los padres de los padres de los Hombres, entren en el mundo... y he aquí que está cantado en la inalterable Música de los Ainur que al final y por un largo tiempo los Hombres gobernarán el mundo; sin embargo, si esto será para bien o para mal, Ilúvatar no lo ha revelado, y no me gustaría ver que la lucha o el miedo o el enfado se interpusieran entre los diferentes Hijos de Ilúvatar, y de buen grado dejaría durante más de una edad el mundo vacío de seres que pudieran luchar contra los Hombres recién llegados o dañarlos antes que sus clanes se hayan fortalecido, mientras las naciones y los pueblos de la Tierra sean infantes todavía—. A esto agregó muchas palabras referentes a los Hombres y a su naturaleza y a las cosas que les acaecerían, y los Noldoli se asombraron, pues no habían oído a los Valar hablar de los Hombres, salvo rara vez; y no les habían prestado mucha atención entonces, pensando que esas criaturas eran débiles y ciegas y torpes y hendidos por la muerte, y de ningún modo capaces de igualar la gloria de los Eldalië. Por tanto ahora los Noldoli, aunque Manwë había aliviado de este modo su corazón con la esperanza de que ellos, al ver que no se esforzaba sin propósito o motivo, se serenaran y confiaran más en su amor, se sintieron asombrados al descubrir que los Ainur daban tal importancia a la idea de los Hombres, y las palabras de Manwë lograron lo contrario de lo que se proponía; pues Fëanor en su amargura las retorció dándoles una apariencia malvada cuando se encontró una vez más ante las multitudes de Kôr y pronunció estas palabras:

»—¡He aquí que conocemos ahora la razón por la que nos han traído a este mundo como un cargamento de hermosos esclavos! Ahora por fin se nos cuenta con qué objetivo se nos tiene encerrados aquí, privados de nuestra heredad en el mundo, privados del gobierno de las anchas tierras por temor quizá de que no las cedamos a una raza no nacida todavía. A ellos en primer lugar, a un pueblo triste, dotado de rápida mortalidad, una raza de excavadores en las sombras, torpes de mano, sin afinación para el canto o la música, que monótonamente labrarán la tierra con sus rudas herramientas; a esos que también son de Ilúvatar, según dice Manwë Súlimo, Señor de los Ainur, quiere darles el mundo y todas las maravillas de la tierra y todas sus sustancias ocultas, entregar a éstos lo que es nuestra heredad. ¿O a qué obedece si no hablar de los peligros del mundo? Un truco para engañarnos, ¡una máscara de palabras! Oh, todos vosotros, hijos de los Noldoli, los que no queráis ser sirvientes en la casa de los Dioses, por blanda que sea la servidumbre, levantaos, os lo pido, y salid de Valinor, porque ahora ha llegado la hora y el mundo espera.

»En verdad es cuestión de gran asombro la sutil astucia de Melko, pues en esas salvajes palabras quién podría negar que se ocultaba el aguijón de la verdad deformada, ni dejaría de sorprenderse al ver las palabras del mismo Melko salir de boca de Fëanor, su enemigo, que ni sabía ni recordaba de dónde provenía la fuente de sus propios pensamientos; sin embargo, quizá el [¿extremo?] origen de estas cosas tan tristes era anterior aun a Melko, y tales cosas han de ser así por fuerza, y el misterio de los celos de los Elfos y los Hombres es un acertijo no resuelto, uno de los dolores en las oscuras raíces del mundo.

»Sean como fueren estas cosas tan profundas, la fiereza de las palabras de Fëanor le granjearon instantáneamente un buen número de seguidores, porque un velo parecía cubrir el corazón de los Gnomos... y quizá aun esto era conocido por Ilúvatar. Sin embargo, Melko se habría regocijado al oírlo, viendo que su mal daba frutos más allá de sus propias esperanzas. Ahora, no obstante, el maligno yerra por las oscuras llanuras de Eruman, y más lejos al sur, donde nadie ha penetrado nunca, encontró una región de profunda sombra, y le pareció por el momento un buen sitio donde esconder su tesoro robado.

»De modo que busca hasta que encuentra una caverna oscura en las colinas, y telas de oscuridad se extienden allí por doquier, de modo que se podía sentir el aire negro, pesado y sofocante alrededor de la cara y las manos. Muy profundos y serpenteantes eran esos túneles, y tenían una salida subterránea al mar según cuentan los libros antiguos, y aquí, en un tiempo, estuvieron después[10] cautivos Luna y Sol; porque aquí vivía el espíritu primordial Móru, que ni los Valar siquiera sabían de dónde o cuándo había venido, y la gente de la Tierra le ha dado muchos nombres. Quizá las nieblas y la oscuridad de los confines de los Mares Sombríos la criaron en esa completa oscuridad que sobrevino entre la caída de las Lámparas y el encendido de los Árboles, pero lo más probable es que haya sido así siempre; y todavía le gusta habitar en ese sitio negro adoptando la forma de una horrible araña, tejiendo una red colgante de tinieblas que atrapa en su tela estrellas y lunas y todas las cosas brillantes que surcan los aires. En verdad fue a causa de sus trabajos que tan poca de la luz desbordante de los Dos Árboles fluyó nunca por el mundo, pues succionaba codiciosa la luz y de ella se alimentaba, pero en cambio sólo producía una oscuridad tal que es la negación de toda luz. Ungwë Lianti, la gran araña que lo atrapa todo, la llamaban los Eldar, dándole también el nombre de Wirilómë o Tejedora de Tinieblas, y los Noldoli hablan todavía de ella como Ungoliont la araña, o como Gwerlum la Negra.

»Ahora bien, entre Melko y Ungwë Lianti hubo amistad desde un principio, cuando ella lo encontró junto con los suyos errando en las cavernas que le pertenecían; pero la Tejedora de Tinieblas se sintió fascinada por el resplandor de ese tesoro de joyas tan pronto como lo vio.

»Melko había saqueado a los Noldoli, y había llevado anteriormente el dolor y la confusión a Valinor por mucho menos que ese tesoro, pero ahora tenía en manos un plan ambicioso, más oscuro y profundo todavía; y, por lo tanto, al ver la codicia en los ojos de Ungwë le ofrece todo el tesoro, reservándose sólo los tres Silmarils, si ella lo apoya en este nuevo plan. Esto lo acepta ella prontamente, y así pasó todo ese tesoro de gemas adorables, más bellas que cualquier otra que el mundo hubiera visto, al inmundo cuidado de Wirilómë, y quedó envuelto en telas de oscuridad y profundamente escondido en las cavernas de las laderas orientales de las grandes montañas que constituyen la frontera austral de Eruman.

»Pensando que era el momento de atacar mientras Valinor estaba todavía alborotada y sin esperar a que Aulë y Tulkas bloquearan el pasaje en las colinas, Melko y Wirilómë entraron furtivamente en Valinor y se escondieron en un valle al pie de las colinas hasta que Silpion estuvo en flor; pero todo ese tiempo la Tejedora de Tinieblas continuó tejiendo sus hebras más ligeras y sus sombras de maligno hechizo. Deja entonces que se vayan flotando de modo que, en lugar de la bella luz plateada de Silpion sobre la llanura occidental de Valinor, avanza ahora una tiniebla incierta y mortecina, y unas luces débiles se estremecen en ella. Después arroja una capa negra de invisibilidad sobre Melko y sobre ella misma y avanzan en secreto por la llanura, y los Dioses se sienten intrigados y los Elfos en Kôr tienen miedo; no obstante no ven todavía en esto la mano de Melko, pensando sin embargo que se trata de alguna de las obras de Ossë, que a veces con sus tormentas provocaba grandes nieblas y oscuridad que flotaban hasta los Mares Sombríos, cubriendo incluso los aires brillantes de Valinor; aunque esto enfadaba tanto a Ulmo como a Manwë. Entonces envió Manwë una dulce brisa occidental con la que acostumbraba en esas ocasiones a barrer los humores marinos de vuelta hacia el este y sobre las aguas, pero un hálito tan gentil de nada sirvió contra la noche tejida, pesada y colgante, que Wirilómë había extendido en todas direcciones. Así fue que, sin ser percibidos, Melko y la Araña de la Noche llegaron a las raíces de Laurelin, y Melko, convocando todo su divino poder, hundió una espada en el bello tronco, y el fogoso resplandor que brotó de él lo habría consumido sin duda incluso mientras retiraba la espada, si la Tejedora de Tinieblas no se hubiera echado encima y lo hubiera lamido sedienta, aplicando los labios a la herida abierta en la corteza y succionando por completo su fuerza y su vida.

»Por mala fortuna, este hecho no fue advertido enseguida, pues era la hora del más profundo reposo al que acostumbraba Laurelin, que ya nunca volvería a despertar a la gloria, derramando belleza y alegría delante de los Dioses. Por causa de ese gran trago de luz, un repentino orgullo surgió en el corazón de Gwerlum, y no escuchó las advertencias de Melko, sino que siguió succionando hasta casi alcanzar las raíces de Silpion, y echó a borbotones malignos vapores de noche que fluyeron como ríos de negrura aun hasta las puertas de Valmar. Ahora toma Melko el arma que le queda, un cuchillo, y hiere con él el tronco de Silpion tantas veces como el tiempo lo permite; pero un Gnomo llamado Daurin (Tórin) que venía de Sirnúmen con gran acopio de malas nuevas lo ve, y se precipita hacia él con grandes gritos. Tan grande fue la arremetida de este Gnomo

impetuoso que, antes de que Melko se diera cuenta, había ataca-
do a Wirilómë, repantigada en el suelo en su forma de araña.
Ahora bien, esa hoja esbelta que Daurin esgrimía era de la forja
de Aulë y había sido mojada en *miruvor,* de lo contrario nunca
hubiera logrado hacer daño a ese [¿ser?] secreto, pero ahora le
parte una de las grandes patas, y la hoja se mancha con un negro
cuajarón, un veneno para todas las [¿cosas?] cuya vida es la luz.
Entonces, retorciéndose, Wirilómë arroja una hebra sobre Daurin de la que no puede desprenderse, y Melko, implacable, lo
apuñala. Enseguida, arrebatando la esbelta hoja brillante del
puño agónico de Daurin, la clava profundamente en el tronco de
Silpion, y la ponzoña de Gwerlum, negra en la hoja, secó la savia
misma y la esencia del árbol, y su luz se redujo súbitamente a tan
sólo un resplandor mortecino en el crepúsculo impenetrable.
»Entonces Melko y Wirilómë se volvieron y huyeron, no demasiado pronto, porque algunos que venían detrás de Daurin,
viéndolo caer, escaparon con miedo hacia Kôr y Valmar, trope-
zando enloquecidamente en la oscuridad, pero ya los Valar vienen cabalgando por la llanura tan de prisa como les es posible,
aunque demasiado tarde para defender a los Árboles, que ahora saben que están en peligro.
»Ahora esos Noldoli confirman los temores de los Valar
cuando cuentan cómo Melko es en verdad el autor de la fecho-
ría, y sienten sólo un deseo: ponerle las manos encima y también a sus cómplices antes de que puedan escapar más allá de
las montañas.
»Tulkas está a la vanguardia de esa gran cacería, saltando
con pie seguro en la penumbra, y Oromë no puede mantenerse
a su altura, pues ni siquiera su divino corcel alcanza a precipitar-
se con tanta rapidez en la noche creciente como Poldórëa en la
fogosidad de su ira. Ulmo oye los gritos desde su morada en Vai,
y Ossë [¿asoma?] la cabeza por sobre los Mares Sombríos, y al
no ver ya luz alguna que descienda por el valle de Kôr salta sobre la playa de Eldamar y corre de prisa para unirse a los Ainur
en su persecución. Ahora el único sitio iluminado que queda en
Valinor es ese jardín donde la fuente dorada manaba desde Kulullin, y Vána y Nessa y Urwen y muchas doncellas y señoras de
los Valar estaban anegadas en lágrimas, pero Palúrien ciñe a su
señor que espera impaciente, y Varda ha venido cabalgando

desde Taniquetil al lado de su señor llevando una estrella cente-
lleante delante de él como una antorcha.

»Telimektar, hijo de Tulkas, se encuentra entre esa gente
noble, y su rostro y sus armas brillan como la plata en la oscuridad, pero ahora todos los Dioses y toda su gente cabalgan aquí y
allá, y algunos llevan en la mano antorchas [¿presurosas?], de
modo que la llanura está sembrada de pálidas luces errantes y
del sonido de voces que llaman en la penumbra.

»Aun mientras Melko escapa, la vanguardia de la cacería
pasa junto a los Árboles, y por poco los Vali no se desmayan de
angustia ante la ruina que allí ven; pero ahora Melko y algunos
de sus camaradas, anteriormente hijos de Mandos, se separan de
Ungwë quien, envuelta en la noche, vuelve a su casa cruzando
sobre las montañas hacia el sur; y los que participaban en la cacería ni siquiera se acercaron a ella, pero los otros escapan hacia el norte con gran rapidez, pues los camaradas de Melko conocen bien las montañas, y tienen la esperanza de conseguir que
[¿él?] las atraviese. Por fin llegaron a un sitio donde los velos de
sombra eran finos, y un grupo de Vali dispersos alcanzó a verlos,
y Tulkas estaba en él; y con un gran rugido salta entonces sobre
ellos. En verdad habría habido una batalla en el llano entre
Tulkas y Melko si la distancia no hubiera sido excesiva; y aunque
Tulkas ganase terreno hasta estar a tiro de lanza de Melko, un
cinturón de niebla cubrió una vez más a los fugitivos, y la risa
burlona de Melko parece venir primero de un sitio, después de
otro, ahora casi junto a él, ahora desde muy por delante, y
Tulkas se sume en un salvaje frenesí y Melko escapa.

»Entonces Makar y Meássë cabalgaron a toda prisa hacia el
norte con sus gentes, despertando a Mandos y ordenando que
se monte guardia en los senderos de las montañas, pero o bien
Makar llegó demasiado tarde, o bien la astucia de Melko los derrotó; y la mente de Makar no era demasiado sutil, pues ni siquiera llegaron a atisbar a ese Ainu, que sin duda escapó por
allí, y obró muchos males después en el mundo, aunque nadie
me ha contado aún cómo fue su peligroso viaje de regreso, de
vuelta a los reinos helados del norte.

NOTAS

1   Véase *La Llegada de los Elfos.*

2   *Lirillo* aparece en la lista de los nombres secundarios de los Valar, de la que hay una referencia anterior como nombre de Salmar Noldorin.

3   «Padre de Fëanor» es la lectura final después de un largo período de duda entre «hijo de Fëanor» y «hermano de Fëanor».

4   Para leer la historia de la obtención de rocas y piedras en Arvalin (Eruman) usadas para levantar las Montañas de Valinor, véase *La Llegada de los Valar.*

5   «Progenitor de Fëanor» es una corrección de «hijo de Fëanor»; véase nota 3.

6   Después de la palabra «telas» aparecía la oración siguiente, que fue luego tachada: «que los Dioses habrían podido crear, si lo hubieran querido, en una hora»; oración notable por sí misma, y también por haber sido eliminada.

7   La página del manuscrito que empieza con las palabras «ante las puertas de Valmar» y termina con «inmutable, transmitió su mensaje diciendo» está escrita alrededor del pequeño mapa del mundo reproducido y descrito en *La Llegada de los Valar.*

8   En esta parte del cuento el manuscrito está compuesto de pasajes separados, unidos entre sí por líneas; el sitio de esta oración no queda del todo claro, pero lo más probable es que éste sea el correcto.

9   Los puntos figuran en el original.

10 «después» es una corrección de «antiguamente». En el margen, junto a esta frase, hay un punto de interrogación.

Cambios de nombres en
El robo de Melko y el oscurecimiento de Valinor

Ellu Melemno < *Melemno* (en el Capítulo V, en una oración añadida, el líder de los Solosimpi es *Ellu*).

Sirnúmen < *Numessir* (en las dos primeras apariciones, luego se escribió directamente *Sirnúmen*).

Eruman < *Hannalin* < *Habbanan.*

Arvalin < *Harvalien* < *Habbanan* < *Harvalien* < *Harmalin; Arvalien* así escrito por primera vez en la pág. 186.

Bruithwir reemplaza a un nombre anterior, probablemente *Maron.*

Bruithwir go-Maidros < *Bruithwir go-Fëanor, go–* es un patronímico, «hijo de». Véanse notas 3 y 5 más arriba.

Móru   Este nombre podría leerse igualmente bien como *Morn*, como en otras apariciones ocasionales en otros lugares (véase el Apéndice sobre los Nombres). Reemplaza aquí a otro nombre, probablemente *Mordi*.

Ungoliont < *Gungliont.*

Daurin (Tórin)   Decía originalmente *Fëanor en su primera aparición*, corregido luego por (?) *Daurlas....... emparentado con Fëanor* y más tarde por *un Gnomo llamado Daurin (Tórin)*. Las siguientes veces que aparece *Daurin* son correcciones de *Fëanor*.

Comentario a
El robo de Melko y el oscurecimiento de Valinor

La historia de la corrupción de los Noldoli por Melko fue contada finalmente de modo muy distinto; porque allí comenzaba el asunto de la disputa entre los hijos de Finwë, Fëanor y Fingolfin *(El Silmarillion)*, de la que no hay huellas en el cuento, en el que, de cualquier modo, Fëanor no es el hijo de Finwë Nólemë, sino de un tal Bruithwir. El motivo primordial de la posterior historia, el deseo que experimenta Melkor de apoderarse de los Silmarils *(ibid.)*, está aquí representado tan sólo por el deseo de la posesión de las gemas de los Noldoli en general: es ciertamente un rasgo notable de la mitología original que, aunque los Silmarils estaban presentes, tenían relativamente escasa importancia. Hay una característica esencial en común con la historia posterior: que el objeto del ataque de Melko son los Noldoli, y hay una semejanza bastante estrecha, aunque limitada, en los argumentos que utilizó: el confinamiento de los Elfos en Valinor por los Valar y las amplias regiones en el este que por derecho les pertenecían; pero está notablemente ausente de las palabras de Melko toda referencia a la llegada de los Hombres: este elemento se introduce en el cuento más tarde y de manera del todo diferente por el mismo Manwë. Lo que es más, la particular asociación de los Noldoli con el Vala malvado surge del deseo que tiene éste de poseer sus gemas; en *El Silmarillion* los Noldor recurren a él por las enseñanzas que podría procurarles, mientras que los otros linajes se mantuvieron apartados.

A partir de este punto las narraciones divergen por completo; porque la secreta maldad de Melkor en *El Silmarillion* salió a la luz como resultado de una indagación sobre la disputa de los príncipes Noldorin, mientras que aquí la revelación procede simplemente de la ansiedad

que le provoca a Finwë Nólemë la inquietud de su pueblo. La historia
posterior es, por supuesto, muy superior, dado que Melkor fue perseguido por los Valar como un enemigo conocido tan pronto como se
supo de sus maquinaciones (aunque escapó), mientras que en el cuento, a pesar de que haya en él pruebas decisivas de que no se había re-
formado, sólo se le ordena que se retire a meditar en Mandos. En *El
Silmarillion* está presente el germen de la historia del destierro de Fëanor en Formenos, adonde fue acompañado por Finwë, aunque aquí se
ordena abandonar Kôr a todo el pueblo de los Noldoli y dirigirse al
escarpado valle del norte, donde el río Híri se hundía bajo tierra, y la
orden parece haber sido menos un castigo que les impuso Manwë que
una precaución y una salvaguardia.

En relación con el lugar del destierro de los Noldoli, llamado aquí
Sirnúmen («Corriente Occidental»), puede mencionarse que, en una
nota aislada del pequeño cuaderno al que nos hemos referido, se afirma: «El río de la segunda morada rocosa de los Gnomos en Valinor
era *kelusindi*, y la fuente que le daba origen *kapalinda*».

Muy notable es el pasaje en el que se dice que Manwë sabía que
«los Elfos eran hijos del mundo y que algún día deberían volver a su
seno». Como he observado antes, "el mundo" frecuentemente equivale a las Grandes Tierras, y este uso se da repetidamente en este cuento,
pero no me queda claro si éste es el sentido en el que se emplea aquí.
Me inclino a pensar que el sentido de la frase es que en ocasión del
«Gran Final» los Eldar, estando atados a la Tierra, no podrán volver
con los Valar y los espíritus que existieron «antes que el mundo» a las
regiones de donde vinieron (cf. la conclusión del original de La *Música de los Ainur*).

En cuanto al robo de las joyas, la estructura de la narración es una
vez más radicalmente diferente de la historia posterior, pues en ésta el
ataque de Melkor a los Noldor en Formenos, el robo de los Silmarils y
el asesinato de Finwë tienen lugar *después* del encuentro con Ungoliant en el sur y la destrucción de los Dos Árboles; Ungoliant estaba
con él en Formenos. Tampoco hay en la primera versión ninguna
mención de la visita previa de Melko a Formenos (*El Silmarillion*,
cap. 7), después de la cual pasó a través de Calacirya y se dirigió hacia
el norte costa arriba, regresando luego en secreto a Avathar (Arvalin,
Eruman) en busca de Ungoliant.

Por otra parte, el gran festival ya figuraba como la ocasión para
que Melko robara los Silmarils de la morada de los Noldoli, aunque la
naturaleza del festival era totalmente diferente, pues sólo tenía un propósito conmemorativo (véase *El Silmarillion*, cap. 8), y formaba parte
necesariamente del propósito en el que los Solosimpi debieran estar

presentes (en *El Silmarillion* «Sólo los Teleri, más allá de las montañas, cantaban todavía a orillas del océano; pues poco caso hacían del paso del tiempo o las estaciones»).

De los oscuros cómplices de Melko provenientes de Mandos (de los que se dijo que algunos fueron «anteriormente hijos de Mandos») no hay en los siguientes relatos la menor huella, ni tampoco del robo de los caballos de Oromë; y mientras se dice aquí que Melko deseaba abandonar Valinor por los pasos de las montañas del norte, pero que luego lo pensó mejor (dando pie a una reflexión sobre cuál podría haber sido el destino de Valinor en otras circunstancias), en la historia posterior este movimiento hacia el norte era una maniobra fingida. Pero es interesante observar el germen de una narración en la otra, la idea subyacente de un movimiento hacia el norte y luego hacia el sur, incluso aunque tenga lugar en otro momento de la narración y una motivación diferente.

También es interesante la aparición de la idea de que un pariente íntimo de Fëanor —sólo después de muchas vacilaciones entre hermano e hijo, se decidió por el padre— fuera muerto por Melkor en la morada de los Noldoli, Sirnúmen, precursora de Formenos; pero el padre aún no había sido identificado como el Señor de los Noldoli.

En este pasaje hay algunas otras indicaciones geográficas menores. Los Dos Árboles estaban al norte de la ciudad de Valmar, tal y como se muestra en el mapa y, de acuerdo de nuevo con el mapa, las Grandes Tierras y las Tierras Exteriores se acercaron mucho en el norte lejano. Lo que es sumamente notable, el paso en las Montañas de Valinor que se muestra en el mapa y que yo señalé con la letra *e*, ahora recibe una explicación: «el valle profundo en las colinas» por el que Melko y sus seguidores abandonaron Valinor para entrar en Arvalin-Eruman, era un hueco dejado por Tulkas y Aulë para poder entrar en Valinor en la época en que se erigieron las montañas.

Casi nada sobrevivió de la parte siguiente de este cuento. El discurso que dirigió Manwë a los Noldoli desapareció (aunque parte de su contenido se expresa brevemente en otro lugar de la narración de *El Silmarillion*: «Los Noldor empezaron a murmurar contra ellos [los Valar], y el orgullo dominó a muchos, que olvidaron cuánto de lo que tenían y conocían era don de los Valar»). Es digno de mención que Manwë se refiera al padre de Fëanor, Bruithwir, por el patronímico *go-Maidros*: aunque el nombre Maidros sería después el del hijo mayor de Fëanor, no el de su abuelo, desde un principio estuvo asociado con los "Fëanorianos". No hay huella en textos posteriores de la extraña historia del sirviente renegado de Mandos que llevó a los Valar el ultrajante mensaje de Melko y que encontró la muerte al ser arrojado desde

Taniquetil por el irreprimible Tulkas, desobedeciendo directamente a Manwë; ni de que se enviara a Sorontur como mensajero de los Dioses a Melko (no se explica cómo Sorontur sabía dónde encontrarlo). Se dice aquí que después «Sorontur y los suyos se dirigieron a las Montañas de Hierro e hicieron de ellas su morada, vigilando todo lo que Melko hacía». He observado al comentar *El encadenamiento de Melko* que las Montañas de Hierro, que estaban al sur de Hisilómë, corresponden allí a las que más tarde se llamaron Montañas de la Sombra *(Ered Wethrin)*. Por otra parte, en *El cuento de Sol y de Luna*, después de huir de Valinor Melko edifica «nuevas estancias en esa región del norte donde se levantan las Montañas de Hierro, muy altas y terribles de contemplar»; y en el *Cuento de Turambar** original se dice que Angband estaba bajo las raíces de las fortalezas del extremo más septentrional de las Montañas de Hierro, y que estas montañas se llamaban así por «los Infiernos de Hierro» que se hallaban debajo. Que en este cuento se diga que Sorontur «vigilaba todo lo que Melko hacía» desde su morada en las Montañas de Hierro evidentemente implica también que Angband estaba debajo de ellas; y la historia de que Sorontur (Thorondor) tenía sus nidos sobre Thangorodrim antes de mudarlos a Gondolin sobrevivió largo tiempo en la tradición del "Silmarillion" (véase *Cuentos Inconclusos,* I). Hay pues, aparentemente, un uso contradictorio del término «Montañas de Hierro» en los *Cuentos Perdidos;* a no ser que pueda suponerse que esas montañas se concibieron como una cadena continua: la extensión meridional (las luego llamadas Montañas de la Sombra) constituirían el cercado austral de Hisilómë, mientras que los picos septentrionales, al encontrarse por sobre Angband, dieron a la cadena su nombre. Más adelante encontraremos pruebas de que esta era la idea.

En la historia original a los Noldoli de Sirnúmen se les da permiso (por intercesión de Aulë) para volver a Kôr, pero Fëanor se quedó allí sumido en la amargura en compañía de unos pocos; y de este modo se obtiene el ambiente del relato posterior —los Noldor en Tirion, pero Fëanor en Formenos—, pero está ausente el elemento del destierro de Fëanor y su regreso ilegal a la ciudad de los Elfos. Una diferencia subyacente digna de mención es que en *El Silmarillion* los Vanyar hacía ya mucho que habían partido de Tirion y se habían ido a vivir a Taniquetil o a Valinor: no hay la menor sugerencia de esto en el cuento antiguo; y por supuesto, hay una diferencia estructural fundamental entre la primitiva narración y la siguiente: cuando Fëanor enarbola el estandarte de la rebelión, los Árboles aún brillaban en Valinor.

---

* El título completo de este cuento es *El Cuento de Turambar y el Foalókë;* siendo el *Foalókë* el Dragón.

En el cuento parece haber transcurrido un largo tiempo después de la pérdida de los tesoros de los Noldoli, durante el cual se pusieron a trabajar otra vez con alegría disminuida, y Fëanor intentó en vano rehacer los Silmarils; este elemento, por supuesto, debe desaparecer en la estructura posterior y mucho más ajustada, en la que Fëanor (negándose a entregar los Silmarils a los Valar para la curación de los Árboles sin saber todavía que Melko los ha cogido) sabe sin tener que intentarlo que no puede rehacerlos, del mismo modo en que Yavanna no puede rehacer los Árboles.

La embajada de Fëanor y otros Noldoli ante Manwë pidiendo que los Dioses los trasladasen de regreso a las Grandes Tierras fue eliminada, y con ella las extraordinarias palabras que les dedica Manwë sobre la llegada de los Hombres, y su resistencia expresa a permitir que los Eldar regresen «al mundo», mientras los Hombres estuvieran todavía en su infancia. En *El Silmarillion* no hay la menor sugerencia de que Manwë tuviera esta idea en la mente (tampoco la hay de que el conocimiento de Manwë fuera tan grande); y en verdad, mientras que en la vieja historia fue la descripción que hizo Manwë de los Hombres y su actitud en relación con ellos lo que originó la retórica de Fëanor en contra de ellos y dio tan intenso colorido a su mención del verdadero motivo de los Valar para llevar a los Eldar a Valinor, en *El Silmarillion* estas ideas son parte de las mentiras de Melkor (he observado más arriba que en las palabras de persuasión que dirige Melko a los Noldoli no hay ninguna referencia a la llegada de los Hombres).

Otro elemento por lo demás desconocido en la Música de los Ainur se revela en las palabras de Manwë: que el mundo, al final, será gobernado durante mucho tiempo por los Hombres. En la versión original hay varias sugerencias en apartes reflexivos de que todo estaba predestinado: así pues, aquí «los celos de los Elfos y los Hombres» se conciben quizá como parte necesaria del desarrollo de la historia del mundo, y más pronto en el cuento se pregunta: «¿quién podría decir que todos estos hechos, aun la maldad aparentemente innecesaria de Melko, no fueran sino parte del destino fijado desde antaño?».

Pero a pesar de todos los cambios radicales en la narración, la nota característica de la retórica de Fëanor se mantuvo; el discurso que dirige a los Noldoli de Kôr se eleva sobre los mismos ritmos que el discurso que pronunciaría a la luz de las antorchas ante los Noldor de Tirion (*El Silmarillion*, cap. 7).

En la historia de Melko y Ungoliont se advierte que los elementos esenciales estaban presentes *ab initio*: la duda respecto al origen de esa criatura, su morada en las desoladas regiones del sur de las Tierras Exteriores, el hecho de que succionara luz para producir hebras de

oscuridad; su alianza con Melko, que él la recompensara con gemas
robadas a los Noldoli (aunque esto recibió más tarde un tratamiento
diferente), la perforación de los Árboles por Melko y la succión de
Ungoliont de la luz; y la gran cacería montada de los Valar, que no logró su objetivo a través de la oscuridad y la niebla, permitiendo que
Melko huyera de Valinor por los caminos del norte.

Dentro de esta estructura hay como casi siempre muchos puntos
de divergencia entre la primera historia y las versiones posteriores. En
El Silmarillion Melkor fue a Avathar porque sabía que Ungoliant vivía
allí, mientras que en el cuento ella lo encontró vagando mientras él
buscaba un camino de huida. En el cuento el origen de ella es desconocido, y aunque puede decirse que este elemento se mantuvo en *El
Silmarillion* («Los Eldar no sabían de dónde venía»), mediante el recurso «han dicho algunos...» de hecho se da una clara explicación: era
un ser de «antes del mundo», pervertido por Melkor, que había sido
su señor, aunque ella renegaba de él. La idea original de «el espíritu
primordial Móru» aparece claramente en una entrada de la primera
lista de palabras en lengua gnómica, donde el nombre *Muru* se define como «un nombre de la Noche Primordial personificado como
Gwerlum o Gungliont»*.

La historia más antigua es patente que carece de la descripción
que se hace en *El Silmarillion* del descenso de Melkor y Ungoliant desde el Monte Hyarmentir a la llanura de Valinor, y también allí estaba
desarrollándose el gran festival de los Valar y los Eldar; en el relato
había terminado hacía ya rato. En *El Silmarillion* el ataque a los Árboles
se produjo a la hora de la mezcla de las luces, mientras que aquí Silpion estaba en pleno florecimiento; y la descripción de la destrucción
de los Árboles se vuelve del todo diferente por la presencia del gnomo
Daurin, personaje abandonado después sin dejar huella. Así pues, en
la historia antigua no se dice en realidad que Ungoliont bebiera la luz
de Silpion, sino sólo que el Árbol murió por el veneno que de ella había quedado en la hoja de Daurin, con la que Melko apuñaló el tronco; y en *El Silmarillion* Ungoliant fue a «las Fuentes de Varda» y las be-
bió hasta secarlas también. Es extraño que el gnomo se llamara
primero Fëanor, pues Melko le daba muerte. Podría parecer que mi
padre, al menos por el momento, estuviera abrigando la idea de que
Fëanor no desempeñaría papel alguno en la historia de los Noldoli en
las Grandes Tierras; pero en los esbozos de un cuento posterior *(Las penurias de los Noldoli)*, Fëanor moría en Mithrim. En este pasaje aparece

---

* En el cuento (véase pág. 192) se escribió originariamente *Gungliont*,
pero se corrigió por *Ungoliont*.

por primera vez el *miruvor*, definido en la primera lista de palabras
qenya como «néctar, bebida de los Valar». En *The Road Goes Ever On*
[libro sobre el ciclo de canciones] mi padre afirmó que era el nombre
que los Valar daban a la bebida servida en sus festivales, y la compara-
ba con el néctar de los Dioses Olímpicos (en la traducción de *Namárië*,
mi padre tradujo *miruvórë* como «néctar»).

La diferencia más importante en el cuento es el inmediato regreso
de Ungoliont a su cubil en el sur, de modo que la "Disputa entre los
ladrones", el rescate de Melkor gracias a los balrogs y la llegada de Ungoliant a Nan Dungortheb que aparecen en *El Silmarillion* están ausen-
tes en la narración de los *Cuentos Perdidos*; la entrega de las gemas de
los Noldoli a Ungoliont se produce en la primera versión cuando ella
se encuentra por primera vez con Melko; en *El Silmarillion* él no las tenía, pues el ataque a Formenos aún no se había producido.

VII

LA HUIDA DE LOS NOLDOLI

No hay interrupción en la narración de Lindo, que continúa del mismo modo, escrita rápidamente a lápiz (y cerca de este punto pasa a otro cuaderno similar, evidentemente sin interrupción alguna en la composición), pero me pareció conveniente introducir aquí un nuevo capítulo o un nuevo "Cuento" tomando el título, una vez más, de la cubierta del cuaderno.

—No obstante, los Dioses no abandonaron la esperanza y a menudo se reunían al pie de el árbol arruinado que era Laurelin, y desde allí salían y exploraban la tierra de Valinor una vez más, incansables, deseando fieramente vengar los daños hechos a su bello reino; y entonces los Eldar, convocados por ellos, ayudan en la cacería que se afana no sólo en la llanura, sino que también se esfuerza duramente subiendo y bajando las laderas de las montañas, ya que no hay modo de escapar de Valinor por el oeste, donde se extienden las frías aguas de los Mares Exteriores.

»Pero Fëanor, de pie en la plaza que rodea la casa de Inwë en lo más alto de Kôr, no admite que se lo silencie y clama que todos los Noldoli se reúnan a su alrededor y lo escuchen, y muchos miles de ellos acuden a oír sus palabras portando delgadas antorchas, de modo que el lugar se llena de una luz mortecina, distinta de todas las que hubieran brillado alguna vez sobre esas blancas paredes. Ahora bien, cuando están allí reunidos y Fëanor ve que la mayoría de los allí presentes pertenecen al linaje de los Noldor[1], los exhorta a aprovechar la oscuridad y la confusión y el cansancio de los Dioses para liberarse del yugo —pues, enloquecido, llamaba de este modo a los días de beatitud pasados en Valinor— e irse de allí llevando consigo todo lo que pudieran o desearan. —Si el corazón de todos vosotros es demasiado débil para seguirme, he aquí que yo, Fëanor, partiré solo al ancho y mágico mundo en busca de las gemas que me pertenecen, y quizá me ocurran allí muchas grandes y extrañas aventuras más dignas de un hijo de Ilúvatar que de un sirviente de los Dioses[2].

»Sucede entonces una gran arremetida de todos aquellos que desean seguirlo sin demora, y aunque el sabio Nólemë habla en contra de esta precipitación, no quieren escucharlo, y el tumulto se vuelve todavía más frenético. Una vez más Nólemë les ruega que al menos le envíen una embajada a Manwë para despedirse debidamente y quizá obtener su beneplácito y consejo para el viaje, pero Fëanor los convence de que rechacen aun ese moderado razonamiento, diciendo que hacerlo sería cortejar una negativa, y que Manwë les prohibiría partir y se lo impediría. —¿Qué significa Valinor para nosotros —dicen— ahora que su luz ha quedado reducida a tan poco? Es preferible internarse en el mundo ilimitado. —Ahora, pues, se arman lo mejor que pueden (porque ni los Elfos ni los Dioses en aquellos días pensaban mucho en las armas) y almacenan sus existencias en joyas y telas para vestidos; pero dejan atrás los libros de su conocimiento, y en verdad no había mucho allí que los sabios de entre ellos no pudieran reproducir de memoria. Pero Nólemë, al ver que su consejo no prevalecía, no quiso separarse de los suyos y fue con ellos y los ayudó en todos sus preparativos. Luego bajaron de la colina de Kôr iluminados por el fuego de las antorchas, y así, andando de prisa a lo largo de la ensenada y las costas de ese golfo del Mar Sombrío que invadía allí las colinas, encontraron las viviendas costeras de los Solosimpi.

La breve sección del texto que sigue fue después anulada, con las palabras «Insertar la Batalla de Kópas Alqalunten» escritas encima, y reemplazada por un añadido. La parte eliminada dice:

—La mayoría de esa gente había ido de cacería con los Dioses, pero a algunos de los que se habían quedado trataron de persuadirlos de que se sumaran a ellos, como lo habían hecho ya algunos de los Teleri, pero ninguno de los Inwir escuchó sus palabras. Ahora bien, como tenían casi tantas doncellas y mujeres como hombres y muchachos (aunque a muchos niños, especialmente los más jóvenes, los habían dejado en Kôr y Sirnúmen), se sintieron desconcertados y, en esta situación extrema, acuciados de dolor y con la mente alterada, los Noldoli cometieron aquellos actos que después lamentarían más amargamente, pues debido a su acción cayó pesadamente el disgusto sobre todas sus gentes, y aun el corazón de las gentes de su linaje se volvió contra ellos durante un tiempo.

»Llegados a Cópas, donde había un puerto de gran quietud amado por los Solosimpi, se apoderaron de todas las naves de ese pueblo y embarcaron en ellas a sus mujeres y sus niños y a [¿otros?] pocos más, incluyendo a algunos de los Solosimpi que se les habían unido, pues eran hábiles en la navegación. De este modo, marchando incesantemente a lo largo de la playa que se hacía más inhóspita y más difícil de transitar a medida que se extendía hacia el norte, mientras la flota los seguía junto a la costa no muy adentrada en el mar, se me contó que los Noldoli fueron por propia voluntad alejados de Valinor; sin embargo, no conozco con profundidad la cuestión, y quizá haya cuentos que ningún clan de los Gnomos conoce que relaten con más claridad los tristes acontecimientos de ese tiempo. Además he oído decir

El añadido que reemplaza este pasaje fue escrito cuidadosamente en tinta, de manera perfectamente legible y en hojas separadas, desconozco cuánto tiempo más tarde.

La Matanza de los Parientes
(La Batalla de Kópas Alqalunten)

La mayor parte de esa gente había ido de cacería con los Dioses, pero muchos estaban reunidos en las playas ante sus viviendas y entre ellos cundió el desaliento; sin embargo, no pocos aún se afanaban en los sitios de sus barcos, de los cuales el principal era el que llamaban Kópas, o de manera más completa, Kópas Alqaluntë, el Puerto de los Barcos Cisne*. Ahora bien, el Puerto de los Cisnes era como una dársena de aguas tranquilas, salvo que hacia el este y los mares el anillo de rocas que lo rodeaba se

---

* En el margen está escrito *Ielfethýp*. Esta expresión está escrita en inglés antiguo y representa la interpretación que hace Eriol del nombre élfico en su propia lengua: el primer elemento significa «cisne» *(ielfetu)* y el segundo (posteriormente «hithe») significa «puerto, desembarcadero».

hundía un tanto, y allí el mar se abría camino, de modo que se había formado un poderoso arco de roca viva. Tan grande era que, con excepción de los de mayor envergadura, dos barcos podían pasar a la vez, uno que quizá salía y otro que entraba en busca de las tranquilas aguas azules de la bahía, y la punta de los mástiles no rozaba siquiera la roca en lo alto. No era mucha la luz de los Árboles que llegaba allí en otro tiempo debido al muro, por lo que el sitio siempre estaba iluminado por un anillo de lámparas de oro, y también había faroles de muchos colores que enviaban señales a los muelles y los desembarcaderos de las diferentes casas; pero a través del arco era posible entrever un atisbo distante de los pálidos Mares Sombríos, iluminados débilmente por el resplandor de los Árboles. Muy hermoso de contemplar era ese puerto cuando las blancas flotas regresaban a casa resplandeciendo y las aguas perturbadas quebraban la radiación espejada de los faroles en pequeñas luces ondulantes, tejiendo extraños dibujos de múltiples líneas titilantes. Pero ahora todos aquellos bajeles yacían inmóviles, y una profunda sombra había descendido sobre el sitio en que se habían marchitado los Árboles.

Ninguno de los Solosimpi escuchó las osadas palabras de los Noldoli, salvo unos pocos que podían contarse con los dedos de las dos manos; y así esa gente vagó desdichada hacia el norte a lo largo de las costas de Eldamar hasta que llegaron a lo alto de los acantilados que miraban sobre el Puerto de los Cisnes, y allí los Solosimpi de antaño habían tallado en la roca escaleras serpenteantes que llegaban hasta el borde del puerto. Ahora bien, desde allí y hacia el norte el camino era muy ingrato y escarpado, y entre los Noldoli había casi tantas doncellas y mujeres como hombres y muchachos (aunque muchos, especialmente los niños más jóvenes, habían sido dejados en Kôr y en Sirnúmen, y muchas lágrimas se habían derramado por ello); por lo que se sintieron ciertamente desconcertados, y en esta situación extrema, acuciados de dolor y con la mente alterada, cometieron aquellos actos de los que después con más amargura se han arrepentido, pues su acción acarreó por un tiempo el disgusto de los Dioses, que cayó sobre todas sus gentes, e incluso los corazones de los demás Eldalië se volvieron contra ellos.

He aquí que Fëanor afirma que esas huestes nunca podrán avanzar de prisa a lo largo de la costa, salvo con la ayuda de barcos. —Y éstos —dijo—, si no nos los entregan los Elfos de la costa, nosotros deberemos tomarlos. —Por lo tanto, bajando al puerto intentaron embarcarse en las naves que allí había, pero los Solosimpi se negaron; no obstante, por el crecido número de ese pueblo gnómico, no opusieron resistencia todavía; pero una ira despertó allí entre Eldar y Eldar. De modo, pues, que los Noldoli embarcaron en esas naves a todas sus mujeres y sus niños y a una gran hueste además, y soltando amarras, remaron con una gran multitud de remos hacia los mares. Entonces una gran cólera se inflamó en el corazón de los Flautistas de las Costas al descubrir el robo de esos bajeles que habían construido su habilidad y su esfuerzo, y entre ellos había algunos fabricados por los Dioses en Tol Eressëa como ya se ha contado, barcas maravillosas y mágicas, las primeras que hubieran existido. Y así surgió de pronto una voz entre ellos: —Estos ladrones nunca abandonarán el Puerto en nuestras naves —y todos los Solosimpi que estaban allí corrieron de prisa a lo alto del muro del acantilado donde estaba el arco por el que debía pasar la flota, y desde allí les gritaron a los Gnomos que regresaran; pero éstos no les hicieron caso y mantuvieron el rumbo, y los Solosimpi los amenazaron con piedras y tendieron sus arcos feéricos.

Viendo esto y creyendo que la guerra se había desatado ya, acudieron los Gnomos que no debían embarcarse sino marchar a lo largo de las costas, y se apresuraron tras los Solosimpi, hasta que llegando súbitamente a ellos cerca de las puertas del Puerto, los mataron cruelmente o los arrojaron al mar; y así por primera vez murieron los Eldar bajo las armas de sus hermanos, y fue éste un hecho de horror. Ahora bien, el número de Solosimpi que cayeron fue abundante, y no escaso el de los Gnomos, pues tuvieron que luchar muy duramente para volver por aquellos estrechos senderos en lo alto del acantilado, y muchos del pueblo de la costa, al oír la refriega, se habían amontonado en su retaguardia.

Por fin, sin embargo, ya está hecho, y las naves se han internado en los anchos mares, y los Noldoli se alejaron, pero los pequeños faroles se han roto y el Puerto está a oscuras y en silencio, salvo por el quedo sonido de las lágrimas. De igual especie fueron todas las obras de Melko en este mundo.

Ahora bien, cuenta el cuento que mientras los Solosimpi lloraban y los Dioses exploraban toda la llanura de Valinor o se sentaban abatidos bajo los Árboles en ruina, una gran edad transcurrió, y fue una edad de pesadumbre, y durante ese tiempo el pueblo de los Gnomos sufrió los más grandes males, y todas las penurias del mundo los hostigaron. Pues algunos marcharon incesantemente a lo largo de esa costa hasta que el recuerdo de Eldamar palideció y cayó en el olvido, y los caminos se volvieron más ásperos e intransitables a medida que avanzaban hacia el norte, pero la flota navegaba junto a la costa no muy adentrada en el mar, y los que caminaban junto a la orilla alcanzaban a verlos tenue y frecuentemente en la penumbra, pues se movían muy lentamente en aquellas olas indolentes.

Sin embargo, no conozco la historia de todas las penurias que los persiguieron, ni nadie la ha contado, pues sería un cuento de desdichas, y aunque los Gnomos relatan muchas cosas acerca de aquellos días con una claridad de la que yo no soy capaz, de ningún modo les gusta demorarse en los tristes acontecimientos de aquella época, y no les agrada revivir esos recuerdos muy a menudo. No obstante, he oído decir

El añadido termina aquí, y volvemos al texto original apresuradamente garrapateado con lápiz:

que nunca habrían logrado esa espantosa travesía del Qerkaringa[3] si ya hubieran estado sometidos al cansancio, la enfermedad y las muchas debilidades que más tarde les fueron propias cuando vivieron lejos de Valinor. Todavía el bendito alimento de los Dioses y su bebida manaban ricos en sus venas, por lo que eran semidivinos; pero no tenían todavía *limpë* en el viaje, pues no les fue dado a las hadas hasta mucho después, cuando se emprendió la Marcha de la Liberación, y los males del mundo que Melko había envenenado con su presencia no tardaron en caer sobre ellos.

—Si permites que interrumpa tu historia —dijo Eriol—, ¿qué quieres decir con «la espantosa travesía del Qerkaringa»?

—Debes saber, pues —dijo Lindo—, que el trazado de las

costas de Eldamar y las costas que continúan esa playa hacia el
norte más allá del amplio puerto de Kópas avanzan siempre hacia el este, de modo que después de incontables millas, más al
norte todavía que las Montañas de Hierro y en los confines de
los Reinos Glaciales, los Grandes Mares, ayudados por una incli-
nación hacia el oeste de las Grandes Tierras, quedan reducidos
a un canal estrecho. Ahora bien, atravesar esas aguas comporta
un peligro insuperable, pues están llenas de malignas corrientes
y de remolinos de fuerza salvaje, y navegan por allí islas de hielo
flotante, que se resquebrajan y chocan entre sí con un ruido espantoso, destruyendo tanto los grandes peces como los barcos,
si alguno se atreviera a aventurarse por ese sitio. Sin embargo,
en aquellos días un estrecho cuello, que más tarde destruirían
los Dioses, iba desde la tierra occidental casi hasta las costas del
este; era de hielo, sin embargo, y de nieve [¿apilada?], desgarra-
do en precipicios y acantilados y casi intransitable, y lo llamaban
el Helkaraksë o Colmillo de Hielo[4], un resto de los antiguos y
terribles hielos que se deslizaban a lo largo de esas regiones antes de que Melko fuera encadenado y el norte se volviera clemente por un tiempo, y se mantenía allí por causa de la estre-
chez del mar y la [¿apiñadura?] de las islas de hielo que venían
flotando desde el más profundo norte, donde el invierno se había retirado. Ahora bien, la franja de agua que fluía aún entre el
extremo del Colmillo de Hielo y las Grandes Tierras se llamaba
Qerkaringa o Abismo de Frío[5].

»Si Melko hubiera conocido en verdad el osado intento de
los Gnomos para cruzarlo, los habría aplastado a todos en ese
sitio maligno o hubiera obrado con ellos a su antojo, pero muchos meses habían pasado desde que él mismo había huido quizá por ese mismo lugar, y se encontraba ahora ya muy lejos. ¿No
he hablado bien, Rúmil, respecto a estas cosas?

—Has contado la verdadera historia —dijo Rúmil—, pero
no has dicho cómo, antes de llegar a Helkaraksë, la hueste pasó
junto al lugar donde Mornië suele estar amarrado, pues allí un
empinado y retorcido sendero baja serpenteando desde Mandos, enclavado entre las montañas, que las almas mandadas por
Fui a Arvalin deben transitar[6]. Allí los sorprendió un sirviente
de Vefántur y preguntando qué significaba ese viaje les rogó
que dieran la vuelta, pero le respondieron con desprecio, de

modo que encaramándose sobre una roca les habló alto, y su voz llegó aun hasta la flota sobre las olas; y les predijo muchas de las desventuras que luego les ocurrirían, previniéndoles en contra de Melko, y por último dijo: —Grande es la caída de Gondolin —y nadie de los que allí estaban lo entendió, porque Turondo, hijo de Nólemë,[7] no estaba todavía sobre la Tierra. Pero los hombres sabios recordaron sus palabras, pues Mandos y todos los suyos tienen el poder de la profecía, y largo tiempo atesoraron esas palabras entre su pueblo como las Profecías de Amnos, pues así se llamaba el sitio donde las escucharon en ese tiempo, que ahora se llama Hanstovánen[8] o el lugar de amarre del Mornië.

»Después de eso los Noldoli viajaron despacio, y cuando el espantoso istmo de Helkaraksë estuvo delante de ellos, algunos fueron partidarios de trasladar a toda la hueste, por grupos sucesivos, a través del mar, prefiriendo más bien aventurarse por sobre esas peligrosas aguas que intentar encontrar un pasaje sobre los precipicios y las traicioneras hendiduras del istmo de hielo. Eso fue lo que intentaron, y un gran navío se perdió con todos los de a bordo a causa de cierto terrible remolino que existía en la bahía, cerca del lugar donde Helkaraksë se extendía desde la tierra firme del oeste; y ese remolino en ocasiones gira como una vasta peonza y rechina con un fuerte sonido doliente, terrible de escuchar, y las cosas que a él se acercan son absorbidas hacia su profundidad monstruosa, y se estrellan contra púas de hielo y de roca; y el nombre del remolino es Wiruin. Así que los Noldoli sufren gran angustia y confusión, pues incluso si encontrasen un camino a través de los terrores del Helkaraksë, he aquí que aun así no podrían alcanzar el mundo interior, pues en el extremo todavía se abre ese hueco, y aunque es estrecho, el chirrido del agua que se precipita por allí puede oírse a gran distancia, y el estrépito del hielo que se desprende del cabo llegaba ya hasta ellos, y también los choques y los embates de las islas de hielo que desde el norte bajan a través de ese espantoso estrecho.

»Ahora bien, la presencia de esas islas flotantes de hielo era consecuencia sin duda de la presencia de Melko de nuevo en el norte lejano, pues el invierno se había retirado al más extremo norte y al más extremo sur, de modo que casi no quedaban estribos para él en el mundo en aquellos días de paz llamados las Cadenas de Melko; pero precisamente fue esta actividad de Melko la que a la larga salvó a los Noldoli, pues he aquí ahora que se vieron obligados a hacer desembarcar a todas sus mujeres y todos sus navegantes y allí, en esas torvas playas, se asentaron y levantaron un miserable campamento.

»Los cantos llaman a esa morada[9] las Tiendas del Quejido, porque se alzaron allí muchas lamentaciones y remordimientos, y muchos culparon a Fëanor con amargura, como en verdad era lo justo, pero pocos abandonaron la hueste, pues sospechaban que no habría bienvenida para ellos en Valinor si regresaban; y eso en verdad lo comprobaron los pocos que intentaron volver, aunque esto no es parte de este cuento.

»Cuando los dolores de los Noldoli están en su punto más negro, y ninguno tiene esperanzas de regreso o alegría, he aquí que invierno despliega sus estandartes de nuevo y avanza lentamente hacia el sur vestida de hielo, con lanzas de escarcha y látigos de granizo. De este modo, tan grande es el frío que el hielo flotante se agrupa y apiña y se apila como montañas entre el extremo de Helkaraksë[10] y las tierras orientales, y finalmente se vuelve tan fuerte que la corriente no lo mueve. Entonces, abandonando las naves robadas, abandonan el doliente campamento y luchan por cruzar los terrores del Qerkaringa. ¿Quién podrá contar de su mísera marcha o del número de los que se perdieron, cayendo en grandes pozos de hielo en cuyo fondo lejano hervía agua escondida, o extraviándose hasta que el frío los vencía? Porque aunque todo aquello era malo, tantas cosas desesperadas les ocurrieron luego en las Grandes Tierras que en sus mentes quedó reducido a algo de menor cuantía, y en verdad los cuentos que narraban el abandono de Valinor no fueron nunca dulces a oídos de los Noldoli, ya fueran sirvientes o ciudadanos de Gondolin. Sin embargo, ni siquiera esas cosas pueden dar la muerte al pueblo de los Gnomos, y de los que se perdieron todavía se cuenta que algunos yerran tristemente entre las montañas de hielo, ignorantes de todo lo que les ha ocurrido a sus parientes, y otros intentaron volver a Valinor y Mandos los retiene, y otros que finalmente siguieron adelante volvieron a encontrar al cabo de largos días a sus desdichados hermanos. Sea como fuere, una partida macilenta y disminuida alcanzó al fin el suelo rocoso de las tierras orientales, y allí se quedaron mirando atrás por sobre el hielo de Helkaraksë y de Qerkaringa las estribaciones de las montañas más allá del mar, porque a lo lejos, entre las nieblas del sur, se levantaban las más gloriosas alturas de Valinor, separándolos para siempre de sus semejantes y sus hogares.

»De este modo entraron los Noldoli en el mundo.

Y con estas palabras de Rúmil terminó la historia del oscurecimiento de Valinor.

—¡Grande era el poder de Melko para el mal —dijo Eriol—, si pudo en verdad destruir con su astucia la felicidad y la gloria de los Dioses y de los Elfos, oscureciendo la luz de sus corazones no en menor medida que la de sus moradas, y reduciendo a la nada todo su amor! Ésta con seguridad puede haber sido la peor acción que haya cometido.

—En verdad nunca se le volvió a hacer a Valinor un mal tan grande —dijo Lindo—, pero la mano de Melko ha trabajado en cosas todavía peores en el mundo, y las semillas de su maldad han crecido alcanzando un tamaño terrible desde aquellos días.

—Sin embargo —dijo Eriol— mi corazón no puede pensar aún en otros infortunios, por el dolor que me produce la destrucción de esos bellos Árboles y la oscuridad del mundo.

NOTAS

1   El manuscrito parece ciertamente mostrar aquí la forma *Noldor*. Debe recordarse que en la historia antigua los Teleri (es decir, más adelante los Vanyar) no habían abandonado Kôr.

2   En la parte superior de la página manuscrita, y refiriéndose claramente a las palabras de Fëanor, mi padre escribió: «Incrementar el elemento del deseo por los Silmarils». Otra nota se refiere a la parte de la narración que comienza aquí y dice que «necesita ser muy revisada: la [¿sed? ¿el anhelo?] de joyas —en especial de los sagrados Silmarils— ha de ser enfatizada. Y hay que incorporar la batalla de Kópas Alqaluntë, de fundamental importancia, en la que los Gnomos masacraron a los Solosimpi». Esta nota fue luego tachada y señalada con la palabra «hecho», pero sólo la segunda indicación fue en realidad elaborada: éste es el añadido sobre la Matanza de los Parientes que aparece en la historia.

3   Mi padre escribió aquí en el margen: «*Helkaraksë* Colmillo de Hielo *Qerkaringa* el agua»; véase nota 5.

4   *Helkaraksë* o *Colmillo de Hielo*: antes se leía *Qerkaringa*; véase nota 5.

5   Este pasaje, desde «Debes saber, pues —dijo Lindo—», reemplaza a una versión anterior que no ofrezco, pues no contiene casi nada que no esté presente en la que la reemplaza; y la última oración de ésta es aun un agregado posterior. Sin embargo, es necesario observar que en la primera versión el cuello de tierra se llama *Qerkaringa* (como también al principio en la corrección del pasaje, véase nota 4) con la observación de que «el nombre se le ha dado también al estrecho a lo lejos». Ésta fue, pues, la idea primera: *Qerkaringa*, primordialmente el nombre del cuello de tierra, era prolongable también al estrecho ocupado por el mar (presumiblemente en este período *querka* no significaba «golfo»). Mi padre decidió luego que *Qerkaringa* sería el nombre del estrecho, e introdujo el de *Helkaraksë* para el cuello de tierra; de ahí la anotación al margen presente más arriba en la nota 3. A esta altura añadió la última oración de la segunda versión: «La franja de agua que fluía aún entre el extremo del Colmillo de Hielo y las Grandes Tierras se llamaba *Qerkaringa* o el Abismo de Frío» y reemplazó *Qerkaringa* en el cuerpo del pasaje (nota 4) por *Helkaraksë* o *Colmillo de Hielo*, transportando este cambio al resto del cuento (*de Qerkaringa* > *de Helkaraksë* y *de Qerkaringa*).

6   Para el camino desde Mandos, la nave negra Mornië y su viaje a lo largo de la costa hasta Arvalin, véase *La llegada de los Valar*.

7   Turondo o Turgon, hijo de Nólemë, ha sido nombrado anteriormente.

8   La lectura de *Hanstovánen* es un tanto incierta, y lo sigue otro nombre «o .... *Mornien*». Véase más abajo en «Cambios de nombres».

9   Después de la palabra «morada» hay un espacio en blanco para el añadido de un nombre élfico.

10   En el manuscrito *Qerkaringa* no está corregido, pero evidentemente se refiere al promontorio occidental (el Colmillo de Hielo), y por tanto leo *Helkaraksë* en el texto (véase nota 5).

Cambios de nombres en
La Huida de los Noldoli

Helkaraksë < *Qerkaringa* (para los detalles y la explicación de este cambio, véase nota 5 más arriba).

Arvalin   < *Habbanan.*
Amnos   < *Emnon* < *Morniento.*

Hanstovánen   El nombre del «amarre de Mornië» se escribió primero como *Mornielta* (las últimas letras no pueden leerse con seguridad), luego *Vane* (o *Vone*) *Hansto*; este último nombre fue tachado, pero la forma en el texto (que puede leerse también *Hanstavánen*) parece ser la definitiva. Después de *Hanstovánen* sigue «o .... *Mornien*».

Comentario a
La Huida de los Noldoli

En este «cuento» (en realidad, la conclusión del largo cuento de «El robo de Melko y el oscurecimiento de Valinor» contado por Lindo y terminado por Rúmil) se encuentra la más antigua narración de la partida de los Gnomos de Valinor. Aquí los Dioses siguen con su vana persecución mucho después de haber escapado Melko, y además son ayudados en ella por los Eldar (incluso de los Solosimpi quienes, como más tarde los Teleri descritos en *El Silmarillion*, difícilmente habrían abandonado sus costas y sus barcos). El regreso de Fëanor a Kôr y la arenga que les dirige a los Noldoli (y, en esta narración, a otros) a la luz de las antorchas es un rasgo original; pero sus hijos no han aparecido todavía, ni tampoco ninguno de los príncipes Noldorin descendientes de Finwë, salvo Turondo (Turgon), del que se dice específicamente que «no estaba todavía sobre la Tierra». No hay Juramento de Fëanor, y la posterior historia de las opiniones divididas de los Noldor sólo aparece en el intento que hace Nólemë (Finwë) por calmar a la gente; Nólemë desempeña pues el papel que después desempeñaría Finarfin (*El Silmarillion*, cap. 9). En *El Silmarillion*, después de la Matanza de los Parientes en Alqualondë y la Profecía del Norte, Finarfin y muchos de los suyos vuelven a Valinor y reciben el perdón de los Valar; pero aquí no hubo bienvenida para los pocos que volvieron o en cambio «Mandos los retiene».

En la parte desechada aquí presente, que fue sustituida por la narración de la batalla de Kópas Alqualunten, la referencia a «los actos que después lamentarían más amargamente» simplemente debe relacionarse con el robo de las naves de los Solosimpi, pues no hay indicación de actos más graves (en el pasaje que lo reemplaza se emplean casi las mismas palabras para referirse a la Matanza de los Parientes). El nacimiento concreto de la idea de que los Noldoli eran culpables de algo más grave que el robo cometido en Kópas aparece en una nota en el cuadernillo que mi padre usaba para volcar ideas y sugerencias, muchas de ellas no más que oraciones sueltas o meros nombres aislados, y que servía para recordarle trabajos por hacer, historias por contar o cambios por llevar a cabo. Esta nota dice:

La cólera de los Dioses y de los Elfos es muy grande; incluso conduce a que algunos Noldoli maten a algunos Solosimpi en Kópas; y a que Ulmo interceda por ellos (? si Ulmo ama tanto a los Solosimpi).

Esto fue tachado y se agregó al lado la palabra «hecho», y la recomendación de que Ulmo debe interceder por los Noldoli se encuentra en el cuento *El ocultamiento de Valinor*.

En la descripción de Kópas el «poderoso arco de roca viva» sobrevivió en «el arco abierto en la roca viva tallada por las aguas» en una descripción mucho más breve de Alqualondë en *El Silmarillion* (cap. 5); y vemos aquí la razón para que el Puerto esté «iluminado por muchas lámparas» (*ibid.*): porque llegaba poca luz de los Dos Árboles a causa del muro de roca que lo rodeaba (aunque la oscuridad de Alqualondë queda implícita por lo que se dice en *El Silmarillion*: «se alzaba en los confines de Eldamar, al norte del Calacirya, donde la luz de las estrellas era clara y brillante»).

Los detalles de los acontecimientos en el Puerto fueron concebidos de manera diferente en la historia posterior, pero en general coincidían ambas versiones; y aunque la tormenta desencadenada por Uinen (*ibid.*) no aparece en la versión original, se conservó el viaje de los Noldoli hacia el norte, algunos caminando a lo largo de la costa y otros en las naves.

Hay interesantes indicaciones acerca de la geografía de las regiones del norte. Nada se dice de la existencia de una gran zona baldía (más tarde Araman) entre las Montañas septentrionales de Valinor y el mar, una conclusión alcanzada anteriormente y sostenida de un modo secundario por la mención del empinado sendero que baja desde Mandos en las montañas hasta el lugar de amarre de Mornië, la nave negra. El nombre *Helkaraksë*, «Colmillo de Hielo», que aparece por primera vez en las correcciones del texto y se atribuye al cuello o promontorio que parte de las tierras del oeste, se aplicó después a lo que se llama aquí *Qerkaringa*, el estrecho lleno de islas de hielo «que se resquebrajan y chocan entre sí»; pero esto sucedió cuando el *Helcaraxë*, «el Hielo Crujiente», llegó a tener un significado geográfico bastante distinto en la imagen del mundo mucho más sofisticada que mi padre concibió durante la «fase» siguiente de su mitología.

En *El Silmarillion* se sugiere que quien pronuncia la Profecía del Norte era el mismo Mandos «y no un heraldo menor de Manwë», y su gravedad e importancia en la mitología es mucho mayor; aquí no se sugiere una «condenación» o «maldición», sino sólo una predicción. Esta predicción incluía las oscuras palabras «Grande es la caída de Gondolin». En el cuento de *La Caída de Gondolin* (aunque en una oración intercalada y muy posiblemente posterior a la presente historia) Turgon, de pie en la escalinata de su palacio en medio de la destrucción de la ciudad, pronunció esas mismas palabras, «y los Hombres se estremecieron, pues ésas eran las palabras de Amnon, el profeta de antaño». Aquí *Amnon* (más que *Amnos* como en el presente texto, que es una corrección de *Emnon*) no es un lugar, sino una persona (¿el sirviente de Vefántur que pronunció la profecía?). En el cuadernillo al que nos referimos antes aparece la siguiente nota:

> Profecía de Amnon. Grande es la caída de Gondolin. He aquí que Turgon no se desvanecerá hasta que el lirio del valle se desvanezca.

En algunas otras notas para los *Cuentos Perdidos* esto se expresa:

> Profecía de Amnon. «Grande es la caída de Gondolin» y «Cuando el lirio del valle se marchite, entonces Turgon se desvanecerá».

En estas notas *Amnon* podría ser un lugar o una persona. El «lirio del valle» es la misma Gondolin, uno de cuyos Siete Nombres era *Losengriol*, más tarde *Lothengriol*, cuya traducción es «flor del valle o lirio del valle».

Hay una interesante afirmación en el cuento antiguo: se dice que los Noldoli nunca habrían atravesado la región helada si hubieran estado sometidos ya «al cansancio, la enfermedad y las muchas debilidades que más tarde les fueron propias cuando vivieron lejos de Valinor» y que «todavía el bendito alimento de los dioses y su bebida manaban ricos en sus venas, por lo que eran semidivinos». Esto encuentra su reflejo en las palabras de *El Silmarillion*: los Noldor eran «recién llegados del Reino Bendecido, y no sujetos todavía a las fatigas de la Tierra». Por otra parte se decía específicamente en la Profecía del Norte que «aunque Eru os destinó a no morir en Eä, *y ninguna enfermedad puede alcanzaros*, podéis ser asesinados, y asesinados seréis».

De la traición de los Fëanorianos, que partieron en las naves y dejaron a las huestes de Fingolfin en las costas de Araman, no hay huellas por supuesto en el relato antiguo; pero la inculpación de Fëanor estaba ya presente («las Tiendas del Quejido»). Hay otro aspecto notable en la primera versión de la mitología: aunque gran parte de la estructura narrativa estaba bien fundada y habría de perdurar, la estructura «genealógica» posterior era apenas un esbozo. Turgon existía como el hijo de (Finwë) Nólemë, pero no hay la menor sugerencia de que Fëanor fuera pariente cercano del señor de los Noldoli, y los otros príncipes, Fingolfin, Finarfin, Fingon, Felagund, no aparecen en absoluto en ninguna forma ni con ningún otro nombre.

VIII

EL CUENTO DE SOL Y DE LUNA

El *Cuento de Sol y de Luna* es precedido por un «Interludio» (como se lo llama en el manuscrito) en el que aparece, como huésped en Mar Vanwa Tyaliéva, un tal Gilfanon de Tavrobel. Este interludio existe también en una versión deshechada anterior.

El cuento está escrito en casi toda su extensión en tinta sobre un original a lápiz luego borrado, pero hacia el final (véase nota 19) se convierte en un manuscrito escrito directamente en tinta, y el borrador a lápiz está en otro cuaderno.

El *Cuento de Sol y Luna* es muy largo, y lo he acortado por algunos lugares mediante breves paráfrasis, sin omitir ningún detalle de interés. (Una nota de mi padre dice que este cuento «necesita una profunda revisión, cortes y [¿remodelación?]».)

Gilfanon a·Davrobel

Ahora bien, no ha de pensarse que porque Eriol escuchara tantas historias que hablaban de los diversos infortunios de los Elfos, su sed de *limpë* hubiera disminuido en él, pues no era así, e incluso mientras la multitud se sentaba alrededor del Hogar de los Cuentos no dejaba de hacer ansiosas preguntas, intentando conocer toda la historia de ese pueblo aun hasta los días en los que se encontraban, cuando el pueblo élfico vivía otra vez reunido en la isla.

Conociendo por tanto ahora algunas cosas del glorioso estilo de su antiguo hogar y del esplendor de los Dioses, reflexionaba a menudo sobre la llegada de los días de la Luz de Sol y el Resplandor de Luna, y de los hechos de los Elfos en el mundo de allá fuera, y de sus aventuras allí con los Hombres antes que Melko concibiera su separación; por tanto, una noche, sentado ante el Hogar de los Cuentos, preguntó: —¿De dónde provienen Sol y Luna, oh, Lindo? Porque hasta ahora sólo he oído de los Dos Árboles y su triste desvanecimiento, pero de la llegada de los Hombres o de los hechos de los Elfos más allá de Valinor nadie me ha contado nada.

Ahora bien, ocurrió que esa noche estaba presente un invitado tanto en la mesa como junto al Hogar de los Cuentos, y su nombre era Gilfanon, y todos lo llamaban Gilfanon a·Davrobel[1], pues provenía de esa región de la isla donde se levanta la Torre de Tavrobel junto a los ríos[2], y alrededor de ella aún vivían los Gnomos como un único pueblo, y nombraban los lugares en su propia lengua. A esa región Gilfanon solía llamarla la más bella de la isla, y al pueblo de los Gnomos su mejor gente, aunque antes de que ese pueblo llegara allí él había vivido lejos de los Noldoli, viajando con Ilkorins en Hisilómë y Artanor[3], y allí se volvió gran amigo y compañero de los Hijos de los Hombres de ese entonces, algo que muy pocos Elfos hacían. A sus leyendas y recuerdos agregó él su propio saber, pues había sido profundamente versado en muchos conocimientos y lenguas en los distantes días de Kôr, y además tenía experiencia de hechos muy antiguos, siendo en verdad una de las hadas[4] de mayor edad, y la de más edad de las que ahora vivían en la isla, aunque Meril llevaba el título de Señora de la Isla por motivos de sangre.

Por ello dijo entonces Lindo, respondiendo a Eriol: —Gilfanon, aquí presente, puede contarte muchas cosas de tales asuntos, y no estaría mal que viajaras con él para alojarte un tiempo en Tavrobel... No, no pongas esa cara —dijo riendo al ver el rostro de Eriol— pues no queremos desterrarte todavía... pero, en verdad, sería atinado que quien quiere beber *limpë* fuera listo y buscara primero la hospitalidad de Gilfanon, en cuya antigua casa (la Casa de las Cien Chimeneas, que se levanta cerca del puente de Tavrobel)[5] pueden escucharse muchas cosas tanto del pasado como de las que han de venir.

—Me parece —le dijo Gilfanon a Eriol— que Lindo intenta deshacerse de dos huéspedes a la vez; de cualquier modo, no puede hacerlo todavía, pues me propongo permanecer en Kortirion aún siete noches, y además gozar mientras tanto de la buena mesa y tenderme ante el Hogar de los Cuentos. Después quizá tú y yo viajaremos, y verás el pleno encanto de la isla de las hadas. Pero ahora que Lindo alce la voz y nos cuente más del esplendor de los Dioses y sus obras, ¡un tema del que nunca se cansa!

Al oírlo, Lindo se sintió complacido, pues en verdad le encantaba contar tales cuentos y a menudo buscaba la ocasión de poder volver a contarlos, y dijo: —Entonces contaré la historia de Sol y de Luna y de las Estrellas, para que Eriol pueda escucharlas según es su deseo. —Y Eriol se sintió muy complacido, pero Gilfanon dijo:— Sigue hablando, Lindo mío, pero no te demores en el cuento para siempre.

Entonces Lindo alzó la voz[6] y era la más agradable de oír entre las de todos los narradores, y dijo*:

—Cuento un cuento del tiempo de la primera huida de los Gnomos, y he aquí que acababan de huir. Llegó entonces esa triste nueva a los Dioses y a los demás Elfos, y al principio nadie se lo creía. No obstante, las nuevas les seguían llegando, y por muchos distintos mensajeros. Algunos eran de los Teleri, que habían escuchado el discurso de Fëanor en la plaza de Kôr y habían visto a los Noldoli partir de allí con todos los bienes que pudieron cargar; otros eran de los Solosimpi, y éstos traían la espantosa nueva del rapto de las navescisne y de la terrible matanza de los parientes en el Puerto, y de la sangre derramada en las blancas costas de Alqaluntë.

»En último lugar llegó un apresurado mensajero de Mandos que había estado contemplando esa triste multitud cerca de las playas de Amnor, y los Dioses supieron que los Gnomos se habían adentrado muy lejos en el mundo, y Varda y todos los Elfos lloraron, porque ahora la oscuridad parecía negra en verdad, y que había muerto algo más que la luz exterior de los hermosos Árboles.

»Resulta extraño decir que aunque Aulë había amado a los Noldoli por sobre todos los Elfos, y les había enseñado todo lo que sabían y les había dado grandes montos de riqueza, ahora el corazón se le había vuelto del todo contra ellos, pues los consideró ingratos por no haberse despedido de él, y tenía el corazón apesadumbrado por las malas acciones que habían cometido hacia los Solosimpi. —No volváis a pronunciar nunca —dijo— el nombre de los Noldoli en mi presencia. —Y aunque aún entregó su amor a los pocos Gnomos fieles que se habían quedado con él, en adelante los llamó "Eldar".

* Escrito al margen: «Comienzo de El Sol y la Luna».

»Pero los Teleri y los Solosimpi habiendo llorado al principio, cuando la matanza del Puerto fue por todos conocida, secaron sus lágrimas, y el horror y la angustia hicieron presa de sus corazones, y también ellos hablaron rara vez de los Noldoli, salvo con tristeza o en susurros a puerta cerrada; y los pocos Noldoli que se quedaron fueron llamados los Aulenossë o el linaje de Aulë, o eran integrados en los otros linajes, y el pueblo de los Gnomos no tiene sitio ni nombre que les pertenezca ya en toda Valinor.

»Debe decirse ahora que al cabo de un largo tiempo le pareció a Manwë que la cacería de los Dioses de nada valía, y que seguramente Melko habría escapado ya de Valinor; por tanto envió a Sorontur al mundo, y Sorontur no regresó en largo tiempo, y todavía Tulkas y muchos otros registraban la tierra, pero Manwë permanecía junto a los Árboles oscurecidos y tenía el corazón muy apesadumbrado mientras meditaba profunda y tristemente, ya que en esos tiempos no veía la menor luz de esperanza. De pronto hay ruido de batir de alas en ese sitio, porque Sorontur, Rey de las Águilas, ha retornado en vigoroso vuelo a través del crepúsculo, y he aquí que posándose en las ramas oscurecidas de Silpion le cuenta cómo Melko ha irrumpido ya en el mundo y que muchos espíritus malvados están reunidos en torno a él. —Pero —dice— me parece que nunca más se abrirá Utumna para él, y ya se afana por construirse nuevas estancias en esa región del norte donde se levantan las Montañas de Hierro, muy altas y terribles de contemplar. Sin embargo, oh, Manwë, Señor del Aire, otras nuevas tengo también para tus oídos, porque he aquí que mientras volvía al hogar por sobre los mares negros y las tierras inhóspitas, vi una visión de gran maravilla y asombro: una flota de naves blancas que iban vacías a la deriva empujadas por el vendaval, y algunas ardían con llamas brillantes, y mientras me maravillaba, he aquí que vi una gran multitud de gente en las costas de las Grandes Tierras y todos miraban hacia el oeste, pero algunos aún iban errantes sobre el hielo, pues has de saber que ése era el lugar donde están los riscos de Helkaraksë y donde las aguas asesinas de Qerkaringa fluían antaño, y que el hielo las detiene ahora. Volando bajo me pareció escuchar el sonido de lamentos y de tristes palabras dichas en la lengua de los Eldar; y esta historia te traigo para que tú la descifres.

»Y Manwë supo por ese relato que los Noldoli se habían ido para siempre y sus naves habían sido quemadas o abandonadas, y que también Melko estaba en el mundo, y la cacería no servía de nada; y quizá en recuerdo de esos hechos es dicho corriente en boca de Elfos y Hombres que aquellos que queman sus naves abandonan toda esperanza ya de cambiar de opinión o atender a consejos. Por tanto, Manwë entonces levantó su voz inmensurable llamando a los Dioses, y todos los que estaban en las anchas tierras de Valinor lo oyeron y acudieron.

»Vino primero Tulkas, cansado y cubierto de polvo, porque nadie había recorrido la llanura más que él. Siete veces había abarcado su ancho y tres veces había escalado el muro de montañas, y todas aquellas inmensurables cuestas y pasturas, prados y bosques había atravesado, consumiéndose de deseo de castigar al expoliador de Valinor. Llegó allí Lórien y se apoyó contra el tronco marchito de Silpion, y lloró la ruina de sus tranquilos jardines aplastados por la cacería; allí también estaba Meássë y con ella Makar, y éste tenía la mano roja porque había alcanzado a dos de los camaradas de Melko y les había dado muerte mientras huían, y sólo él tenía alguna alegría en esos lúgubres tiempos. Ossë estaba allí, y tenía las barbas verdes desgarradas y los ojos apagados, y respiraba con dificultad apoyándose en un cayado y sentía mucha sed, porque aunque era poderoso e incansable en los mares, trabajos tan desesperados en el seno de la Tierra consumían por completo su vigor.

»Aparecieron Salmar y Ómar y sus instrumentos de música no emitían el menor sonido, y tenían el corazón apesadumbrado, aunque no tan amargamente como el de Aulë, enamorado de la tierra y de todas las cosas que se obtienen de ella con una buena labor, porque de todos los Dioses él era el que más había amado a Valmar y a Kôr con todos sus tesoros, y la sonrisa de las bellas llanuras exteriores y su ruina le hendían el corazón. Con él estaba Yavanna, Reina de la Tierra, y ella había ido de cacería con los Dioses y estaba agotada; pero Vána y Nessa lloraban como doncellas, quietas junto a las fuentes del dorado Kulullin.

»Sólo Ulmo no acudió a los Árboles, sino que bajó a la playa de Eldamar, y allí se quedó escudriñando las tinieblas sobre el mar, y llamaba a menudo con su voz más poderosa como si fuera a atraer de nuevo a esos renegados al seno de los Dioses, y mientras tocaba una profunda música nostálgica en sus caracolas mágicas, y sólo para él, a no ser que contemos también a Varda señora de las estrellas[7], era la partida de los Gnomos un dolor aún más grande que la ruina de los Árboles. Antes había amado Ulmo muy profundamente a los Solosimpi, pero cuando oyó de su matanza por los Gnomos sufrió en verdad, aunque la ira no le endureció el corazón, pues Ulmo tenía más presciencia que ninguno de los otros Dioses, aun más que el gran Manwë, y quizá veía muchas de las cosas que sucederían como consecuencia de aquella huida, y los pavorosos dolores de los desdichados Noldoli en el mundo, y la angustia con la que expiarían la sangre de Kópas, y deseaba que todo aquello no fuera así.

»Ahora bien, cuando todos estuvieron allí reunidos, les habló Manwë entonces y les contó las nuevas de Sorontur y les dijo que la caza había fracasado; pero en ese tiempo los Dioses estaban confundidos en la penumbra y celebraban pocos consejos, y cada cual buscaba su propia casa y los sitios de deleite de antaño, ahora muertos, y permanecían allí sentados en silencio en oscura reflexión. Sin embargo, algunos iban de vez en cuando a la llanura y contemplaban anhelantes los Árboles marchitos, como si esas ramas secas fueran a florecer con una nueva luz; pero esto no ocurrió, y Valinor estaba llena de sombras y de pesadumbre, y los Elfos lloraban y no les era posible el consuelo, y los Noldoli sufrían amargas penurias en las tierras del norte.

»Luego, al cabo de largo tiempo, con súbito dolor y fatiga, comprendieron los Dioses que la luz había abandonado Valinor para siempre, y que nunca jamás volverían a florecer esos Árboles en sus momentos pautados. Sólo quedaba la luz de las estrellas, salvo un tenue resplandor junto a la fuente de Kulullin que todavía titilaba, o un pálido brillo que se demoraba cerca de la profunda Telimpë[8,] jofaina de los sueños. Pero aun éstas estaban disminuidas y deslucidas, pues los Árboles no proporcionaban ya aquel rocío renovador del que se alimentaban.

»Por tanto se pone en pie Vána y busca a Lórien, y con ellos van Urwendi y Silmo[9] y muchos otros, tanto de los Vali como de los Elfos; y recogen mucha luz de oro y de plata en grandes vasijas y van tristemente hasta los Árboles en ruina. Allí canta Lórien los cantos más anhelantes de magia y encantamiento alrededor del tronco de Silpion, pidiendo que sus raíces fueran regadas con el resplandor de Telimpë; y esto se hizo con prodigalidad, aunque era poca la cantidad que quedaba de él en las moradas de los Dioses. De igual modo actúa Vána, y canta antiguas canciones doradas sobre días más felices, y pide a sus doncellas que bailen sus brillantes bailes como los que solían bailar sobre el césped de los jardines de rosas cerca de Kulullin, y mientras ellas bailaban anegó las raíces de Laurelin con el flujo de sus jarras doradas.

»Sin embargo, de poco sirven todos esos cantos y encantamientos, y aunque las raíces de los Árboles parecen beber todo lo que ellos vierten, nadie ve el menor estremecimiento de vida renovada ni el más débil resplandor de luz; en ninguna hoja marchita brilla la savia ni alza la cabeza vencida ningún capullo. Ciertamente en aquel dolorido frenesí habrían vertido los últimos restos de luminosidad que los Dioses conservaban, si por fortuna Manwë y Aulë no hubieran llegado en ese momento, atraídos por el canto en la penumbra, y los hubieran detenido diciendo: —Escuchad, oh, Vána, y tú, oh, Lórien, ¿qué significa esta precipitación? ¿Y por qué no escuchasteis primero el consejo de vuestros hermanos? Pues ¿no sabéis que lo que derramáis irreflexivos en tierra es ahora un tesoro mayor que todas las riquezas del mundo reunidas? Y cuando se haya acabado, quizá ni siquiera toda la sabiduría de los Dioses pueda procurarnos más.

»Entonces Vána dijo: —Te pido perdón, oh, Manwë Súlimo, y que mi dolor y mis lágrimas sean mi excusa; sin embargo, en tiempos pasados nunca dejó este líquido de refrescar el corazón de Laurelin, y ella devolvía a cambio un fruto de luz más abundante que el que nosotros le dábamos; y me pareció que los Dioses permanecían sentados y sombríos en sus estancias, y por la pesadumbre de sus corazones no intentaban poner remedio a sus males. Pero he aquí que Lórien y yo recurrimos a nuestros hechizos y ellos de nada sirven. —Y Vána se echó a llorar.

»Fue entonces idea de muchos que aquellos dos, Lórien y Vána, no habían podido curar las heridas de Laurelin y de Silpion porque no habían mezclado en sus hechizos palabra alguna de la Señora de la Tierra, madre de la magia. Por tanto, muchos dijeron: —Busquemos a Palúrien, pues quizá su magia logre que estos Árboles recuperen parte de su antigua gloria; y entonces, si la luz se renueva, Aulë y sus artesanos pueden reparar los daños de nuestro hermoso reino, y una vez más habrá felicidad entre Erumáni y el mar[10]. —Pero pocos consideraron o pensaron en la oscuridad y los días malos que durante mucho tiempo habían transcurrido fuera del muro de montañas.

»Por tanto, mandaron llamar entonces a Yavanna, y ella vino y preguntó qué querían, y después de haberlo oído lloró y habló ante ellos diciendo: —Sabed, oh, Valar, y vosotros, hijos e hijas de los Eldar, Hijos de Ilúvatar, primeros vástagos de los bosques de la Tierra, que estos Dos Árboles nunca volverán a florecer, y no cobrarán vida otros como ellos hasta que pasen muchas edades en el mundo. Muchas cosas se harán y ocurrirán, y envejecerán los Dioses, y los Elfos se acercarán a la extinción antes de que vuelvan a encenderse estos Árboles o a iluminarse el Sol Mágico. —Y los Dioses no sabían qué quería decir al hablar de Sol Mágico, ni lo supieron hasta mucho tiempo después. Pero Tulkas, después de haber escuchado, dijo—: ¿Por qué pronuncias esas palabras, oh, Kémi Palúrien, pues no acostumbras a las predicciones y menos aún a las agoreras? —Y otros hubo que dijeron—: Sí, y nunca antes ha sido Kémi, la Señora de la Tierra, dura de consejo, ni le ha faltado el hechizo de la más profunda virtud. —Y le rogaron que recurriera a su poder. Pero Yavanna dijo—: Es esto consecuencia del destino y de la Música de los Ainur. Maravillas tales como esos Árboles de oro y de plata ni siquiera los Dioses pueden hacerlas más de una vez, y ello durante la juventud del mundo; ni todos mis hechizos sirven de nada para hacer lo que ahora me pedís.

»Entonces dijo Vána: —¿Cómo dices entonces, oh, Aulë, poderoso hacedor, llamado i·*Talka Marda* —Forjador del Mundo— por el vigor de tu obra, qué hemos de hacer para obtener la luz que nuestra alegría necesita? Porque ¿qué es Valinor sin luz, o qué eres tú si pierdes tu habilidad como, me parece, la ha perdido tu esposa?

»—No —dijo Aulë—, la luz no puede hacerse mediante el arte de la forja, oh, Vána-Laisi, y ni siquiera los Dioses son capaces de crearla si la savia de los Árboles de maravilla se ha secado para siempre. —Pero Palúrien, contestando también, dijo—: Escucha, oh, Tuivána, tú misma, más allá de los Vali y de los Elfos, ¿sólo piensas siempre en Valinor, olvidando el mundo de fuera? Porque el corazón me dice que ya era hora de que los Dioses hicieran de nuevo la guerra por el mundo y expulsaran de allí los poderes de Melko antes de que crezcan de manera abrumadora. —Pero Vána no entendió la intención de Palúrien, pensado sólo en su Árbol de oro, y quedó descontenta; pero Manwë y Varda, y con ellos Aulë y Yavanna, se fueron de allí, y en cónclave secreto trataron de aconsejarse profunda y mutuamente, y por último dieron juntos con un consejo de esperanza. Entonces Manwë llamó una vez más a toda la gente de Valinor; y esa gran multitud se reunió en el cenador de Vána entre sus rosas, donde estaban las fuentes de Kulullin, porque la llanura ahora se extendía alrededor fría y oscura. Allí fueron incluso los líderes de los Elfos y se sentaron a los pies de los Dioses, algo que no había ocurrido nunca antes; y cuando todos estuvieron reunidos se levantó Aulë y dijo—: Escuchad todos. Manwë Súlimo Valatúru* trae un consejo que compartir, y la mente de la Señora de la Tierra y la Reina de las Estrellas está en él, y de él no está ausente mi consejo.

»Entonces se hizo un gran silencio para que Manwë pudiera hablar, y Manwë dijo: —Mirad, oh, pueblo mío, nos ha asaltado un tiempo de oscuridad, y sin embargo, no creo que haya sido sin el deseo de Ilúvatar. Porque los Dioses casi habían olvidado el mundo que aguarda la llegada de mejores días, y de los Hombres, los hijos menores de Ilúvatar que pronto han de llegar. Y ahora, ante nosotros, se han marchitado los Árboles que llenaban nuestra tierra de encanto y nuestros corazones de alegría, a tal punto que deseos más amplios no podían penetrar en ellos, y he aquí que hemos de dirigir ahora nuestros pensamientos hacia nuevos artefactos con los que se pueda derramar luz tanto sobre el mundo de fuera como sobre la Valinor de dentro.

»Entonces les habló de las reservas de resplandor que todavía poseían; porque de luz plateada no les quedaba mucha, salvo sólo la que había en Telimpë, y una cantidad menor que Aulë guardaba en jofainas en su herrería. Alguna habían recogido de hecho los Eldar con amor en minúsculos recipientes mientras fluía y se malgastaba en el suelo alrededor del tronco herido, pero todo esto era insuficiente.

* Al margen: «también *Valahiru*».

»Ahora bien, que sus reservas de luz blanca fuesen tan escasas tenía muchas causas, pues Varda la había utilizado en abundancia cuando encendió las poderosas estrellas del cielo, tanto a la llegada de los Eldar como en otras ocasiones. Además el Árbol Silpion daba un rocío de luz menos rico que el que había producido Laurelin, pero, no obstante, dado que era menos caliente y de una fogosidad más sutil, los Dioses y los Elfos lo necesitaron siempre para sus obras de mágica artesanía, y lo habían mezclado con toda clase de cosas que inventaban, y en esto, los Noldoli eran los principales.

»Ahora bien, ni siquiera los Dioses podían amansar la luz dorada lo suficiente como para someterla a sus obras, y habían dejado que se acumulara en el gran caldero Kulullin para gran incremento de sus fuentes, o en otras brillantes jofainas y anchos estanques alrededor de los patios, porque la solidez y la gloria de su resplandor era muy grande. Se dice en verdad que de todos los Eldar sólo los primeros hacedores de joyas, de los que Fëanor es el de más grande fama, conocían el secreto de cómo amansar sutilmente la luz dorada para adecuarla a sus usos, y sólo se atrevían a utilizar este conocimiento con parquedad, y ahora ha perecido con ellos y desaparecido de la faz de la Tierra. Sin embargo, ni siquiera de este resplandor dorado había una fuente infalible, ahora que Laurelin ya no dejaba caer su dulce rocío. De esta necesidad hizo Manwë su plan, y la luz se obtuvo de aquella siembra de las estrellas que Varda había llevado a cabo en los primeros tiempos; porque a cada una de las estrellas le había dado un corazón de llama plateada contenida dentro de recipientes de cristales y vidrio pálido y sustancias inconcebibles de los colores más sutiles; y algunos de esos recipientes eran semejantes a barcos y, animados por sus corazones de luz, viajaban siempre por Ilwë, aunque no podían elevarse al reino oscuro y tenue de Vaitya que está fuera de todas las cosas. Espíritus alados de suma pureza y hermosura —aun los más etéreos de esos brillantes coros de los Mánir y los Súruli que viajan por las estancias de Manwë en Taniquetil o atraviesan todos los aires móviles sobre el mundo— dirigen el timón de esos barcos estelares y los conducen por cursos laberínticos, altos sobre la Tierra, y Varda les dio nombres, pero son pocos los que se conocen.

»Otras había cuyos recipientes eran como lámparas traslúcidas colocadas titilantes sobre el mundo, en Ilwë o en los confines mismos de Vilna y los aires que respiramos, y se estremecían y vacilaban por el soplo de los vientos superiores; sin embargo, moran donde están suspendidas y no se mueven de allí; y de éstas, algunas eran muy grandes y bellas, y los Dioses y los Elfos las amaban entre todas sus riquezas; y sin duda en ellas se inspiraban los hacedores de joyas. No amaban en menor medida a Morwinyon del oeste, cuyo nombre significa chispa en el crepúsculo, y de su posición en el cielo mucho se ha dicho; y también de Nielluin, que es la Abeja de Azur, Nielluin a la que todavía muchos hombres ven en otoño o en invierno arder cerca del pie de Telimektar, el hijo de Tulkas, cuya historia tiene que ser contada todavía.

»Pero he aquí —dijo Lindo— que la belleza de las estrellas ha hecho que divague, y sin embargo no dudo de que en ese gran discurso, el más poderoso que pronunciara nunca Manwë ante los Dioses, hizo mención de ellas con palabras aún más amorosas que las mías. Porque he aquí que de ese modo deseaba llevar el corazón de los Dioses a que consideraran su plan, y después de haber hablado de las estrellas pronunció estas últimas palabras: —He aquí —dijo Manwë— que éste es el tercer intento de los Dioses de llevar luz a los lugares oscuros, y tanto a las Lámparas del Norte y del Sur como a los Árboles de la llanura Melko los ha llevado a la ruina. Sólo en el aire Melko no tiene poder para obrar el mal, por lo que mi consejo es que construyamos un gran bajel y lo llenemos con la luz dorada del rocío recogido de Laurelin, y que lo pongamos a flote como un poderoso barco, alto sobre los reinos oscuros de la Tierra. Allí trazará sus cursos lejanos a través de los aires y derramará su luz sobre todo el mundo entre Valinórë y las costas orientales.

»Entonces Manwë decidió que el curso del barco de luz fuera entre el este y el oeste, pues Melko dominaba el norte y Ungweliant el sur, mientras que en el oeste estaban Valinor y los reinos bendecidos, y en el este grandes regiones de tierras oscuras hambrientas de luz.

»Ahora bien, se dice —dijo Lindo— que, aunque ciertos Dioses podrían, debido a su divinidad y si lo quisieran, viajar con una velocidad repentina a través de Vilna y los aires inferiores,

ninguno de los Valar, ni siquiera el mismo Melko, ni ninguno
de los otros salvo Manwë y Varda y sus gentes, son capaces de ir
más allá: pues fue la palabra de Ilúvatar cuando los precipitó al
mundo, según ellos deseaban, que siempre vivirían dentro del
mundo si entraban en él, y no podrían abandonarlo hasta que
llegara su Gran Final, pues estaban tejidos con las hebras del
destino al mundo y eran parte de él. Más todavía, sólo a Manwë,
de quien conocía la pureza y la gloria de su corazón, concedió
Ilúvatar el poder de visitar las alturas extremas; y de respirar el
gran claro Sereno que está tan por encima del mundo que no lo
alcanza ni el polvo más sutil, ni el más tenue olor de sus vidas, ni
el más débil eco de sus cantos o sus penas; y contempla cómo
muy abajo el mundo brilla pálidamente bajo las estrellas y las
sombras de Sol y Luna, que van y vienen de Valinor y revolotean
sobre su faz. Manwë Súlimo camina a menudo por allí, mucho
más allá de las estrellas, y lo observa con amor, y se siente muy
cerca del corazón de Ilúvatar.

»Pero ésta ha sido siempre y es todavía la mayor amargura
de Melko, pues de ningún modo podía ahora abandonar por sí
mismo el seno de la Tierra, y quizá oiréis todavía cuán podero-
samente creció su envidia cuando los grandes bajeles de luz se
hicieron a la vela; pero ahora es preciso decir que tan conmove-
doras fueron las palabras y tan grande su sabiduría que[11] la mayor parte de los Dioses pensaron que su propósito era bueno, y
dijeron entonces: —Que Aulë se ocupe, pues, con todos los suyos, de fabricar esta barca de luz. —Y pocos fueron los que dijeron otra cosa, aunque se dice que Lórien no se sintió muy complacido, temiendo que la sombra y los sitios tranquilos y secretos
dejaran de existir, y seguramente Vána no prestaba atención a
todo esto, consumida como estaba por el vano deseo de que los
Árboles se encendieran otra vez.

»Entonces dijo Aulë: —La tarea que me encomendáis es de
la más extrema dificultad, pero pondré en ella todo mi empe-
ño. —Y pidió la ayuda de Varda, la hacedora de estrellas, y los
dos partieron y se perdieron largo tiempo en la penumbra.

El cuento continúa con la narración del fracaso de Aulë y Varda, inca-
paces de inventar una sustancia que no fuera «demasiado voluminosa
como para navegar por los aires o demasiado frágil como para soportar

el resplandor de Kulullin»; y cuando esto se supo Vána y Lórien pidieron que, como el plan de Manwë había fracasado, él le ordenase a Yavanna que intentara la curación de los Árboles.

—Al final, por tanto, Manwë pidió a Yavanna que ejerciera su poder, y ella era reacia, pero se sintió obligada ante el clamor de la gente, y rogó que le dieran algo del resplandor blanco y del resplandor dorado; pero Manwë y Aulë sólo le concedieron dos pequeñas ampollas, diciendo que si el líquido hubiera tenido antes el poder de curar los Árboles éstos ya estarían florecidos, pues Vána y Lórien lo habían vertido generosamente sobre sus raíces. Entonces, apenada, Yavanna salió a la llanura, y el cuerpo le temblaba y tenía el rostro muy pálido por la enormidad del esfuerzo que hacía luchando contra el destino. Sostenía en la mano derecha la ampolla de oro y en la izquierda la de plata, y las levantó muy alto de pie entre los Árboles, y de cada una salieron llamas rojas y blancas como flores, y el suelo tembló, y la tierra se abrió y de ella brotaron flores y plantas alrededor de sus pies, blancas y azules a su izquierda y rojas y doradas a su derecha, y los Dioses se quedaron en silencio, asombrados. Entonces se acercó a los Árboles y vertió en cada uno de ellos la ampolla correspondiente, y cantó los cantos del crecimiento incesante y un canto de resurrección después de la muerte y el agostamiento; y de pronto paró de cantar. Estaba a mitad de camino entre los Dos Árboles y sobrevino un completo silencio; y luego se oyó un gran ruido, y nadie sabía lo que había pasado, pero Palúrien yacía desmayada en la Tierra; y muchos acudieron de un salto a su lado y la alzaron, y ella tembló y tuvo miedo.

»—¡Vanas, oh, hijos de los Dioses —exclamó—, son todas mis fuerzas! He aquí que por deseo vuestro he vertido mi poder sobre la Tierra como agua, y como agua la Tierra la ha absorbido de mí; se ha retirado y nada más puedo hacer. —Y los Árboles se alzaban aún áridos y desolados, y todos los allí presentes lloraban al mirarla, pero Manwë dijo—: No lloréis, oh, hijos de los Dioses, por el daño irreparable, porque muchas bellas cosas podrían hacerse todavía, y no ha perecido la belleza en el mundo ni todos los consejos de los Dioses han quedado reducidos a la nada. —Pero no obstante los allí reunidos abandonaron aquel sitio apenados, excepto Vána tan sólo, que se abrazó al tronco de Laurelin y lloró.

»Era el tiempo de la más débil esperanza y una oscuridad profunda como nunca antes existiera había caído sobre Valinor; y todavía Vána lloraba, y había enredado sus cabellos dorados en el tronco de Laurelin y sus lágrimas caían suavemente sobre sus raíces; y mientras el rocío de su amor gentil rozaba el árbol, he aquí que una súbita luminosidad pálida nació en aquellos lugares oscuros. Entonces miró Vána maravillada, y donde sus primeras lágrimas habían caído nació un brote de Laurelin, que enseguida produjo capullos, y los capullos eran todos de oro, y desde allí brotó una luz como un rayo de sol desde detrás de las nubes.

»Entonces se alejó Vána un tanto por la llanura y alzó su dulce voz con todas sus fuerzas, que llegó un tanto temblorosa y apagada hasta las puertas de Valmar, y todos los Valar la oyeron. Entonces dijo Ómar: —Es la voz del lamento de Vána. —Pero Salmar dijo—: No, escuchad más atentamente, pues en ese sonido hay más bien alegría. —Y todos los que estaban allí escucharon, y las palabras que oyeron fueron *I·kal'antúlien*, Ha vuelto la luz.

»Altos fueron los murmullos entonces en las calles de Valmar, y la gente se precipitó tumultuosa a la llanura, y cuando vieron a Vána bajo el Árbol y el nuevo brote de oro, un repentino canto de alabanza y alegría irrumpió en todas las lenguas; y Tulkas dijo: —¡He aquí que los hechizos de Yavanna resultaron más poderosos que su predicción! —Pero Yavanna, mirando al rostro de Vána, dijo—: ¡Ay!, no es así, porque en esto mis hechizos sólo han desempeñado un pequeño papel, y más poderoso ha sido el gentil amor de Vána, y sus lágrimas un rocío más curativo y más tierno que todo el resplandor de antaño; sin embargo, en cuanto a mi predicción, pronto lo verás, oh, Tulkas, si tan sólo prestas atención.

»Entonces toda la gente miró a Laurelin, y he aquí que esos capullos se abrieron, y asomaron unos pétalos, y éstos eran del oro más fino, distintos de los de antaño, y aun mientras miraban de la rama brotaban capullos dorados, y en ella había multitud de flores. Ahora bien, tan pronto como los capullos estuvieron plenamente abiertos, pareció que una ráfaga de viento llegó de repente y arrancó las flores de sus finos tallos, haciéndolas volar como chorros de fuego sobre las cabezas de los que miraban, y hubo gente que pensó que en esto había maldad; pero muchos de los Eldar persiguieron aquellos pétalos brillantes a lo largo y a lo ancho y los recogieron en cestos; sin embargo, salvo aquellos cestos que estaban hechos con hebras de oro u otros metales, no pudieron contener esos ardientes capullos y fueron totalmente consumidos y quemados, y los pétalos se volvieron a perder.

»Una flor había, sin embargo, que era más grande que las otras, más brillante y más ricamente dorada, y se mecía al viento pero no se desprendía; y creció, y mientras crecía alimentándose con su propio calor radiante, fructificó. Entonces, caídos ya los pétalos y atesorados, produjo un fruto de gran belleza que colgaba de esa rama de Laurelin, pero las hojas que había en ella se agostaron y se marchitaron y ya no volvieron a brillar. Aun mientras iban cayendo a tierra, el fruto maduraba maravillosamente, porque toda la savia y el resplandor del Árbol agonizante estaban en él, y los zumos de ese fruto eran como llamas estremecidas ambarinas y rojas, y sus pepitas brillaban como el oro, pero la cáscara era de una perfecta luminosidad, suave como un cristal cuya naturaleza estuviera impregnada de oro y a través de ella se podía ver dentro el movimiento de sus jugos, como los fuegos palpitantes de un horno. Tan grande fue la luz y la riqueza de ese fruto y tanto su peso, que la rama empezó a doblarse, y colgaba como un globo de fuegos delante de los ojos de todos.

»Entonces le dijo Yavanna a Aulë: —Sostén esa rama, mi señor, no sea que se quiebre y el fruto maravilloso se estrelle duramente contra el suelo; y ésa sería la más grande aflicción, pues debéis saber todos que ésta es la última llama de vida que ha de mostrar Laurelin. —Pero Aulë se había apartado como quien está perdido en súbitos pensamientos desde que el fruto alcanzara la madurez, y ahora respondió diciendo—: Durante mucho tiempo en verdad buscamos Varda y yo por las casas y los jardines desolados materiales para nuestra artesanía. Ahora sé que Ilúvatar ha puesto en mis manos la satisfacción de mi deseo. —Entonces, llamando a Tulkas para que lo ayudara cortó el tallo del fruto, y aquellos que estaban mirando ahogaron un grito y se asombraron de su crueldad.

»Murmuraron en altas voces y algunos gritaron: —¡Ay de quien viole de nuevo nuestro Árbol! —Y Vána estaba muy furiosa.

Sin embargo ninguno se atrevió a acercarse, pues aquellos dos, Aulë y Tulkas, apenas podían cargar incluso sobre sus hombros divinos ese gran globo de llama, y trastabillaban bajo él. Al oír el enfado de todos, Aulë se detuvo, diciendo—: Tened un poco de juicio y mostrad paciencia. —Pero mientras estaba diciendo estas palabras su pie vaciló y se fue al suelo, y ni siquiera Tulkas pudo soportar ese fruto solo, de modo que cayó, y al dar contra la dura tierra el globo estalló. Inmediatamente surgió un resplandor tan enceguecedor, mayor que cualquiera que Laurelin hubiese producido antes aun en plena floración, que deslumbró los ojos oscurecidos de los Vali e hizo que todos cayeran de espaldas confundidos, y de ese sitio se elevó tal pilar de luz hiriendo los cielos que las estrellas palidecieron bajo él y la cara de Taniquetil enrojeció a lo lejos, y sólo Aulë entre todos los que allí estaban se mantuvo impasible al dolor. Entonces Aulë dijo—: De esto puedo hacer una barca de luz que sobrepase aun los deseos de Manwë —y ahora Varda y muchos otros, aun Vána, entendieron su propósito y se alegraron. E hicieron una poderosa canasta con hebras de oro retorcidas y, esparciendo en ella los pétalos ardientes de su propia floración, pusieron dentro de ella las mitades del fruto del mediodía, y levantándola con muchas manos, la cargaron con muchos cantos y repletos de esperanza. Luego, al llegar a los patios de Aulë, la depositaron en el suelo, y allí mismo empezó la gran forja de Sol; y ésta fue de todas las obras de Aulë Talkamarda, que hacen legión, la de más grande ingenio y maravilla. De esa cáscara perfecta hizo un bajel, diáfano y brillante y sin embargo de una fuerza atemperada, porque con hechizos que le eran propios superó su fragilidad, aunque de ningún modo por ello disminuyó su sutil delicadeza.

»El más ardiente resplandor se vertía allí sin derramarse ni opacarse, pero de él el bajel no recibió daño alguno, pues podía navegar los aires con más ligereza que un pájaro; y Aulë se alegró en extremo, y modeló ese bajel como un gran barco ancho de manga, poniendo una mitad de la cáscara dentro de la otra para que su fuerza no se quebrantase.

Prosigue la narración de cómo Vána, arrepentida de sus pasadas murmuraciones, se cortó los cabellos dorados y se los dio a los Dioses, y con sus cabellos tejieron velas y cuerdas «más fuertes que las que hubiera visto ningún marinero, aunque de la delgadez de las telarañas». Los mástiles y los remos del barco eran todos de oro.

—Entonces, para que ese Barco de los Cielos estuviera pronto hasta en el menor de sus detalles, los pétalos intactos de la última flor de Laurelin se recogieron como una estrella en la proa, y en la borda se colgaron borlas y gallardetes de luz indirecta, y el relumbre de un relámpago quedó atrapado en el mástil como un estandarte; y todo ese bajel se llenó hasta el borde con el deslumbrante resplandor del oro de Kulullin, y mezclados con él había gotas de los zumos del fruto del mediodía, y éstas eran muy calientes; el seno de la Tierra apenas alcanzaba a retenerlo, y saltaba sujeto a las cuerdas como un pájaro cautivo que quisiera remontar el vuelo.

»Entonces los Dioses le dieron nombre a ese barco, y lo llamaron Sári, que significa Sol, pero los Elfos lo llamaron Ûr, que significa fuego[12]; y muchos otros nombres tiene en las leyendas y las poesías. Entre los Dioses lo llaman la Lámpara de Vána en recuerdo de sus lágrimas y las dulces trenzas que ofreció; y los Gnomos lo llaman Galmir, el centelleo del oro[13], y Glorvent, la nave de oro, y Bráglorin, el navío resplandeciente, y muchos otros nombres además; y los nombres que tiene entre los Hombres nadie los ha contado nunca.

»He aquí ahora que ha de relatarse cómo mientras algunos continúan junto al galeón, otros, cerca de donde otrora crecieran los Dos Árboles, fabricaban una gran jofaina, y en ello trabajaban afanosamente. Hicieron el fondo de oro y las paredes de bronce pulido, y en torno una arcada de pilares dorados coronados de fuego, aunque sólo por el lado este; y Yavanna le puso alrededor un gran e innominado hechizo, de modo que allí se vertieron casi todas las aguas del fruto del mediodía y se convirtió en un baño de fuego. Se lo llama ahora en verdad Tanyasalpë, el cuenco de fuego, y aun Faskalanúmen, el Baño de Sol Poniente, porque aquí, después de volver Urwendi del este y que el sol se hubiese puesto por vez primera en Valinor, el barco fue atraído a tierra y su resplandor se refrescó en preparación para nuevos viajes a la mañana siguiente, mientras Luna sostenía el Alto Cielo.

»Ahora bien, la hechura de este lugar de fuego es más prodigiosa de lo que parece, pues tan sutiles eran esos resplandores que lanzados al aire no se derramaban ni se hundían, sino que se elevan y flotan muy por encima de Vilna, siendo de extrema flotabilidad y ligereza; sin embargo, ahora nada se le escapaba a Faskalan, que ardía en medio de la llanura, y de allí llegaba la luz a Valinor, pero a causa de la profundidad de la jofaina era bastante escasa, y la cercaba un aro de sombra.

»Entonces dijo Manwë, contemplando la gloria de ese barco mientras luchaba por alejarse: —¿Quién ha de timonear este barco para nosotros y guiar su rumbo por sobre los reinos de la Tierra, pues aun ni siquiera los divinos cuerpos de los Valar, me parece, podrían resistir largo tiempo bañarse en esta luz tan intensa?

»Pero un gran pensamiento advino al corazón de Urwendi, y dijo no tener miedo, y rogó convertirse en la señora de Sol y aprontarse para ese oficio tal y como Ilúvatar se lo había puesto en el corazón. Entonces ordenó a muchas de sus doncellas que la siguieran, incluso a aquellas que otrora habían regado con luz las raíces de Laurelin, y arrojando a un lado sus vestidos se internaron en el estanque Faskalan como bañistas en el mar, y las espumas doradas les cubrieron los cuerpos, y los Dioses las perdieron de vista y se asustaron. Pero al cabo de un tiempo volvieron a las bronceadas orillas y ya no eran como antes, pues sus cuerpos se habían vuelto luminosos y brillaban como alimentados por un ardor interior, y la luz resplandecía en sus miembros al moverse, y ningún vestido aguantaba ya el cubrirles los cuerpos gloriosos. Eran como el aire y pisaban tan ligeramente como la luz del sol pisa la tierra, y sin decir una palabra subieron al barco, que se alzó sobre las tensas cuerdas y ni toda la gente de Valinor pudo apenas retenerlo.

»Ahora, finalmente, por orden de Manwë, suben las largas laderas de Taniquetil y arrastran con ellos i·Kalaventë, el Barco de la Luz, y no era tarea pequeña; y se detienen ahora en el ancho espacio ante las grandes puertas de Manwë, y el barco está sobre la ladera occidental de la montaña estremeciéndose y tirando de sus amarras, y ya tan grande se ha vuelto su gloria que los rayos del sol se vierten sobre los hombros de Taniquetil y hay una nueva luz en el cielo, y las aguas de los lejanos Mares

Sombríos son tocadas por un fuego tal que nunca se ha visto antes. Se dice que a esa hora todas las criaturas que vagaban por el mundo se quedaron inmóviles y se asombraron, y Manwë se volvió hacia Urwendi y le dijo: —Ve ahora, la más maravillosa doncella bañada en fuego, y timonea el barco de luz divina por sobre el mundo, para que la alegría llegue hasta las grietas más estrechas y despierten todas las criaturas que duermen en su seno[14]. —Pero Urwendi no contestó, y sólo miraba con ansia hacia el este, y Manwë ordenó soltar las amarras que contenían el barco, y ya la Nave de la Mañana se elevó por sobre Taniquetil y el seno del aire la recibió.

»Aun mientras se elevaba, ardió más brillante y con mayor pureza, hasta que toda Valinor se llenó de esplendor, y los valles de Erúmáni y los Mares Sombríos se bañaron de luz, y los rayos del sol se derramaron sobre la oscura llanura de Arvalin, salvo sólo donde las telas más pegajosas y los más oscuros vapores de Ungweliantë se tendían demasiado espesos como para que cualquier resplandor se filtrara a través de ellos.

»Entonces, al mirar todos arriba, vieron que el cielo era azul y muy brillante y hermoso, pero las estrellas huyeron al llegar aquel gran amanecer sobre el mundo; y un viento gentil sopló desde las tierras frías al encuentro del bajel y llenó sus velas resplandecientes, y se levantaron hacia él vapores blancos desde los mares neblinosos de debajo, de modo que la proa parecía hender una espuma blanca y aérea. Sin embargo no se balanceaba, pues los Mánir que viajaban a su alrededor lo sostenían con cuerdas doradas, y más y más alto se elevó el gran galeón de Sol, hasta que aun a la mirada de Manwë no fue más que un disco de fuego coronado con velos de esplendor que venía lenta y majestuosamente navegando desde el oeste.

»Ahora bien, a medida que avanzaba en su viaje, la luz se hacía en Valinor más dulce, y las sombras de las casas de los Dioses se alargaban deslizándose hacia las aguas de los Mares Exteriores, pero Taniquetil arrojaba una gran sombra occidental que iba haciéndose más prolongada y profunda, y la tarde se hizo en Valinor.

Entonces dijo Gilfanon, riendo: —Vaya, buen señor, mucho alargas el cuento, porque me parece que te gusta demorarte en las obras y los hechos de los grandes Dioses, pero si no pones medida a tus palabras, nuestro forastero aquí presente no vivirá para oír las cosas que ocurrieron en el mundo cuando por fin los Dioses lo entregaron a la luz que durante tanto tiempo habían retenido... y tales cuentos, me parece, son de una variedad que es grato oír.

Pero Eriol en verdad había estado escuchando con muchas ganas la dulce voz de Lindo, y dijo: —Sólo hace muy poco, un día quizá según estimarían los Eldar, que he venido aquí, pero no me gusta ya el nombre de forastero, ni tampoco prolongará Lindo su cuento más allá de mi interés por escucharlo, sea cual fuere la historia, pero he aquí que ésta se adecua perfectamente a mi corazón.

Pero Lindo dijo: —No, no, tengo sin duda más que contar; pero, oh, Eriol, vale la pena escuchar las cosas que tiene Gilfanon en los labios; a decir verdad nunca he escuchado yo, ni ninguno de los aquí presentes, la historia completa de estos acontecimientos. Por tanto, tan pronto como me sea posible retomaré mi cuento y le pondré fin, pero de aquí a tres noches contemos nuevos cuentos, y será una ocasión de gran ceremonia, y habrá música en ella, y todos los niños de la Casa del Juego Perdido estarán aquí reunidos a los pies de Gilfanon para oírle relatar los trabajos de los Noldoli y la llegada de la Humanidad.

Pues bien, mucho complacieron estas palabras a Gilfanon y a Eriol, y muchos además sintieron agrado, pero ahora Lindo prosigue:

—Has de saber que hasta tales alturas ascendió el Barco de Sol, cada vez más caliente y brillante según ascendía, que antes de que transcurriera mucho tiempo su gloria era más vasta de lo que incluso los Dioses habían concebido cuando todavía estaba anclado en sus nieblas. Por todas partes penetraba su luz intensa, y todos los valles y los bosques oscuros, las tétricas laderas y las corrientes rocosas quedaron deslumbradas por él, y los Dioses se asombraron. Grande era la magia y la maravilla de Sol en aquellos días de la brillante Urwendi, aunque no tan tierno y delicadamente bello como había sido una vez el dulce Árbol Laurelin; y así despertaron en Valinor murmullos de un nuevo descontento, y las palabras transcurrieron entre los hijos de los Dioses, porque Mandos y Fui estaban enojados, y dijeron que Aulë y Varda estaban siempre alterando el debido orden del mundo, convirtiéndolo en un lugar donde no podía mantenerse el silencio ni ninguna sombra pacífica; pero Lórien se sentó y lloró en un huertecillo de árboles bajo la Sombra de Taniquetil y contempló sus jardines, que se extendían allá abajo, todavía desordenados por causa de la gran cacería de los Dioses, pues él no había tenido ánimos para arreglarlos. Allí los ruiseñores se mantenían en silencio porque el calor bailaba sobre los árboles, y las amapolas de Lórien se marchitaron, y sus flores nocturnas se desmayaron y perdieron el perfume; y Silmo permanecía triste junto a Telimpë, que brillaba empañado como las aguas estancadas más que como el resplandeciente rocío de Silpion, tan abrumadora era la intensa luz del día. Entonces se levantó Lórien y le dijo a Manwë: —Manda a tu barco rutilante que vuelva, oh, Señor de los Cielos, porque los ojos nos duelen por causa de sus llamaradas, y la belleza y el dulce sueño se han ido lejos. Preferimos la oscuridad y nuestros recuerdos a esto, porque esto no es como el viejo encanto de Laurelin, y Silpion ha muerto. —Tampoco ninguno de los Dioses estaba del todo contento, sabiendo en sus corazones que habían hecho algo más grande todavía de lo que al principio no habían sospechado, y nunca volvería Valinor a conocer edades como las pasadas; y Vána dijo que la fuente de Kulullin se había opacado y que su jardín se marchitaba al calor, y sus rosas habían perdido matices y fragancias, pues el sol navegaba más cerca de la Tierra que ahora.

»Entonces los reprendió Manwë por su veleidad y descontento, pero ellos no se calmaron; y de pronto habló Ulmo, llegado del Vai exterior: —Señor Manwë, ni tu consejo ni el de ellos han de despreciarse. ¿No habéis entendido, oh, Valar, el porqué de la belleza de los Árboles de antaño? En el cambio, y en la lenta alteración de las cosas bellas, en lo pasado mezclándose dulcemente con lo que está por venir.

»Pero Lórien dijo de pronto: —Oh, Valatúru, el Señor de Vai habla palabras más sabias que las que antes se dijeron, y me llenan de una gran nostalgia. —Y los abandonó entonces y se dirigió a la llanura, y por entonces habían transcurrido tres días, que era la duración de tres florecimientos del Laurelin antaño, desde que el Barco de la Mañana había soltado amarras. Luego durante cuatro días más permaneció sentado Lórien junto al tronco de Silpion y las sombras se agrupaban tímidas a su alrededor, porque Sol se había alejado hacia el este volando por los cielos a su antojo, pues Manwë no había reglado todavía su curso y se le había dicho a Urwendi que fuera a donde le pareciese conveniente. Sin embargo, aun así, no está Lórien apaciguado, ni siquiera aunque la oscuridad de las montañas se desliza a través de la llanura, y una niebla llega del mar y un vacilante y vago crepúsculo pende una vez más sobre Valinor, sino que se queda allí sentado largo tiempo preguntándose por qué los hechizos de Yavanna sólo habían obrado sobre Laurelin.

Entonces Lórien le cantó a Silpion, diciendo que los Valar se habían perdido «en un desierto de oro y calor, o en sombras llenas de muerte e inhóspitas tinieblas», y tocó la herida abierta en el tronco del Árbol.

—He aquí que aún mientras tocaba esa cruel herida, una luz brilló allí, tenue, como si la savia radiante aún palpitara dentro, y una rama baja que había sobre la cabeza inclinada de Lórien de pronto tuvo yemas, y hojas de un verde muy oscuro, largas y ovales, brotaron y se desplegaron en ella; aunque el resto del Árbol estaba desnudo y muerto, y así lo ha estado siempre desde entonces. En aquel momento habían transcurrido siete veces siete días desde que el fruto del mediodía naciera en Laurelin, y muchos de los Eldar y de los espíritus menores y de los Dioses se habían acercado al oír el canto de Lórien; pero éste no les hizo caso, mirando solamente al Árbol.

»He aquí que las hojas nuevas estaban recubiertas de una humedad plateada, y el envés era blanco y tenía pálidos filamentos resplandecientes. Había también capullos de flores en esa rama, y se abrieron, pero una niebla oscura venida del mar se arremolinó alrededor del Árbol, y el aire se volvió muy frío, como nunca lo había sido antes en Valinor, y los capullos se marchitaron y cayeron y nadie hizo caso de ellos. Sólo uno había quedado en el extremo de la rama, que al abrirse brilló con luz propia, y no hubo niebla ni frío que lo dañase, sino que agrandándose parecía en verdad absorber los vapores mismos e incorporarlos sutilmente a la sustancia plateada de su cuerpo; y creció hasta convertirse en una flor resplandeciente muy pálida y maravillosa, y ni siquiera la superaba la nieve más pura sobre

Taniquetil brillando a la luz de Silpion, y su corazón era de llamas blancas y latía, creciendo y decreciendo de manera maravillosa. Entonces dijo Lórien, inspirado por la alegría que sentía en el corazón: —Mirad la Rosa de Silpion. —Y la rosa creció hasta alcanzar casi el tamaño del fruto de Laurelin, y en esa flor había diez mil pétalos de cristal, y estaba impregnada de un rocío oloroso como la miel, y este rocío era luz. No dejó Lórien que nadie se acercara, y esto ha de lamentarlo para siempre: pues la rama de la que colgaba la Rosa quedó sin savia y se marchitó; y aun así no permitió que esa flor fuera arrancada gentilmente, pues se había enamorado de su encanto y deseaba verla crecer más poderosa que el fruto del mediodía, más gloriosa que Sol.

»Entonces la rama marchita se partió y la Rosa de Silpion cayó al suelo, y parte del rocío de luz se perdió bruscamente, y aquí y allá algún pétalo quedó aplastado y deslucido, y Lórien gritó con fuerza e intentó alzarla suavemente, pero era demasiado grande. Por tanto los Dioses enviaron a buscar en casa de Aulë un gran posaplato de plata que había allí, parecido a una mesa para gigantes, y sobre él colocaron la última flor de Silpion, y a pesar de sus daños, la gloria y la fragancia y la magia pálida de la flor eran ciertamente muy grandes.

»Ahora bien, cuando Lórien hubo dominado el dolor de esta pérdida, pronunció el consejo que las palabras de Ulmo habían evocado en él: que los Dioses hicieran otro navío digno de compararse con el galeón de Sol. —Y que sea hecho —dijo— con la Rosa de Silpion, y en memoria del ascenso y descenso de estos Árboles doce horas surcará el Barco de Sol los cielos y abandonará Valinor, y doce horas la pálida barca de Silpion remontará por los aires, y habrá descanso para los ojos cansados y los corazones afligidos.

»Ésta fue, pues, la manera en que se hizo Luna, porque Aulë no quiso desmembrar la maravilla de la Rosa de Plata, y en cambio convocó a ciertos Eldar de entre sus gentes que estaban emparentados con los Noldoli de antaño[15] y que habían tenido relación con los hacedores de joyas. Entonces éstos le mostraron un gran acopio de cristales y de delicados vidrios que Fëanor y sus hijos[16] habían guardado en lugares secretos en Sirnúmen, y con la ayuda de esos Elfos y de Varda de las estrellas, que aún cedió algo de la luz de sus frágiles embarcaciones para dotar de una límpida claridad a la construcción de la nave, creó una sustancia delgada como un pétalo de rosa, clara como el más transparente vidrio feérico, y muy suave; sin embargo, con su habilidad, Aulë la curvó y la trabajó, y la llamó *vírin*. De *vírin*, pues, construyó un bajel maravilloso, y a menudo han hablado los Hombres del Barco de Luna; sin embargo, poco se parece a cualquier otra barca que haya navegado por mar o por aire. Se parecía más quizá a una isla de vidrio puro, aunque no muy grandiosa, y había en ella minúsculos lagos bordeados de níveas flores resplandecientes, pues el agua de esos estanques que les suministraban la savia era el resplandor de Telimpë. En el medio de esa isla reluciente se talló una copa del material cristalino que Aulë había hecho y en ella se depositó la Rosa mágica, y el cuerpo vítreo del bajel chisporroteaba de manera maravillosa mientras la flor relumbraba allí dentro. Había allí varas, que quizá eran de hielo, y se elevaron sobre ella como etéreos mástiles; y a ellos se sujetaron velas unidas por hebras delgadas, y Uinen las tejió de nieblas blancas y espuma, y sobre algunas había esparcidas escamas de peces plateados, y otras estaban salpicadas de las más diminutas estrellas, como puntos de luz: chispas atrapadas en la nieve cuando Nielluin estaba brillando.

»Así era el Barco de Luna, la isla de cristal de la Rosa, y los Dioses lo llamaron Rána, Luna, pero las hadas lo llamaron Sil, la Rosa[17], y por muchos otros dulces nombres. Se lo llamó también Ilsaluntë o el esquife de plata, y los Gnomos lo llamaron Minethlos o la isla argentina, y Crithosceleg, el disco de vidrio.

»Entonces pidió Silmo navegar en él por los océanos del firmamento, pero no le fue posible, pues ni pertenecía a los hijos del aire ni tenía modo de desprenderse de su terrenalidad como había hecho Urwendi[18], y de poco le habría servido entrar en Faskalan si se hubiera atrevido a intentarlo, porque entonces Rána se habría marchitado delante de él. Por tanto ordenó Manwë a Ilinsor, un espíritu de los Súruli que amaba las nieves y la luz de las estrellas y que había ayudado a Varda en muchas de sus obras, que timoneara este barco de extraño resplandor, y con él fueron otros muchos espíritus del aire ataviados con ropas plateadas y blancas, o del oro más pálido; pero un viejo elfo de cabellera cana subió sin ser advertido a Luna y se escondió en la Rosa, y allí vive desde entonces y cuida de esa flor, y ha levantado una torrecilla blanca en Luna a la que sube a menudo y vigila los cielos o el mundo de abajo, y éste es Uolë Kúvion, el que nunca duerme. Algunos en verdad lo han llamado el Hombre de la Luna, pero más bien es Ilinsor el que merodea por entre las estrellas.

»Debe decirse ahora que el primitivo plan de Lórien se vio alterado, pues el blanco resplandor de Silpion de ningún modo es tan animado y etéreo como la llama de Laurelin, ni tampoco el *vírin* tan liviano como la cáscara del brillante fruto del mediodía; y cuando los Dioses cargaron la nave blanca de luz y la lanzaron al cielo, he aquí que ni siquiera se alzaba por sobre sus cabezas. Es más, he aquí que la Rosa viviente seguía segregando una miel como de luz que se destilaba sobre la isla de vidrio, y resplandece allí un rocío de rayos lunares, aunque éste entorpece el bajel más que mantenerlo a flote, como sí lo hacía el incremento de las llamas del Barco de Sol. De este modo sucede pues que Ilinsor debe regresar a veces, y el sobreflujo del resplandor de la Rosa se almacena en Valinor en previsión de días oscuros; y es preciso decir que tales días se producían de vez en cuando, pues es entonces cuando la flor blanca de la isla se desvanece y apenas brilla, y por tanto es preciso refrescarla y regarla con su rocío plateado, como debía hacerse antaño con Silpion.

»De ahí que se construyera un estanque cerca del oscuro muro austral de Valmar, y de plata y mármoles blancos eran las paredes, y había un cerco de tejos alrededor, plantado como un intrincado laberinto. Allí Lórien atesoraba la luz del rocío de esa bella Rosa, y la llamó Lago Irtinsa.

»Así es que durante catorce noches los hombres pueden ver la barca de Rána flotando en los aires, y durante otras catorce, los cielos nada saben de ella; y aun en esas hermosas noches en que Rána sale de viaje no muestra siempre el mismo aspecto como Sári el glorioso; porque mientras que ese brillante galeón viaja aún por sobre Ilwë y más allá de las estrellas y hiende una senda deslumbrante encegueciendo los cielos, más alto que ninguna otra cosa, despreocupado de los vientos y los movimientos del aire, la barca de Ilinsor es más pesada y tiene menos magia y poder, y no viaja nunca sobre los cielos, sino que navega por los pliegues inferiores de Ilwë, trazando una franja blanca entre las estrellas. Por esta razón los altos vientos la perturban a veces tirando de sus velas neblinosas; y a menudo éstas se desgarran y quedan esparcidas, y los Dioses las renuevan. A veces también los pétalos de la Rosa se fruncían, y sus llamas blancas iban de aquí para allá como un cirio de plata que vacila al viento. Entonces Rána se eleva y se mueve por el aire, y se puede observar la esbelta y brillante curva de la quilla, hundiéndose ya de proa, ya de popa; y cuando otra vez navega serenamente hacia el oeste a través del puro resplandor se ve la amplia Rosa de Silpion, y algunos dicen que también se ve la forma de Uolë Kúvion a su lado.

»Es por cierto de muy bello aspecto el Barco de Luna, y la Tierra se llena de luces tenues y sombras profundas de rápido movimiento, y sueños radiantes avanzan con alas serenas por el mundo, pero a pesar de estar complacido, Lórien siente pena, porque su flor lleva todavía, y llevará por siempre, las marcas de las magulladuras y la caída; y todos los hombres pueden verlas con claridad.

»Pero[19] he aquí —dice Lindo— que me estoy adelantando, porque hasta ahora sólo he contado que el barco de plata acaba de construirse e Ilinsor ha subido a bordo en primer lugar... y ahora los Dioses arrastran una vez más hacia arriba ese bajel por las empinadas laderas del viejo Taniquetil, cantando mientras marchan canciones de las gentes de Lórien que durante mucho tiempo han estado mudas en Valinor. Más lento fue ese ascenso que el del Barco de la Mañana, y toda la gente tira afanosa de las cuerdas, hasta que viene Oromë y unce a la nave una manada de blancos caballos salvajes, y así llega el bajel a la cumbre extrema.

»Entonces he aquí que se ve a lo lejos el galeón de Sol que avanza dorado desde el este, y los Valar se maravillan al divisar los picos resplandecientes de las montañas a lo lejos, y unas islas verdes que relucen en mares otrora oscuros. Entonces exclamó Ossë: —¡Mira, oh, Manwë, el mar es azul, casi tan azul como Ilwë, al que amas! —Y dijo Manwë—: No, no envidiemos a Ilwë, pues el mar no es azul solamente, sino también gris y verde y púrpura, y florecido del modo más bello con espuma blanca. Ni el jade, ni la amatista, ni el pórfido con diamantes y perlas incrustadas supera a las aguas de los Grandes Mares y los Pequeños Mares cuando la luz del sol los inunda.

»Tras estas palabras ordenó Manwë a Fionwë, su hijo, el más veloz de todos, que se trasladara por los aires y dijera a Urwendi que la barca de Sol debía volver momentáneamente a Valinor, pues los Dioses celebraban un consejo que le incumbía, y Fionwë voló del todo dispuesto, pues hacía ya mucho que había concebido un gran amor por la brillante doncella, y su encanto presente, cuando bañada en fuego se estableció como la radiante señora de Sol, lo inflamaba con las ansias de los Dioses.

Así fue como Urwendi, no de muy buen grado, volvió con su barco por sobre Valinor, y Oromë lo enlazó con un lazo de oro, y fue arrastrado lentamente a Tierra, y he aquí que una vez más los bosques de Taniquetil relucieron en la luz mezclada de plata y oro, y todos recordaron la antigua mezcla de luces de los Árboles; pero Ilsaluntë palideció ante el galeón de Sol hasta el punto de que ya no parecía que estuviese ardiendo. Así terminó el primer día del mundo, y fue muy largo y hubo muchos hechos maravillosos que Gilfanon puede contar; pero ahora los Dioses veían que la tarde se hacía más profunda en el mundo a medida que el Barco de Sol era arrastrado hacia abajo, y la luz sobre las montañas se desvanecía y el brillo de los mares se apagó. Entonces la oscuridad primordial salió arrastrándose una vez más desde muchas guaridas recónditas, pero Varda se alegró de ver el brillo imperturbable de las estrellas. Sári fue arrastrado muy lejos por sobre la llanura, y cuando se había alejado remolcaron a Ilsaluntë hacia el pico más alto, de modo que su brillo blanco se volcó desde allí sobre el ancho mundo; y llegó la primera noche. En verdad, en estos días la oscuridad no está ya dentro de los límites del mundo, sino sólo la noche, y la noche es otra cosa muy distinta por causa de la Rosa de Silpion.

»Pero ahora Aulë llena hasta rebosar de resplandor blanco el navío de esa flor, y muchos de los Súruli de alas blancas se deslizan por debajo y lo cargan lentamente hacia arriba hasta ponerlo en compañía de las estrellas. Allí navega despacio, pálido y glorioso, e Ilinsor y sus camaradas se sientan sobre su borda y con remos relucientes lo impelen valerosamente a surcar el cielo; y Manwë sopló el hinchado velamen hasta que se elevó lejos en el aire, y el golpe de los remos invisibles contra los vientos de la noche fue apagándose y desvaneciéndose.

»De esta manera remontó por vez primera Luna sobre Taniquetil, y Lórien se regocijó, pero Ilinsor tuvo celos de la supremacía de Sol, y ordenó a los marineros de las estrellas huir a su paso y las lámparas de las constelaciones se apagaron, pero fueron pocas, y a menudo alzaba las velas persiguiéndolas, y las pequeñas naves de Varda huían ante el cazador del firmamento y no podían ser atrapadas. Y eso —dijo Lindo— es todo, me parece, lo que sé de la construcción de aquellos barcos maravillosos y de su botadura al aire[20].

—Pero —dijo Eriol— no, seguramente eso no es todo, porque al comenzar el cuento me pareció que prometiste hablarnos del presente curso de Sol y de Luna y de su salida por el este, y por mi parte, con licencia de los que están aquí reunidos, no estoy dispuesto a liberarte de tu promesa.

Entonces dijo Lindo, riendo: —No, no recuerdo esa promesa, y si la hice fui en verdad precipitado, pues de ningún modo es fácil relatar las cosas que pides, y muchos asuntos relacionados con los hechos de aquellos días en Valinor están ocultos a todos, salvo a los Valar solamente. Ahora, sin embargo, de buen grado estoy dispuesto a escuchar, y tú, Vairë, quizá quieras hacerte cargo del peso de la narración.

Eso regocijó a todos los que estaban allí, y los niños batieron palmas, pues se sentían encantados cuando Vairë era la narradora de los cuentos; pero Vairë dijo:

—He aquí que contaré cuentos de aquellos días profundos, y el primero se llama *El ocultamiento de Valinor.*

NOTAS

1 El manuscrito dice aquí *Gilfan a·Davrobel,* pero en la desechada versión anterior dice en este pasaje *Gilfanon a·Davrobel,* lo que sugiere que *Gilfan* no fue intencional.

2 Sobre la relación de Tavrobel con la aldea de Staffordshire en Great Haywood, véase el comentario a La cabaña del Juego Perdido. En Great Haywood el río Sow se une al Trent.

3 En la versión desechada de este «interludio», la historia de Gilfanon se cuenta de manera diferente: «estaba allí mucho antes que ningún Ilkorin, y edades enteras atrás había vivido en Hisilómë»;

«vino a Tol Eressëa después de la gran marcha [esto es, la "marcha de Inwë al mundo", la gran expedición desde Kôr], pues había adoptado un parentesco sanguíneo con los Noldoli». Ésta es la primera aparición del término *Ilkorin*, que se refiere a los Elfos que «no eran de Kôr» (cf. el término posterior *Úmanyar*, los Elfos que «no eran de Aman»). *Artanor* es la precursora de Doriath.

4 Gilfanon, un gnomo, es llamado aquí el más viejo de las *hadas*; véase *La Música de los Ainur*.

5 No conozco ninguna explicación de «la Casa de las Cien Chimeneas», cerca del puente de Tavrobel, pero no he visitado nunca Great Haywood, y es posible que allí hubiera (o haya) una casa que le diera origen.

6 La última parte de la forma desechada del «interludio» es bastante diferente:

> Por tanto dijo Lindo respondiendo a Eriol: —He aquí que Gilfanon, aquí presente, puede contarte muchas cosas acerca de tales asuntos, pero ante todo es preciso contarte las cosas que se hicieron en Valinor cuando Melko dio muerte a los Árboles y los Gnomos se marcharon hacia la oscuridad. Es un largo cuento, pero vale la pena escucharlo. —Porque a Lindo le encantaba contar esos cuentos y a menudo buscaba la ocasión de recordarlos; pero Gilfanon dijo—: Sigue hablando, Lindo mío, pero me parece que el cuento no se contará esta noche, ni muchas noches después, y ya habré regresado a Tavrobel. —No —dijo Lindo—, no me demoraré demasiado en la historia, y el día de mañana será para ti. —Y así diciendo, Gilfanon suspiró, pero Lindo levantó la voz...

7 «No sea que» [«lest it be»]: esta curiosa expresión está clara en el manuscrito; el uso de la expresión parece del todo sin precedentes, pero su significado debe de ser «a no ser que», por ejemplo, «sólo para él, a no ser que también contemos a Varda...».

8 Sobre *Telimpë* como nombre del «caldero de Luna» en lugar de *Silindrin*, véase la nota a los cambios de nombres en *La Llegada de los Valar* y la nota 2 a *La Llegada de los Elfos*.

9 Véase *La Llegada de los Valar*. En las apariciones anteriores el nombre es *Urwen*, no *Urwendi*.

10 «Entre Erumáni y el Mar», esto es, el Mar Exterior, Vai, el límite occidental de Valinor.

11 El pasaje que empieza «Porque he aquí que de ese modo deseaba...» y continúa hasta este punto fue agregado en una hoja aparte

y reemplazaba uno mucho más corto en el que Manwë declaraba brevemente su plan, y nada se decía de los poderes de los Valar. Pero no creo que el reemplazo fuera redactado mucho más tarde que el cuerpo del texto.

12   Aquí decía anteriormente: «Entonces los Dioses dieron nombre a esa nave, y la llamaron Ûr, que significa Sol», etc.

13   Aquí decía anteriormente: «y los Gnomos la llaman Aur, Sol, y Galmir, centelleo del oro», etc.

14   Una nota aislada se refiere a la aparición de criaturas más saludables cuando salió Sol (esto es, sobre las Grandes Tierras) y dice que «todos los pájaros cantaron en el primer amanecer».

15   Los Aulenossë.

16   Ésta es la primera aparición de los Hijos de Fëanor.

17   Anteriormente decía «la rosa de plata».

18   *Urwendi, Urwandi* en el manuscrito, pero creo que esto no fue intencional.

19   A partir de este punto el texto del *Cuento de Sol y de Luna* no está ya escrito sobre un original a lápiz borrado, y a partir del mismo punto el texto original continúa en otro cuaderno. De hecho, hasta el final del *Cuento de Sol y de Luna* las diferencias son mínimas, sólo ligeras alteraciones en la redacción; pero el texto original sí explica que la primera vez que aparece el nombre *Gilfanon*, en la versión original ponía *Ailios*. Podría uno suponer de cualquier modo que esto fue un desliz, una restitución de un nombre anterior, pero no es así y se demuestra porque en la primera versión, en lugar de «muchos hechos maravillosos que Gilfanon puede contar» dice «muchos maravillosos hechos que Ailios contará».

20   A partir de este punto la segunda versión difiere totalmente de la primera. La primera dice:

> Y eso es todo, creo —dijo Lindo—, lo que sé de estas las más hermosas obras de los Dioses. —Pero Ailios dijo—: Poco te cuesta en verdad hilvanar el cuento si se refiere a Valinor; ha transcurrido cierto tiempo desde que nos prometiste un (...) cuento acerca de la salida de Sol y de Luna en el este, y toda una lluvia de palabras has soltado desde entonces, pero ahora estás decidido a [¿burlarte?] y ni una palabra de esa promesa. —A decir verdad, bajo la aspereza que mostraba, a Ailios le gustaban las palabras de Lindo tanto como las que más, y estaba ansioso por saber del asunto. —Eso se dice fácilmente —dijo Lindo...

Lo que sigue en la versión original se relaciona con el asunto del capítulo siguiente.

Ailios argumenta aquí que la promesa hecha por Lindo no ha sido satisfecha, como lo hace Eriol más cortésmente en la segunda versión. No ha sobrevivido el comienzo del cuento en la primera versión, y quizá, como fue escrito originalmente, Lindo hacía la promesa; pero en la segunda no dice tal cosa (en verdad la pregunta de Eriol era «¿De dónde provienen Sol y Luna?»), y al final de este cuento niega que la haya hecho cuando Eriol lo afirma.

Cambios de nombres en
El Cuento de Sol y de Luna

Amnor < *Amnos* (*Amnos* es la forma en *La Huida de los Noldoli*, < *Emnon*; también se da la forma *Amnon*).
Para los cambios en el pasaje acerca de los nombres de Sol, véanse las notas 12 y 13.
Gilfanon < *Ailios* (sólo la primera vez que aparece; véase nota 19).
Minethlos < *Mainlos*.
Uolë Kúvion < *Uolë Mikúmi*, sólo la segunda vez que aparece en el texto; en la primera aparición, *Uolë Mikúmi* fue dejada sin cambios, aunque me he decidido por *Uolë Kúvion* en el texto.
Barco de la Mañana < *Kalaventë* (*i·Kalaventë*, «el Barco de la Luz», se da sin corrección en el texto).
Las llamas del Barco de Sol < *las llamas de Kalaventë*.
Sári < *Kalavenë* (*Kalavenë* es la forma de la versión original).

Comentarios a
El Cuento de Sol y de Luna

El efecto que se busca con el comienzo de este cuento es sin duda enfatizar de una manera más patente que en textos posteriores el horror provocado por la conducta de los Noldoli (en especial la amargura que experimenta Aulë hacia ellos, de la que nada se dice después) y también su definitiva y absoluta exclusión de Valinor. Pero sobrevivió la idea de que algunos de los Gnomos permanecieron en Valinor (los Aulenossë; cf. *El Silmarillion*, cap. 7).

Y de todos los Noldor de Valinor, ahora ya un gran pueblo, sólo una décima parte rehusó ponerse en camino: algunos por el amor que tenían a los Valar (y de todos ellos no era Aulë el menos amado), otros por el amor de Tirion y las muchas cosas que allí habían hecho; ninguno por temor a los peligros del camino.

La misión de Sorontur y las nuevas con las que volvió iban a ser abandonadas. Muy notable es su relato acerca de las naves vacías a la deriva, algunas de las cuales «ardían con brillantes llamas»: el origen del incendio de las naves de los Teleri en Losgar por Fëanor en *El Silmarillion* (cap. 8) donde, sin embargo, el motivo es más evidente. Que la segunda morada de Melko en las Grandes Tierras fuese distinta de Utumna se dice aquí de modo explícito, y también que se encontraba en las Montañas de Hierro; el nombre *Angamandi*, «Infiernos de Hierro», ha aparecido ya una vez en los *Cuentos Perdidos*, en la muy extraña referencia al destino de los Hombres después de la muerte («La Llegada de los Valar»). En narraciones posteriores Angband se construía en el sitio de Utumno, pero finalmente quedaron separados otra vez, y en *El Silmarillion* Angband había existido desde tiempos muy antiguos, anteriores al cautiverio de Melkor (cap. 1). En este cuento no se explica por qué «nunca más se abrirá Utumna para él», aunque sin duda fue porque Tulkas y Ulmo rompieron las puertas y apilaron en su entrada montañas de piedra.

La parte siguiente del cuento arroja mucha luz sobre la primera concepción que tuvo mi padre de los poderes y las limitaciones de los grandes Valar. Se muestra que Yavanna y Manwë (¿lo advierten por mediación de Yavanna?) creen que los Valar se han equivocado, o cuando menos, no han sido capaces de llevar a cabo los más amplios designios de Ilúvatar («no creo que [este tiempo de oscuridad] haya sido sin el deseo de Ilúvatar»): la idea de Dioses «egoístas», preocupados por sí mismos, queda expresada claramente; Dioses que se contentan con cuidar de sus jardines e idear sus invenciones detrás de las montañas, dejando que «el mundo» se dé forma a sí mismo como buenamente pueda. Y esta toma de conciencia es un elemento esencial en la idea de los Dioses de crear Sol y Luna, que han de ser cuerpos tales que no sólo iluminen los «reinos bendecidos» (expresión que tiene lugar aquí por primera vez) sino el resto de la oscura Tierra. De todo esto sólo hay una huella en *El Silmarillion* (cap. 9):

Estas cosas hicieron los Valar, recordando en el crepúsculo la oscuridad de las tierras de Arda; y resolvieron entonces iluminar la Tierra Media, y estorbar con luz las acciones de Melkor.

De gran interés es también la afirmación «teológica» en la primera narración acerca del vínculo de los Valar con el mundo como condición para entrar en él; cf. *El Silmarillion*:

Ilúvatar les impuso esta condición, quizá también necesaria para el amor de ellos: que desde entonces en adelante los poderes que él les había concedido se limitaran y se confinaran al Mundo, y permanecieran en él por siempre, hasta que el Mundo quedase completado, de modo tal que ellos fuesen la vida del Mundo y el Mundo la vida de ellos.

En el cuento esta condición es una limitación física expresa: ninguno de los Valar, salvo Manwë y Varda y sus espíritus asistentes, podían elevarse a los aires superiores por encima de Vilna, aunque eran capaces de trasladarse a gran velocidad en los aires inferiores.

En el pasaje en que se dice que Ulmo, a pesar del amor que sentía por los Solosimpi y el dolor que le provocaba la Matanza de los Parientes, no estaba sin embargo del todo disgustado con los Noldoli, pues «tenía más presciencia que ninguno de los otros Dioses, aun más que el gran Manwë», se ve que la peculiar preocupación de Ulmo por los Eldar exiliados —que desempeña un papel tan importante, si bien misterioso, en el desarrollo de la historia— existía desde un principio; como también existía el pensamiento de Yavanna, expresado en *El Silmarillion*:

Aun para los más poderosos bajo la égida de Ilúvatar hay una obra que sólo pueden llevar a cabo una única vez. Di ser a la Luz de los Árboles, y en los confines de Eä nunca más podré hacerlo.

La referencia de Yavanna al Sol Mágico y al momento en que se vuelva a encender (que ya hemos visto en el brindis de la velada en la Cabaña del Juego Perdido) es, en esta etapa, intencionalmente oscura.

No hay posterior referencia a la historia del desperdicio de luz por Lórien y Vána, que la vierten despreocupadamente sobre las raíces de los Árboles.

Volviendo a la descripción que hace Lindo de las estrellas, *Morwinyon* ha aparecido ya en un cuento anterior («La llegada de los Valar»), en el que se dice que Varda la dejó caer «al regresar con gran prisa a Valinor» y que «resplandece sobre el borde occidental del mundo». En el presente cuento, Morwinyon (que, de acuerdo con las listas de palabras en qenya y gnómicas, es Arcturus) está de nuevo representada, de un modo extraño, como una luminaria del cielo al oeste. Se dice aquí que mientras algunas de las estrellas eran guiadas por los Mánir y los Súruli «por cursos laberínticos», otras, incluyendo a Morwinyon y Nielluin, «moran donde están suspendidas y no se mueven de allí». ¿Acaso esto se sustenta en que en los antiguos mitos de los Elfos hubo un tiempo en el que el movimiento aparente y regular de todos los cuerpos celestiales de este a oeste no había empezado todavía? En la cosmología de mi padre este movimiento no tiene explicación mitológica en sitio alguno.

Nielluin («Abeja Azul») es Sirio (llamada *Helluin* en *El Silmarillion*), y esta estrella ocupa un lugar en la leyenda de Telimektar, hijo de Tulkas, aunque nunca se explicó claramente cómo se incorporó a la constelación de Orion (cf. *Telumehtar*, «Orion» en *El Señor de los Anillos*, Apéndice E, I). Nielluin era Ingil, el hijo de Inwë, que seguía a Telimektar como una gran abeja, transportando una miel llameante (véanse en el Apéndice sobre los Nombres *Ingil* y *Telimektar*).

Se da aquí una razón para el curso de Sol y de Luna entre el este y el oeste (en lugar de seguir cualquier otra dirección) y la razón por la que se evita el sur es la presencia allí de Ungweliant. Esto parece atribuir a Ungweliant una gran importancia, y también una amplia zona sometida a su poder de absorber la luz. No queda claro en el cuento de *El oscurecimiento de Valinor* dónde estaba su morada. Se dice que Melko erraba por «las oscuras llanuras de Eruman, y más lejos al sur, donde nadie ha penetrado nunca, encontró una región de profunda sombra»: la región donde estaba la caverna de Ungweliant, que tenía «una salida subterránea al mar»;·y después de la destrucción de los Árboles, Ungweliant «vuelve a su casa cruzando sobre las montañas hacia el sur». Las borrosas líneas del pequeño mapa no alcanzan a aclarar cómo era en esa época la configuración de las tierras y los mares australes.

En comparación con la última parte del cuento, que versa sobre el último fruto de Laurelin y la última flor de Silpion, la creación de Sol y Luna y el botado de los bajeles, el capítulo 11 de *El Silmarillion* (construido a partir de dos versiones posteriores no muy diferentes entre sí) es extremadamente breve. Aunque con muchas diferencias, las versiones posteriores parecen en algunos puntos casi resúmenes de la primera historia, pero a menudo es difícil saber si el acortamiento se debe a que mi padre tuviera la impresión de que la descripción era demasiado larga, a que ocupaba un sitio demasiado amplio en la estructura total, o a que rechazara algunas de las ideas que contiene y deseara reducir la extrema «concreción» de sus imágenes. Es cierto que hay aquí un deleite en los materiales de propiedades «mágicas» (oro, plata, cristal, vidrio, y sobre todo la luz concebida

como un elemento líquido, o como rocío, como miel, un elemento en
el que es posible bañarse y que es posible recoger en recipientes) que
ha desaparecido en gran parte en *El Silmarillion;* aunque, por supuesto, la idea de la luz como un elemento líquido que gotea, se vierte, se
guarda y es absorbida por Ungoliant siguió siendo esencial para la
concepción de los Árboles; esta idea se vuelve menos evidente en escritos posteriores y a las operaciones divinas se les da una explicación y
justificación menos «físicas».

Como resultado de esta minuciosa e intensa descripción, el origen
de Sol y de Luna como el último fruto y la última flor de los Árboles
tiene menos misterio que el sucinto y hermoso lenguaje de *El Silmarillion;* pero también se dice mucho aquí para enfatizar el gran tamaño
del «Fruto del Mediodía» y el aumento del calor y el brillo del Barco de
Sol después de ser botado, de modo que su resplandor no fuera inmediato, pues si Sol, que tan rutilantemente ilumina la Tierra, hubiera
sido simplemente un fruto de Laurelin, entonces Valinor debería haber sido un sitio dolorosamente brillante y caluroso en los días de los
Árboles. En la primera historia las últimas efusiones de vida de los Árboles agonizantes son completamente extrañas y «enormes», las de
Laurelin portentosas, aun ominosas; Sol resulta asombrosamente brillante y caliente aun para los Valar, que se sienten perturbados e intran-
quilos por lo que se ha hecho (los Dioses sabían «que habían hecho
algo más grande todavía de lo que al principio habían sospechado»); y
el enfado y la aflicción de algunos de los Valar ante la luz incandescen-
te de Sol dan la impresión de que en el último fruto de Laurelin se ha
liberado un poder terrible e inesperado. Esta aflicción, por cierto, sobrevive en *El Silmarillion* cap. 11, en la referencia a «los ruegos de Lórien y Estë, que dijeron que el sueño y el descanso habían quedado eliminados de la Tierra, y que las estrellas estaban ocultas»; pero en el
cuento el abrumador poder del nuevo Sol se expresa intensamente mediante las imágenes del «calor [que] bailaba por sobre los árboles» en
los jardines de Lórien, los ruiseñores silenciados, las amapolas marchi-
tas y las abatidas flores nocturnas.

En el cuento antiguo hay una explicación mítica de las fases de
Luna (aunque no de los eclipses) y de las marcas que tiene en la faz: el
episodio de la rotura de la rama marchita de Silpion y la caída de la
Flor de Luna, una historia que difiere por completo de la explicación
que se da en *El Silmarillion (ibid.).*

En el cuento, el fruto de Laurelin también cayó al suelo cuando
Aulë resbaló y su peso fue excesivo para que Tulkas pudiera sostenerlo
solo; el significado de este episodio no resulta del todo claro, pero parece que si el Fruto del Mediodía no se hubiera partido, Aulë no habría

comprendido cómo era por dentro y no hubiera concebido la estructura del Barco de Sol.

En cualquier medida en que las grandes diferencias entre las versiones de esta parte de la Mitología puedan deberse a una posterior compresión, aún quedan un buen número de contradicciones, de las que enuncio aquí sólo algunas de las más importantes, además aquella que se refiere a las marcas de Luna, ya mencionada. Así pues, en *El Silmarillion* la Luna se elevó primero y fue «la primogénita de las nuevas luces, como lo había sido Telperion entre Árboles» *(ibid.)*; en la historia antigua sucede al revés, tanto en el caso de los Árboles como en el de las nuevas luces. Además, en *El Silmarillion* es Varda la que decide los movimientos celestes, y altera su plan original cediendo al ruego de Estë y Lórien, mientras que aquí es la aflicción misma de Lórien ante la llegada de Sol lo que conduce al último florecimiento de Silpion y la creación de Luna. Cierto es que los Valar desempeñan papeles diferentes a lo largo de ambas narraciones; y aquí se atribuye mucha mayor importancia a los actos de Vána y Lórien, cuyas relaciones con Sol y Luna son a la vez más profundas y explícitas que lo que fueron luego, como lo habían sido las que tuvieron con los Árboles; en *El Silmarillion* fue Nienna la que regaba los Árboles con sus lágrimas (cap. 11). En *El Silmarillion* Sol y Luna se movían más cerca de Arda que «las antiguas estrellas» *(ibid.)*, pero aquí se mueven en niveles del firmamento del todo distintos.

Pero un rasgo en el que se puede advertir sin duda la posterior compresión es la elaborada descripción en el cuento de Luna como «una isla de vidrio puro», «una isla reluciente» con pequeños lagos de la luz de Telimpë orlados de flores brillantes, y una copa cristalina en el medio en la que se puso la Flor de Luna; sólo entonces se explica la referencia a que Tilion timonee «la isla de Luna» en *El Silmarillion*. El anciano Elfo Uolë Kúvion (al que «algunos en verdad (...) han llamado el Hombre de la Luna») casi parece venido de otro origen; su presencia resulta difícil de entender, pues se nos ha dicho que Silmo no pudo navegar en el Barco de Luna porque no era hijo del aire y no podía «desprenderse de su terrenalidad». Un encabezamiento aislado, «Uolë y Erinti», en la libreta de bolsillo utilizada, entre otras cosas, para anotar sugerencias de historias que podrían contarse, significa sin duda que se estaba preparando un cuento sobre el tema de Uolë; cf. el Cuento de Qorinómi sobre Urwendi y Fionwë, el hermano de Erinti. No hay rastro de estos cuentos, y probablemente nunca se escribieron. En otra nota dela libreta de bolsillo se llama a Uolë Mikúmi (el nombre anterior de Uolë Kúvion) «Rey de Luna»; y una tercera se refiere a un poema, «El Hombre de la Luna», que ha de cantar Eriol, «que dice que les cantará la canción de una leyenda sobre Uolë Mikúmi, tal y como se lo conoce entre los Hombres». Mi padre escribió un poema sobre el Hombre de la Luna en marzo de 1915, pero si era éste el que pensaba incluir, habría sorprendido a la gente de Mar Vanwa Tyaliéva, y habría tenido que cambiar sus referencias a lugares de Inglaterra que no existían todavía. Aunque es muy probable que tuviera algo muy distinto en mente, creo que será interesante ofrecer este poema en una de sus primeras formas.

A medida que la mitología fue evolucionando y cambiando, la Creación de Sol y de Luna se convirtió en un elemento de gran dificultad; y en *El Silmarillion* publicado este capítulo no parece encajar del todo con gran parte del resto de la obra, y no pudo redactarse de forma que lo hiciera. Hacia el final de su vida mi padre estaba ciertamente preparado para desmantelar gran parte de lo que había construido, intentando resolver lo que consideraba sin duda un problema fundamental.

Nota sobre el orden de los Cuentos

El desarrollo de los *Cuentos Perdidos* es aquí de hecho extremadamente complejo. Después de las palabras con las que concluye *La huida de los Noldoli*, «terminó la historia del oscurecimiento de Valinor», mi padre escribió: «En otros libros se cuentan acontecimientos posteriores», pero de hecho añadió justo después el breve diálogo entre Lindo y Eriol («Grande era el poder de Melko para el mal...») que aparece aquí al final de *La huida de los Noldoli*.

La numeración de las páginas de los cuadernos muestra que el siguiente cuento iba a ser el *Cuento de Tinúviel*, que está escrito en otro cuadernillo. Esta larga historia (que se ofrecerá en la Segunda Parte), la versión más antigua existente de «Beren y Lúthien», comienza con un largo pasaje que sirve de *Enlace*; y lo curioso es que este *Enlace* comienza precisamente con el diálogo entre Lindo y Eriol al que acabamos de referirnos, casi redactado de la misma manera, y es evidente que ésta es su ubicación original; pero aquí fue tachado.

He mencionado anteriormente que en una carta escrita por mi padre en 1964 decía que redactó *La Música de los Ainur* mientras trabajaba en Oxford como miembro del personal del Diccionario, puesto que comenzó a desempeñar en noviembre de 1918 y abandonó en la primavera de 1920. En la misma carta dice que escribió «*La Caída de Gondolin* durante una licencia por enfermedad que el ejército le concedió en 1917», y «la versión original del "Cuento de Lúthiel Tinúviel y Beren", algo más tarde en el mismo año». No hay nada en los manuscritos que sugiera que los cuentos que siguen a *La Música de los Ainur* hasta el punto que hemos alcanzado ahora no fueran escritos de manera consecutiva y continua a partir de La Música mientras mi padre estaba todavía en Oxford.

A primera vista, pues, existe una contradicción insuperable entre estas evidencias: pues el *Enlace* en cuestión se refiere explícitamente al *oscurecimiento de Valinor*, un cuento escrito *después* de que le otorgaran el puesto en Oxford a finales de 1918, y es un enlace con el *Cuento de Tinúviel*, que según él dijo, escribió en 1917. Pero el *Cuento de Tinúviel* (y el *Enlace* que lo precede) es de hecho un texto en tinta escrito sobre un original a lápiz que se borró. Según creo, es seguro que esta *reescritura de Tinúviel* fue considerablemente posterior. Estaba vinculada con *La Huida de los Noldoli* mediante los discursos de Lindo y Eriol (el pasaje vinculante es parte integral y continua con el *Cuento de Tinúviel*, y no fue añadido posteriormente). En esta etapa mi padre debía de haber considerado que no era preciso contar los *Cuentos* según el orden cronológico de las secuencias narrativas (pues *Tinúviel pertenece*, por supuesto, a una época posterior a la de la creación de Sol y de Luna).

A la reescritura de *Tinúviel* le seguía sin interrupciones la forma original del «interludio» que presenta a Gilfanon de Tavrobel como invitado en la casa, y esto conducía al *Cuento de Sol y de Luna*. Pero después mi padre cambió de opinión y tachó el diálogo de Lindo y Eriol del comienzo del *Enlace* con *Tinúviel*, que iba a proseguir ahora a *La huida de los Noldoli*, y lo escribió otra vez por entero en la otra libreta al final de ese cuento. Al mismo tiempo, reescribió de manera más extensa el «interludio» de Gilfanon, y lo colocó al final de *La huida de los Noldoli*. Así pues:

Huida de los Noldoli	Huida de los Noldoli
Palabras de Lindo y Eriol	Palabras de Lindo y Eriol
Cuento de Tinúviel	«Interludio» de Gilfanon
«Interludio» de Gilfanon	(reescrito)
Cuento de Sol y de Luna	Cuento de Sol y de Luna
y el ocultamiento de	y el ocultamiento de
Valinor	Valinor

Parece evidente que la reescritura de *Tinúviel* fue uno de los últimos elementos en la composición de los *Cuentos Perdidos* puesto que le sigue la primera forma del «interludio» de Gilfanon, escrito en la misma época. Gilfanon reemplazó a Ailios, y Ailios, no Gilfanon, es el invitado de la casa en la primera versión del *Cuento de Sol y de Luna* y *El ocultamiento de Valinor*, y es además el narrador del *Cuento del Nauglafring*.

Hay muchas versiones del poema sobre el Hombre de la Luna. Se publicó en Leeds en 1923*, y mucho después y muy cambiado se incluyó en *Las aventuras de Tom Bombadil* (1962). Lo presento aquí tal y como fue publicado, pero con ligeras alteraciones (la mayoría son muy menores) hechas posteriormente. La versión de 1923 estaba sólo ligeramente retocada a partir de los primeros borradores, donde lleva por título «Por qué el Hombre de la Luna bajó demasiado pronto: una aparición en Anglia Oriental»; el título del primer texto acabado es «Un suceso feérico: Por qué el Hombre de la Luna bajó demasiado pronto», junto con otro en inglés antiguo: *Se Móncyning***.

Por qué el Hombre de la Luna
bajó demasiado pronto

El Hombre de la Luna tenía zapatos plateados
y su barba era de hebras argentinas;
estaba ceñido de oro pálido y una aureola
4   de oro le cubría cabeza.
Vestido de seda en su gran globo blanco
abrió una puerta de marfil
con una llave de cristal, y en secreto
8   salió sigilosamente a un patio cubierto de sombras;
por una afiligranada escalera de telaraña
bajó de prisa como una centella
y riendo alegremente por ser libre y dichoso,
12   rápidamente se precipitó a tierra.
Estaba cansado de sus coronas de perlas y diamantes,
de su pálido minarete
vertiginoso y blanco en su altura lunar
16   en un mundo engarzado de plata;

y se aventuró con riesgo buscando el rubí y el berilo,
y la esmeralda y el zafiro,

*   «*A Northern Venture*: verses by members of the Leeds University English School Association» (Leeds, Swan Press, 1923). No he visto esta publicación y extraigo estos detalles de la *Biografía* de Humphrey Carpenter.

**   [N. de la Rev.] El título en inglés antiguo significa «El rey de la luna».

y todas las gemas lustrosas para nuevas diademas
20   o para adorno de su pálido atuendo.
Estaba solo además, sin nada que hacer
sino contemplar el mundo dorado,
o tratar de oír el canturreo que desde lejos
24   pasaba junto a él y se arremolinaba;

y en un plenilunio de su luna de plata
había anhelado tristemente el Fuego,
no las límpidas luces de los lánguidos selenitas
28   sino una encarnada pira terrestre
con purpúreos resplandores de rosa y carmesí
y una saltarina lengua anaranjada;
y grandes mares azules y los apasionados tonos
32   del alba joven que baila;

y caminos de prados verdes cual crisoprasa
junto al Yare y al Nen serpenteantes.
Cómo anhelaba la alegría de la populosa Tierra
36   y la estusiasta sangre de los hombres;
y codiciaba el canto y la risa prolongada
y las viandas calientes y el vino,
pues comía pasteles perlados de nieve ligera
40   y bebía la tenue luz de la luna.

Le bailotearon los pies al pensar en la carne,
en el ponche y el guiso con pimienta,
hasta que, distraido, resbaló en su inclinada escalera
44   y cayó como caen los meteoros;
mientras junto a él se arqueaban las chispas
de estrellas que salpicaban como la lluvia
al bajar las escaleras se dio un baño de espuma
48   en el Océano de Almain;

y empezó a pensar, temiendo derretirse y heder,
qué diantres hacer en la luna,
cuando un buque de Yarmouth lo encontró flotando a lo lejos,
52   y la tripulación asombrada
lo atrapó en una red todo mojado y brillante
con un resplandor fosforescente
de luces blancoazulados y opalinas
56   y de un delicado verde líquido.

Con el pescado de la mañana —como era su regio deseo—
lo enviaron a una ciudad de Norwich,
para que se calentara con ginebra en una taberna de Norfolk,
60   y se secara la túnica empapada.
Aunque el tañido de San Pedro despertó muchas campanas
en las torres resonantes de la ciudad
para anunciar la nueva de su lunático crucero
64   en las primeras horas de la mañana,

no se encendieron hogares, no hubo desayunos,
y nadie le vendió gemas;
encontró cenizas en lugar de fuego, y su alegre deseo
68   de coros e himnos exultantes
encontró en cambio ronquidos, todos dormían en Norfolk,
y casi se le rompió el redondo corazón,
más vacío y más frío que antaño en las alturas,
72   hasta que le intercambió la feérica capa

a un cocinero adormilado por un rincón en la cocina,
y el cinturón de oro por una sonrisa,
y una joya inconmensurable por un cuenco de puches,
76   una muestra fría y vil
de las orgullosas gachas con ciruelas de Norwich en Anglia...
Llegó demasiado pronto
para ser un huésped singular en busca de aventuras
80   desde las Montañas de la Luna.

Parece muy posible que el «pálido minarete» reaparezca en la «torrecilla blanca» que Uolë Kúvion construyó en Luna, donde a menudo
sube para vigilar «los Cielos o el mundo de abajo». El minarete del
Hombre de la Luna sobrevive en la versión final.

El Océano de Almain es el Mar del Norte (*Almain* o *Almany* era el
nombre que se le daba a Alemania en el inglés temprano); el Yare es un
río de Norfolk que desemboca en el mar en Yarmouth, y el Nene (que
se pronuncia también con una vocal corta) desemboca en el Wash.

IX

EL OCULTAMIENTO DE VALINOR

El vínculo con este cuento, que relata Vairë, ha aparecido al final del anterior. El manuscrito prosigue como en la última parte de *El cuento de Sol y de Luna*, con un borrador anterior que también se conserva, y al que nos referiremos en las notas.

—He aquí que cuento cuentos del profundo pasado, y el primero se titula *El ocultamiento de Valinor*.

»Ya habéis oído —dijo ella— de cómo se botaron Sol y Luna hacia sus caprichosos periplos, y muchas cosas hay que decir sobre el despertar de la Tierra bajo su luz; pero oíd ahora de los pensamientos y los hechos de los habitantes de Valinor en aquellos días poderosos.

»Debo decir ahora que tan amplios eran los viajes de esos barcos de luz, que a los Dioses no les fue fácil gobernar todas sus idas y venidas como se habían propuesto al principio, e Ilinsor detestaba ceder el cielo a Urwendi, y Urwendi a menudo se hacía a la vela antes del debido regreso de Ilinsor, pues era de ánimo impaciente y ardiente. Por tanto, ambos bajeles flotaban con frecuencia al mismo tiempo, y su gloria al navegar muy cerca del seno de la Tierra, como ocurría a menudo entonces, era muy grandiosa y muy terrible de contemplar.

»Entonces una vaga preocupación comenzó a estremecer de nuevo a Valinor, y el corazón de los Dioses se inquietó, y los Eldar hablaban entre sí, y esto era lo que pensaban:

»—He aquí que el mundo se ha vuelto claro como los patios de los Dioses; es posible andar por sus sendas como por las avenidas de Vansamírin o las terrazas de Kôr; y Valinor ya no es sitio seguro, pues el implacable Melko nos odia sin descanso, y tiene bajo su yugo el mundo de fuera y muchos y salvajes son allí sus aliados. —Y en sus corazones ellos[1] contaban aún con los Noldoli, y pensaban mal de ellos sin darse cuenta, y tampoco olvidaban a los Hombres, sobre los cuales Melko les había advertido con mentiras en el pasado. Cierto es que con la alegría de la última floración de los Árboles y las grandes y bellas labores de la construcción de los barcos el temor a Melko había sido dejado de lado, y la amargura de aquellos malignos últimos días y de la huida del pueblo de los Gnomos había quedado adormecida; pero ahora que Valinor estaba de nuevo en paz y las heridas de tierras y jardines se habían cerrado, la memoria despertó otra vez el enojo y la pena.

»En verdad, cuanto más los Dioses recordaban la locura de los Noldoli y endurecían sus corazones, más airados todavía se sentían los Elfos, y los Solosimpi estaban llenos de amargura contra sus semejantes y deseaban no verles más las caras en los caminos de su hogar. De éstos, los más encarnizados eran aquellos que habían perdido a sus parientes en el Puerto de los Cisnes, y su líder era un tal Ainairos, que había escapado de aquella refriega dejando a su hermano muerto; e intentaba incesantemente aumentar con sus palabras la amargura del corazón de los Elfos.

»Esto afligía mucho a Manwë, aunque advertía que su designio no se había completado aún, y que la sabiduría de los Valar tenía que volcarse una vez más sobre el perfecto gobierno de Sol y de Luna. Por lo tanto, convocó a los Dioses y a los Elfos en cónclave para que juntos pudieran mejorar el plan original, y además tenía la esperanza de calmar la cólera y la inquietud que los agitaba con dulces palabras de sabiduría antes que brotara algún mal. Pues claramente veía allí el veneno de las mentiras de Melko, que viven y se multiplican dondequiera que las lance, con mayor abundancia que cualquier simiente que se siembre en la Tierra; y ya se le había informado que las antiguas murmuraciones de los Elfos sobre su libertad habían empezado de nuevo, y que el orgullo llenaba a algunos de locura, de modo que no podían soportar la idea de la llegada de la Humanidad.

»Estaba ahora sentado Manwë apesadumbrado ante Kulullin y miraba inquisitivamente a los Valar reunidos cerca y a los Eldar alrededor de sus rodillas, pero no reveló plenamente lo que pensaba, diciéndoles sólo que los había llamado a consejo una vez más para determinar el curso de Sol y de Luna y poner orden y sabiduría en sus caminos. Entonces habló directamente Ainairos ante él diciendo que había cosas más importantes para ellos, y expuso ante los Dioses lo que pensaban los Elfos de los Noldoli, y de la desnudez de la tierra de Valinor respecto al mundo de fuera. Hubo entonces un gran tumulto, y muchos de los Valar y de su gente lo apoyaron con fuertes voces, y algunos otros de los Eldar clamaron que Manwë y Varda habían hecho que sus parientes vivieran en Valinor prometiéndoles que allí tendrían alegría continua; que los Dioses procuraran ahora que esta felicidad no quedara reducida a una menudencia, viendo que Melko dominaba el mundo y que ellos no se atrevían a ir a los lugares en que habían despertado, aun si lo hubieran querido. Además, la mayor parte de los Valar echaban en falta su antigua tranquilidad y sólo querían la paz, deseando que ni el rumor sobre Melko y su violencia ni la murmuración de los inquietos Gnomos volvieran a suceder en su presencia y perturbar su felicidad; y por esos motivos clamaron también por el ocultamiento de su tierra. Estas pretensiones eran apoyadas sobre todo por Vána y Nessa, aunque la mayoría de los grandes Dioses tenían la misma opinión. En vano les rogó Ulmo por su presciencia que tuvieran piedad y perdonaran a los Noldoli, o desplegó Manwë los secretos de la Música de los Ainur y el propósito del mundo; y muy largo y muy lleno de ese ruido fue ese consejo y se colmó más de amargura y de palabras ardientes que ninguno que se hubiera celebrado antes; por lo que finalmente se separó de ellos Manwë Súlimo, diciendo que ningún muro ni baluarte podría ahora poner freno a la maldad de Melko, pues ya estaba viva entre ellos y les nublaba las mentes.

»Así pues, ocurrió que los enemigos de los Gnomos se hicieron eco del consejo de los Dioses y la sangre de Kópas comenzó a obrar ya su maligno propósito; pues se inició entonces lo que se llamó el Ocultamiento de Valinor, y Manwë y Varda y Ulmo de los Mares no tuvieron parte en él, pero los otros Valar y los Elfos no se mantuvieron apartados, aunque Yavanna y Oromë, su hijo, tenían el corazón inquieto.

»Ahora bien, Lórien y Vána conducían a los Dioses y Aulë prestó su habilidad y Tulkas su fuerza, y en ese tiempo los Valar no salieron a la conquista de Melko, y mucho lo lamentaron después y lo lamentan todavía; porque la gran gloria de los

Valar, por causa de ese error, no alcanzó su plenitud durante muchas edades de la Tierra, y el mundo todavía la aguarda[2].

»Sin embargo, en aquellos tiempos no tenían conocimiento de estas cosas, y se afanaron en nuevos y poderosos trabajos como no se habían visto entre ellos desde los días en que se construyera Valinor. Hicieron las montañas circundantes completamente impenetrables del lado oriental como no lo habían sido nunca anteriormente, y tales magias de tierra tejió Kémi alrededor de sus precipicios y picos inaccesibles que de entre todos los sitios espantosos y terribles de la poderosa Tierra fue aquella muralla de los Dioses que miraba a Eruman el más horrendo y peligroso, y ni siquiera Utumna o los lugares que ocupaba Melko en las Montañas de Hierro estaban tan llenos de miedo insuperable. Además, aun sobre las llanuras alrededor de su ...... oriental[3] se amontonaban esas telas impenetrables de oscuridad pegajosa que Ungweliantë había escupido en Valinor en tiempos de la destrucción de los Árboles. Ahora los Dioses las retiraron de su tierra clara para que enredaran los pasos de todos los que transitaran hacia allá, y flotaron y se extendieron a lo largo y a lo ancho, llegando así a cubrir el seno de los Mares Sombríos hasta que la Bahía de Faëry se oscureció ocultando el resplandor de Valinor, y el brillo de los faroles de Kôr se extinguió o nunca traspasó las costas enjoyadas. De norte a sur marchaban los encantamientos y la magia inaccesible de los Dioses, pero aun así no estaban satisfechos; y dijeron: —He aquí que haremos que todos los caminos a Valinor, tanto los conocidos como los secretos, se desvanezcan por completo del mundo o conduzcan traicioneros a una ciega confusión.

»Esto hicieron, pues, y ni una vía del mar quedó sin peligrosos remolinos o corrientes de abrumadora fuerza para confusión de todos los barcos. Y espíritus de súbitas tormentas o de vientos inesperados se cernían allí por voluntad de Ossë, y otros de nieblas inextricables. No olvidaron siquiera los largos caminos tortuosos que los mensajeros de los Dioses habían conocido y transitado a través de los oscuros páramos del norte y el sur más profundo; y cuando todo esto estuvo hecho como ellos querían, Lórien dijo: —Ahora Valinor se defiende sola, y tenemos paz. —Y Vána cantó una vez más sobre su jardín, tanta era la ligereza de su corazón.

»Solos entre todos, los corazones de los Solosimpi recelaban, y se quedaban en las costas cerca de sus antiguos hogares y la risa no se oía con frecuencia entre ellos, y miraban el Mar y a pesar del peligro y la tiniebla que en él había, temían que aun así llegara a través de él el mal a la Tierra. Entonces algunos de ellos fueron al encuentro de Aulë y de Tulkas, que estaba cerca, y dijeron: —Oh, grandes entre los Valar, muy bien y maravillosamente han trabajado los Dioses, pero pensamos en nuestros corazones que algo falta todavía, pues no hemos oído que el camino de la huida de los Noldoli, el espantoso pasaje de los acantilados de Helkaraksë, haya sido destruido. Por donde los hijos de los Eldar han pasado, los hijos de Melko pueden volver, a pesar de todos vuestros encantamientos y engaños; y el mar indefenso tampoco ha traído paz a nuestros corazones.

»De eso se rió Tulkas, diciendo que nada podría llegar ahora a Valinor, salvo sólo por los aires más encumbrados. —Y Melko no tiene poder allí; ni tampoco nosotros, oh, pequeños de la Tierra. —No obstante, a pedido de Aulë, fue con ese Vala a los amargos lugares del dolor de los Gnomos, y Aulë, con el poderoso martillo de su forja, golpeó el muro de hielo dentado, y cuando estuvo roto aun hasta las frías aguas, Tulkas lo desgarró con sus grandes manos y los mares pasaron por medio rugiendo, y el territorio de los Dioses quedó separado por completo de los reinos de la Tierra[4].

»Esto hicieron a instancias de los Elfos de la Costa, pero de ningún modo permitieron los Dioses que ese sitio de escasa altura en las colinas bajo Taniquetil y que da a la Bahía de Faëry fuera cubierto de rocas, como lo deseaban los Solosimpi, porque allí tenía Oromë muchos bosques agradables y sitios de deleite, y los Teleri[5] no soportarían que Kôr fuera destruida o cercada muy estrechamente por tenebrosos muros de montañas.

»Entonces se dirigieron los Solosimpi a Ulmo, y éste no quiso escucharlos, diciendo que nunca habían aprendido de su música semejante amargura de corazón, y que más parecían haber estado escuchando los susurros de Melko el maldito. Y al alejarse de Ulmo algunos estaban abatidos, pero otros fueron en busca de Ossë, y éste los ayudó a despecho de Ulmo; y de los trabajos de Ossë en aquellos días provienen las Islas Mágicas; porque Ossë las dispuso en un gran anillo alrededor de los límites occidentales del mar poderoso de manera que guardaban la Bahía de Faëry, y aunque en aquellos días las tinieblas inmensas de esas aguas lejanas iban más allá de los Mares Sombríos y extendían lenguas de oscuridad hacia ellas, aun así eran de una belleza insuperable de contemplar. Y los barcos que pasan por allí las divisan por fuerza o incluso alcanzan las últimas aguas que bañan la costa feérica, tan tentadoras eran que pocos tenían la capacidad de pasar de largo, y si lo intentaban súbitas tormentas los arrastraban por la fuerza contra esas playas cuyos guijarros resplandecían como la plata y el oro. No obstante, todos los que allí pisaban ya no podían abandonar el lugar, quedando atrapados en las redes de los cabellos de Oinen[6], la Señora del Mar, y abrumados por la somnolencia eterna que Lórien había dejado allí, yacían tendidos sobre el margen de las olas, como los ahogados que son devueltos una vez más a la orilla por los movimientos del mar; sin embargo, estos desventurados dormían con profundidad insondable y las aguas oscuras les lavaban los miembros, pero los barcos se pudrían amortajados de algas, y nunca más navegaban ante los vientos del atenuado oeste[7].

»Ahora bien, cuando Manwë miró apenado desde lo alto de Taniquetil y vio hechas todas estas cosas, hizo llamar a Lórien y Oromë, pensando que eran menos tercos de corazón que los demás, y cuando hubieron acudido les habló con gravedad; no obstante no quiso que el trabajo de los Dioses fuera deshecho, porque no lo consideraba del todo malo, pero convenció a esos dos para que hicieran lo que les pedía. Y así lo hicieron ellos; Lórien tejió allí un camino de delicada magia que iba serpenteando en el mayor secreto desde las tierras orientales y todas las grandes tierras salvajes del mundo hasta los muros de Kôr, y pasaba por la Cabaña de los Hijos de la Tierra[8] y desde allí por la "senda de los olmos susurrantes" hasta llegar al mar.

»Y los mares tenebrosos y todos los estrechos estaban atravesados por puentes esbeltos que descansaban en el aire y resplandecían como si fueran neblinas de seda iluminadas por una luna tenue, o hechos de perlados vapores; sin embargo, aparte de los Valar y los Elfos, ningún Hombre los ha visto nunca, salvo en los dulces sueños del corazón en tiempos de juventud. Es el más largo de los caminos y pocos hay que hayan llegado hasta su final, tantas son las tierras y los maravillosos lugares de hechizo y encanto que atraviesa antes de llegar a Elfinesse; no obstante presta suave apoyo a los pies, y nadie se cansa nunca de transitarlo.

»Así era —dijo Vairë— y así es todavía Olórë Mallë, la Senda de los Sueños; pero muy distinta fue la obra de Oromë, pues después de escuchar las palabras de Manwë fue de prisa al encuentro de Vána, su esposa, y le pidió una trenza de sus largos cabellos dorados. Sucede que los cabellos de Vána la Bella se habían vuelto más largos y radiantes si cabe desde los días en que se los había ofrecido a Aulë, y le dio a Oromë una parte de aquellas sus hebras doradas. Entonces las sumergió él en el resplandor de Kulullin, y Vána tejió con ellas hábilmente una traílla inmensurable, y con ella se dirigió Oromë a grandes zancadas a las estancias de Manwë en la montaña.

»Entonces, dando grandes voces para que Manwë y Varda y todas sus gentes acudieran, sostuvo ante sus ojos esa correa de oro, y ellos no supieron para qué servía; pero Oromë les pidió que miraran hacia la Montaña llamada Kalormë, que se levantaba inmensa en las tierras más distantes de Valinor, y se la considera la más alta salvo Taniquetil; sin embargo, desde allí parece una forma vaga que se desvanece a lo lejos. Mientras todos estaban mirando, Oromë dio un paso atrás, y recurriendo a toda su habilidad y su fuerza asestó allí mismo un poderoso latigazo, y la cuerda dorada se precipitó en una curva a través del cielo hasta que su lazo cayó sobre el más alto pináculo de Kalormë. Entonces, por la magia de su hechura y la habilidad de la mano de Oromë, permaneció como una brillante curva dorada que no caía ni se aflojaba; y Oromë sujetó un extremo a un pilar de los patios de Manwë, y volviéndose a quienes lo miraban, dijo: —Quien quiera errar por las Grandes Tierras que me siga. —Y allí mismo puso el pie sobre la correa y partió como el viento sobre el abismo aun hasta Kalormë, mientras que todos en Taniquetil callaron asombrados. Entonces soltó Oromë la correa del pico de Kalormë y volvió a la carrera tan de prisa como había partido, deshilachándola mientras hacía el camino de regreso, hasta que de nuevo estuvo ante Manwë. Entonces dijo—: He aquí, oh, Súlimo, Señor de los Aires, un camino que he inventado por el que cualquiera de los Valar de buen corazón puede ir al sitio que le plazca en las Grandes Tierras; porque allí donde lo desee tenderé mi puente esbelto, y vosotros aseguraréis y guardaréis el extremo de este lado.

»Y de esta obra de Oromë provino esa maravilla de los cielos que los hombres contemplan con admiración y que algunos temen profundamente, pues no saben qué pueda augurar. No obstante, ese puente tiene diferentes aspectos en diferentes ocasiones en las diversas regiones de la Tierra, y rara vez se hace visible a los Hombres y los Elfos. Ahora bien, resplandece mejor a los rayos oblicuos de Sol, y cuando las lluvias del cielo lo humedecen es cuando su brillo resulta más mágico, y la luz dorada se quiebra en las cuerdas que gotean en múltiples matices purpúreos, verdes y rojos, de modo que los hombres con frecuencia lo llaman Arco Iris, pero muchos otros nombres le han dado también, y las hadas lo llaman Ilweran, el Puente del Cielo.

»Ahora bien, los Hombres vivos no pueden pisar las hebras vacilantes de Ilweran, y pocos son los Eldar que tienen el ánimo de hacerlo, aunque no hay otros caminos para que Elfos y Hombres se dirijan a Valinor desde aquellos días, salvo uno, muy oscuro; sin embargo es también muy corto, el más corto y más rápido de todos los caminos, y muy duro de caminar, porque Mandos lo hizo y Fui lo puso allí. Qalvanda se llama, la Ruta de la Muerte, y conduce sólo a las estancias de Mandos y Fui. Tiene dos vías; por una transitan los Elfos y por la otra las almas de los Hombres, y se mezclan[9].

»Así —dijo Vairë— se logró el ocultamiento de Valinor, y los Valar dejaron escapar la oportunidad de alcanzar una gloria más espléndida y duradera incluso que la gran gloria que les perteneció y les pertenece todavía. Sin embargo, aún nos falta relatar muchos acontecimientos poderosos de aquellos días, de los que quizá pueda ahora contaros unos pocos; y a uno de ellos lo llamaré *El Puerto del Cielo*.

»He aquí ahora que todos los corazones descansan gracias a la tregua[10] de Manwë y los Valar, y mientras los Dioses celebran festejos en Valmar y el cielo se llena de la gloria ingobernada de los Barcos de la Luz, los Elfos vuelven por fin a reconstruir la felicidad de Kôr; y allí intentan olvidar todos los dolores y todos los trabajos a los que estuvieron sometidos desde la Liberación de Melko. Ahora Kôr se convierte en el más bello y más delicadamente adorable de todos los reinos de Valinor, pues en el patio de Inwë brillaban aún tiernamente los dos árboles feéricos; y eran vástagos de los Árboles gloriosos ahora muertos dados por los Dioses a Inwë en los primeros días de la construcción de la ciudad. Otros también les fueron dados a Nólemë, pero éstos fueron desenterrados y desaparecieron nadie sabe dónde, y otros no ha habido nunca[11].

»Sin embargo, aun cuando los Elfos confiaban en que los Valar protegerían aquella tierra y tejerían una protección a su alrededor, y aunque los días aciagos iban perdiéndose en el pasado, no podían librarse del todo del recuerdo de sus desdichas; ni lo lograron nunca, hasta que el camino mágico de Lórien fue completado y se permitió que los hijos de los padres de los padres de los Hombres avanzaran por él en el dulce sueño; sólo entonces una nueva alegría ardió muy brillante en sus corazones, pero estas cosas no habían ocurrido todavía y los Hombres acababan apenas de despertar en la Tierra.

»Pero Manwë y Ulmo, sabiendo que había llegado su hora, celebraron altos consejos para averiguar cómo podrían protegerse. Muchos planes trazaron allí y juzgaban todos en relación con la idea de Melko y el tránsito de los Gnomos; sin embargo, los otros habitantes de Valinor todavía no se preocupaban mucho de estas cuestiones. No obstante, Manwë decidió dirigirse una vez más a los Valar, aunque de los Hombres nada dijo, y les recordó que en sus trabajos para el ocultamiento de Valinor se habían permitido olvidar el comportamiento caprichoso de Sol y de Luna. En esos momentos, Manwë temía que la Tierra se volviera insoportable por causa de la intensa luz y el extremo calor de esas cosas tan brillantes, y el corazón de Yavanna estaba de acuerdo con él en eso, pero la mayoría de los Valar y de los Elfos consideraron bueno su plan, pues pensaban que el levantamiento de Sol y de Luna hacia cursos más altos pondría punto final a todos sus afanes, alejando más aquellos penetrantes rayos, y de ese modo las montañas y las regiones de sus moradas no estarían iluminadas de un modo tan brillante y nadie podría volver a divisarlos desde lejos.

»Por tanto, algunos dijeron: —Enviemos ahora mensajeros para descubrir la hechura del mundo en el extremo este, más allá aún del alcance de la mirada de Manwë desde la Montaña del Mundo. —Entonces se levantó Oromë—: Eso puedo decíroslo

yo, pues lo he visto. En el este, más allá de las tierras desmoronadas, hay una playa silenciosa y un mar oscuro y vacío. —Y los
Dioses se maravillaron al saberlo; sin embargo nunca antes, nadie, salvo Oromë, se había aprestado a ver u oír tales cosas, ni
siquiera Yavanna, la Señora de la Tierra. Nada digo de Ulmo
Vailimo, Señor de Vai, porque en verdad todas esas cosas las sabía desde el principio de la Tierra. Por tanto ahora este ser antiguo, después de Oromë, siguió exponiendo ante los Valar cuál
era la naturaleza secreta de la Tierra, y dijo:

»—He aquí que no hay más que un Océano, y ése es Vai,
porque los que Ossë considera océanos no son sino mares,
aguas que se extienden en los huecos de la roca; pero Vai se extiende desde el Muro de las Cosas hasta el Muro de las Cosas, no
importa hacia dónde vayáis. En el norte hay tanto frío que aun
las pálidas aguas están congeladas hasta una profundidad in-
concebible o insondable, y en el sur es tan completa la oscuridad y tanto el engaño por causa de Ungoliont[12] que nadie, excepto yo, puede encontrar allí un camino. En estas vastas aguas
flota la ancha Tierra sostenida por la palabra de Ilúvatar, y no
hay peces ni barcos que naden allí a los que no haya dicho la
gran palabra que me dijo Ilúvatar, atándolos con el hechizo;
pero aun Valinor es parte de la ancha Tierra, y la sustancia de la
Tierra es la piedra y el metal, y los mares son estanques en sus
huecos, y las islas, salvo algunas que nadan sin trabas todavía, se
levantan ahora como pináculos desde las profundidades herbosas. Sabed, pues, que Valinor se alza algo más cerca del gran
Muro de las Cosas en el que Ilúvatar nos ha contenido que la
costa del extremo este; y esto lo sé porque, zambulléndome por
debajo del mundo, a menudo he visitado esas playas sin puertos;
pues he aquí, oh, Valar, que no conocéis todas las maravillas, y
hay muchas cosas secretas bajo la oscura quilla de la Tierra, incluso donde tengo yo mis poderosas estancias de Ulmonan, con
las que nunca habéis soñado.

»Pero dijo Manwë: —Eso es verdad, oh, Ulmo Vailimo,
pero ¿en qué se relaciona con nuestro presente propósito? —Y
Ulmo contestó—: He aquí que llevaré conmigo a Aulë el Herrero a salvo y rápidamente por debajo de las aguas de Vai en
mi carro de mares profundos hasta las costas orientales, y allí
ambos construiremos puertos para los Barcos, y desde el este

en adelante partirán y darán plena luz y gloria a los Hombres, que las necesitan, y a los desdichados Noldoli, uno después del otro siguiéndose en el cielo y volviendo al hogar en Valinor. Aquí, cuando sus corazones desfallezcan por causa de sus viajes, descansarán un rato sobre los Mares Exteriores, y Urwendi se bañará en Faskalan, e Ilinsor beberá las tranquilas aguas del Lago Irtinsa, antes de volver a partir.

»Ahora bien, Manwë y Ulmo habían confabulado este parlamento, y los Valar y los Eldar los escucharon por diversas razones, como antes; por tanto ahora partió Aulë de prisa con Ulmo, y construyeron grandes puertos en el este junto al mar silencioso; y el puerto de Sol era amplio y dorado, mientras que el puerto de Luna estaba en el mismo fondeadero y era blanco, y tenía puertas de plata y de perlas que brillaban tenues tan pronto como Sol bajaba de los cielos a Valinor; a esa hora esas puertas se abren por sí solas ante Luna naciente, pero ninguno de los Eldar ha visto nunca estas cosas, salvo Uolë Kúvion, y él no ha contado ningún cuento.

»Al principio los Valar se proponían conducir a Sol y a Luna por debajo de la Tierra, consagrándolos con el hechizo de Ulmo para que Vai no los dañara, cada uno a la hora designada; pero vieron al final que Sári[13], aun así, no podía ir sin riesgo debajo del mundo pues era demasiado frágil y cimbreante; y mucho precioso resplandor se malgastó en los intentos de conducirla bajo las aguas más profundas, y permaneció como chispas secretas en muchas cavernas desconocidas del océano. Muchos nadadores feéricos y nadadores de los duendes las han buscado mucho tiempo más allá del extremo este, tal y como se canta en el canto del Durmiente de la Torre de Perla[14].

»Sin duda, durante un tiempo el infortunio recayó aun en la brillante Urwendi, que erró por las oscuras grutas e infinitos pasajes del reino de Ulmo hasta que Fionwë la encontró y la llevó de regreso a Valinor; pero el cuento completo se llama el Cuento de Qorinómi y no puede contarse aquí[15].

»Así ocurrió que los Dioses se atrevieron a emprender una gran gesta, la más poderosa de todos sus trabajos; pues construyendo una flota de balsas y barcas mágicas con ayuda de Ulmo —de otro modo ninguna de ellas hubiera soportado navegar por

sobre las aguas de Vai— se acercaron al Muro de las Cosas, y allí
construyeron la Puerta de la Noche (Moritarnon o Tarn Fui,
como los Eldar la llaman en sus lenguas). Allí está todavía, completamente negra y enorme sobre los muros de color azul profundo. Los pilares son del más poderoso basalto y de la misma fábri-
ca el dintel, y hay tallados allí grandes dragones de piedra negra,
y de sus fauces emana lentamente un humo sombrío. Las puertas
son inquebrantables, y nadie sabe cómo fueron hechas o colocadas, pues no se permitió a los Eldar ayudar en esa espantosa construcción, y es el último secreto de los Dioses; y ni la arremetida
del mundo forzará esas puertas, que sólo se abren con una palabra mística. Esa palabra sólo Urwendi la sabe, y Manwë, que fue
quien se la dijo; pues más allá de la Puerta de la Noche yace la oscuridad exterior, y el que pase por ella puede escaparse del mundo y de la muerte y oír cosas que no han sido designadas para los
oídos de los habitantes de la Tierra, y esto no ha de ocurrir.

»En el este, sin embargo, la obra de los Dioses era de otra
clase, porque allí se construyó un gran arco, y se dice que es
todo de oro resplandeciente y enrejado de plata; sin embargo,
aun entre los Dioses pocos son quienes lo han visto, a causa de
los abundantes vapores luminosos que a menudo lo envuelven.
Ahora bien, las Puertas de la Mañana sólo se abren también
ante Urwendi, y la palabra que pronuncia es la misma que pronuncia ante la Puerta de la Noche, pero al revés.

»Así ocurre que, aun ahora, cuando el Barco de Luna deja
el puerto en el Este y sus puertas de perlas, Ulmo arrastra el galeón de Sol ante la Puerta de la Noche. Entonces pronuncia
Urwendi la palabra mística, y la Puerta se abre hacia fuera ante
ella, y una ráfaga de oscuridad se cuela hacia el interior, pero se
desvanece ante su luz enceguecedora; y el galeón de Sol entra
en la oscuridad sin límites, y avanzando por detrás del mundo,
encuentra de nuevo el este. Allí Sári, dotada de la liviandad de
la mañana, pasa a través de las puertas, y Urwendi y sus doncellas emiten un sonido de cuernos dorados, y el alba se derrama
sobre los ojos de los Hombres[16].

»Pero en muchas ocasiones uno de los minúsculos barcos-
estrella de Varda, surcando los Mares Exteriores como a menudo acostumbran, es absorbido a través de aquella Puerta de la
Noche detrás de Sol; y algunos siguen al galeón por la vastedad

sin estrellas de regreso hasta el Muro Oriental, otros se pierden para siempre, y otros resplandecen más allá de la Puerta hasta que el Barco de Sol aparece otra vez[17]. Entonces éstos saltan y se precipitan de vuelta al cielo, o corretean a través de sus espacios; y es éste un espectáculo muy hermoso de contemplar: las Fuentes de las Estrellas.

»He aquí que Luna no se aventura a la completa soledad de la oscuridad exterior por causa de su luz y su majestad menores, y él viaja todavía por debajo del mundo, y muchas son en esa ruta las contingencias; por ello es que a menudo es menos puntual que Sol y más inconstante. A veces no sale después de Sári, y otras llega tarde y sólo emprende un pequeño viaje o aun desafía los cielos mientras Urwendi todavía se encuentra allí. Entonces sonríen los Dioses con añoranza y dicen—: Es una vez más la mezcla de las luces[18].

»En verdad este fue durante mucho tiempo el modo en que se gobernaron los Barcos, y mucho fue el tiempo transcurrido hasta que los Dioses temieron una vez más por Sol y Luna a causa de ciertas noticias que recibieron esos días, que quizá se relaten más tarde; y debido a ese mismo temor ocurrió algo nuevo y extraño. Quizá pueda contar lo que sucedió ahora, antes de terminar; y se llama *El tejido de los días, los meses y los años*.

»Pues debéis saber que, mientras los Dioses estaban reunidos en cónclave pensando cómo podrían amarrar las lámparas del cielo a la voluntad de sus manos y conducirlas como un auriga conduce sus caballos al galope, he aquí que tres ancianos comparecen ante ellos y saludan a Manwë.

»Y Manwë les preguntó que quiénes eran. —Porque bien sé —dijo— que no pertenecéis a los felices moradores de Valmar o en los jardines de los Dioses. —Y los Valar se maravillaron de que hubieran llegado a sus tierras sin ayuda. Y esos hombres tenían un extraño aspecto, parecían de una vejez inconmensurable pero con sus fuerzas indómitas intactas. Y el que estaba a la izquierda era extremadamente pequeño y bajo, y el del medio era de estatura mediana, y el tercero era largo y alto; y el primero tenía los cabellos cortos y una barba , y la del otro no era ni larga ni corta, pero la barba del tercero barría la tierra delante de él mientras andaba. Entonces al cabo de un rato el que era bajo y pequeño habló respondiendo a Manwë, y dijo—: Somos hermanos; y hombres de muy sutiles artes. —Y el siguiente respondió—: He aquí que nos llamamos Danuin, Ranuin y Fanuin*, y yo soy Ranuin, y Danuin ha hablado. —Entonces dijo Fanuin—: Y te ofrecemos nuestras habilidades en este tiempo de confusión para ti; pero quiénes somos de dónde venimos o adónde vamos sólo te lo diremos si aceptas nuestro consejo, y después de haber obrado como lo deseamos.

»Entonces algunos de los Dioses se negaron, temiendo un ardid (quizá incluso de Melko), y otros estuvieron dispuestos a aceptar la propuesta, y éste fue el consejo que al final prevaleció por la gran confusión del momento. Entonces aquellos tres, Danuin y Ranuin y Fanuin, pidieron que se les reservara una habitación; y se les cedió una en casa de Aulë. Allí hilaron y tejieron en secreto, y después de transcurrido un período de dos veces doce horas se presentó Danuin y le habló a Manwë, diciendo: —¡Contempla el resultado de mis artes! —Y ninguno supo de su propósito, pues tenía vacías las manos. Pero cuando el Barco de Sol volvió fue Danuin al timón y, poniendo la mano en él, pidió a Ulmo que la arrastrara, como era habitual, por sobre las aguas hasta la Puerta de la Noche; y cuando Ulmo se hubo alejado un tanto de la costa más extrema de Valinor, Danuin dio un paso atrás y he aquí que Ulmo ya no pudo arrastrar el Barco de Sol más adelante, aunque recurriera a todas sus fuerzas. Entonces Manwë y Ulmo y todos los que lo contemplaron sintieron miedo, pero Danuin al rato liberó a Sol y se retiró, y ya no pudieron encontrarlo; y al cabo de veinte noches y ocho vino Ranuin y dijo también—: ¡Contempla el resultado de mis artes! —y nada más pudo verse en sus manos extendidas que lo que se viera antes en las de Danuin. Ranuin esperó hasta que Ilinsor condujo a la Rosa de Silpion a Valinor, y entonces puso las manos sobre una púa de vidrio que había sobre esa isla, y nadie fue ya capaz de apartar la barca de Ilinsor de Ranuin contra su voluntad; y de nuevo Ranuin tampoco dijo ni una palabra, y se retiró de su presencia; entonces Rána quedó libre, pero a Ranuin nadie pudo encontrarlo.

»Y los Dioses se preguntaron durante largo tiempo qué podría significar aquello, pero nada más sucedió hasta que Rána

---

* En el margen está escrito *Dōgor Mōna 7 Missére*, palabras en inglés antiguo que significan «día, mes y año».

hubo crecido y menguado trece veces. Entonces acudió Fanuin y pidió a los Dioses que detuvieran a Ilinsor para que, a la llegada de Sári, ambos barcos pudieran estar en Valinor a la vez. Cuando esto hubo ocurrido, pidió ayuda a los Dioses. —Porque —dijo— he hecho algo de gran peso que de buen grado os mostraría, pero mis fuerzas no me bastan para remolcarlo. —Y siete de los más robustos de las salas de Tulkas fueron al sitio donde Fanuin trabajaba y no pudieron ver nada allí; pero él les pidió que se agacharan, y les pareció que ponían las manos sobre una poderosa cadena de ancla y trastabillaron bajo su peso cuando se la echaron al hombro, pero aun así no pudieron verlo.

»Entonces, dirigiéndose sucesivamente a Sári y a Rána, Fanuin movió las manos como si estuviera anudando con una gran cuerda cada uno de los bajeles; y cuando todo esto estuvo hecho le dijo a Manwë: —He aquí, oh, Súlimo, Señor de los Dioses, que la obra está acabada y los barcos de luz están sometidos a las ataduras irrompibles del tiempo, que ni vosotros ni ellos podrán nunca romper, ni tampoco escapar de ellas, si bien esas ataduras son invisibles a los ojos de todos los seres que Ilúvatar ha hecho, pues nada hay que sea más fuerte.

»Entonces, de pronto, he aquí que Danuin y Ranuin aparecieron junto a él, y Danuin, dirigiéndose a Manwë, le puso en las manos un cabo delgado, pero Manwë no pudo verla. —Con esto —dijo Danuin—, oh, Manwë Súlimo, puedes gobernar las idas y venidas de Sol, y nunca podrá ser llevado más allá de la conducción de tu mano, pues tal es la virtud de este cabo, que las idas y venidas de Sol serán tenidas por las más puntuales e inevitables de todas las cosas de la Tierra. —Luego hizo Ranuin de idéntico modo, y he aquí que Manwë sintió en la palma de la mano una poderosa maroma invisible.— Con ella —dijo Ranuin— sostendrás y timonearás al inconstante Luna, tanto como pueda hacerse, y tan grande es la virtud de la "correa de Ranuin" que aun Luna, veleidoso, será una medida del tiempo para los Elfos y los Hombres. —Por último pidió Fanuin que Manwë sujetara el extremo de su poderosa cadena, y Manwë la tocó, y la cadena fue amarrada a una gran roca sobre el Taniquetil (que ha sido llamada por ello Gonlath) y Fanuin dijo—: —Ahora ésta, la más poderosa de las cadenas de ancla, mantiene amarrados y bajo control a Luna y a Sol; con ella puedes coordinar sus movimientos y entretejer sus destinos; porque la maroma de Fanuin es la Maroma de los Años, y Urwendi, al salir por la Puerta de la Noche, conducirá el barco alrededor de la Tierra sujeto a la maraña de las esbeltas hebras del cabo del día hasta que llegue el Gran Final; y también todo el mundo y los habitantes del mundo, tanto los Dioses como los Elfos y los Hombres, y todas las criaturas que se muevan y las cosas arraigadas estarán sujetas a las ataduras del Tiempo.

»Entonces todos los Dioses tuvieron miedo al ver lo que había ocurrido, y al saber que en adelante aun ellos estarían sometidos por la cuenta del tiempo a una lenta vejez, y sus días de resplandor menguarán en el crepúsculo hasta que Ilúvatar, al llegar el Gran Final, los reclamara de vuelta. Pero Fanuin dijo: —No, sólo se trata de la Música de los Ainur, porque he aquí quiénes somos: Danuin, Ranuin y Fanuin; el Día y el Mes y el Año, los hijos de Aluin, el Tiempo, que es el más antiguo de los Ainur, y está más allá, y sometido a Ilúvatar; y de él venimos, y a él volvemos ahora. —Entonces los tres desaparecieron de Valinor; pero de ellos proviene el trazado de los cursos inalterables de Sol y de Luna, y el sometimiento de todas las cosas contenidas en el mundo al tiempo y al cambio.

»Pero en cuanto a los Barcos de la Luz, he aquí, oh, Gilfanon y todos los que escucháis, que terminaré el cuento de Lindo y de Vairë acerca de la construcción de Sol y de Luna con la gran predicción que se pronunció entre los Dioses cuando la Puerta de la Noche se abrió por primera vez. Porque se dice que antes de que llegue el Gran Final, Melko se las compondrá de algún modo para provocar una disputa entre Luna y Sol, e Ilinsor intentará seguir a Urwendi a través de las Puertas, y cuando se hayan ido tanto la Puerta del Este como la del Oeste serán destruidas, y Urwendi e Ilinsor se perderán. De este modo Fionwë Úrion, hijo de Manwë, por amor a Urwendi, será al final causa de la ruina de Melko, y destruirá al mundo por destruir a su enemigo, de modo que todas las cosas serán arrolladas[19].

Y así terminó Vairë, y el gran cuento se deshizo en el silencio de la sala.

NOTAS

1   Originalmente estaban aquí las palabras «los Solosimpi».

2   El borrador desechado del cuento es aquí notablemente breve y
    dice como sigue (después de las observaciones de Ailios dadas en
    la nota 20 al *Cuento de Sol y de Luna*):

> —Eso es fácil decirlo —dijo Lindo—; porque las murmuracio-
> nes de las que he hablado se hicieron más fuertes y llegaron a
> las sesiones de ese consejo que se había convocado para fijar el
> curso de Sol y de Luna; y todos los antiguos agravios que ha-
> bían ardido ante la instigación de Melko acerca de la libertad
> de los Elfos —aun aquella lucha que culminó en el Exilio de
> los Noldoli— volvieron a encenderse. Sin embargo, pocos
> eran ahora los que sentían lástima de los Gnomos, y a aquellos
> entre los Eldar a quienes seducía el mundo recién iluminado,
> no se atrevían a abandonar Valinor por temor al poder de Me-
> lko; por tanto, finalmente los enemigos de los Gnomos, a pe-
> sar de todo lo que Ulmo pudiera alegar o rogar y a pesar de la
> clemencia de Manwë, siguieron el consejo de los Dioses; y así
> aconteció lo que las historias llaman el [Cierre >] ocultamien-
> to de Valinor. Y los Dioses por el momento no salieron a lu-
> char contra Melko, y se dejó escapar la más grande oportuni-
> dad que tuvieron de alcanzar gloria y eterno honor [como la
> Música de Ilúvatar lo había presagiado —y ellos entendieron
> bien poco— y ¿quién sabe si la salvación del mundo y la libera-
> ción de los Hombres y de los Elfos provendrá de ellos otra vez?
> Hay algunos que susurran que no será así, y la esperanza se
> demora solamente en una lejana tierra de Hombres, pero
> cómo puede ello acontecer, yo no lo sé.]

El pasaje final está puesto entre corchetes en el propio manuscrito, con un signo de interrogación al final.

3   Parece decir «este». La palabra «oriental» se añadió al texto, y
    puede que mi padre tuviera intención de reemplazar «este» por
    «borde oriental» o algo parecido.

4   Aquí «Tierra», aunque resulte extraño, está claramente utilizada
    como «el mundo» para designar las Grandes Tierras, que se dife-
    rencian de las Tierras Exteriores del oeste.

5   Los Teleri (esto es, posteriormente los Vanyar) en el cuento anti-
    guo no habían abandonado Kôr.

6 Originalmente *Ówen* y luego *Ónen*, el nombre de la esposa de Os-sëya ha aparecido en su forma final *Uinen*; pero *Oinen* está aquí escrito con claridad, y también, por supuesto, deliberadamente.

7 En el borrador, la narración del ocultamiento de Valinor es muy breve, y avanza rápidamente hacia el Camino de los Sueños. Las telas de oscuridad puestas sobre las laderas orientales de las montañas no eran aquellas dejadas en Valinor por Ungweliantë, sino que sólo se las compara con «las más pegajosas» que Ungweliantë hubiera tejido. Helkaraksë y las Islas Mágicas sólo se mencionan en una nota marginal para señalar que han de ser incluidas en el texto.

8 «Tierra» también está usada aquí en el sentido de las «Grandes Tierras» (véase nota 4). El borrador dice aquí «Hijos del Mundo».

9 Aunque no hay diferencias sustanciales en la descripción de Olórë Mallë entre los dos textos, en el primero no se menciona la Senda del Arco Iris de Oromë. Una nota aislada, evidentemente escrita antes que el cuento aquí presente, dice: «Cuando los Dioses cierran Valinor (...) Lórien deja un sendero a través de las montañas llamado Olórë Mallë, y Manwë deja el Arco Iris por el que transita para vigilar el mundo. Sólo es visible después de la lluvia, porque entonces está húmedo».

10 «Tregua»; antes decía «compromiso». Es notable cómo Manwë se describe más como un *primus inter pares* que como el regidor de todos los demás Valar.

11 Sobre los Árboles de Kôr, véase *La llegada de los Elfos*.

12 Véase el Comentario al *Cuento de Sol y de Luna*.

13 *Sári* es aquí (y en adelante) el nombre escrito, no una corrección de *Kalavénë*, el nombre en los borradores de *Sol y Luna* y *El ocultamiento de Valinor*. Lo que dice aquí el borrador es «el Barco de Sol», denominación que es a su vez una alteración de «los barcos», porque mi padre al principio había escrito que ninguno de los dos barcos podía ser llevado por debajo de la Tierra sin riesgo.

14 El Durmiente de la Torre de Perla es nombrado en *La Cabaña del Juego Perdido*. La canción del durmiente es casi con toda seguridad el poema *Los Marineros Felices*, escrito originalmente en 1915 y publicado en 1923 (véase la *Biografía* de Humphrey Carpenter, Apéndice C); se darán de él dos versiones relacionadas con los materiales para el *Cuento de Eärendel* en la segunda parte de los *Cuentos Perdidos*. El poema contiene una referencia a los barcos que pasan por la Torre de Perla, cargados «de las chispas del fuego oriental atesorado/que nadadores submarinos ganaron en aguas de Sol desconocido».

EL OCULTAMIENTO DE VALINOR

15   El borrador original dice aquí: «pero ese es el cuento de Qorinó-
     mi, y no me atrevo a contarlo aquí, pues mi amigo Ailios me está
     mirando» (véanse las notas 19 y 20).

16   El borrador decía aquí al principio: «y el galeón de Sol sale a la
     oscuridad y, yendo por detrás del mundo, encuentra el este otra
     vez, pero allí no hay puerta y el Muro de las Cosas es más bajo; y
     repleto de la liviandad de la mañana Kalavénë navega por encima
     de él, y el alba se derrama sobre las montañas orientales y cae so-
     bre los ojos de los Hombres». Parte de esto, desde «pero allí no
     hay puerta» estaba entre corchetes, y se introdujo el pasaje acerca
     del gran arco del este y las Puertas de la Mañana. En la frase si-
     guiente, el borrador mostraba «de vuelta por sobre el Muro Orien-
     tal», que se cambió a lo que puede leerse en el segundo texto, «de
     vuelta a través del Muro Oriental». Para el nombre de *Kalavénë*,
     véanse los cambios de nombres en el *Cuento de Sol y de Luna*.

17   Esto es, hasta que el Barco de Sol sale por la Puerta de la Noche a
     la oscuridad exterior; cuando el Barco de Sol parte, las estrellas
     fugaces vuelven al cielo.

18   La segunda versión de esta parte del cuento de Vairë, «El Puerto
     de Sol», sigue el texto del borrador original (tal como fue corregi-
     do) bastante de cerca, sin diferencias sustanciales; pero la parte
     del cuento que prosigue, «El tejido de los días, los meses y los
     años», está del todo ausente en el borrador.

19   Este pasaje final difiere en varios puntos respecto a la versión ori-
     ginal. En ella, Ailios aparece otra vez en lugar de Gilfanon; la
     «gran predicción» se pronunció entre los Dioses «cuando decidie-
     ron primero construir la Puerta de la Noche»; y cuando Ilinsor
     haya seguido a Urwendi a través de las puertas, «Melko destruirá
     las Puertas y levantará el Muro Oriental más allá de los [¿cielos?] y
     Urwendi e Ilinsor se perderán».

Cambios de nombres en
El ocultamiento de Valinor

Vansamírin < *camino de Samírien* (*Samírien* aparece como el nombre
     de la Fiesta del Doble Júbilo).

Kôr < *Kortirion.* Después, aunque *Kôr* no fue tachado, mi padre escri-
     bió *Tûn* sobre él, entre signos de interrogación, y lo mismo cuando
     Kôr vuelve a aparecer más adelante. Ésta es la primera aparición de
     ese nombre en el texto de los *Cuentos Perdidos*, que más tarde dio
     origen al de *Túna* (la colina sobre la que se edificó Tirion).

Ainairos < *Oivárin.*

Moritarnon, Tarn Fui El borrador original del cuento dice «*Móritar* o *Tarna Fui*».

Sári El borrador original dice *Kalavénë.* En la primera aparición de los nombres de los tres Hijos del Tiempo la secuencia de formas era:

Danuin < *Danos* < una forma ilegible *Dan...*

Ranuin < *Ranos* < *Ranoth* < *Rôn*

Fanuin < *Lathos* < *Lathweg*

A lo largo del resto del pasaje: *Danuin* < *Dana*; *Ranuin* < *Ranoth*; *Fanuin* < *Lathweg.*

Aluin < *Lúmin.*

Comentario a

El ocultamiento de Valinor

La narración del Consejo de los Valar y los Eldar en el comienzo de este cuento (ampliado considerablemente a partir del borrador preliminar que se ofrece en la nota 2) es notable e importante en la historia de las ideas de mi padre sobre los Valar y sus motivaciones. En *El Silmarillion* el ocultamiento de Valinor fue provocado por el ataque de Melkor al timonel de Luna:

> Pero al ver Tilion atacado, a los Valar les entraron dudas, pues no sabían de lo que eran capaces aún la malicia y la astucia de Morgoth. Resistiéndose a hacerle la guerra en la Tierra Media, recordaron no obstante la ruina de Almaren; y resolvieron que no le sucedería lo mismo a Valinor.

Un poco antes en *El Silmarillion* se dan las razones por las que los Valar no están dispuestos a hacer la guerra:

> Y se dice que así como los Valar hicieron la guerra a Melkor por el bien de los Quendi, así ahora la evitaban por el bien de los Hildor, los Nacidos Después, los Hijos Menores de Ilúvatar. Porque tan graves habían sido las heridas abiertas en la Tierra Media durante la guerra contra Utumno, que los Valar temían que aún ocurriera algo peor; por cuanto los Hildor serían gente mortal, y menos aptos que los Quendi para soportar el miedo y los tumultos. Además, no le estaba revelado a Manwë dónde aparecerían los Hombres: al norte, al sur o al este. Por tanto, los Valar lanzaron la luz, pero fortalecieron la tierra en que morarían los Hombres.

En *El Silmarillion* no hay vestigio del tumultuoso consejo, ni sugerencia de que los Valar no hubieran estado de acuerdo entre
sí, o con Manwë, Varda y Ulmo, que desaprobaban activamente
la obra y se mantuvieron apartados de ella; igualmente no se
hace mención de que Ulmo hubiera rogado nada por piedad
hacia los Noldor, ni del disgusto de Manwë. En la historia antigua fue la hostilidad de algunos de los Eldar hacia los Noldoli,
capitaneados por un Elfo de Kópas (Alqualondë, que también
desapareció por completo; en la narración posterior no se dice
ni una palabra sobre los sentimientos de los Elfos de Valinor
hacia los Noldor exiliados), lo que constituyó el punto de partida del ocultamiento de Valinor; y es sumamente curioso observar que la acción de los Valar fue desencadenada en esencia por
la pereza mezclada con el miedo. En ninguna parte aparece
más claramente la concepción temprana de mi padre de los
Dioses como seres *fainéant*. Sostiene además, de manera bastante explícita, que no haber logrado hacerle la guerra a Melko en
ese mismo lugar y en ese mismo momento fue un profundo
error, subéstimándose a sí mismos, y fue (según parece) irreparable. En escritos posteriores el ocultamiento de Valinor continúa apareciendo, pero sólo como un gran hecho de la antigüedad mitológica; no hay la menor sugerencia de que se lo
condene.

   El bloqueo de Valinor y su total aislamiento del mundo de
fuera está quizá más fuertemente subrayado en la primera narración. Las telarañas desechadas de Ungweliant y el uso que
les dieron los Dioses desaparecen en la historia posterior. Especialmente notable es cómo se explica aquí que el hueco abierto
en las alturas circundantes (más tarde llamado Calacirya) no
fuera bloqueado. En *El Silmarillion* se dice que ese paso no fue
cerrado

   por los Eldar que aún les eran fieles, y en la ciudad de Tirion, sobre la colina verde, Finarfin gobernaba aún al resto de los Noldor
   en la profunda hendidura de las montañas. Porque la gente de
   raza élfica, aun los Vanyar e Ingwë, señor de todos ellos, han de
   respirar a veces el aire exterior y el viento que viene por encima
   del mar desde las tierras en que nacieron; y los Valar no estaban
   dispuestos a apartarse por completo de los Teleri.

286   EL LIBRO DE LOS CUENTOS PERDIDOS I

El antiguo tema de los Solosimpi (> Teleri) deseando que esto se lleve a cabo (lo que resulta bastante extraño, pues ¿querían los Flautistas de la Costa abandonarla?), desapareció junto con el amargo resentimiento contra los Noldoli, la negativa de Ulmo a ayudarlos y la disponibilidad de Ossë para despecho de Ulmo. El pasaje de las Islas Mágicas, hechas por Ossë, es el origen de la conclusión del Capítulo 11 de *El Silmarillion:*

> Y también en esos tiempos, que los cantos llaman *Nurtalë Valinoréva*, el Ocultamiento de Valinor, se levantaron las Islas Encantadas, y en todos los mares de alrededor hubo sombras y desconcierto. Y estas islas se extendieron como una red por los Mares Sombríos desde el norte hasta el sur, antes de que quien navegue hacia el oeste llegue a Tol Eressëa, la Isla Solitaria. Difícilmente puede pasar un barco entre ellas, pues en aquellos estrechos peligrosos las olas rompen de continuo con un suspiro sobre rocas oscuras amortajadas en nieblas. Y el crepúsculo inspiraba en los marineros un gran cansancio y un odio hacia el mar; pero todo el que alguna vez puso pie en las islas quedó allí atrapado y durmió hasta el Cambio del Mundo.

Resulta claro por este pasaje del cuento que las Islas Mágicas estaban situadas al este de los Mares Sombríos, aunque «tinieblas inmensas (...) extendían lenguas de oscuridad hacia ellas»; mientras que en un pasaje anterior se dice que más allá de Tol Eressëa (que se encuentra a su vez más allá de las Islas Mágicas) «está el muro de brumas y aquellas extensas nieblas marinas bajo las cuales se extienden los Mares Sombríos». Es cierto que las posteriores «Islas Encantadas» deben mucho como concepción a las Islas Mágicas, pero en el pasaje de *El Silmarillion* que acabamos de citar estaban en los Mares Sombríos, sumidas en el crepúsculo. Es posible, por tanto, que las Islas Encantadas deriven también de las Islas del Crepúsculo.

La descripción de los trabajos de Tulkas y Aulë en las regiones del norte no parece ser completamente armónica con lo que se dijo antes, aunque es improbable que haya una verdadera contradicción. Más adelante se afirma claramente que había una franja de agua (Qerkaringa, el Abismo de Frío) entre el extremo del «Colmillo de Hielo» (Helkaraksë) y las Grandes Tierras en tiempos de la travesía de los Noldoli. En este mismo pasaje el Colmillo de Hielo se describe como «un cuello estrecho, que los Dioses destruyeron después». Los Noldoli pudieron llegar hasta las Grandes Tierras a pesar de ese hueco que había en el extremo porque con el gran frío reinante el estrecho se había llenado de hielo inmóvil. Puede que el significado de este pasaje, sin embargo, sea que debido a la destrucción del Colmillo de Hielo se abrió un hueco mucho más ancho, de modo que ya no hubo posibilidad de que nadie pudiera utilizar esa ruta.

De los tres «caminos» hechos por Lórien, Oromë y Mandos, no hay vestigios en los escritos posteriores de mi padre. El arcoíris no se menciona, ni se sugiere explicación alguna de cómo los Hombres y los Elfos llegan a las estancias de Mandos. Pero es difícil interpretar esta concepción de los «caminos», saber en qué medida la idea tenía un contenido puramente figurado.

Para el camino de Lórien, Olóre Mallë, la Senda de los Sueños, que describía Vairë en *La Cabaña del Juego Perdido*, véase el comentario a este cuento. Allí Vairë decía que Olórë Mallë venía de las tierras de los Hombres, que era «un camino de márgenes profundos y grandes setos colgantes, más allá de los cuales se erguían muchos árboles altos donde parecía habitar un susurro perpetuo», y que desde esa senda un alto portal conducía a la Cabaña de los Niños o del Juego del Sueño. No estaba lejos de Kôr y hasta allí llegaban «los hijos de los padres de los padres de los Hombres»; los Eldar los guiaban si era posible hasta la Cabaña y su jardín, «temiendo que los extraviados llegaran a Kôr y se enamoraran de la gloria de Valinor». Parece haber acuerdo en general entre estos dos cuentos, aunque es difícil descifrar las palabras del pasaje donde se dice que la senda «pasaba por la Cabaña de los Hijos de la Tierra y desde allí por "la senda de los olmos susurrantes", seguía «*hasta llegar* al mar». Es notable que aun en esta etapa del desarrollo de la mitología, cuando mucho más se había escrito desde la llegada de Eriol a Tol Eressëa, la concepción de que los hijos de los Hombres llegaban en sueños por un misterioso «camino» a una cabaña de Valinor no se había perdido en lo más mínimo.

En la narración de la construcción del puente del arcoíris por Oromë, el lazo que arrojó queda sujeto a la cumbre de la gran montaña Kalormë («Montaña de Sol Naciente») en el más remoto oriente. Esta montaña se ve en el dibujo del «Barco del Mundo».

La historia que Vairë llamó «El Puerto de Sol», nos proporciona el retrato más acabado de la estructura del mundo que podamos encontrar en la fase más temprana de la mitología. Los Valar, sin duda, parecen extrañamente ignorantes sobre este asunto (la naturaleza del mundo que cobró ser en amplia medida a partir de su concepción) y necesitan que Ulmo los familiarice con verdades muy fundamentales. Una posible explicación de esta ignorancia puede encontrarse en la radical diferencia en el tratamiento de la Creación del Mundo entre la primera y las más avanzadas versiones de *La Música de los Ainur*. He observado antes que originalmente los Ainur ven por primera vez el mundo en su acabada realidad, e Ilúvatar les dice: «aun ahora el mundo se despliega y empieza su historia»; mientras que en la forma más desarrollada era una visión que les fue extraida y sólo cobra existencia en la palabra de Ilúvatar: *Eä!* ¡Que sean estas cosas!. Se dice en *El Silmarillion* que

> cuando los Valar entraron en Eä, se sintieron desconcertados y perdidos, pues les pareció que nada de lo que habían visto en la visión estaba hecho todavía, y que todo estaba a punto de empezar y aún informe...

y sigue la descripción de los grandes trabajos de los Valar para la concreta «construcción» del mundo:

> Construyeron tierras y Melkor las destruyó; cavaron valles y Melkor los levantó; tallaron montañas y Melkor las derribó; ahondaron mares y Melkor los derramó...

Nada de esto hay en la versión antigua, y uno tiene la impresión (aunque nada está explícito) de que los Valar llegaron a un mundo que estaba ya «hecho» y les era desconocido («los Dioses fueron siglosamente de norte a sur y pudieron ver poco; a decir verdad en las más profundas de estas regiones encontraban un gran frío y soledad...»). Aunque la concepción del mundo derivaba en gran medida de su propio papel en la Música, su realidad provenía del acto creador de Ilúvatar («Seríamos los guardianes de todas aquellas cosas bellas de nuestros sueños, que por tu poder han alcanzado ahora realidad»); y el conocimiento que tenían los Valar de las verdaderas propiedades y dimensiones de su morada era relativamente más escaso (así quizá debamos suponerlo) de lo que después se concibió.

Pero esto es demorarse demasiado en el asunto. Más probablemente la ignorancia de los Valar debe atribuirse a su curioso aislamiento colectivo y a esa indiferencia por el mundo de más allá de sus montañas que tanto se subraya en este cuento.

Sea como fuere, Ulmo en esta tesitura comunica a los Valar que el mundo entero es un océano, Vai, sobre el que flota la Tierra «sostenida por la palabra de Ilúvatar»; y todos los mares de la Tierra, aun el que separa a Valinor de las Grandes Tierras, son huecos abiertos en la superficie de la Tierra, y son por ello distintos de Vai, cuya naturaleza es otra. Todo esto lo hemos visto ya; y en un cuento anterior algo se dijo sobre la naturaleza de las aguas que sirven de sostén:

Nunca he visto ni oído nada sobre aquello que hay más allá de Valinor, aunque tengo la certeza de que allí se extienden las oscuras
aguas de los Mares Exteriores, que no tienen mareas, y son tan
frías y leves que ninguna barca puede navegar por ellas ni ningún
pez penetrar en sus profundidades, salvo los peces encantados de
Ulmo y su carro mágico.

De modo que Ulmo dice aquí que no hay pez ni barca que pueda
aventurarse en sus aguas, salvo aquellos a los que él «haya dicho la
gran palabra que me dijo Ilúvatar atándolos con el hechizo».
    En el borde exterior de Vai se levanta el Muro de las Cosas, descri-
to como «de un color azul profundo». Valinor está más cerca del Muro
de las Cosas que la costa oriental de las Grandes Tierras, lo que debe
significar que Vai es más estrecho en el oeste que en el este. En el
Muro de las Cosas los Dioses abrieron por entonces dos entradas: en el
oeste la Puerta de la Noche, y en el este las Puertas de la Mañana; y lo
que está más allá de estas entradas abiertas en el Muro es llamado «vastedad sin estrellas» y «oscuridad exterior». No se aclara cómo el aire
exterior («el reino oscuro y tenue de Vaitya que está fuera de todas las
cosas») ha de relacionarse con la concepción del Muro de las Cosas o
la Oscuridad Exterior. En el texto preliminar desechado de este cuento, mi padre escribió al principio (véase nota 16) que en el este «el
Muro de las Cosas era más bajo», de modo que cuando Sol vuelve de la
Oscuridad Exterior no entra en el cielo oriental por una puerta, sino
que «navega por encima» del Muro. Esto se cambió luego y se introdujo la idea de la Puerta del Muro Oriental, las Puertas de la Mañana;
pero parece claro que los Muros se concibieron en un principio como
los de las ciudades o los jardines terrenos: muros con una corona, un
"cerco circular". En el ensayo cosmológico de la década de 1930, el
Ambarkanta, los muros son muy distintos:

Alrededor del Mundo están los *Ilurambar,* o Muros del Mundo. Son
como el hielo y el cristal y el acero, estando más allá de la imaginación de los Hijos de la Tierra, fríos, transparentes y duros. No pueden verse ni traspasarse, salvo a través de la Puerta de la Noche.
    Dentro de estos muros está englobada la Tierra: por encima,
por debajo y todo a su alrededor está *Vaiya,* el Océano Envolvente.
Pero éste se asemeja más al mar por debajo de la Tierra y al aire
por encima de ella.

El Cuento de Qorinómi de hecho no fue nunca contado; en la primera versión de este cuento (véase nota 15) parece que a Vairë le habría

gustado contarlo, pero sentía sobre ella los pequeños ojos insidiosos de Ailios. En la primera lista de palabras en qenya, *Qorinómi* se define como «el nombre de Sol», literalmente, «ahogado en el Mar», nombre derivado de una raíz que significa «atragantarse, asfixiarse, ahogarse», con esta explicación: «Sol, después de huir de Luna, se zambulló en el mar y erró en las cavernas de las Oaritsi». *Oaritsi* no aparece en la lista de palabras, pero *oaris* equivale a «sirena». Nada se dice en los *Cuentos Perdidos* de que Luna le diera caza a Sol; eran las estrellas de Varda lo que Ilinsor, «cazador del firmamento», perseguía, y estaba «celoso de la supremacía de Sol».

La conclusión del cuento de Vairë, «El tejido de los días, los meses y los años», muestra (según me parece) que mi padre investigó una forma de imaginación mítica que fue para él un callejón sin salida. Se aparta por completo de la dirección general de su pensamiento por su simbolismo formal y explícito, y lo escindió de su mitología sin dejar rastro. Plantea también una extraña pregunta. ¿En qué sentido era posible que los Valar estuvieran «fuera del Tiempo» antes de los tejidos de Danuin, Ranuin y Fanuin? En *La Música de los Ainur*, Ilúvatar decía: «aun ahora el mundo se despliega *y empieza su historia*»; en la versión final *(El Silmarillion)* se dice que

la Gran Música no había sido sino el desarrollo y la floración del pensamiento en los Palacios Intemporales, y lo que habían visto, únicamente una prefiguración; pero ahora habían entrado en el principio del Tiempo...

(También se dice en *El Silmarillion* que cuando los Dos Árboles de Valinor empezaron a brillar, empezó también la Cuenta del Tiempo; esto se refiere al comienzo de la medición del tiempo a partir de la expansión y la mengua de los Árboles.)

En este cuento se dice que la obra de Danuin, Ranuin y Fanuin fueron la causa del «sometimiento de todas las cosas contenidas en el mundo al tiempo y al cambio». Pero la idea misma de una historia, de una serie de hechos consecutivos, implica por sí misma el tiempo y el cambio. ¿Cómo puede decirse, pues, que Valinor sólo quedó sometida a la necesidad del cambio con el ordenamiento de los movimientos de Sol y de Luna, cuando en el curso de la historia que se desenvuelve en los *Cuentos Perdidos* ha vivido ya grandes cambios? Además los Dioses saben ahora que «*en adelante* aun estarían sometidos a una lenta vejez, y sus días resplandor menguarán». La sola enunciación (por ejemplo) de que Ómar-Amillo era «el más joven de los grandes Valar» que entraron en el mundo es también una afirmación de que los otros Valar, mayores que él, estaban «sometidos a una lenta vejez». La «edad» tiene por supuesto dos aspectos para los seres mortales que cada vez se aproximan más: el tiempo transcurre y el cuerpo decae. Pero se dice de la inmortalidad «natural» de los Eldar: «ni tampoco la senectud les socava las fuerzas, a no ser que transcurran diez mil siglos». Así pues, su «edad aumenta» (de este modo, Gilfanon es el hada «de más edad de los que ahora vivían en la isla» y «una de las hadas de mayor edad», pero la edad no aumenta en el sentido de decaer y debilitarse. ¿Por qué entonces los Dioses saben ahora que «en adelante» deberán someterse a un lento proceso de envejecimiento, que sólo ha de entenderse en la segunda acepción de «edad»? Puede ser más bien que haya aquí una profundidad de pensamiento que se me escapa; pero ciertamente no le encuentro explicación.

Por último, al final de todos los primeros escritos sobre el tema puede destacarse que la creación de Sol y de Luna y el gobierno de sus movimientos ocuparon un lugar importante en la concepción original de mi padre: el mito astronómico es fundamental para el conjunto. Posteriormente esta importancia no dejó de disminuir, y es posible que, al final, hubiera desaparecido por completo.

X

EL CUENTO DE GILFANON:
LAS PENURIAS DE LOS NOLDOLI
Y LA LLEGADA DE LA HUMANIDAD

El texto del borrador desechado de *El ocultamiento de Valinor* prosigue de esta manera, poco después de concluido el cuento de Vairë:

> Ahora bien, después de la narración de este cuento nada más había de qué hablar esa noche, pero Lindo le rogó a Ailios que en la noche siguiente o tan pronto como fuera posible se narrasen cuentos de ceremonia; pero Ailios no lo consintió, alegando que tenía que viajar a una aldea distante. De modo que se decidió que los relatos se contarían en el séptimo día antes de encender las velas del sueño... y ése era el día de Turuhalmë¹ o la Recolección de Leños. —Será un día adecuado —dijo Lindo— porque tras los juegos de la mañana en la nieve y la recolección de leños en los bosques y las canciones y las bebidas de la Turuhalmë estaremos del ánimo adecuado para escuchar antiguos cuentos junto al hogar.

Como he observado antes, la forma original del *Cuento de Sol y de Luna* y *El ocultamiento de Valinor* pertenece al período que precede a la aparición de Gilfanon de Tavrobel, que sustituye a Ailios.

Inmediatamente después de este borrador desechado, en la misma página manuscrita, el texto en tinta del *Cuento de Turambar* (Túrin) empieza con estas palabras:

> Entonces cuando Ailios hubo hablado todo lo que quiso, ya era casi la hora de encender las velas, y así llegó a su fin el primer día de Turuhalmë; pero la segunda noche Ailios ya no estaba allí, y un tal Eltas, ante la petición de Lindo, empezó un cuento...

¿Cuál habría sido el cuento de Ailios? (pues yo diría ciertamente que nunca fue escrito). La respuesta queda clara en un texto breve y aparte que sigue la historia a partir de la conversación que sigue a *El ocultamiento de Valinor*. En él se dice que el día de Turuhalmë había llegado por fin, y que la gente reunida de Mar Vanwa Tyaliéva fue a los bosques nevados a recoger leños que traerían en trineos. Nunca se dejaba que la Hoguera de los Cuentos se apagara o muriera en cenizas grises, pero en la víspera de Turuhalmë disminuía ardiendo apenas hasta la misma Turuhalmë; cuando se llevaban a la Sala del Hogar de los Cuentos unos grandes leños que, bendecidos por Lindo con una magia ancestral, bramaban y llameaban en el hogar. Vairë bendijo la puerta y el dintel de la sala y le dio la llave a Rúmil, convirtiéndolo una vez más en el Custodio de la Puerta, y a Pequeñocorazón le dio la maza del gong. Entonces dijo Lindo, como cada año:

—Elevad vuestras voces, oh, Flautistas de la Costa, y vosotros, Elfos de Kôr, cantad con fuertes voces; y todos vosotros, Noldoli y hadas escondidas del mundo, bailad y cantad, cantad y bailad, oh pequeños hijos de los Hombres, que la Casa del Recuerdo resuene con vuestras voces...

Luego se cantó un canto de los días antiguos que los Eldar compusieron cuando vivían bajo el ala de Manwë y cantaban a lo largo del gran camino desde Kôr hasta la ciudad de los Dioses (véase Capítulo VI).

Habían transcurrido seis meses desde que Eriol había ido a visitar a Meril-i-Turinqi rogando que se le diera un trago de *limpë* (véase *El Encadenamiento de Melko*), y de ese deseo se había olvidado durante un tiempo; pero esa noche le dijo a Lindo«¡Me gustaría beber contigo!». A esto replicó Lindo que Eriol no debería «pensar en sobrepasar los límites que Ilúvatar ha impuesto», pero también que debía considerar que «Meril tampoco te ha negado aún tu deseo para siempre». Entonces se entristeció Eriol, porque en lo profundo de su corazón adivinaba que «el sabor del *limpë* y la beatitud de los Elfos podrían no permanecer con él para siempre».

El texto termina cuando Ailios se prepara para contar un cuento:

«Cuento como puedo aquellas cosas que he visto y conocido de los días más antiguos, cuando Sol se elevó por primera vez y hubo penurias y mucho dolor, pues Melko reinaba sin impedimentos y el poder y la fuerza que salían de Angamandi llegaban casi hasta los extremos de la vasta Tierra».

Resulta claro que no se escribió nada más. Si se hubiera completado, habría conducido hasta el comienzo de *Turambar* mencionado antes («Entonces cuando Ailios hubo hablado todo lo que quiso...»); y habría sido fundamental para la historia de las Grandes Tierras, pues incluiría la llegada de los Noldoli que venían de Valinor, el despertar de los Hombres y la Batalla de las Lágrimas Innumerables.

El texto que se acaba de describir, que vincula *El ocultamiento de Valinor* con el cuento no escrito de Ailios, no fue tachado, y mi padre escribió más tarde en la parte superior: «Debe estar después del Cuento de Eärendel y antes de que Eriol viaje a Tavrobel; después de Tavrobel, bebe *limpë*». Esto resulta extraño, pues no pudo haber tenido intención de que la historia de la llegada de los Hombres prosiguiera a la de Eärendel; pero puede que tuviera intención de utilizar tan sólo la sustancia de este breve texto, describiendo las ceremonias de Turuhalmë, y sin final.

Sea como fuere, inventó un nuevo marco para contar estos cuentos, aunque no lo completó, y la descripción revisada de la siguiente sesión de narración de cuentos aparece en el *Cuento de Sol y de Luna* donde, después de la interrupción de Gilfanon, se convino en que transcurridas tres noches a partir de aquella en la que Lindo y Vairë contaron *Sol y Luna* y *El ocultamiento de Valinor*, se celebraría una sesión de mayor ceremonia en la que Gilfanon relataría «La congoja de los Noldoli y la llegada de la Humanidad».

A partir de la segunda versión del cuento de Vairë *El ocultamiento de Valinor*, prosigue el cuento de Gilfanon con páginas numeradas consecutivas; pero aquí Gilfanon lo cuenta la noche siguiente, no tres días después. Desafortunadamente, Gilfanon es apenas mejor presentado que Ailios, pues si Ailios apenas había comenzado, Gilfanon se interrumpe abruptamente al cabo de unas pocas páginas. Lo que existe de este cuento fue escrito muy de prisa y a lápiz, y queda bastante claro que termina de ese modo sencillamente porque mi padre no siguió escribiéndolo. Fue aquí donde mi padre abandonó los *Cuentos Perdidos*... o, más exactamente, donde abandonó aquellos que esperaban todavía ser escritos; y los efectos de esta interrupción quedarían siempre patentes a lo largo de toda la historia de «El Silmarillion». Los cuentos principales que siguen al de Gilfanon, los de Beren y Tinúviel, Túrin Turambar, la Caída de Gondolin y el Collar de los Enanos, habían sido escritos y (en los tres primeros casos) reescritos; y el último de ellos debía conducir al «gran cuento de Eärendel». Pero ése ni siquiera se comenzó. De ahí viene que a los Cuentos Perdidos le falten su parte media y final.

Presento aquí el texto del Cuento de Gilfanon hasta donde llega.

Ahora bien, cuando Vairë hubo terminado, dijo Gilfanon:

—No os quejéis si mañana tejo un largo cuento, pues las cosas que he de narrar cubren un largo período, y he esperado mucho para narrarlas. —Y Lindo se echó a reír diciendo que podía contar todo lo que supiera y que le satisficiera el corazón.

Y al día siguiente Gilfanon ocupó el asiento y empezó de esta manera:

—Ahora muchas de las cosas más antiguas de la Tierra han quedado olvidadas porque se perdieron en la oscuridad que hubo antes de brillar Sol, y no hay artes que puedan recuperarlas; sin embargo, quizá es nuevo para los oídos de muchos de los aquí reunidos que cuando los Teleri, los Noldoli y los Solosimpi partieron detrás de Oromë y después encontraron Valinor, no era ésa, sin embargo, la totalidad de la raza de los Eldalië que marcharon desde Palisor, y los que se quedaron atrás son aquellos que muchos llaman los Qendi, las hadas perdidas del mundo, a quienes vosotros, los Elfos de Kôr, llamáis Ilkorins, los Elfos que nunca vieron la luz de Kôr. De éstos, algunos abandonaron por el camino o se perdieron en las tinieblas sin senderos de aquellos días, despistados y recién despiertos en la Tierra, pero eran mayoría los que ni siquiera habían abandonado Palisor, y durante mucho tiempo vivieron en los pinares de Palisor, o se sentaron en silencio contemplando las estrellas espejadas en las Aguas del Despertar, pálidas y quietas. Tan vastas edades cayeron sobre ellos que la llegada de Nornorë a Palisor se desvaneció, convirtiéndose en una leyenda distante, y se decían unos a otros que sus hermanos habían partido hacia el oeste, hacia las Islas Resplandecientes. Allí, decían, moran los Dioses, y los llamaban el Gran Pueblo del Oeste, y creían que vivían en el mar, en islas iluminadas por el fuego; pero muchos no habían visto siquiera las grandes olas de esas poderosas aguas.

»Ahora bien, a los Eldar o Qendi, Ilúvatar les había dado el don de la palabra, y sólo la separación de sus destinos los ha cambiado y hecho diferentes; sin embargo, nada se ha transformado tan poco como la lengua de los Elfos Oscuros de Palisor[2].

Este cuento versa sobre cierto duende, y le da el nombre de Tû, el mago, pues era más hábil en artes mágicas que nadie que haya vivido nunca más allá de la tierra de Valinor; y viajando por el mundo, encontró a los Elfos...[3] y los reunió a su alrededor y les enseñó muchas cosas profundas, y fue para ellos una especie de rey poderoso, y los cuentos que entre ellos se cuentan lo llaman el Señor del Crepúsculo, y a todas las hadas de su reino, Hisildi o gente del anochecer. Ahora bien, los lugares alrededor de Koivië-néni, las Aguas del Despertar, son escarpados y están llenos de rocas poderosas, y la corriente que alimenta esas aguas cae en ese lugar por una profunda hendedura .... una hebra pálida y delgada, y la salida de ese lago oscuro estaba bajo tierra y fluía por innumerables cavernas cada vez más profundas en el seno del mundo. Allí estaba la morada de Tû, el mago, y esos sitios son de profundidad insondable, pero ahora las puertas están selladas desde hace mucho, y nadie conoce ya la entrada.

»Había allí .... una pálida luz azul y plateada siempre vacilante, y muchos extraños espíritus entraban y salían entre el [¿número?] de los Elfos. Ahora bien, entre todos esos Elfos había un tal Nuin, y era muy sabio y le gustaba vagar grandes distancias a lo lejos, pues los ojos de los Hisildi se habían vuelto extremadamente penetrantes, y podían seguir muy tenues senderos en aquellos días en penumbra. Una vez, fue Nuin muy lejos hacia el este de Palisor, y unos pocos entre los suyos lo acompañaban, aunque a esas regiones Tû nunca los mandaba a cumplir recado alguno, y sobre ellas se contaban cuentos extraños; pero en esa ocasión[4] la curiosidad venció a Nuin, y viajando hasta muy lejos llegó a un sitio extraño y maravilloso como nunca había visto antes. Una pared montañosa se levantaba ante él, y por mucho tiempo buscó un modo de sobrepasarla, hasta que se topó con un pasaje, y era muy oscuro y estrecho; penetraba en un gran acantilado y descendía serpenteando a través de él. Cobró coraje entonces y siguió esta senda angosta hasta que, de pronto, las paredes bajaron a un lado y a otro, y vio que había encontrado la entrada de un gran espacio encerrado en un anillo de colinas ininterrumpidas cuya extensión no podía determinar en la penumbra.

»De pronto a su alrededor manaron los dulces olores de la Tierra; no había fragancias más adorables ni siquiera en los aires del propio Valinor, y se quedó embebiéndose en los perfumes con profundo deleite, y entre la fragancia de las flores [¿nocturnas?] le llegaron los profundos olores que los pinares sueltan en los aires de la medianoche.

»De pronto, a lo lejos y abajo, en los bosques oscuros que se extendían sobre el valle, cantó un ruiseñor, y otros contestaron

pálidamente a la distancia, y Nuin estuvo a punto de desmayar-
se ante el encanto de ese lugar de ensueño, y supo que había
entrado en Murmenalda o el «Valle del Sueño», donde es siempre la hora de la primera y tranquila oscuridad bajo las jóvenes
estrellas, y el viento no sopla.

»Descendió entonces Nuin más profundamente en el valle,
pisando con levedad, dominado por un asombro que lo poseía y
que no había conocido antes, y he aquí que vio bajo los árboles
el cálido crepúsculo poblado de formas dormidas, algunas entrelazadas en los brazos de un semejante y otras dulcemente
dormidas a solas, y Nuin se detuvo y se maravilló, respirando a
duras penas.

»Entonces, asaltado por un miedo súbito, se volvió y salió
furtivamente de aquel sitio sagrado, y volviendo otra vez por el
pasaje a través de la montaña marchó de prisa a la vivienda de
Tû; y yendo al encuentro del más anciano de los magos le dijo
que acababa de llegar de las Tierras del Este, y Tû no se sintió
muy complacido al saberlo, y mucho menos cuando Nuin terminó de contarle lo que había visto. "Y me pareció —dijo— que
todos los que dormitaban allí eran niños pequeños, aunque tenían la estatura de los más altos de los Elfos".

»Entonces Tû sintió miedo de Manwë, y más aún de Ilúvatar
el Señor de Todo, y le dijo a Nuin:

Aquí se interrumpe el *Cuento de Gilfanon*. El mago Tû y Nuin, el
Elfo Oscuro, desaparecen de la mitología para no volver nunca más,
junto con la maravillosa historia del encuentro de Nuin con las formas
de los Padres de la Humanidad, todavía dormidos en el Valle de Murmenalda... aunque dada la naturaleza de la obra y los diversos grados
de atención que mi padre concedió más tarde a las diferentes partes,
no siempre es posible distinguir entre los elementos abandonados definitivamente y los mantenidos en «suspenso indefinido». Y aunque es
muy triste que este cuento tuviera que ser abandonado, no nos halla-
mos enteramente a oscuras al pensar en cómo habría continuado la
narración.

Me he referido ya (en la nota 3 a *El encadenamiento de Melko*) a la
existencia de dos «programas» o esbozos para el proyecto de los *Cuentos Perdidos*; y he dicho que uno de ellos es un resumen de los *Cuentos*
tal y como existen, mientras que el otro diverge, es un proyecto de revisión que nunca fue emprendido. No cabe duda de que el primero de

ellos, que para el propósito de este capítulo llamaré «B», se compuso
cuando los *Cuentos Perdidos* habían alcanzado el punto más alto de su
desarrollo, tal como están representados en los últimos textos y arre-
glos que aparecen en este libro. Ahora bien, cuando este esbozo llega
al *Cuento de Gilfanon*, se vuelve enseguida mucho más detallado, pero
luego se reduce otra vez, refiriéndose brevemente a los cuentos de Tinúviel, Túrin, Tuor y el Collar de los Enanos, y se vuelve otra vez más
detallado al llegar al cuento de Eärendel. Resulta claro, pues, que B es
la forma preliminar, de acuerdo con el método utilizado regularmente por mi padre en aquellos días, del *Cuento de Gilfanon*, y sin duda la
parte del cuento que fue escrita como narración acabada, evidentemente sigue el esbozo muy de cerca, aunque lo expande de manera
sustancial.

Hay también un esbozo extremadamente desordenado, aunque
detallado, del asunto del *Cuento de Gilfanon* que, aunque se aproxima a
B, incorpora detalles de los que B carece, y viceversa; éste es, casi sin
duda alguna, el predecesor de B, y en este capítulo se lo llamará «A».

El segundo esbozo al que nos referimos arriba, un proyecto irreali-
zado de revisión de la obra entera, introduce elementos que no es preciso comentar aquí; baste decir que el marinero era ahora Ælfwine y
no Eriol, y que su historia anterior había sido cambiada, pero que el
plan general de los Cuentos mismos había quedado en gran parte intacto (con varias notas que indicaban que había que abreviarlos o re-
construirlos). A este esbozo lo llamaré «D». No es posible saber cuánto
tiempo transcurrió entre B y D, pero creo que probablemente no fue
mucho. Parece posible que este nuevo programa estuviera asociado
con la súbita interrupción del *Cuento de Gilfanon*. Como B, D entra de
pronto en detalles mucho más acabados al llegar a esta altura.

Por último, en un esbozo mucho más breve y sumario, que añade
no obstante uno o dos puntos interesantes, también Ælfwine reemplaza a Eriol; éste seguía a B y precedía a D, y se lo llama aquí «C».

No expondré todos estos esbozos *in extenso*, ya que creo que es inne-
cesario debido a las numerosas superposiciones que hay entre ellos; por
otra parte, combinarlos todos en uno sería a la vez confuso e inexacto.
Pero dado que A y B son muy parecidos, pueden fácilmente combinarse
en uno, y sigo esta narración de acuerdo con D, teniendo en cuenta C
en la medida en que añada algo interesante. Y como en lo que respecta
al *Cuento de Gilfanon* los esbozos están claramente divididos en dos partes, el despertar de los Hombres y la historia de los Gnomos en las Grandes Tierras, trato cada una de las narraciones por separado.

No hay necesidad de proporcionar el material de los esbozos para el
comienzo del *Cuento de Gilfanon* tal como fue escrito, pero es necesario

tener en cuenta algunos puntos en los que los esbozos y el cuento difieren.

A y B llaman al mago-rey Túvo, no Tû; en C no tiene nombre, y en D, es Tû «el duende», como en el cuento. En A, este ser presenta asociaciones negativas: «Melko se encuentra con Túvo mientras está cautivo en las estancias de Mandos. Le enseña a Túvo gran cantidad de magia negra». Esto fue tachado, y nada más se menciona de la cuestión; pero tanto A como B cuentan que fue después de la huida de Melko y la ruina de los Árboles cuando Túvo entró en el mundo y «estableció un reinado mágico en las tierras medias».

En A se dice que los Elfos que se quedaron en Palisor sólo pertenecen al pueblo de los Teleri (más tarde, los Vanyar). Este pasaje del *Cuento de Gilfanon* es el primer indicio que tenemos de la existencia de tales Elfos (véase el Comentario a *La llegada de los Elfos*); y me inclino a pensar que la concepción de los Elfos Oscuros (posteriormente los Avari) que nunca partieron desde las Aguas del Despertar sólo apareció más tarde, durante la composición de los *Cuentos Perdidos*. Pero el nombre *Qendi*, que aparece aquí por primera vez en las narraciones primitivas, se utiliza de un modo algo ambiguo. En el fragmento del cuento escrito, las palabras «los que quedaron atrás son aquellos que muchos llaman los Qendi, las hadas perdidas del mundo[5], a quienes vosotros, los Elfos de Kôr, llamáis Ilkorins» parecen una declaración del todo explícita de que los Qendi equivalen a los Elfos Oscuros; pero un poco más adelante Gilfanon habla de «los Eldar o Qendi», y en el esbozo B se dice que «cierta cantidad de los miembros del pueblo original llamado Qendi (el nombre Eldar les fue dado por los Dioses) permanecieron en Palisor». Estas últimas afirmaciones parecen demostrar con la misma claridad que Qendi era un término con que se pretendía designar a todos los Elfos.

La contradicción, sin embargo, es sólo aparente. *Qendi* era sin duda el nombre original de todos los Elfos, y *Eldar*, el nombre dado por los Dioses y adoptado por los Elfos de Valinor; aquellos que se quedaron atrás conservaron el antiguo nombre *Qendi*. La primitiva lista de palabras de la lengua gnómica dice explícitamente que los Valar dieron el nombre de *Elda* a las «hadas» y que fue «adoptado por ellas en muy amplia medida; los Ilkorins conservaron aún el antiguo nombre de *Qendi*; y éste fue adoptado como el nombre de los clanes reunidos en Tol Eressëa»[6].

Tanto en A como en B se añade que «los Dioses no hablaban entre sí las lenguas de los Eldalië, pero podían hacerlo y comprendían todas las lenguas. Los más sabios de entre los Elfos aprendieron la lengua secreta de los Dioses y durante mucho tiempo atesoraron ese conocimiento, pero después de la llegada a Tol Eressëa ninguno lo recordaba, salvo Inwir, y ahora ese conocimiento se ha perdido, salvo en la casa de Meril». Compárense con esto las observaciones que hace Rúmil a Eriol: «está además la lengua secreta en la que los Eldar escribieron muchas poesías y libros de sabiduría e historias de antaño y cosas primordiales que existieron, y sin embargo no la hablan. Sólo los Valar emplean esta lengua en sus altos consejos, y no son muchos los Eldar de nuestros días que pueden leerla o descifrar sus caracteres».

Las palabras con que Nuin le describe a Tû la estatura de los durmientes en el Valle de Murmenalda son curiosas. En A se añade: «Los Hombres al principio tenían casi la misma estatura de los Elfos, siendo las hadas mucho más altas y los Hombres más pequeños que ahora. A medida que el poder de los Hombres fue creciendo, las hadas han menguado y los Hombres han crecido un tanto». Otras afirmaciones tempranas señalan que los Hombres y los Elfos eran originalmente de una estatura muy similar, y que la disminución de la talla de los Elfos estaba estrechamente relacionada con la llegada de los Hombres y su dominio. Por tanto las palabras de Nuin son desconcertantes, especialmente porque en A preceden inmediatamente al comentario sobre la similitud de altura original; así que sólo pueden querer decir que los durmientes de Murmenalda eran muy altos comparados con los Elfos. Que los durmientes eran en verdad niños, no sólo similares a los niños en algún aspecto, queda claro en D: «Nuin encuentra el Valle del Sopor (Murmelanda), donde yacen dormidos innumerables niños».

Llegamos ahora al punto en el que la narración se desarrolla sólo en forma esbozada.

El despertar de los Hombres
según los primeros esbozos

El mago Túvo le dijo a Nuin que los durmientes que había encontrado eran los nuevos Hijos de Ilúvatar, y que estaban esperando a la luz. Prohibió que ninguno de los Elfos los despertara o visitara esos lugares, pues temía la ira de Ilúvatar; pero a pesar de esta prohibición Nuin iba allí a menudo, y los observaba sentado en una roca. En una ocasión tropezó con uno de los durmientes, que se agitó pero no despertó. Finalmente, vencido por la curiosidad, despertó a dos de ellos, llamados Ermon y Elmir; no tenían palabras y estaban muy asustados, pero él les enseñó la mayoría de la lengua Ilkorin; por esa razón es llamado Nuin, Padre del Lenguaje. Entonces llegó el Primer Amanecer;

y Ermon y Elmir, los únicos entre los hombres, vieron a Sol alzándose por primera vez en el oeste y avanzando hacia el Puerto del Este. Entonces los Hombres salieron de Murmenalda como «una hueste de niños adormilados».

(En el cuento de *El ocultamiento de Valinor*, el Puerto del Este sólo se construyó después de transcurrido mucho tiempo desde la primera salida del Barco de Sol. Es interesante que los primeros Hombres, Ermon y Elmir, fueran despertados por Nuin antes de la primera salida de Sol, y aunque Túvo sabía que los Hombres estaban «esperando a la luz», no se establece conexión alguna entre el acto de Nuin y la salida de Sol. Claro que no es posible juzgar el tono interno de la narración a partir de estos resúmenes. También es notable que, mientras que la lengua de los Elfos, en su origen una y la misma, era un don directo de Ilúvatar, los Hombres nacieran en el mundo sin lengua alguna y la recibieran por la enseñanza que les impartió un Ilkorin. Cf. *El Silmarillion*: «También se cuenta que estos Hombres [la gente de Bëor] tenían trato desde hacía ya mucho con los Elfos Oscuros, al este de las montañas, y que de ellos habían aprendido gran parte de la lengua élfica; y como todas las lenguas de los Qendi tenían un único origen, la lengua de Bëor y de su gente se asemejaba a la élfica en muchas palabras y modos»).

En este punto de la historia aparecen los agentes de Melko, los Úvanimor, «criados en la tierra» por él (los Úvanimor, «que son monstruos, gigantes y ogros», han sido ya mencionados en *La Llegada de los Valar*); y Túvo protegió a los Hombres y a los Elfos de esos monstruos y de los «duendes malignos». El esbozo A menciona además a los Orcos.

Un sirviente de Melko llamado «Fúkil o Fangli» entró en el mundo, y confundiéndose entre los Hombres los pervirtió, de modo que se lanzaron traicioneramente contra los Ilkorins; a lo que prosiguió la Batalla de Palisor, en la que la gente de Ermon luchó al lado de Nuin. Según A, «los duendes y aquellos Hombres que les prestaron ayuda fueron derrotados», pero B la llama «una batalla sin resolver»; y los Hombres corrompidos por Fangli huyeron y se convirtieron en «tribus violentas y salvajes» que veneraban a Fangli y a Melko. Luego (en A solamente) Palisor cayó en poder de «Fangli y su ejército de Nauglath (o Enanos)». (En los primeros escritos los Enanos se retratan siempre como un pueblo malvado).

En este esbozo se comprueba que la corrupción por mediación de Melko de algunos Hombres en el principio de sus días era un rasgo de la primera fase de la mitología; pero de toda la historia esbozada aquí hay sólo un rastro o sugerencia en *El Silmarillion*: «—Hay una oscuridad detrás de nosotros —dijo Bëor—, y le hemos dado la espalda, y no deseamos volver allí ni siquiera con el pensamiento»[7].

El Despertar de los Hombres
según los esbozos posteriores

Se dice aquí al principio de la narración que los Úvanimor de Melko habían escapado cuando los Dioses destruyeron la Fortaleza del Norte, y vagaban errantes en los bosques; Fankil, sirviente de Melko, vivía en libertad en el mundo. (Fankil = Fangli / Fúkil en A y B. En C es llamado «hijo de Melko». Fankil ha sido mencionado ya en un punto anterior de D, cuando en el momento del despertar de los Elfos «Fankil y muchas formas oscuras escaparon al mundo»; véase *El encadenamiento de Melko*, nota 3.)

Nuin, «padre del Lenguaje», que fue una y otra vez a Murmenalda a pesar de las advertencias de Tû (que aquí no se especifican), despertó a Ermon y a Elmir, y les enseñó el lenguaje y muchas otras cosas. Sólo Ermon y Elmir de entre la Humanidad vieron a Sol que se alzaba en el oeste, y las semillas de Palúrien que reventaron en hojas y flores. Las huestes de los Hombres surgieron como niños adormilados, levantando un sordo clamor ante Sol; cuando regresó, lo siguieron hacia el oeste, y sintieron un miedo espantoso de la primera Noche. Nuin y Ermon y Elmir les enseñaron el lenguaje.

Los hombres crecieron en estatura y obtuvieron conocimientos de los Elfos Oscuros[8], pero Tû se desvaneció ante Sol y se escondió en las cavernas insondables. Los Hombres habitaron en el centro del mundo y desde allí se expandieron en todas direcciones; y transcurrió una muy vasta edad.

Fankil, los Enanos y los Trasgos se mezclaron con los Hombres y sembraron la discordia entre ellos y los Elfos; y muchos Hombres ayudaron a los Enanos. Sólo la gente de Ermon se mantuvo al lado de las hadas en la primera guerra entre los Trasgos y los Elfos (Trasgos es aquí una corrección de Enanos, y ésta, a su vez, de Hombres), que recibe el nombre de Guerra de Palisor. Nuin murió víctima de los Trasgos, por causa de la traición de los Hombres. Muchos linajes de los Hombres fueron conducidos a los desiertos del este y los bosques del sur, donde se convirtieron en pueblos oscuros y salvajes.

Las huestes de Tareg el Ikorin marcharon hacia el noroeste prestando oídos a un rumor sobre los Gnomos; y muchos de los linajes perdidos se les unieron.

La historia de los Gnomos Exiliados
según los primeros esbozos

Los Gnomos, después del paso de Helkaraksë, se extendieron por Hisilómë, donde tuvieron «dificultades» con la antigua Gente Sombría, llamada en A el «pueblo-duende», y en B, los «duendes *Úvalear*». (Ya conocimos a la Gente Sombría en Hisilómë, en el cuento de *La llegada de los Elfos*; pero allí es como los Hombres, después de ser encerrados en Hisilómë por Melko, llaman a los Elfos Perdidos que se quedaron por allí tras extraviarse en la expedición que salió de Palisor. Veremos en los esbozos posteriores que esta Gente Sombría era un pueblo desconocido, completamente diferente de los Elfos; y parece, por tanto, que el nombre se preservó aunque se le otorgase una nueva interpretación).

Los Gnomos encontraron las Aguas de Asgon* y acamparon allí; luego tuvieron lugar el Censo del Pueblo, el nacimiento de Turgon con las «profecías» y la muerte de Fëanor. Sobre este último asunto los esbozos difieren. En A fue Nólemë, llamado también Fingolma, quien murió: «su barca se desvanece descendiendo por una senda oculta, la misma, según se dice, por la que escaparía Tuor más tarde. Navegó para celebrar sacrificios en la roca isleña de Asgon». (¿A quién ofrecía esos sacrificios?) En B, como se escribió primero, también fue «Fingolma (Nólemë)» el muerto, pero su nombre fue reemplazado por el de Fëanor; «su barca se desvaneció descendiendo por una [senda] oculta; la abertura, según se dice, que los Noldoli ensancharon luego y convirtieron en un camino para que Tuor escapase por allí. Navegó hacia la Roca Isleña de Asgon porque allí vio brillar y resplandecer algo que, según creyó, eran joyas».

Abandonando Asgon, los Gnomos cruzaron las Montañas de la Amargura y libraron la primera batalla con los Orcos al pie de las Montañas de Hierro. (Para las Montañas de Hierro como el límite austral de Hisilómë, véanse los comentarios a *El encadenamiento de Melko* y a *El robo de Melko*.) En el *Cuento de Tinúviel* Beren venía de Hisilómë, desde «más allá de las Montañas de la Amargura» y «a través de los horrores de las Montañas de Hierro»; parece, pues, claro que las Montañas de la Amargura podrían equivaler a las Montañas de Hierro.

El siguiente campamento de los Gnomos estaba «junto a Sirion» (que aparece aquí por primera vez); y aquí los Gnomos se encuentran por primera vez con los Ilkorins; A añade que los Ilkorins pertenecían originalmente a los Noldoli, y que se habían extraviado durante la marcha desde Palisor. Los Gnomos se enteraron por ellos de la llegada

---

*   Más tarde, Lago Mithrim.

de los Hombres y de la Batalla de Palisor; y ellos dieron a los Ilkorins noticias de Valinor y de su búsqueda de las joyas.

Ahora aparece aquí por primera vez Maidros, hijo de Fëanor (anteriormente, en el cuento de *El robo de Melko*, se dio ese nombre al abuelo de Fëanor). Maidros, guiado por los Ilkorins, condujo un ejército a las montañas, sea «para buscar las joyas» (A) o «para buscar la morada de Melko» (B; quizá la lectura correcta sea aquí «en busca de la morada de Melko», como dice en C), pero fueron rechazados de las puertas de Angamandi con una gran masacre; y el mismo Maidros fue apresado vivo y torturado —por no querer revelar las artes secretas de los Noldoli para la hechura de joyas—, y una vez mutilado lo enviaron de vuelta a los Gnomos. (En A, donde era todavía Nólemë el que moría en las Aguas de Asgon en lugar de Fëanor, era Fëanor quien conducía al ejército contra Melko y quien era capturado, torturado y mutilado).

Entonces los Siete Hijos de Fëanor pronunciaron un juramento de enemistad eterna contra cualquiera que se apoderara de los Silmarils. (Ésta es la primera aparición de los Siete Hijos y del Juramento, aunque el hecho de que Fëanor tuviera hijos se menciona en el *Cuento de Sol y de Luna*).

Las huestes de Melko se aproximaron entonces al campamento de los Gnomos junto a Sirion, y los Gnomos huyeron hacia el sur y vivieron en Gorfalon, donde conocieron a los Hombres, tanto a los buenos como a los malos, pero sobre todo conocieron al pueblo de Ermon; y se envió una embajada a Túvo, a Tinwelint (esto es, Thingol, véase el comentario a *La llegada de los Elfos*) y a Ermon[9]. Se dispuso un gran ejército de Gnomos, Ilkorins y Hombres al mando de Fingolma (Nólemë) acantonado en el Valle de las Fuentes, llamado después el Valle de las Aguas Sollozantes. Pero el mismo Melko entró en las tiendas de los Hombres y los sedujo, y algunos de ellos cayeron a traición sobre la retaguardia de los Gnomos al tiempo que el ejército de Melko los atacaba; a otros Melko los persuadió de que abandonaran a sus amigos, y a éstos, junto con otros que logró extraviar con hechizos y nieblas, los llevó con engaños a la Tierra de las Sombras. (Con esto cf. la referencia en el cuento de *La llegada de los Elfos* al encierro de los Hombres en Hisilómë por Melko).

Después tuvo lugar «la terrible Batalla de las Lágrimas Innumerables». Sólo los Hijos de Úrin* (Children, en A Sons) entre todos los Hombres lucharon hasta el final, y nadie (excepto dos mensajeros) salió con vida de la refriega; Turgon y un gran regimiento, viendo el día

---

* Más tarde, Húrin.

perdido, se volvieron y les cortaron la retirada, rescatando a parte de las mujeres y los niños. Turgon fue perseguido, y hay una referencia al «sacrificio de Mablon el Ilkorin para salvar al ejército»; Maidros y los otros hijos de Fëanor riñeron con Turgon (en A, porque querían el liderazgo) y partieron hacia el sur. El resto de los supervivientes y fugitivos fueron rodeados, y juraron lealtad a Melko; y éste montó en cólera, porque no pudo descubrir adónde había huido Turgon.

Después de una referencia a «las Minas de Melko» y «el hechizo del Miedo Insondable» (el hechizo que Melko imponía a sus esclavos), la historia termina con «la construcción de Gondolin» y «la división entre Hombres y Elfos en Hisilómë a causa de la Batalla de las Lágrimas Innumerables»: Melko fomentó la desconfianza e hizo que se espiaran continua y mutuamente, para que así no se aliaran en su contra; y creó las falsas hadas o Kaukareldar a semejanza de las auténticas, y éstas engañaron y traicionaron a los Hombres[10].

Como los esbozos en este punto vuelven a reducirse a meros encabezamientos para los cuentos de Tinúviel, Túrin, etcétera, es evidente que el *Cuento de Gilfanon* habría terminado aquí.

La Historia de los Gnomos Exiliados
según el esbozo posterior

Los Gnomos residieron en la Tierra de las Sombras (esto es, Hisilómë) y allí tuvieron trato con la Gente Sombría. Éstos eran duendes (C); nadie sabe de dónde venían: no pertenecen a los Valar ni tampoco a Melko, pero se piensa que provenían del vacío exterior y de la oscuridad primordial, cuando el mundo acababa de hacerse. Los Gnomos encontraron «las Aguas de Mithrim (Asgon)» y allí murió Fëanor, ahogado en ellas; fabricaron armas por primera vez, y excavaron las montañas oscuras. (Esto resulta curioso, pues se había dicho en la narración de la Matanza de los Parientes en Alqaluntë que «así murieron los Eldar por primera vez bajo las armas de sus parientes». De cómo los Eldar tuvieron armas a su disposición por primera vez fue una cuestión incierta durante largo tiempo).

Los Gnomos peleaban ahora con los Orcos por primera vez y se apoderaron del paso de las Montañas de la Amargura; así escaparon de la Tierra de las Sombras para temor y asombro de Melko. Penetraron en el Bosque de Artanor (posteriormente Doriath) y la Región de las Grandes Llanuras (quizá la precursora de la posterior Talath Dirnen, la Llanura Guardada de Nargothrond); y las huestes de Nólemë crecieron hasta hacerse muy numerosas. Practicaron muchas artes, pero no permanecían mucho tiempo asentados en sitio alguno. El principal campamento de Nólemë se extendía alrededor de las aguas de Sirion; y los Gnomos rechazaron a los Orcos hasta el pie de las Montañas de Hierro. Melko agrupó todo su poder con ira secreta. Nació Turgon de Nólemë.

Maidros, «el hijo principal de Fëanor», condujo un ejército contra Angband, pero fue rechazado con fuego desde las puertas, y fue apresado vivo y atormentado de acuerdo con C, repitiendo la historia del primer esbozo, porque no quiso revelar las artes secretas de la fabricación de joyas. (No se dice aquí que Maidros fuera liberado y devuelto a los suyos, pero se sobreentiende debido al juramento de los Siete Hijos que prosigue).

Los Siete Hijos de Fëanor ponunciaron su terrible juramento de odio eterno contra todos, Dioses o Elfos u Hombres, que tuvieran en su poder los Silmarils; y los Hijos de Fëanor abandonaron las huestes de Nólemë y volvieron a Dor Lómin, donde se convirtieron en una raza poderosa y feroz.

Las huestes de Tareg el Ilkorin encontraron a los Gnomos en la Fiesta de la Reunión; y los Hombres de Ermon vieron a los Gnomos por primera vez. Entonces las huestes de Nólemë, aumentadas por las de Tareg y por los hijos de Ermon, se prepararon para la batalla; y se enviaron mensajeros al norte, al sur, al este y al oeste. Sólo Tinwelint rechazó la llamada, y dijo: —No vayáis a las montañas. —Úrin y Egnor* marcharon con incontables batallones.

Melko retiró todas sus fuerzas y Nólemë creyó que tenía miedo. Las huestes de Elfinesse se dirigieron a las Tierras Derruidas y acamparon en el Valle de las Fuentes [Gorfalong] o, como se lo llamó más tarde, el Valle de las Aguas Sollozantes.

(La narración de los acontecimientos anteriores a la Batalla de las Lágrimas Innumerables difiere en el esbozo D de los anteriores, incluyendo C. En los más tempranos, los Gnomos huían del campamento junto a Sirion cuando las huestes de Melko se aproximaban y se retiraban a Gorfalon, donde se reunían las vastas huestes de los Gnomos, los Ilkorins y los Hombres, y se dispusieron en orden de batalla en el Valle de las Fuentes. En D no hay mención de ninguna retirada de las huestes de Nólemë; más bien parece que avanzaron desde el campamento junto al Sirion al Valle de las Fuentes (Gorfalong). Pero dada la naturaleza de estos esbozos no es posible precisarlo demasiado. El esbozo C, que termina aquí, dice que cuando los Gnomos encontraron Hombres por primera vez en Gorfalon, les enseñaron artesanías; éste es

* El padre de Beren.

uno de los puntos de partida, sin duda, de los posteriores Amigos de los Elfos de Beleriand).

Algunos Hombres sobornados por Melko se infiltraron en el campamento como trovadores y lo sabotearon. Melko cayó sobre ellos al amanecer en una lluvia gris, y a continuación sucedió la Batalla de las Lágrimas Innumerables, de la que no se ha contado toda la historia, pues ningún Gnomo quiere hablar de ella jamás. (En el margen mi padre escribió: «¿Melko estuvo personalmente allí?». En el primer esbozo Melko en persona entraba en el campamento de sus enemigos).

En la batalla, Nólemë quedó aislado y recibió la muerte, y los Orcos le arrancaron el corazón; pero Turgon rescató el cuerpo y el corazón, y éste se convirtió en su emblema[11]. Casi la mitad de los Gnomos y los Hombres que lucharon allí fueron masacrados.

Los Hombres huyeron, y sólo los hijos de Úrin resistieron con firmeza hasta recibir la muerte; pero Úrin fue atrapado. La ira de Turgon fue terrible, y su gran batallón se abrió camino fuera de la lucha a base de pura destreza.

Melko envió tras ellos su ejército de Balrogs, y Mablon el Ilkorin murió para salvar a sus compañeros de la persecución. Turgon huyó hacia el sur a lo largo del Sirion, recogiendo mujeres y niños de los campamentos, y ayudado por la magia del río escapó a un sitio secreto donde Melko no pudo encontrarlo.

Los Hijos de Fëanor llegaron demasiado tarde y encontraron un campo desolado; mataron a los saqueadores que quedaban, y después de sepultar a Nólemë levantaron el cairn más grande del mundo sobre él y los [¿Gnomos?]. Se lo llamó la Colina de la Muerte.

Entonces sucedió la Servidumbre de los Noldoli. Los Gnomos estaban llenos de amargura por la traición de los Hombres, y la facilidad con la que Melko los había engañado. El esbozo termina con referencias a «las Minas de Melko», «el Hechizo del Miedo Insondable» y la mención de que todos los Hombres del Norte fueron encerrados en Hisilómë.

El esbozo D se orienta entonces hacia la historia de Beren y Tinúviel, y se conecta de forma natural con el cuento que se acaba de abocetar: «Beren, hijo de Egnor, abandonó Dor Lómin* y se encaminó a Artanor...». Ésta es la próxima historia que ha de contarse junto al Hogar de los Cuentos (como también en el esbozo B); en D el asunto del *Cuento de Gilfanon* abarca cuatro noches.

★

---

* Esto es, Hisilómë.

Si de estos esbozos se seleccionan ciertos rasgos y se los presenta de tal
modo que se enfaticen más los acuerdos que los desacuerdos, la semejanza con la estructura narrativa de *El Silmarillion* es de inmediato evidente. Así pues:

— Los Noldoli cruzan Helkaraksë y se extienden por Hisilómë,
acampando junto al Asgon (Mithrim);
— Se encuentran con los Elfos Ilkorin (= Úmanyar);
— Fëanor muere;
— Primera batalla con los Orcos;
— Un ejército gnómico va a Angband;
— Maidros capturado, torturado y mutilado;
— Los Hijos de Fëanor abandonan el ejército de los Elfos (en D
solamente);
— Se libra una gran batalla llamada la Batalla de las Lágrimas In-
numerables entre los Elfos y los Hombres y las huestes de Melko;
— Traición de los Hombres, corrompidos por Melko, en esa batalla;
— Pero el pueblo de Úrin (Húrin) permanece fiel y no sobrevive;
— El líder de los Gnomos queda aislado y recibe la muerte (en D
solamente);
— Turgon y sus huestes se abren camino y se dirigen a Gondolin;
— Melko se encoleriza porque no puede averiguar dónde ha ido
Turgon;
— Los Fëanorianos llegan tarde a la batalla (en D solamente).
— Se levanta un gran cairn (en D solamente).

Éstos son rasgos esenciales de la historia que iban a sobrevivir. Pero las
diferencias son muchas e importantes. La más sorprendente de todas
es que toda historia posterior de los largos años transcurridos en el Sitio de Angband, que termina con la Batalla de la Llama Súbita (Dagor
Bragollach) y el pasaje de los Hombres por sobre las Montañas hasta
Beleriand y su vasallaje de los Reyes Noldorin, no había aparecido
aún; indudablemente estos esbozos hacen que parezca que ha transcurrido tan sólo un breve lapso de tiempo entre la llegada de los Noldoli
desde Kôr y su gran derrota. Puede que el efecto sea en parte el resultado de la naturaleza comprimida de estos esbozos, y en verdad, la referencia en el último de ellos, D, a las múltiples artes que practican los
Noldoli contrarresta de algún modo esta impresión; de cualquier
modo, Turgon, nacido cuando los Gnomos estaban en Hisilómë o (de
acuerdo con D) cuando estaban acampados junto al Sirion, ha llegado
a la plena madurez en la Batalla de las Lágrimas Innumerables[12]. Aun
así, el cuadro que se traza en *El Silmarillion* de un período de siglos que

transcurren mientras Morgoth estaba estrictamente confinado en Angband y «detrás de la guardia de los ejércitos [del norte] los Noldor levantaron torres y edificios», está radicalmente ausente. En las «fases» posteriores de la historia mi padre fue ampliando a un ritmo regular el período transcurrido entre la creación de Sol y de Luna y la Batalla de las Lágrimas Innumerables. Es también esencial para la antigua concepción, según la cual la victoria de Melko fue tan completa y abrumadora, que un número muy elevado de los Noldoli se convirtieran en sus siervos, y dondequiera que fueran, vivían bajo la esclavitud de su hechizo; sólo en Gondolin tenían libertad; de este modo, en el antiguo cuento de *La Caída de Gondolin* se dice que las gentes de Gondolin «fueron los únicos de los Noldoli que escaparon al poder de Melko cuando, en la Batalla de las Lágrimas Innumerables, mató y sometió a esclavitud a su pueblo y los ató con hechizos y los obligó a vivir en los Infiernos de Hierro, pudiendo sólo abandonar ese sitio si así él lo quería y lo ordenaba». Además, Gondolin no fue fundada hasta *después* de la Batalla de las Lágrimas Innumerables[13].

Poco es lo que podemos saber de la muerte de Fëanor en la primera concepción; pero cuando menos resulta claro que no tiene relación con la historia de su muerte en *El Silmarillion*. En estos esbozos primitivos los Noldoli, al abandonar Hisilómë, tuvieron su primera refriega con los Orcos en las faldas de las Montañas de Hierro o en el paso de las Montañas de la Amargura, y estas alturas, bastante probablemente, corresponden a las posteriores Montañas de la Sombra, Ered Wethrin; pero en *El Silmarillion* el primer encuentro de los Noldor con los Orcos ocurrió en Mithrim.

El encuentro entre los Gnomos y los Ilkorins sobrevivió en la forma del encuentro entre los Noldor recién llegados con los Elfos Grises de Mithrim (*ibid.*); pero los Noldor tuvieron más noticias del poder del Rey Thingol de Doriath que de la Batalla de Palisor.

Mientras que en estos esbozos Maidros, hijo de Fëanor, condujo un ataque contra Angband que fue repelido con matanzas y en el que él mismo fue capturado, en *El Silmarillion* es Fingolfin quien aparece ante Angband, y recibido en silencio, se retiró prudentemente a Mithrim. Maidros (Maedhros) había sido ya capturado en un encuentro con una embajada de Morgoth que supuestamente había acudido a parlamentar, y oyó el sonido de las trompetas de Fingolfin desde el lugar en que estaba siendo sometido a tormento en Thangorodrim, donde Morgoth lo retuvo hasta que, como él dijo, los Noldor abandonaron la lucha y partieron. De las huestes divididas de los Noldor, no hay por supuesto vestigios en la historia antigua; y el rescate de Maedhros por Fingon, que le cortó la mano para salvarlo, no aparece en forma alguna; en lugar de ello, es puesto en libertad por Melko, aunque mutilado, y sin que se dé ninguna explicación. Pero es muy característico que la mutilación de Maidros —un «momento» importante de las leyendas— nunca se perdiera aunque se le diera un entorno y una causa por entero diferentes.

El Juramento de los Hijos de Fëanor se llevó aquí a cabo después que los Gnomos llegaran de Valinor, y después de la muerte de su padre; y en el esbozo posterior D, abandonaron después el ejército de (Finwë) Nólemë, Señor de los Noldoli, y volvieron a Dor Lómin (Hisilómë). En este y en otros elementos que aparecen sólo en D, la historia se aproxima más a su forma posterior. En el regreso a Dor Lómin está el germen del viaje de los fëanorianos desde Mithrim hacia el este de Beleriand (*El Silmarillion*); en la Fiesta de la Reunión llamada Mereth Aderthad, está el de la Fiesta de la Reunificación, celebrada por Fingolfin para los Elfos de Beleriand (*ibid.*), aunque los participantes son por fuerza enteramente otros; en la llegada tardía de los Fëanorianos al campo asolado de las Lágrimas Innumerables está el de la llegada tardía del ejército de Maedhros (*ibid.*); en la intercepción y muerte de (Finwë) Nólemë en la batalla está el de la muerte de Fingon (*ibid.*; cuando Finwë pasó a ser el padre de Fëanor y así ocupó el sitio de Bruithwir, asesinado por Melko en Valinor, su posición como líder del ejército en la Batalla de las Lágrimas Innumerables fue ocupado por Fingon); y en el gran cairn llamado la Colina de la Muerte, levantado por los Hijos de Fëanor, el gérmen de Haudh-en-Ndengin o Túmulo de los Muertos, apilado por los Orcos en Anfauglith (*ibid.*). Si la embajada ante Túvo, Tinwelint y Ermon (que en D se convierte en el envío de mensajeros) anticipa remotamente la Unión de Maedhros (*ibid.*) no resulta claro, aunque la negativa de Tinwelint a unir sus fuerzas con las de Nólemë sobrevivió en el rechazo de Thingol a los intentos de acercamiento de Maedhros. Ciertamente no puedo explicar las palabras de Tinwelint «No vayáis a las montañas», pero sospecho que se trata de las Montañas de Hierro (en *El ocultamiento de Valinor* se las llama "las Colinas del Hierro") sobre Angband, y que advertía en contra de un ataque a Melko; en el antiguo *Cuento de Turambar* Tinwelint decía: «Por la sabiduría de mi corazón y el destino impuesto por los Valar no fui yo con mi pueblo a la Batalla de las Lágrimas Innumerables».

Otros elementos en la historia de la batalla que sobrevivieron —la firmeza de la gente de Úrin (Húrin), la huida de Turgon— existían ya en este tiempo en un cuento que había sido escrito (el de Túrin).

Las indicaciones geográficas son escasas, y no hay mapa de las Grandes Tierras para el primer período de las leyendas; en cualquier caso es mejor dejar de lado estas cuestiones hasta llegar a los cuentos que se desarrollan en esos territorios. El Valle de las Fuentes, más tarde el Valle de las Aguas Sollozantes, en D se identifica explícitamente con Gorfalong, llamado en los primeros esbozos Gorfalon, y parece un sitio diferente; pero de cualquier modo ni éstos ni «las Tierras Desmoronadas» pueden relacionarse con cualquier lugar o nombre de la geografía posterior, a no ser que (especialmente cuando en D se dice que «Turgon huyó hacia el sur a lo largo del Sirion») pueda suponerse que algo parecido al posterior Paso del Sirion existiera ya, y que su nombre fuera Valle de las Fuentes o de las Aguas Sollozantes.

NOTAS

1   Encima de *Turuhalmë* están escritos los nombres *Duruchalm* (tachado) y *Halmadhurwion.*

2   Este párrafo está marcado con signos de interrogación.

3   La palabra puede leerse tanto *dim*, «oscuro», como *dun*, «pardo».

4   Aquí originalmente decía «y pocos de los suyos fueron con él; y esto Tû se lo tenía prohibido a su pueblo, pues temía la ira de Ilúvatar y Manwë; sin embargo así lo hizo» (la curiosidad venció a Nuin, etcétera).

5   Anteriormente en los *Cuentos*, «los Elfos Perdidos» eran aquellos que durante el gran viaje se habían perdido y erraron por Hisilómë (véase *La Llegada de los Elfos*).

6   En el cuento a las «hadas» del dominio de Tû (esto es, los Elfos Oscuros) se les da el nombre de *Hisildi*, el pueblo del crepúsculo; en los esbozos A y B, además de *Hisildi*, se les da otros nombres: *Humarni, Kaliondi, Lómëarni.*

7   Cf. también las palabras de Sador a Túrin durante su infancia (*Cuentos Inconclusos*): «Una oscuridad hay por detrás de nosotros, y de ella nos han llegado muy pocos cuentos. Puede que los padres de nuestros padres tuvieran cosas que decir, pero no las contaron. Aun sus nombres están olvidados. Las Montañas se interponen entre nosotros y la vida de donde vinieron, huyendo de algo que ya nadie conoce».

8   Cf. *El Silmarillion*: «Se dice que poco después, se toparon con los Elfos Oscuros en diversos sitios, y tuvieron amistad con ellos; y los Hombres, aun en la niñez, se convirtieron en compañeros y discípulos de este pueblo antiguo, vagabundos de la raza élfica que nunca tomaron el camino de Valinor, y que sólo conocían a los Valar a través de los rumores, como un nombre distante».

9   Encima de *Ermon* está escrita, casi sin duda alguna, la palabra en inglés antiguo *Æsc* («ceniza»). Parece plausible que ésta sea una anglificación del vocablo en noruego antiguo *Askr*, «ceniza»; en la mitología del norte de Europa así se llama el primer hombre quien, junto con la primera mujer *(Embla)*, fue hecho por los Dioses de los dos árboles que encontraron a orillas del mar (Völuspá estrofa 17; *Snorra Edda, Gylfaginning* § 8).

10 El texto incorpora aquí la palabra entre paréntesis «(Gongs)». Podría pensarse que éste es un nombre para las *Kaukareldar* o «falsas hadas», pero en la lista de palabras gnómicas *Gong* se define como «perteneciente a una tribu de Orcos, un trasgo».

11 El corazón de Nólemë, arrancado por los Orcos y recuperado por su hijo Turgon, es mencionado en una antigua nota aislada que dice también que Turgon lo revistió de oro; y el emblema del Pueblo del Rey en Gondolin, el Corazón Escarlata, se menciona en el cuento de *La Caída de Gondolin*.

12 Cf. «Turondo, hijo de Nólemë, no estaba todavía sobre la tierra». El nombre gnómico de *Turondo* era *Turgon* (*La llegada de los Elfos*). En la historia posterior Turgon fue un líder de los Noldor cuando abandonaron Valinor.

13 Después que se cambió la historia, y la fundación de Gondolin se ubicó mucho antes, las contradicciones de la parte final de *El Silmarillion* nunca desaparecieron; y ésta fue una muy importante fuente de dificultades al preparar la publicación de la obra.

APÉNDICE

NOMBRES EN LOS *CUENTOS PERDIDOS I*
PRIMERA PARTE

Existen dos pequeños cuadernos, contemporáneos de los *Cuentos Perdidos*, que contienen los primeros «léxicos» de las lenguas élficas; y ambos son documentos extremadamente difíciles.

Uno de ellos se relaciona con la lengua llamada, en el libro, *Quenya*, y me referiré a él como «LQ» (Léxico Quenya). Un buen número de las entradas de la primera mitad del alfabeto se hicieron en el tiempo en que la obra recién empezaba; éstos estaban escritos muy cuidadosamente, aunque el lápiz resulta ahora medio borrado. Entre estos artículos originales se encuentra este grupo:

> *Lemin* 'cinco'
> *Lempe* 'diez'
> *Leminkainen* '23'

La elección de '23' sugiere que mi padre tenía esa edad en ese tiempo, y que la libreta se empezó por tanto antes de 1915. Esto está respaldado por algunas aseveraciones presentes en el primer nivel de entradas sobre ciertas figuras de la mitología, afirmaciones que nada tienen que ver con todo lo que se dice en otros sitios, y en las que se adivinan atisbos de una etapa aún anterior a los *Cuentos Perdidos*.

La libreta naturalmente siguió siendo usada, y muchas entradas (prácticamente todas las de la segunda mitad del alfabeto) son posteriores a las del primer estrato, aunque no se pueda decir nada más concreto que todas las voces pertenecen al período de los *Cuentos Perdidos* (o a un período que los precedía por muy poco).

Las palabras del LQ están ordenadas de acuerdo con sus «raíces», y una nota al principio dice:

> Las raíces están en mayúsculas y no son palabras que estén en uso en absoluto, pero sirven como explicación de las palabras agrupadas y la conexión entre ellas.

Hay no poca incertidumbre, expresada por signos de interrogación, en la formulación de las raíces, y en la adscripción de las palabras a una u otra raíz, pues mi padre vacilaba entre diversas ideas etimológicas; y en algunos casos parece claro que la palabra estaba «allí», por así decir, aunque su etimología aún no se había definido con certeza, y no al revés. Las raíces mismas son a menudo difíciles de representar, pues ciertas consonantes llevan signos diacríticos que no están definidas. Las siguientes notas sobre los nombres dan inevitablemente una impresión algo más positiva que la libreta en sí.

La otra libreta es un diccionario de la lengua gnómica, *Goldogrin*, y me referiré a ella como «LG» (Léxico Goldogrin o Gnómico). Ésta no está ordenada históricamente, por raíces (aunque ocasionalmente éstas se mencionen), sino más bien, en cuanto a proyecto al menos, como un diccionario convencional; y contiene un número notable de palabras. La libreta lleva por título *i·Lam na·Ngoldathon* (es decir, 'la lengua de los Gnomos'): *Goldogrin*, con una fecha: 1917. Bajo el título está escrito *Eriol Sarothron* (es decir, 'Eriol el Viajero'), quien en otros sitios es *llamado Angol, pero a quien su propio pueblo llama Ottor Wáefre* (véase pág. 34)*.

La gran dificultad es en este caso la intensidad con que mi padre utilizó esta pequeña libreta, corrigiendo, eliminando, añadiendo, en un estrato sobre otro, de modo que a veces se vuelve muy difícil de interpretar. Además, los cambios hechos a ciertas formas de una entrada no necesariamente se actualizan en las de otras entradas afines; de este modo, las etapas de una concepción lingüística en rápida expansión están representadas de forma muy confusa. Estas pequeñas libretas eran materiales de trabajo, de ningún modo eran el registro de ideas acabadas (se ve por cierto muy claro que el LG en particular acompañó muy de cerca la composición de los *Cuentos*). Además, las lenguas cambiaban aun mientras el primer «estrato» estaba siendo incorporado en LG; por ejemplo, la palabra *mô* 'oveja' fue reemplazada luego por *moth*, pero después en el diccionario *uimoth* 'ovejas de las olas' fue la forma que se escribió por primera vez.

Es evidente a primera vista que las lenguas en esta etapa están ya respaldadas por una estructura histórica extremadamente sofisticada y muy intrincada desde el punto de vista fonético; pero parece que (para nuestra frustración y desdicha) muy poco es lo que ha sobrevivido de aquellos días en materia de descripción fonológica o gramatical. No he encontrado nada, por ejemplo, que establezca, aun de la manera más

---

* La nota sobre Angol y Eriollo a la que se hace referencia en el comentario a La Cabaña del Juego Perdido está escrita en la parte interior de la tapa de GL.

esquemática, las relaciones fonológicas entre las dos lenguas. Existe sí en el caso del quenya cierta descripción fonológica primitiva, pero las alteraciones y sustituciones de las que luego fue objeto la convirtieron en algo tan lioso y frustrante (aunque el material era de cualquier forma extremadamente complejo) que no pude hacer uso de ella.

Sería muy poco práctico intentar utilizar materiales posteriores para el esclarecimiento de las ideas lingüísticas del primer período en este libro. Pero la lectura cuidadosa de estos dos vocabularios muestra, del modo más claro posible, cuán profundo era el compromiso con el desarrollo de la mitología y las lenguas, y sería gravemente equívoco publicar los *Cuentos Perdidos* sin algún intento de mostrar las conexiones etimológicas de los nombres que aparecen en ellos. Por tanto, doy tanta información como es posible derivar de estas libretas, pero sin ninguna especulación que nos aparte de ellas. Por ejemplo, es evidente que un elemento primitivo de las construcciones etimológicas era una ligera variación de las «raíces» antiguas (en especial, consecuencia de las diferencias en la formación de las consonantes), que con el correr del tiempo dieron paso a situaciones semánticas muy complejas; o que una antigua «ablaut» vocálica (la variación de longitud o cualidad de las vocales en una serie) estaba presente; pero he pensado que lo mejor era tratar de presentar el contenido de los diccionarios tan claramente como sea posible.

Vale la pena observar que, aquí y allá, mi padre introdujo una especie de «retruécano histórico»; así, por ejemplo, la raíz SAHA 'estar caliente' da (además de *saiwa* 'caliente' o *sára* 'fogoso') *Sahóra* 'el sur'; y de NENE 'fluir' provienen *nen* 'río', *nénu* 'nenúfar amarillo' y *nénuvar* 'estanque de nenúfares'; cf. *nenuphar* 'nenúfar', francés moderno *nénufar*. Hay además varias semejanzas con el inglés antiguo que evidentemente no son fortuitas, como *hôr* 'viejo', HERE 'regir', *rûm* 'secreto (susurro)'.

Se puede advertir que muchos elementos de las lenguas posteriores, quenya y sindarin como se las conoce por las obras publicadas, se remontan al principio; las lenguas, como las leyendas, estaban en una evolución, una expansión y un refinamiento continuos. Pero la situación histórica y las relaciones de las dos lenguas como se las había concebido en este tiempo, cambiaron posteriormente de manera radical: véanse págs. 66-67.

El ordenamiento del material ha resultado difícil, y ciertamente sin una mejor comprensión de las relaciones y sus cambiantes formulaciones, difícilmente podría resultar satisfactorio. El sistema que he adoptado es el de facilitar grupos de palabras etimológicamente relacionadas, tanto en quenya como en gnómico, bajo un nombre importante que contenga una de ellas; se aportan referencias de otras apariciones de una palabra de este grupo a dicha entrada (por ejemplo, *glor-* en *Glorvent, Bráglorin* se refiere a la voz *Laurelin*, donde se dan las asociaciones del quenya *laurë* 'oro')*. Se proporciona cada uno de los nombres de los *Cuentos Perdidos* que aparecen en este volumen, esto es, si se encuentra alguna información etimológica contemporánea relacionada con él: cada nombre que no se encuentre en la lista a continuación, o me es del todo impenetrable, o al menos no es posible identificarlo con certidumbre. También se incluyen los nombres eliminados según el mismo criterio, pero se sitúan bajo los nombres que los reemplazaron (por ejemplo, *Dor Uswen* figura bajo *Dor Faidwen*).

La lista de los nombres secundarios de los Valar que están escritos en las páginas en blanco frente al cuento de *La llegada de los Valar* (véase pág. 119) se señala como «La lista de los nombres de los Valar». El signo > sólo se utiliza donde se utiliza en el diccionario gnómico, como *alfa > alchwa*, que significa que uno derivó históricamente del otro; no se utiliza en este Apéndice para referirse a alteraciones que mi padre hiciera en los mismos diccionarios.

* * *

Ainur   Entre las entradas originales de LQ figuran *ainu* 'dios pagano' y *aini* 'diosa pagana', junto con *áye* '¡salve!' y *Ainatar* 'Ilúvatar, Dios'. (Por supuesto, *dentro* del contexto de la mitología nadie podría considerar a los Ainur «paganos».) LG contiene *Ain*: «también con formas masculina y femenina distintivas, *Ainos* y *Ainil*, un Dios, es decir, uno de los grandes Valar».

Alalminórë   Véase *Aldaron, Valinor*. En LQ *Alalminórë* está explicado como «Tierra de los Olmos, una de las provincias de Inwinórë en la que está situada Kortirion (Warwickshire)»; es decir, Alalminórë = Warwickshire (véase pág. 35). Las palabras gnómicas son *lalm* o *larm*, también *lalmir* 'olmo'.

Aldaron   En LQ existe una raíz ALA 'extenderse' con los derivados *alda* 'árbol', *aldëa* 'sombreado por un árbol', *aldëon* 'avenida de árboles' y *alalmë* 'olmo' (véase *Alalminórë*). En LG este nombre de Oromë aparece como *Aldor* y *Ormaldor* (*Oromë* es *Orma* en gnómico); *ald* 'madera'; cambiado luego por *âl*.

---

* Las formas posteriores del quenya y el sindarin sólo se mencionan en casos excepcionales. Para palabras de este tipo, véanse los vocabularios que aparecen en *An Introduction to Elvish*, editado por J. Allan para Bran's Head Books, 1978; también el que aparece en *El Silmarillion*.

Alqaluntë   LQ *alqa* 'cisne'; LG *alcwi*, con la correspondiente palabra en qenya dada aquí como *alqë*, *alcwi* cambió luego a *alfa* < *alchwa*. *QL luntë 'barco' de la raíz lutu, con otros derivados como lúto 'inundación' y el verbo lutta-, lutu- 'fluir, flotar' (cf. Ilsaluntë). GL presenta los correspondientes lunta 'barco', lud- 'fluir, discurrir, flotar'.*

Aluin   Véase *Lúmin.*

Amillo   Esta forma aparece en LQ, pero no se indica el significado; *Amillion* es el mes de Amillo, febrero (una de las entradas más 'primitivas').

Angaino   Junto con *angayassë* 'miseria', *angaitya* 'tormento', *Angaino* se da en LQ separadamente de las palabras que significan 'hierro' (véase *Angamandi*) y se definió al principio como 'un gigante', lo que fue corregido luego por 'la gran cadena'. En LG Melko tiene el nombre de *Angainos* con una nota: «No confundir el *Angainos* Gnómico con el qenya *Angaino* (Gnómico *Gainu*), la gran cadena de *tilkal*». Bajo *Gainu* hay una nota posterior: «popularmente relacionado con *ang* 'hierro', pero equivale en realidad a 'torturador'».

Angamandi   LQ contiene *anga* 'hierro' (que es la *a* de *tilkal*, pág. 129, *angaina* 'de hierro', *Angaron(ti)* 'Montañas de Hierro' y *Angamandu* o *Eremandu* 'Infiernos de Hierro' (con el posterior añadido: «o *Angamandi*, plural»). Las formas gnómicas son *ang* 'hierro' (como en *Angol*, véase bajo *Eriol*), *angrin* 'de hierro', *Angband* que, de un modo extraño, según se dice en LG es «la gran fortaleza de Melko después de la batalla de la Lamentación Insondable hasta la batalla del Estanque del Crepúsculo» (cuando Tulkas finalmente derrotó a Melko). Véase *Mandos.*

Angol   Véase *Eriol.*

Arvalin   Véase *Eruman.*

Aryador   Se dice (pág. 152) que éste es el nombre entre los Hombres de Hisilómë; pero de acuerdo con LG ésta era una palabra de origen Ilkorin que significaba 'tierra o lugar de sombras'; LQ *Arëandor*, *Arëanor* «nombre de un distrito montañoso, la morada de la Gente Sombría» (véase pág. 304). Véase *Eruman.*

Asgon   LG contiene *Asgon* «nombre de un lago de Dor Lómin (Hisilómë), quenya *Aksanda*»; LQ contiene *aksa* 'cascada', su equivalente gnómico es *acha*. (No se arroja luz alguna sobre el nombre posterior *Mithrim* en los diccionarios).

Aulë   La palabra *aulë* 'velludo' se considera en LQ un derivado de la raíz *owo* (de donde provienen también *oa* 'lana' y *uë* 'vellón'), pero sin indicación de que esto tenga relación con el nombre del Vala. La forma gnómica de su nombre es *Óla*, cambiada luego por *Óli*, sin que se diera más información. En la lista de los nombres de los Valar Aulë es llamado también *Tamar* o *Tamildo*. Éstos se incorporan en el LQ sin traducción bajo la raíz TAMA 'fundir, forjar', con *tambë* 'cobre' (la *t* de *tilkal*, pág. 129), *tambina* 'de cobre' y *tamin* 'forja'; las palabras gnómicas son *tam* 'cobre', *tambin* 'de cobre', *tambos* 'caldero'. Para otros nombres de Aulë, véase *Talka Marda*.

Aulenossë   Para *nossë* 'linaje, pueblo', véase *Valinor*.

Aur   Nombre gnómico de Sol; véase *Ûr*.

Balrog   LG define *Balrog* como «una especie de demonio del fuego; criaturas y sirvientes de Melko». Con el artículo, la forma es *i'Malrog*, plural *i'Malraugin*. Entradas separadas incorporan *bal* 'angustia' (consonante inicial original *mb-*), *balc* 'cruel' y *graug* 'demonio'. Se mencionan las formas en qenya *araukë* y *Malkaraukë*. En LQ *Malkraukë* junto con otras palabras como *malkanë* 'tortura' se incorporan bajo la raíz MALA (MBALA) '(aplastar), lastimar, dañar', pero la relación de esto con MALA 'aplastar, apretar' (véase *Olórë Mallë*) no estaba decidida, según parece. Están también *Valkaraukë* y *valkanë* 'torturar', pero también esta relación quedó sin definir.

Bráglorin   Definida en el texto (pág. 239) como el navío resplandeciente, pero traducida en LG como «Carro Dorado, uno de los nombres de Sol», con una nota: «también en forma analítica *i·Vreda* '*Loriol*'»; *brada* 'carreta, carro'. Para *-glorin*, véase *Laurelin*.

Bronweg   LG contiene *Bronweg* «(el constante), nombre de un famoso Gnomo», con palabras relacionadas tales como *brod*, *bronn* 'firme', *bronweth* 'constancia'. En LQ *Voronwë* (véase pág. 68) 'el fiel' deriva de la raíz VORO, con *vor*, *voro* 'siempre', *voronda* 'fiel', *vorima*, 'eterno', etcétera. Cf. *Vorotemnar*.

La terminación común *-weg* no figura en LG, pero cf. *gweg* 'hombre', plural *gwaith*.

Cûm a Gumlaith   'El Túmulo de la primera Pena', tumba de Bruithwir, pág. 191. LG *cûm* 'túmulo, especialmente túmulo funerario' (también *cum-* 'yacer', *cumli* 'lecho'); *gumlaith* 'cansancio de espíritu, pena' (*blaith* 'espíritu').

Cûm a Thegranaithos   Véase la entrada precedente. LG *thegra* 'primero, delantero', *thegor* 'jefe'; *naitha-* 'dolerse, llorar, lamentar', *naithol* 'apenado'.

Danuin   LG contiene *dana* 'día (24 horas)', con una referencia al quenya *sana* (que no figura en LQ); *Dana* era una forma primitiva de *Danuin* (pág. 278). También aparece en *Lomendánar* 'Días del Crepúsculo'.

Dor Faidwen   En gnómico *dôr* (> *ndor-*) 'tierra (habitada), país, gente de la tierra'; véase *Valinor*.
Dor Faidwen se traduce en el texto como 'Tierra de la Liberación' (pág. 21); LG contiene *faidwen* 'libertad', y muchas palabras relacionadas, como *fair* 'libre', *faith* 'liberación', *fainu-* 'liberar'. *Dor Faidwen* fue el nombre gnómico definitivo de Tol Eressëa después de muchos cambios (pág. 31), aunque poco es lo que puede averiguarse sobre las primeras formas. *Gar* en *Gar Eglos* es una palabra gnómica que significa 'lugar, distrito'. *Dor Us(g)wen*: LG contiene la raíz *us-* 'irse, partir' (también *uthwen* 'salida') y LQ bajo la raíz USU 'escapar', contiene *uswë* 'salida, escape' y *usin* 'él escapa'.

Dor Lómin   Véase *Valinor, Hisilómë*.

Eärendel   En una lista anotada de nombres que acompaña a *La Caída de Gondolin* aparece la sugerencia, atribuida a Pequeñocorazón, hijo de Voronwë, de que *Eärendel* tenía «cierto parentesco con los vocablos elfinos *ea* y *earen* 'águila' y 'nido de águilas'», y en LQ estas palabras (ambas con el significado de 'águila') se sitúan con *Eärendel*, aunque no están explícitamente conectadas. En el cuento mismo se dice que «hay muchas interpretaciones tanto entre los Elfos como entre los Hombres» del nombre *Eärendel*, y se sugiere que era una palabra de «alguna lengua secreta» hablada por la gente de Gondolin.

LG contiene una voz: *Ioringli* «verdadera forma gnómica del nombre de Eärendel, aunque también se adoptó la forma eldar y a menudo se la encuentra en estado de transición como *Iarendel, Iorendel*» (sobre la distinción entre 'gnómico' y 'eldar', véase págs. 66-67). Las palabras gnómicas para decir 'águila' son *ior, ioroth*.

LQ contiene la voz *Eärendilyon* «hijo de Eärendel (utilizada para designar a cualquier marinero)»; cf. pág. 21.

Eldamar   Para el primer elemento, véase *Eldar*. En LQ las siguientes palabras se dan en grupo: *mar (mas-)* 'morada de los Hombres, la Tierra, -landia', *mardo* 'morador', *masto* 'aldea' y *-mas*, equivalente al inglés *-ton* o *-by* en los nombres de lugares (cf. *Mar Vanwa Tyaliéva; Koromas; i·Talka Marda* 'Herrero del Mundo', Aulë). En LG figuran *bar* 'hogar' (< *mbar-*), y derivados como *baros* 'aldea', también *-bar* como sufijo 'habitante de' u 'hogar' con el sentido del lugar de vivienda, equivalente al inglés -ham.

El equivalente gnómico de *Eldamar* era *Eglobar* (*Egla* en gnómico = *Elda* en quenya): «*Eglobar* 'Elfinesse' = *Eldamar* en quenya, esto es, Hogar de los Elfos; la tierra en el borde de Valinor donde habitaron las hadas y construyeron Côr. También en las formas *Eglabar, Eglamar, Eglomar*». En LQ se dice en una entrada muy temprana que *Eldamar* es «la orilla rocosa en la parte occidental de Inwinórë (Faëry)»; «sobre esta roca se asentaba la ciudad blanca llamada Kôr».

Eldar   En LQ *Elda* figura separadamente, sin conexiones etimológicas, y se define como «un hada de la playa o *Solosimpë* (flautista de la costa)». Éste es un atisbo de una concepción anterior a la que se da en los *Cuentos Perdidos*: los *Eldar* eran originariamente los Elfos del Mar. En LG figura el artículo *Egla* «'un ser de fuera', nombre que los Valar dieron a las hadas y adoptado por ellos mismos en amplia medida; equivale al quenya *Elda*» (véase pág. 300; también *eg, êg* 'lejano, distante'. La asociación de *Eldar* con las estrellas no se remonta al principio.

Erinti   Aparece en LQ bajo una voz temprana aislada (luego tachada). Nada se dice de ella en los *Cuentos Perdidos*, pero en esta nota se la llama la Vala del amor, la música y la belleza, llamada también *Lotessë* y *Akairis* ('novia'), hermana de Noldorin y Amillo. Sólo estos tres (esto es, de entre los Valar) abandonaron Valinor y vivieron en Inwenórë (Tol Eressëa); ella misma habita en Alalminórë en un *korin* de olmos guardado por las hadas. La segunda mitad del mes de *avestalis* (enero) se llama *Erintion*.

No hay huellas de esto en ningún otro sitio; pero es evidente que cuando Erinti se convirtió en la hija de Manwë y Varda fue reemplazada en Alalminórë por Meril-i-Turinqi, la Señora de Tol Eressëa.

En la lista de nombres de los Valar, Erinti es llamada también *Kalainis*; esta palabra aparece en LQ con el significado de 'mayo', uno de los muchos derivados de la raíz KALA (véase *Galmir*).

Eriol   En *La Cabaña del Juego Perdido* (págs. 22, 23) *Eriol* se traduce como 'El que sueña a solas'. En LQ los elementos de esta interpretación se analizan bajo las raíces ERE 'permanecer a solas' (véase *Tol Eressëa*) y LORO 'dormitar' (véase *Lórien*). En LG aparece la nota citada en págs. 34-35 en la que se dice que el gnómico *Angol* y el quenya *Eriollo* eran los nombres de la región «entre los mares» de la que venía Eriol (= Angeln en la península danesa); y según otra nota aislada *Angol* deriva de *ang* 'hierro' y *ôl* 'acantilado'; y se dice que Eriol significa lo mismo «pues éste es el nombre que se les da a las hadas en el sitio [*sic*] de su país (acantilados de hierro)». Meril se refiere a «las negras costas de tu país» (pág. 124). En esta nota se dice que la interpretación 'El que sueña a solas' es un juego de palabras de parte de Lindo.

Para *ang*, véase *Angamandi.* LG contiene *ol, óla* 'acantilado, precipicio sobre el mar' con las formas qenya *ollo, oldō.* LQ contiene *ere(n)* 'hierro o acero', y este elemento aparece también en el nombre alternativo *Eremandu* para *Angamandu* 'Infiernos de Hierro'.

Eruman Los nombres de esta región son tan difíciles como la concepción original de ella misma (véase págs. 116-117 y siguientes). La forma *Erumáni* (que se menciona en los *Cuentos* también como *Eruman*) aparece en LQ bajo ERE 'fuera' (cf. *Neni Erúmëar*) sin más información. LG contiene una larga explicación bajo *Edhofon*, que equivale al quenya *Erúmani*: es «una tierra oscura fuera de Valinor y al sur de la Bahía de Faëry, que se extendía hasta la base del lado occidental de las Montañas de Valinor; su punto más lejano al norte tocaba las raíces de Taniquetil, de donde *Edhofon* < *Eðusmānī-*, es decir, más allá de la morada de los Mánir. De ahí también el título quenya *Afalinan* o *Arvalion*, esto es, cerca de Valinor». Esto parece implicar que Taniquetil era «la morada de los Mánir», como es comprensible, pues los Mánir estaban particularmente asociados con Manwë (las palabras gnómicas *móna, móni* se definen como 'espíritus del aire, hijos de Manwë') y por tanto Eruman estaba más allá (al sur de) su morada. Véase *Mánir.*

LG afirma que Edhofon era también llamado *Garioth*; y *Garioth* es «la verdadera forma gnómica» del nombre *Aryador* (palabra de origen Ilkorin) 'tierra de sombras', aunque aplicada no a Hisilómë, sino a Edhofon/Eruman.

De acuerdo con LQ, *Harwalin* 'cerca de los Valar' contiene *har(e)* 'cerca'; las entradas que figuran en LG resultan demasiado confusas como para que puedan citarse, pues las formas *Harwalin / Arvalin* fueron cambiadas una y otra vez. Una entrada posterior de LG proporciona el prefijo *ar-* 'junto a, al lado de'. Para *Habbanan*, véase *Valar.*

Falassë Númëa Traducido en el texto (pág. 156) como 'Oleaje Occidental'; véase *Falman, Númë.*

Falman En LQ la raíz FALA muestra los derivados *falma* 'espuma', *falmar* 'ola al romper', *falas(s)* 'costa, playa', *Falman* = Ossë; cf. *Falassë Númea, Falmaríni.* LG contiene *falm* 'onda, ola', *falos* 'orilla del mar, oleaje', *Falmon* o *Falathron* «nombres de Otha [Ossë] = quenya *Falman* y *Falassar*».

Falmaríni Véase *Falman.*

Fanturi En LQ *fantur*, sin traducción, pero referido a Lórien y Mandos; aparece bajo la raíz FANA, con varios derivados, todos relacionados con visiones, sueños, quedarse dormido. En LG (una entrada

EL LIBRO DE LOS CUENTOS PERDIDOS I

de incorporación tardía) la forma es *Fanthor*, plural *i·Fanthaurin* «el nombre de cada uno de los dos hermanos, el sueño y la muerte».

Fanuin   LG contiene *fann* 'un año'. Para los nombres desechados *Lathos, Lathweg* (pág. 284), véase *Gonlath*.

Faskala-númen, Faskalan   Traducido en el texto (pág. 239) como 'Baño de Sol Poniente'. LG contiene *fas-* 'lavar', *fasc* 'limpiar', *fasca-* 'salpicar, rociar', *fôs* 'baño'. Para *-númen*, véase *Númë*.

Fëanor   El único dato del que se dispone para el significado de este nombre figura bajo *Fionwë-Úrion*.

Fingolma   Véase *Nólemë*.

Finwë   No figura en los diccionarios como nombre propio, pero LG contiene el nombre común *finweg* 'artesano, hombre hábil' (con *fim* 'ingenioso, diestro' y otras palabras afines); para *-weg*, véase *Bronweg*. En LQ los derivados de la raíz FINI son *finwa* 'sagaz', *finië, findë* 'astuto'. Véase *Nólemë*.

Fionwë-Úrion   *Fion* 'hijo' se da separadamente en LQ (un añadido apresurado y tardío), con la nota «especialmente Fion(wë) el Vala». En gnómico se llama '*Auros Fionweg* o *Fionaur Fionor*'. En una entrada tardía de LG «*Fionaur (Fionor)* = quenya *Fëanor* (forjador de copas)», y entre las voces originales figura *fion* 'cuenco, copa'. No hay indicación de que esto se refiera a Fëanor el Gnomo.

Para el segundo elemento *(Úrion, Auros)*, véase *Úr*. En la lista de nombres de los Valar, *Fionwë* se llama *Kalmo*; véase *Galmir*.

Fui   En LQ figuran *hui* 'niebla, oscuridad, lobreguez, noche' y *huiva* 'lóbrego', y también '*Fui (= hui)* esposa de Vê'. En gnómico es llamada *Fuil* 'Reina de la Oscuridad', y las palabras relacionadas son *fui* 'noche', *fuin* 'secreto, oscuro'.

fumellar   Las 'flores del sueño' (amapolas) en los jardines de Lórien (pág. 96). LQ bajo la raíz FUMU 'dormir' contiene *fúmë* 'sueño' (sustantivo), *fúmella, fúmellot* 'amapola'.

Galmir   Traducido en el texto (pág. 239 como «que centellea como el oro» (uno de los nombres de Sol). Éste es un derivado del gnómico *gal-* 'brillar', que en quenya es KALA 'brillo del oro', raíz de la que se dan muchos derivados en LQ, como *kala-* 'brillar', *kálë* 'mañana', *kalma* 'luz del día', *Kalainis* 'mayo' (véase *Erinti*), *kalwa* 'hermoso', etcétera. Cf. *Kalormë, Kalaventë* y *i·kal* antúlien 'Ha vuelto la luz' (pág. 236).

Gar Lossion   Traducido en el texto (pág. 25) como «Lugar de las Flores» (nombre gnómico de Alalminórë). Para *Gar*, véase *Dor Faidwen*. LG contiene *lost* 'capullo' y *lôs* 'flor', pero se observa que probablemente no tienen conexión y que es más probable que *lôs* esté relacionado con *lass* 'hoja', también utilizada como 'pétalo'. (LQ contiene *lassë* 'hoja', *lasselanta* 'caída de las hojas, otoño'.) Véase *Lindelos*.

Glorvent Para el elemento *Glor-*, véase *Laurelin*. LG contenía *Glorben(d)* 'barco de oro', cambiado luego por *Glorvent* 'bajel de oro'; *benn* 'dar forma, cortar, fabricar', *benc, bent* 'barca pequeña'. LQ contiene la raíz VENE 'dar forma, tallar, ahuecar' con los derivados *venië, venwë* 'forma, corte' y *venë* 'bajel pequeño, vasija, plato'. Cf. el título del dibujo del «Barco del Mundo», *I Vene Kemen* (véase pág. 108) y el nombre de Sol, *i·Kalaventë (Kalavénë)*.

Golfinweg Véase *Nólemë, Finwë*.

Gondolin LQ no incorpora este nombre, pero *ondo* 'piedra' aparece bajo la raíz ONO 'duro'. En LG se dice que *Gondolin* equivale al qenya *Ondolin* (cambiado luego por *Ondolinda*) 'piedra cantora'. Hay también una entrada *gond* 'peñasco, roca'; más tarde esto se cambió por *gonn*, y una nota añadía que *Gondolin* equivalía a *Gonn Dolin*, junto con la entrada *dólin* 'canto'. Véase *Lindelos*.

Gong LG no da más información que la citada en pág. 313 nota 10, pero compárese con *sithagong* 'libélula' (*sitha* 'mosca', *Sithaloth* o *Sithaloctha* ['enjambre de moscas'], las Pléyadas).

Gonlath Éste es el nombre de la gran roca situada sobre Taniquetil a la que se sujetó la cadena de ancla de Fanuin (pág. 279); el segundo elemento, por tanto, debe ser *lath* 'un año', que aparece también en los nombres desechados de Fanuin, *Lathos* y *Lathweg* (pág. 284). Para *Gon-*, véase *Gondolin*.

Gwerlum Este nombre figura en LG con la traducción 'Tejedora de Tinieblas'; *gwer-* 'dar vueltas, girar, torcer', pero también se utiliza en el sentido de la raíz *gwidh-* 'tejer, trenzar'. LQ contiene la raíz GWERE 'arremolinar, girar, retorcer', pero el nombre *Wirilómë* de la gran Araña está registrado bajo la raíz GWIDI, de la que provienen *windelë* 'hilar', *winda* 'trama', *wistë* 'tejido'. Éste debe de ser el sitio que le corresponde al gran remolino *Wiruin* (pág. 214), que no figura en los diccionarios. Para el elemento *-lómë, -lum*, véase *Hisilómë*.

Haloisi Velikë (Sobre el dibujo del «Barco del Mundo», pág. 109.) En LQ *haloisi* 'el mar (en una tormenta)' figura bajo la raíz HALA, con los otros derivados, *haloitë* 'saltarín', *halta-* 'saltar'. Al qenya *velikë* 'grande', corresponde el gnómico *beleg* 'poderoso, grande' (como en Beleg el Arquero en el cuento de Túrin).

Helkar En LQ bajo la raíz HELE figura *helkë* 'hielo', *helka* 'glacial', *hilkin* 'hiela', *halkin* 'congelado'. LG contiene *helc, heleg* 'hielo', *hel-*

'congelar', *heloth* 'escarcha', etcétera, y *helcor* 'frío ártico, congelación completa'; esto último fue cambiado por *helchor* «'frío antártico, congelación absoluta del sur' (el pilar de la Lámpara Austral). Quenya *Helkar*».

Helkaraksë Véase *Helkar; Helkaraksë* no figura en ninguno de los diccionarios y el significado del segundo elemento es incierto, a no ser que se relacione con el quenya *aksa* 'cascada' (véase *Asgon*).

Heskil La raíz HESE 'invierno' en LQ tiene los derivados *Heskil* 'invernal', *Hesin* 'invierno', *hessa* 'muerto, marchito', *hesta-* 'marchitar'. En LG figuran *Hess* 'invierno, especialmente como nombre de Fuil' y *hesc* 'marchito, muerto; enfriar'. Para otro nombre de Fui Nienna, véase *Vailimo*.

Hisildi Véase *Hisilómë*.

Hisilómë Bajo la raíz HISI LQ contiene *hísë, histë* 'crepúsculo', *Hisinan* 'Tierra del Crepúsculo'. Para la traducción de *Hisilómë* como 'Crepúsculos Sombríos', véase pág. 144.

La raíz LOMO tiene muchos derivados, como *lómë* 'crepúsculo, lobreguez, oscuridad', *lómëar* 'hijo de la penumbra' (cf. *Lómëarni*), *lómin* 'sombra, oscuridad', *lomir* 'me escondo', *lomba* 'secreto'. Cf. *Wirilómë*. Las palabras gnómicas son *lôm* 'lobreguez, sombra', *lómin* 'sombrío, tenebroso' y como sustantivo 'lobreguez': de ahí *Dor Lómin*. Los mismos elementos se dan en *Lomendánar* 'Días del Crepúsculo'.

Ilinsor Palabra incorporada tardíamente en LG donde *Glinthos*, igual al quenya *Ilinsor*, significa Timonel de Luna. El primer elemento es probablemente *glint* 'cristal'. *Ilinsor* no figura en LQ.

Ilkorin El prefijo negativo *il-* aparece en ambos diccionarios; en LG se dice que *il-* «denota lo opuesto, lo contrario, es más que una mera negación». Véase *Kôr*.

Ilsaluntë (Nombre de Luna.) *Ilsa* figura en LQ como «el nombre místico de la plata, como *laurë* lo es del oro»; es la *i* de *tilkal*, pág. 129. Para *luntë* 'barco', véase *Alqaluntë*. El nombre gnónimo es *Gilthalont;* se dice que *giltha* 'metal blanco' equivale a *celeb* 'plata' (quenya *telpë*), pero ahora incluyendo a *gais* 'acero', *ladog* 'estaño', etcétera, en oposición a *culu* 'oro'; y se dice que *culu* es la palabra poética con que se designa el oro, pero «también se usa míticamente como nombre de la clase de todos los metales rojos y amarillos, como *giltha* lo es de todos los que son blancos y grises». Véase *Telimpë*.

Ilterendi En el texto los grilletes son llamados *Ilterendi* «porque no pueden ser limados ni mellados» (pág. 130), pero la raíz TERE en

LQ tiene derivados con el sentido de 'horadar' (*tereva* 'agujerear', *teret* 'berbiquí, taladro').

Ilúvatar No cabe la menor duda de que el significado original de *Ilúvatar* era 'Padre-Cielo' (en LQ se encuentra *atar* 'padre'); véase *Ilwë*.

Ilverin Nombre élfico de Pequeñocorazón, hijo de Bronweg. El nombre desechado *Elwenildo* (pág. 68) contiene la palabra *elwen* 'corazón' que figura en LQ; en LG figura la palabra *ilf* 'corazón (especialmente referida a los sentimientos)', y varios nombres *[Ilfin(g), Ilfiniol, Ilfrith]* que corresponden al qenya *Ilwerin*.

Ilwë En LQ se dice que la palabra *ilu* significa «éter, los aires sutiles entre las estrellas», mientras que en LG se dice que el nombre Gnómico *Ilon* de Ilúvatar equivale al quenya *Ilu*. En LQ *ilwë* se definió primero como 'cielo, firmamento', con el posterior añadido «el aire azul que está alrededor de las estrellas, las capas medias»; a esto le corresponde en gnómico *ilwint*, palabra sobre la que se explica en LG que la verdadera forma *ilwi* o *ilwin* se pervirtió convirtiéndose en *ilwint* por asociación con *gwint* 'cara', como si significara 'cara de Dios'. Otras palabras presentes en el gnómico son *Ilbar*, *Ilbaroth* «cielo, región superior más allá del mundo»; *Ilador*, *Ilathon* o *Ilúvatar*; *ilbrant* 'arcoíris' (véase *Ilweran*).

Ilweran LQ contiene *Ilweran*, *Ilweranta* 'arcoíris' (otra palabra para el arcoíris en quenya es *Iluqinga*, en la que *qinga* significa 'arco'; *qingi-* 'vibración de cuerdas, arpa'). En gnómico las formas correspondientes son *Ilbrant* o *Ilvrant*, de las que se dice en LG que están asociadas erróneamente con *brant* 'arco (para disparar)'; el segundo elemento se relaciona más bien con *rantha* 'arco, puente', como lo muestra *Ilweran(ta)* en quenya.

Ingil En LG los nombres gnómicos del hijo de Inwë son *Gilweth* y *Githilma*; *Gil* es la estrella Sirio y se dice que es el nombre de Gilweth después que se elevó a los cielos y «a semejanza de una gran abeja portadora de miel llameante siguió a Daimord [Telimektar, Orión]»; véanse las palabras *Nielluin*, *Telimektar*. No se da explicación de estos nombres, pero *Gil(weth)* está claramente relacionado con *gil-* 'brillar', *gilm* 'luz de luna', *giltha* 'metal blanco' (véase *Ilsaluntë*). Para *Githilma*, véase *Isil*.

Inwë En LQ este nombre, «el del anciano rey de las hadas que las condujo al mundo», deriva de la raíz INI 'pequeño', de la que también derivan el adjetivo *inya* y los nombres *Inwilis*, *Inwinórë* 'Faëry' e 'Inglaterra' (este último tachado). Aquí se decía que Tol Eressëa había recibido el nombre de *Inwinórë* por Inwë, pero esto fue luego cambiado, y se dice que se le dio el nombre de *Ingilnórë* por su hijo Ingil. Estas entradas se relacionan con una muy temprana concepción (véase *Alalminórë, Eldamar*). Para otros nombres de Inwë véanse *Inwithiel, Isil.*

Inwir   Véase *Inwë.* En LG al «clan regio de los Tilthin» (Teleri) se los llama los *Imrim,* singular *Im* (véase *Inwithiel*).

Inwithiel   En los textos *Inwithiel,* nombre gnómico del Rey Inwë, es una corrección de *(Gim) Githil* (págs. 32, 167). En LG los nombres *Inwithiel, Githil* se dan como añadidos a sus nombres propiamente dichos *Inweg* o *Im.* Véase *Isil.*

Isil   En el cuento de *La llegada de los Elfos* (pág. 148) a Inwë se lo llama *Isil Inwë,* y en LG la forma gnómica que le corresponde a *Isil* es *Githil* (al nombre de su hijo *Githilma* le corresponde el qenya *Isil-mo*). En LQ figura una raíz ISI (*iska* 'pálido', *is* 'nieve ligera'), cuyo equivalente gnómico es *ith-* o *gith-*; GL, contiene la palabra *ith* 'nieve fina'.

Kalaventë   Véase *Galmir, Glorvent.*

Kalormë   Esta palabra figura en LQ entre los derivados de la raíz KALA (véase *Galmir*), con el significado de «pico de montaña por sobre el que sale Sol». *Ormë* equivale a 'cumbre, pico' de una raíz ORO, aparentemente con el sentido básico de 'elevarse': *or* 'sobre', *oro* 'montaña', *oro-* 'ascender', *orto-* 'levantar', *oronta* 'escarpado', *orosta* 'ascenso', etcétera; gnómico *or* 'sobre, encima de'; *orod, ort* 'montaña', *orm* 'cumbre', *oros, orost-* 'ascensión'. Cf. *Oromë, Orossi, Tavrobel.*

Kapalinda   (La fuente del río en el lugar donde fueron los Noldoli proscritos en Valinor). LQ incluye *kapalinda* 'manantial de agua' entre los derivados de la raíz KAPA 'saltar, surgir'; *linda* es un término de significado incierto.

Kaukereldar   Bajo la raíz KAWA 'inclinarse' figuran los derivados *kauka* 'torcido, doblado, jiboso', *kauko* 'jorobado', *kawin* 'me inclino', *kaurë* 'miedo', *kaurëa* 'tímido'.

Kelusindi   (El río en el lugar donde fueron los Noldoli proscritos en Valinor, pág. 200, llamado en el texto *Sirnúmen*). En LQ, bajo la raíz KELE, KELU 'fluir, gotear, rezumar' figuran muchos derivados, incluyendo *kelusindi* 'un río', también *kelu, kelumë* 'corriente', *kektelë* 'fuente' (también en la forma *ektelë*), etcétera. Para *-sindi,* véase *Sirion.*

Kémi   LQ contiene *kemi* 'tierra, suelo, terreno' y *kemen* 'suelo', provenientes de la raíz KEME. El nombre gnómico es *Címir,* que equivale al quenya *Kémi* 'Madre Tierra'. Existe también una palabra gnómica, *grosgen* 'suelo', en la que *-gen* se dice que equivale al quenya *kémi.*

Koivië-néni «Aguas del Despertar». En LQ, bajo la raíz KOYO 'tener vida' figuran los derivados *koi*, *koirë* 'vida', *koitë* 'ser viviente', *koina*, *koirëa* 'vivo', *koiva* 'despierto', *koivië* 'despertar' (sustantivo). En LG figuran *cuil* 'vida', *cuith* 'vida, cuerpo viviente', etcétera; *cwiv-* 'estar despierto', *cwivra-* 'despertar', *cuivros* 'despertarse': *Nenin a Gwivros* 'Aguas del Despertar'. Para *-néni*, *Nenin*, véase *Neni Erúmëar*.

Kópas LQ contiene *kópa* 'atracadero', la única palabra que figura bajo la raíz KOPO 'proteger, guardar'. LG contiene *gobos* 'puerto' con una referencia al quenya *kópa*, *kópas*; también *gob* 'hueco de la mano', *gobli* 'valle'.

Kôr En LQ este nombre figura bajo la raíz KORO '¿venerar?', con la nota «la antigua ciudad edificada sobre las rocas de Eldamar, de donde las hadas partieron para entrar en el mundo»; también situadas allí están *korda* 'templo', *kordon* 'ídolo'. La forma gnómica dada aquí es *Côr*, pero en LG *Côr* («la montaña de las hadas y la ciudad construida sobre ella cerca de las costas de la Bahía de Faëry») fue reemplazada por *Gwâr*, *Goros*, «equivalente al quenya *Kôr*, la ciudad sobre la colina redonda». Esta interpretación del nombre *Kôr* evidentemente reemplaza a la de LQ, que pertenece al primer estrato de entradas. Para más detalles, véase *korin*.

korin Véase *Kôr*. En LQ hay una segunda raíz KORO (es decir, distinta de la que se formó *Kôr*); ésta significa 'ser redondeado, rodar', y tiene derivados como *korima* 'redondo', *kornë* 'hogaza', también *korin* «un recinto circular, especialmente en la cima de una montaña». Al mismo tiempo que *Côr* fue reemplazada por *Gwâr*, *Goros* en LG, se incorporó la palabra *gorin (gwarin)* 'círculo de árboles', equivalente al quenya *korin*, y todas estas formas derivan de la misma raíz (*gwas-* o *gor-* < *guor*, equivalente al quenya *kor-*), que parece que significaría 'redondez'; así, en el cuento de *La llegada de los Elfos*, «los Dioses llamaron a esa colina Kôr porque era redonda y suave» (pág. 160).

Koromas Una entrada separada e incorporada tempranamente define *Kormas* (la forma que aparecía en el texto antes de ser reemplazada por *Koromas*, pág. 32) de la manera siguiente: «la nueva capital de las hadas después de retirarse del mundo hostil a Tol Eressëa, ahora Inwinórë. Se la llamó así en memoria de Kôr y porque su torre más alta se llamaba también *Kortirion*». Para *-mas*, véase *Eldamar*.

Kortirion La palabra *tirion* 'torre poderosa, ciudad en la cima de una montaña' figura en LQ bajo la raíz TIRI 'erguirse', junto con *tinda* 'punta', *tirin* 'torre alta', *tirios* 'ciudad amurallada con torres'. Existe otra raíz TIRI cuya consonante media es de naturaleza diferente y significa 'vigilar, conservar, montar guardia; mirar, observar', de la que deriva *tiris* 'vigilancia, vigilia', etcétera. En LG figuran *tir-* 'estar a la expectativa, esperar', *tirin* (forma poética *tirion*) 'torre de vigilancia, torrecilla', *Tirimbrithla* 'la Torre de Perla' (véase *Silmarilli*).

Kosomot   Hijo de Melko (véase pág. 120). Con un segundo elemento diferente, *Kosomoko*, esta palabra figura en LQ bajo la raíz MOKO 'odiar' (*mokir* 'yo odio') y se dice allí que la forma gnómica correspondiente es *Gothmog*. El primer elemento proviene de la raíz KOSO 'luchar por algo', en gnómico *goth* 'guerra, lucha', con muchas palabras derivadas.

Kulullin   En LQ este nombre no figura entre los derivados de KULU 'oro', ni tampoco aparece entre las palabras gnómicas (en su mayoría nombres de Sol) que contienen *culu* en LG. Para el significado de *culu* en gnómico, véase *Ilsaluntë*.

Laisi   Véase Tári-Laisi.

Laurelin   En LQ figuran *laurë* 'oro' (casi con el mismo significado que *kulu*), *laurina* 'dorado'; *laurë* es la *l* final de *tilkal* (pág. 130, donde se dice que es el nombre «mágico» del oro, como *ilsa* lo es de la plata). Las palabras gnómicas son *glôr* 'oro', *glôrin*, *glôriol* 'dorado', pero LG no contiene nombres del Árbol de Oro. Cf. *Bráglorin*, *Glorvent*.

limpë   *limpë* 'bebida de las hadas' figura en LQ bajo la raíz LIPI, junto con *lipte-* 'gotear', *liptë* 'pequeña gota', *lipil* 'vaso pequeño'. Las formas correspondientes en LG son *limp* o *limpelis* 'la bebida de las hadas', *lib-* 'gotear', *lib* 'gota', *libli* 'vaso pequeño'.

Lindeloksë   Una de las veces que aparece en los textos es una corrección de *Lindeloktë*, corregida a su vez y reemplazada por *Lindelos* (pág. 32), otras apariciones son una corrección de *Lindelótë* sin modificaciones posteriores (págs. 102, 167). Véase *Lindelos*.

Lindelos   *Linde-* es uno de los muchos derivados de la raíz LIRI 'cantar', como *lin* 'melodía', *lindelë* 'canción, música', *lindelëa* 'melodioso', *lirit* 'poema', *lirilla* 'balada, canción' (cf. la *tirípti lirilla* de Rúmil, pág. 62), y el nombre del Vala *Lirillo*. En LG figuran *lir-* 'cantar' y *glîr* 'canto, poema'. *Lindelos* no figura en LQ, que contiene el nombre desechado en el texto *Lindeloktë* (pág. 32), traducido aquí 'ramo cantante, laburno'.

Loktë 'capullo (de flores que crecen arracimadas o en grupo)' deriva de la raíz LOHO, como también deriva de ella *lokta-* 'brotar, dar hojas o flores'. Se dice que ésta es una forma extendida de la raíz OLO 'punta', de la que provienen *olë* 'tres', *olma* 'nueve', *ólemë* 'codo'. Otra forma extendida de esta raíz es LO'O, de la que derivan *lótë* 'flor' (y *-lot* 'la forma común en los nombres compuestos') y muchas otras palabras; cf. *Lindelótë*, otro nombre desechado del Árbol de Oro (págs. 103, 167), *Wingilot*. Para las palabras gnómicas, véase *Gar Lossion*. En LG no figura nombre alguno del Árbol de Oro, pero de hecho era *Glingol* (que originariamente aparecía en el texto, véase pág. 32); en LG figura *glin* 'sonido, voz, emisión sonora' (también *lin* 'sonido'), con una nota que indica que *-glin*, *-grin* es un sufijo en los nombres de las lenguas, como el gnómico *Goldogrin*.

Lirillo   (Uno de los nombres de Salmar-Noldorin, pág. 184). Veáse *Lindelos*.

Lómëarni   (Uno de los nombres de los Elfos Oscuros, págs. 312-313, nota 6.) Véase *Hisilómë*.

Lomendánar   «Días del Crepúsculo» (pág. 89). Véase *Hisilómë, Danuin*.

Lórien   Derivado de la raíz LORO 'adormecimiento', junto con *lor-* 'adormecerse', *lorda* 'adormilado, somnoliento'; también *olor, olorë* 'sueño', *olórëa* 'ensoñador'. (Para una formulación muy posterior de las palabras que provienen de esta raíz, incluyendo *Olórin* [Gandalf], véase *Cuentos Inconclusos*, pág. 497). En LG figuran *lûr* 'adormecimiento', *Lúriel*, reemplazado por *Lúrin* y que equivale al qenya *Lórien*, y también *olm, oloth, olor* 'sueño, aparición, visión', *oltha* 'mostrarse como aparición'. Cf. *Eriol, Olofantur, Olórë Mallë*.

Lúmin   (Nombre desechado para *Aluin* 'Tiempo', pág. 284). En LG figura *lûm* 'tiempo', *luin* 'transcurrido, pasado', *lu* 'ocasión, momento', *lûtha* 'paso (del tiempo), llegar a suceder'. Quizá *Aluin* pertenezca también a este grupo.

Luvier   He traducido esta palabra en el dibujo del «Barco del Mundo» como 'Nubes' (pág. 110) basándome en las palabras que figuran en LQ como derivadas de la raíz LUVU: *luvu-* 'encapotarse, cernerse', *lumbo* 'nube oscura y baja', *lúrë* 'tiempo (clima) oscuro', *lúrëa* 'oscuro, nublado'. En LG figuran *lum* 'nube', *lumbri* 'mal tiempo', *lumbrin, lumba* 'nublado', *lur-* 'estar bajas las nubes'.

Makar   En LQ («Dios de las Batallas») figura bajo la raíz MAKA, junto con *mak-* 'matar', *makil* 'espada'. Su nombre gnómico es *Magron* o *Magorn*, relacionado con las palabras *mactha-* 'matar', *macha* 'carnicería, batalla', *magli* 'una gran espada'. Véase *Meássë*.

En la lista de nombres de los Valar, Makar es llamado también *Ramandor*. Éste era el nombre original del Rey de las Águilas en *La Caída de Gondolin*, reemplazado después por *Sorontur*. En LQ, bajo la raíz RAMA (*rama-* 'gritar', *rambë* 'grito', *ran* 'ruido') *Ramandor* se traduce como 'el Altisonante, equivalente a Makar'.

Mandos   Este nombre se identifica en LQ como 'las estancias de Vê y Fui (infierno)', y se lo compara con -*mandu* en *Angamandu* 'Infiernos de Hierro'. En LG figura la siguiente entrada: «*Bandoth* [reemplazado luego por *Bannoth*] (cf. *Angband*) equivale a Mandos: 1) la región de las almas expectantes de los muertos, 2) el Dios que juzgaba a los Elfos y los Gnomos muertos, 3) utilizado erróneamente para designar en exclusiva sus estancias, llamadas en realidad *Gwê* [reemplazado luego por *Gwî*] o *Ingwi*». Para la distinción entre la región *Mandos*, en la que vivían los dioses de la muerte, y sus recintos *Vê* y *Fui*, véanse págs. 99, 98, 115-116.

Mánir   No figura en LQ; pero en LG figura «*móna* o *móni*: los espíritus del aire, hijos de Manweg». En la entrada siguiente se incluyen más relaciones: «*manos* (plural *manossin*): espíritu que ha ido al encuentro de los Valar o de Erumáni (Edhofon). Cf. *móna*, quenya *mánë*». Véase *Eruman* y págs. 116 y siguientes. Otras palabras son *mani* 'bueno (referido tan sólo a los hombres o al carácter), santo' (LQ *manë* 'bueno [moral]'), *mandra* 'noble' y *Manweg* (quenya *Manwë*).

Manwë   Véase *Mánir*. Los nombres gnómicos son *Man* y *Manweg* (para -*weg*, véase *Bronweg*).

Mar Vanwa Tyaliéva   Para *Mar*, véase *Eldamar*, y para *Vanwa*, véase *Qalvanda*. *Tyaliё* 'juego, partida' figura como entrada aislada en LQ bajo la raíz TYALA.

Meássë   Una apresurada nota tardía en LQ añade *Meássë* «hermana de Makar, Amazona con los brazos ensangrentados» a la raíz MEHE '¿manar?', de la que proviene *mear* 'coágulo'. En LG ella es *Mechos* y *Mechothli* (*mechor* 'coágulo'), y se la llama también *Magrintha* 'la de manos rojas' (*magru* equivale a *macha* 'matanza, batalla', *magrusaig* 'sediento de sangre'). En la lista de nombres de los Valar se la llama *Rávë* o *Ravenni*; en LQ la raíz RAVA tiene muchos derivados, como *rauta-* 'cazar', *raust* 'cacería, acechanza', *Raustar*, uno de los nombres de Oromë, *rau* (plural *rávi*) 'león', *ravennë* 'leona', *Rávi*, uno de los nombres de Meássë. En LG figuran formas muy similares: *rau* 'león', *rausta* 'cazar', *raust* 'cacería'.

Melko   El nombre se incorpora en LQ, pero sin que aparezcan relaciones etimológicas. En LG el nombre correspondiente es *Belca*, cambiado luego por *Belcha*, con una nota que hace referencia al nombre en qenya *velka* 'llama'. En la lista de los nombres de los Valar se lo llama *Yelur* (raíz DYELE, de la que provienen las palabras en qenya *yelwa* 'frío', *Yelin* 'invierno'); la forma gnómica es *Geluim*, *Gieluim* «nombre de Belcha cuando ejerce su función contraria de provocar un frío intenso, quenya *Yeloimu*», cf. *Gilim* 'invierno'.

Melko es también llamado en la lista de nombres *Ulban(d)*, que se define en LQ como 'monstruo' bajo el prefijo negativo UL-; su hijo Kosomot (Gothmog) era 'de Ulbandi' (pág. 120). Otros nombres que se le da en gnómico son *Uduvrin* (véase *Utumna*) y *Angainos* (véase *Angaino*).

Meril-i-Turinqi   *Meril* no figura en LQ, pero sí *turinqi* 'reina' junto a muchos otros derivados de la raíz TURU 'ser fuerte', incluyendo *Turambar (Turumarto)* y *tur* 'rey'. En LG figuran *tur-* 'poder, tener la capacidad de', *tûr* 'rey', *turwin* 'reina', *turm* 'autoridad, regencia; fortaleza' *turinthi* 'princesa, especialmente como título de Gwidhil'. Cf. *Sorontur, Valatúru, Tuor.*

En GL se reflejan asimismo las siguientes adiciones posteriores: «*Gwidhil-i-Durinthi* equivalente a *Meril-i-Turinqi* Reina de las Flores»; *gwethra* 'producir flores, florecer'; y la raíz *gwedh-* es aquí comparada con el quenya *mer-*, que no figura en QL.

Minethlos   En LG figuran *min* 'único, solo', *mindon* 'torre, torrecilla o pináculo que se levanta aislado', *mineth* 'isla', *Minethlos* 'Isla argentina (Luna)' (la misma traducción aparece en el texto, pág. 246). Bajo la raíz MIⁿ en LQ figuran *mir* 'uno', *minqë* 'once'; y bajo la raíz MINI *mindon* 'torrecilla'. El segundo elemento de *Minethlos* debe ser de hecho *lôs* 'flor' (véase *Gar Lossion*).

Miruvor   En LQ figura *miruvórë* 'néctar, bebida de los Valar' (véase pág. 205), junto con *miru* 'vino'. En LG, *mirofor* (o *gurmir*) 'bebida de los Dioses', *mîr, miros* 'vino'.

Moritarnon   'Puerta de la Noche' (véase *Mornië*). En LG figuran *tarn* 'puerta', *tarnon* 'portero'. Cf. *Tarn Fui.*

Mornië   No figura en LQ, pero es uno de los muchos derivados de la raíz MORO, como *moru-* 'esconderse', *mori* 'noche', *morna, morqa* 'negro', *morion* 'hijo de la oscuridad'. (Un caso curioso es *Morwen* 'hija de la oscuridad', Júpiter. En el cuento original de Túrin su madre no se llamaba Morwen). El nombre gnómico del barco de la muerte es *Mornir*, un agregado posterior a las entradas originales *morn* 'oscuro, negro', *morth* 'oscuridad', *mortha* 'en penumbra', junto con la nota «el barco negro que viaja cargado regularmente entre Mandos y Erumáni, quenya *Mornië* (Pena Negra)». El segundo elemento es por tanto *nîr* 'pena' (< *niër-*), al que se dice que corresponde el término qenya *nyérë*. Cf. *Moritarnon, Móru, Morwinyon.*

Móru   Un agregado posterior en LG se lee *Muru* «nombre de la Noche Primordial personificada como Gwerlum o Gungliont», de ahí que en el texto lea preferentemente *Móru* en lugar de *Morn* (pág. 199). Entre las entradas originales de LG figura *múri* 'oscuridad, noche'. Véase *Mornië.*

Morwinyon   Este nombre de la estrella Arcturus se traduce en el texto (pág. 233) como 'chispa en el crepúsculo', y LQ, que lo presenta bajo la raíz MORO (véase *Mornië*) lo traduce como 'chispa en la oscuridad'. LQ contiene la raíz GWINI, con la palabra derivada *wintil* 'chispa'.

El nombre gnómico es *Morwinthi*; otros términos probablemente conectados son *gwim, gwinc* 'chispa, resplandor', *gwimla* 'parpadear, titilar'.

Murmenalda   Traducido en el texto como 'Valle del Sueño', 'Valle del Sopor' (págs. 298, 301). En LQ, bajo la raíz MURU, figuran *muru-* 'dormitar', *murmë* 'sopor', *murmëa* 'soporífero'. El segundo elemento proviene de la raíz NLDL, cuyos derivados en LQ son *nal(lë)* 'valle, hondonada' y *nalda* 'cuenca' empleado como adjetivo. En gnómico aparecen *nal* 'valle, hondonada', *nal* 'abajo, hacia abajo', *nalos* 'hundimiento, engaste, cuesta', *Nalosaura* 'puesta de sol', etcétera. Cf. *Mumuran*.

Murmuran   Véase *Murmenalda*. En LG figura la forma gnómica que corresponde al qenya *Murmuran* como *Mormaurien* 'morada de Lúriel', pero parece tener una etimología diferente: cf. *Malmaurien* equivalente a *Olórë Mallë*, el Sendero de los Sueños, *maur* 'sueño, visión'.

Nandini   En una hoja suelta donde aparece una lista de los diversos clanes de los 'duendes', los *Nandini* son 'duendes de los valles'. En LQ figura la raíz NARA con los derivados *nan(d)* 'tierra boscosa', *nandin* 'dríada'; en LG figura «*nandir* 'duende del campo', quenya, *nandin*», junto con *nand* 'campo, terreno' (plural *nandin* 'el campo'), *nandor* 'granjero', etc.

Nauglath   En LG aparecen las siguientes palabras: *naug* y *naugli* 'enano', *naugla* 'de los enanos', *nauglafel* 'con naturaleza de enano, es decir, mezquino, avaro' (véase pág. 302). En LQ no hay nada que le corresponda, pero en LG se dice que el equivalente qenya de *naug* es *nauka*.

Neni Erúmëar   (Sobre el dibujo del «Barco del Mundo», donde lo he traducido como 'Las Aguas más Exteriores', pág. 110). En LQ, bajo la raíz NENE 'fluir', figura *nen* 'río, agua', y la misma forma se presenta en gnómico. En LQ se indica que *Erúmëa* 'exterior, del lado más externo' es un derivado de ERE 'fuera', como en *Eruman*. Cf. *Koivië-néni*.

Nermir   En la lista de duendes a los que se hace referencia bajo el nombre de *Nandini*, los *Nermir* son 'duendes de los prados'. En LQ figura una entrada aislada, *Nermi* 'espíritu del campo', y en LG aparece *Nermil* «duende que ronda los prados y las orillas de los ríos».

Nessa   Este nombre no figura en los diccionarios. En la lista de los nombres de los Valar se la llama *Helinyetillë* y *Melesta*. En LQ, entre las voces incorporadas al principio, *helin* es el nombre de la violeta o el pensamiento, y *Helinyetillë* se define como 'Ojos de la Serenidad' (nombre que se le da a la violeta); cf. *yéta* 'mirar'. Pero en LQ éste es uno de los nombres de Erinti. Evidentemente hubo al principio muchos cambios entre las diosas de la primavera, la atribución de nombres y de papeles (véase *Erinti*). *Melesta* proviene sin duda de la raíz MELE 'amar' (*meles[së]* 'amor', *melwa* 'amable', etcétera; gnómico *mel-* 'amar', *meleth* 'amor', *melon, meltha* 'amado', etcétera).

Nielíqui   Según LQ este nombre (*Nieliqi* y también *Nielikki, Nyelikki*) deriva de la raíz NYEHE 'llorar' (véase *Nienna*). Donde sus lágrimas caían, se formaban copos de nieve (*nieninqë*, literalmente 'lágrima blanca'). Véase el poema *Nieninqë* en *The Monsters and the Critics and Other Essays*, de J. R. R. Tolkien, 1983, pág. 215. Para *ninqë*, véase *Taniquetil*.

El segundo elemento de *Nielíqui* proviene probablemente de la raíz LIQI, de la que derivan *linqë* 'agua', *liqin* 'húmedo', *liqis* 'transparencia', etcétera (véase *Ulmo*).

Nielluin   Este nombre de la estrella Sirio se traduce en el texto (pág. 233) como 'la Abeja del Azur' (véase *Ingil*). El primer elemento proviene de la raíz NEHE, de la que derivan *nektë* 'miel', *nier* (< *neier* < *neiχier*) 'abeja melífera', *nierwes* 'colmena'. El nombre de Sirio que figura en LQ es *Niellúnë* o *Nierninwa*; tanto *ninwa* como *lúnë* son palabras en qenya que significan 'azul'. En gnómico el nombre de la estrella es *Niothluimi*, que equivale al qenya *Nielluin*: *nio, nios* 'abeja' y muchas palabras afines, *luim* 'azul'.

Nienna   En LQ, *Nyenna* la diosa figura bajo la raíz NYE(NE) 'balar', de la que provienen *nyéni* 'hembra de la cabra', *nyéna-* 'lamentarse', etcétera; pero aparece una nota «o derivan todas de la raíz NYEHE». Ésta significa 'llorar': *nië* 'lágrima' (cf. *Nielíqui*), *nyenyë* 'lloroso'. En LG las formas del nombre son *Nenni(r), Nenir, Ninir*, sin que se especifiquen conexiones etimológicas, pero cf. *nîn* 'lágrima'.

Noldoli   La raíz NOL 'saber' en LQ tiene los derivados *Noldo* 'Gnomo' y *Noldorinwa* adjetivo, *Noldomar* 'Tierra de Gnomos', y *Noldorin* «que vivió un tiempo en Noldomar y condujo a los Gnomos de vuelta a Inwenórë». Parece que *Noldomar* significa las Grandes Tierras. Pero es muy curioso que entre estas voces, que son de las más tempranas, 'Gnomo' sea una corrección de 'Trasgo'; cf. el poema *Pies de trasgo* (1915) y su título en inglés antiguo *Cumaþ þá Nihtielfas* (pág. 43).

En gnómico, 'Gnomo' es *Golda* («es decir, el sabio»); *Goldothrim* 'el pueblo de los Gnomos', *Goldogrin*, su lengua, *Goldobar*, *Goldomar* 'Tierra de los Gnomos'. El equivalente de *Noldorin* en LG es *Goldriel*, que era la forma antecedente de *Golthadriel* en el texto antes de que las dos fueran tachadas (pág. 32). Véase *Nólemë*.

Noldorin   Véase *Noldoli*.

Nólemë   Esta palabra figura en LQ como sustantivo común, 'conocimiento profundo, sabiduría' (véase *Noldoli*). El nombre gnómico de Finwë Nólemë, *Golfinweg* (pág. 148), contiene el mismo elemento, como también *Fingolma*, el nombre que se le da en los esbozos del *Cuento de Gilfanon* (págs. 304-305).

I Nori Landar   (Sobre el dibujo del «Barco del Mundo», significa probablemente 'las Grandes Tierras', págs. 108, 110). Para *nori*, véase *Valinor*. Nada parecido a *landar* aparece en LQ; en LG figura la palabra *land (lann)* 'ancho'.

Nornorë   En LQ este nombre figura con la forma *Nornoros* 'heraldo de los Dioses', y como el verbo *nornoro-* 'correr sin pausa, correr con presteza', deriva de la raíz NORO 'correr, cabalgar, girar, etc.'. En LG figuran palabras semejantes: *nor-* 'correr, rodar', *norn* 'rueda', *nûr* 'fluir, rodar libremente'. El nombre correspondiente al qenya *Nornorë* es aquí *Drondor* 'mensajero de los Dioses' (*drond* 'carrera, transcurso, pista' y *drô* 'rueda de carro, rodada'); *Drondor* se transformó luego en *Dronúrin* (< *Noronōr*) y *drond* en *dronn*.

Númë   (Sobre el dibujo del «Barco del Mundo»). En LQ *númë* 'oeste' deriva de la raíz NUHU 'inclinarse, agacharse, hundirse'; otras palabras derivadas de la misma raíz son *núta-* 'agacharse, hundirse', *númeta-*, *numenda-* 'ponerse (el Sol)', *númëa* 'en el oeste'. En gnómico *num-* 'hundirse, descender', *númin* 'en el oeste', *Auranúmin* 'puesta de sol', *numbros* 'inclinarse, descender', *nunthi* 'hacia abajo'. Cf. *Falassë Númëa*, *Faskala-númen*, *Sirnúmen*.

Núri   Nombre de Fui Nienna: «Núri que suspira», pág. 86. Aparece sin traducción en LQ bajo la raíz NURU, junto con *núru-* 'gruñir (de los perros)', *nur* 'gruñido, lamento'. En gnómico su nombre es *Nurnil*, asociado con las palabras *nur-* 'gruñir, refunfuñar', *nurn* 'lamento', *nurna-* 'quejarse, lamentarse'.

Ô   (Sobre el dibujo del «Barco del Mundo»: 'el Mar', págs. 109-110). Véase *Ónen*.

Oarni   Véase *Ónen*.

Olofantur   Véase *Lórien, Fanturi*.

Olórë Mallë   Para *Olórë*, véase *Lórien*. *Mallë* 'calle' figura en LQ bajo la raíz MALA 'aplastar' (véase *Balrog*); la forma gnómica es *mal* 'camino

NOMBRES EN LOS CUENTOS PERDIDOS I

pavimentado, carretera', y el equivalente de *Olórë Mallë* es *Malmau-rien* (véase *Murmuran*).

Ónen La raíz o'o en LQ tiene como derivados a *Ô*, palabra poética 'el Mar', *oar* 'criatura del mar, vástago del mar', *oaris (-ts)*, *oarwen* 'sirena' y *Ossë*; el nombre *Ówen* (antecedente de *Ónen* en el texto, págs. 79, 100-101) también aparece, y evidentemente significa lo mismo que *oarwen* (para *-wen*, véase *Urwen*). La forma posterior *Uinen* en los *Cuentos* aparentemente es gnómica; en LG aparece *Únen* 'Señora del Mar', más tarde *Uinen*. También aparece la forma *Oinen* (pág. 270).

En la lista de los nombres de los Valar, Ónen es también llamada *Solórë* (véase *Solosimpi*) y *Ui Oarista*. Este último nombre aparece en LQ con la definición 'Reina de las Sirenas', junto con *Uin* 'la ballena primordial'; pero la relación de estos nombres con los otros es incierta.

Orco En LQ *ork (orq-)* 'monstruo, demonio'. En LG *orc* 'diablillo', plural *orcin*, *orchoth* (*hoth* 'gente, pueblo', *hothri* 'ejército', *hothron* 'capitán').

Oromë En LQ Oromë «hijo de Aulë» figura bajo una raíz ORO, que es distinta (aparentemente por causa de la naturaleza de la consonante) de ORO (con el significado de 'elevado, escarpado') que figura bajo *Kalormë*; pero se dice que estas raíces resultan «sumamente confusas». Esta segunda raíz da origen a *órë* 'el alba, salida de Sol, Este', *órëa* 'propio del alba, oriental', *orontë*, *oronto* 'salida de Sol', *osto* 'las puertas de Sol' y *Ostor* «el Este, Sol al salir por sus blancos portones». Se observa que quizá *Oromë* tendría que figurar bajo la otra raíz, pero no hay indicación alguna sobre las conexiones del nombre. En *El ocultamiento de Valinor* (págs. 273-274) Oromë muestra un particular conocimiento de la parte oriental del mundo. Su nombre en gnómico es *Orma*; y en la lista de los nombres de los Valar se le llama también *Raustar*, para este último nombre véase *Meássë*.

Oronto (Sobre el dibujo del «Barco del Mundo», 'Este'.) Véase *Oromë*.

Orossi En la lista de los duendes a los que se hace referencia bajo *Nandini*, los *Orossi* son 'duendes de las montañas', siendo este nombre, pues, un derivado de la raíz ORO vista en *Kalormë*.

Ossë Véase *Ónen*. Su nombre gnómico es *Otha* u *Oth*.

Palisor Véase *Palúrien*.

Palúrien Una de las primeras entradas de LQ sitúa *Palurin* 'el ancho mundo' bajo la raíz PALA, cuyos derivados poseen un sentido general común de 'planitud', entre ellos *palis* 'césped, prado', de donde proviene sin duda *Palisor*. En LG el nombre correspondiente es *Belaurin, B(a)laurin*; pero se la llama también *Bladorwen* «la ancha tierra, el mundo con sus plantas y sus frutos, la Madre Tierra» (son palabras relacionadas *blant* 'plano, abierto, expansivo, sincero', *blath* 'suelo', *bladwen* 'planicie'). Véase *Yavanna*.

Poldórëa   No aparece en LQ, pero LG brinda varias formas correspondientes: *Polodweg*, que equivale a Tulcus (*polod* 'poder, poderío, autoridad'); *polodrin* «'poderoso', también en forma poética *Poldurin* o *Poldorin*, que se usa especialmente como epíteto de Tulcus; en quenya *Boldorëa*».

Qalmë-Tári   La raíz es QALA 'morir', de la que provienen *qalmë* 'muerte', *qalin* 'muerto' y otras palabras del mismo significado. *Tári* proviene de TAHA: *tâ* 'alto', *tára* 'elevado', *tári* 'reina', etcétera; en gnómico *dâ* 'alto', *dara* 'elevado', *daroth* 'cumbre, pico'. Cf. *Taniquetil.*

Qalvanda   «La Ruta de la Muerte» (pág. 272). Véase *Qalmë-Tári*. El segundo elemento proviene de la raíz VAHA, de donde derivan el tiempo pasado 'fui o iba', *vand-* 'camino, sendero', *vandl* 'cayado', *vanwa* 'desaparecido por el camino, pasado, terminado, perdido' (como en *Mar Vanwa Tyaliéva*). Cf. *Vansamírin*.

Qerkaringa   El primer elemento resulta incierto; para *-ringa*, véase *Ringil*.

Qorinómi   Véase pág. 289. La raíz es QORO/QOSO, de donde provienen *qoro-* 'ahogarse, sofocarse', *qorin* 'ahogado, sofocado', etcétera.

Rána   No figura en LQ, pero en LG figuran *Rân* 'Luna (en quenya *Rána*)' y *ranoth* 'mes' (*Ranoth* fue el nombre desechado que precedió a *Ranuin*, pág. 284). En el texto se dice (pág. 246) que los Dioses llamaron *Rána* a la Luna.

Ranuin   Véase *Rána*.

Ringil   En LQ figuran *ringa* 'húmedo, frío, helado', *ringwë* 'helada (sustantivo), escarcha', *rin* 'rocío'; en LG *rî* 'frescura', *ring* 'fresco, frío, una súbita brisa o ráfaga fría' y (añadido posterior) *Ringli* «los fríos árticos, el Polo Norte (véase el cuento de la *llegada de los Ainur*)». Cf. *Qerkaringa*.

Rúmil   Este nombre no figura en ninguno de los dos diccionarios, pero probablemente está conectado con las palabras que aparecen en LG: *rû* y *rûm* 'secreto, misterio', *ruim* 'secreto (adjetivo), misterioso', *rui* 'susurro', *ruitha* 'susurrar'.

Salmar   Este nombre debe de pertenecer al grupo de los derivados de la raíz SALA: *salma* 'lira', *salmë* 'tocar el arpa', etcétera.

Samírien   (*La Fiesta del Doble Júbilo*, págs. 183-184) Probablemente deriva de la raíz MIRI 'sonrisa'; en LQ se dice que *sa*- es un «prefijo intensificativo». Cf. *Vansamírin*.

Sári   No figura en ninguno de los diccionarios, pero en LQ de la raíz SAHA/SAHYA derivan *sâ* 'fuego', *saiwa* 'caliente', *Sahóra* 'el Sur'; en LG figuran *sâ* (forma poética *sai*), *sairin* 'fogoso', *saiwen* 'verano' y otras palabras.

Sil   Bajo la raíz SILI en LQ figura una larga lista de palabras que empiezan con *Sil* 'Luna', y todas ellas llevan en sus significados algo relacionado con la blancura o la luz blanca, pero ni *Silpion* ni *Silmaril* aparecen aquí. En LG *Sil* «equivale adecuadamente a 'Rosa de Silpion'», véase el *Cuento de la creación de Sol y de Luna*, pero a menudo, utilizada poéticamente, equivale a Luna Llena o Rân. En este cuento (pág. 246), se dice que las hadas llamaron a Luna «Sil, la Rosa» (anteriormente se leía «la rosa de plata»).

Silindrin   El «caldero de Luna» no figura en ninguno de los dos diccionarios; la forma más aproximada es *Silindo*, que figura en LQ, que es un nombre de Júpiter. Véase *Sil*.

Silmarilli   Véase *Sil*. En LG el equivalente del 'quenya *Silmaril*' es *silubrill-(silum[b]aril-)*, plural *silubrilthin* (que aparece en el texto, pág. 164; un añadido posterior establece la comparación con *brithla* 'perla', qenya *marilla* (que no figura en LQ). La Torre de Perla se llamaba en gnómico *Tirimbrithla*.

Silmo   Véase *Sil*. En LQ *Silmo* se traduce como 'Luna' y en LG se dice que *Silma* es el equivalente gnómico del qenya *Silmo*.

Silpion   Véase *Sil*. Los nombres gnómicos son *Silpios* o *Piosil*, pero no se dice cuáles son sus significados.

Silubrilthin   Véase *Silmarilli*.

Sirion   En LQ figura la raíz SIRI 'fluir' junto con los derivados *sindi* 'río' (cf. *Kelusindi*), *sírë* 'corriente', *sírima* 'líquido, fluido'. En LG figuran *sîr* 'río', *siriol* 'fluyente' y *Sirion* (palabra poética) «río, propiamente dicho, el nombre del famoso río mágico que fluía a través de Garlisgion y Nantathrin» (*Garlisgion* 'el Lugar de los Juncos' sobrevivió en *Lisgardh* «el estero en las desembocaduras del Sirion», *Cuentos Inconclusos*, pág. 50). Cf. *Sirnúmen*, y el nombre al que reemplazó, *Numessir*.

Sirnúmen   Véase *Sirion, Númë*.

Solosimpi   En el LQ figura *Solosimpë* 'los Flautistas de la Costa', de donde el primer elemento proviene de la raíz SOLO: *solmë* 'ola', *solor*, *solossë* 'marejada, oleaje' (cf. *Solórë*, nombre de Ónen), y el segundo de SIPI 'silbato, flauta': *simpa, simpina*, 'gaita, flauta', *simpisë* 'tocar la flauta', *simpetar* 'flautista'. En LG el nombre gnómico de los Solosimpi es *Thlossibin* o *Thlossibrim*, de *thloss* 'rompiente', con la variante *Flossibrim*. Se dice que la palabra *floss* toma forma a partir de *thloss* por influencia de *flass* 'margen del mar, rompiente, orilla'.

Sorontur Derivado de la raíz SORO 'águila': *sor, sornë* 'águila', *sornion* 'nido de águilas', *Sorontur* 'Rey de las Águilas'. Para -*tur*, véase *Meril-i-Turinqi*. Las formas gnómicas son *thorn* 'águila', *thrond* '(nido de águilas), pináculo', *Thorndor* y *Throndor* 'Rey de las Águilas'.

Súlimo En LQ, bajo las tres formas raigales SUHYU, SUHU, SUFU 'aire, aliento, exhalación, bocanada' figuran *sû* 'ruido del viento', *súlimë* 'viento' y *Súlimi, -o* 'Vali del Viento, que equivale a Manwë y Varda'. Esto probablemente significa que Manwë era *Súlimo* y Varda, *Súlimi*, pues en la lista de los nombres de los Valar a Varda se la llama *Súlimi*; pero en LG se dice que Manwë y Varda eran llamados conjuntamente *i.Súlimi*. En LG figuran *sû* 'ruido del viento', *súltha* 'soplo (del viento)', pero el nombre eólico de Manwë es *Saulmoth* (*saul* 'viento potente'), del que se dice que es una forma más antigua del posterior *Solmoth*; y esto equivale al 'quenya *Súlimo*'.

En gnómico se lo llama también *Gwanweg* (*gwâ* 'viento', *gwam* 'ráfaga de viento'), a menudo combinado con *Man* (véase *Manwë*) como *Man'Wanweg*, que equivale al quenya *Manwë Súlimo*. En LQ aparece la raíz GWA-: *wâ* 'viento', *wanwa* 'gran vendaval', *wanwavoitë* 'ventoso'; y en la lista de los nombres de los Valar, Manwë y Varda son llamados conjuntamente *Wanwavoisi*.

Súruli Véase *Súlimo*. *Súruli* no figura en LQ, pero en LG figura *Sulus* (plurales *Sulussin* y *Suluthrim*) «uno de los dos clanes de espíritus del aire de Manwë, en quenya *Súru*, plural *Súruli*».

Talka Marda Este título de Aulë, traducido en el texto (pág. 230) como 'Forjador del Mundo', no figura en LQ, pero en LG figura «*Martaglos*, correctamente *Maltagros*, título de Óla, Herrero del Mundo» como equivalente del qenya *Talka Marwa*; también *tagros, taglos* 'herrero'. Es llamado también *Óla Mar*; y en la lista de los nombres de los Valar, *Aulë Mar*. (Mucho después reapareció este título de Aulë. En una nota muy posterior se le da el nombre de *mbartanō* 'artífice del mundo' > quenya *Martamo*, sindarin *Barthan*).

Taniquetil Bajo la raíz TAHA (véase *Qalmë-Tári*), a *Taniquetil* se le atribuye en LQ el significado 'toca de nieve elevada'. El segundo elemento proviene de la raíz NIQI (*ninqë* 'blanco' *niqis* 'nieve', *niqetil* 'toca de nieve'; cf. *nieninqë* 'lágrima blanca' [copo de nieve] en el artículo *Nieliqui*).

La forma gnómica es *Danigwethil* (*dâ* 'elevado'), pero el segundo elemento parece ser diferente, pues en LG figura la palabra *nigweth* «tormenta (propiamente de nieve, pero en ese sentido parece haberse desvanecido)».

Tanyasalpë   Traducido en el texto como 'el cuenco de fuego' (pág. 239). *salpa* 'cuenco' figura en LQ bajo la raíz s Ḷp Ḷ, junto con *sulp-* 'lamer', *salpa* 'tomar un sorbo de', *sulpa* 'sopa'. *Tanya* no figura en LQ; en LG figuran *tan* 'leña', *tantha-* 'avivar (el fuego)', *tang* 'llama, resplandor' y *Tanfa* «el más bajo de todos los aires, el aire caliente de los sitios profundos».

Tári-Laisi   Para *Tári*, véase *Qalmë-Tári*. En LQ la raíz LAYA 'estar vivo, florecer' tiene los derivados *lairë* 'pradera', *laiqa* 'verde', *laito* y *laisi*, ambos con el significado de 'juventud, vigor, vida nueva'. Las palabras gnómicas son *laib* (también *glaib*) 'verde', *laigos* 'verdor' que equivale al quenya *laiqassë*, *lair* (también *glair*) 'pradera'. La siguiente nota es de gran interés: «Téngase en cuenta que *Laigolas*, que equivale a 'hoja verde' [véase Gar *Lossion*], al volverse arcaico por ser la forma final *laib*, se convirtió en *Legolast*, esto es, 'vista -penetrante' [*last* 'mirar, echar una ojeada', *leg*, *lêg* 'agudo, penetrante']. Aunque quizá ambos eran sus dos nombres, pues a los Gnomos les encantaba poner dos nombres de sonido similar y significado diferente, como *Laigolas Legolast*, *Túrin Turambar*, etcétera. *Legolas*, la forma ordinaria, es una confusión entre ambos». (Legolas Hojaverde aparece en el cuento de *La Caída de Gondolin*; era un Elfo de Gondolin, y al poseer una excelente visión nocturna, condujo a los fugitivos desde la ciudad a través de la llanura en la oscuridad. Una nota relacionada con el cuento dice que «vive todavía en Tol Eressëa, y los Eldar de ese lugar le dan el nombre de *Laiqalassë*»).

Tarn Fui   Véase *Moritarnon, Fui*.

Tavari   En la lista de duendes a la que se hace mención bajo *Nandini*, los *Tavari* son los 'duendes de los bosques'. En LQ *tavar (tavarni)* 'espíritus del valle' deriva de la raíz TAVA, de la que provienen también *tauno* 'bosque', *taulë* 'gran árbol', *tavas* 'tierra boscosa'. En LG figuran *tavor* 'duende del bosque', *taur, tavros* 'bosque' (*Tavros* es también un nombre propio, «jefe de los duendes del bosque, el Espíritu Azul de los Bosques». Posteriormente *Tavros* se convirtió en un nombre de Oromë, que fue luego *Tauros* y finalmente *Tauron* en *El Silmarillion*).

Tavrobel   Este nombre aparece en LG con la traducción 'patria boscosa' (véase *Tavari*). Se dice que el elemento *pel* «sólo se da por lo general en nombres de lugares como *Tavrobel*», y significa 'pueblo, aldea, equivalente al inglés -ham'. En otra nota aislada aparece el nombre gnómico adicional *Tavrost* y los nombres qenya *Tavaros(së)*, *Taurossë*. *Tavrost* evidentemente contiene el elemento *rost* 'cuesta, ladera, subida'; con las palabras asociadas *rosta* 'ascenso' (*Rost'aura* 'Salida de Sol')y *ront* 'alto, escarpado', adscritas a la raíz *rō*, orō. Éstas son variantes etimológicas de las palabras que figuran bajo *Kalormë*.

Telelli   Este término, que aparece sólo una vez en los *Cuentos* (pág. 29) es incierto. En LQ, entre las entradas más tempranas, figura todo un complejo de palabras que significan 'elfo pequeño': en él se incluyen *Teler* y *Telellë*, y los adjetivos *telerëa* y *telella*. No hay sugerencia alguna de que exista una diferencia entre ellos. Una nota aislada afirma que a los Elfos jóvenes de todos los clanes que habitaban en Kôr para perfeccionar las artes del canto y la poesía se los llama *Telelli*; pero en otro lugar parece que se emplea *Telellin, nombre de un dialecto*, en lugar de *Telerin*. Véase *Teleri*.

Teleri   Véase *Telelli*. En LG figura *Tilith* «elfo, miembro de la primera de las tres tribus de las hadas o Eldar; plural *Tilthin*». El significado posterior de *Teleri*, cuando se convirtió en el nombre de la Tercera Tribu, estaba ya potencialmente presente: en LQ figura la raíz TEL + U, con los derivados *telu-* 'finalizar, terminar', *telu* (sustantivo), *telwa* 'último, posterior'; se sugiere que ésta fuera quizá una extensión de la raíz TELE 'cubrir, techar' (véase *Telimektar*). En LG estos significados, 'cubrir, cerrar, terminar', se atribuyen expresamente a la raíz TEL-: *telm* 'bóveda, cielo', *teloth* 'techumbre, dosel, cobijo', *telu-* 'cerrar, terminar, finalizar', *telu* 'fin'.

Telimektar   En LQ *Telimektar, Telimbektar* se traduce 'Orión, literalmente Espadachín del Cielo', y figura bajo la raíz TELE 'cubrir, techar', junto con *tel* 'techo', *telda* 'que tiene techo', *telimbo* 'dosel; cielo', etcétera. *-mektar* probablemente deriva de la raíz MAKA; véase *Makar*. La forma gnómica es *Telumaithar*.

En la lista de nombres de los Valar se lo llama también *Taimondo*. Hay notas abundantes sobre este nombre en ambos diccionarios, que parecen haber sido incorporadas al mismo tiempo. En LQ *Taimondo* y *Taimordo*, nombres de Telimektar, junto con *Taimë, Taimië* 'el cielo', fueron incorporados bajo la raíz TAHA (véase *Qalmë-Tári*). El equivalente gnómico es *Daimord* (*dai, daimoth* 'firmamento, cielo'), que aparece también en LG bajo la entrada que se refiere a Ingil, hijo de Inwë (Gil, Sirio): se elevó por los cielos asumiendo la forma de una gran abeja y «siguió a Daimord» (véase *Ingil*). Pero la palabra *mordo*, 'guerrero, héroe' en qenya, fue en realidad tomada de la gnómica *mord*, y el verdadero equivalente quenya de *mord* era *mavar* 'pastor'; éste también era el significado original de la palabra gnómica, y dio origen, mediante su empleo en poesía, a la de 'hombre, guerrero' después de que su uso se considerara anticuado en la prosa y la lengua hablada. Así pues, *Daimord* significaba originariamente 'Pastor del Cielo', como el nombre qenya original *Taimavar*, alterado por influencia del nombre gnómico y dando lugar a *Taimondo, Taimordo.*

Telimpë   No figura en LQ bajo la raíz TELPE, aunque sí figuran *telempë, telpë* 'plata'. Las palabras gnómicas son *celeb* 'plata', *celebrin* 'de plata', *Celebron, Celioth,* nombres de la Luna. Véase *Ilsaluntë.*

Tevildo   Figura en LQ bajo la raíz TEFE (con los derivados *teve-* 'odiar', *tevin, tevië* 'odio') y descrito como 'el Señor de los Gatos' (véase pág. 62). La forma gnómica es *Tifil* 'Príncipe de los Gatos'.

Tilkal   Nombre construido con el sonido inicial del nombre de seis metales (véase pág. 129 y nota al pie de página). Para *tambë* 'cobre', véase *Aulë,* y para *ilsa* 'plata', *Ilsaluntë. Latúken* 'estaño' figura como entrada separada en LQ, junto con *latukenda* 'de estaño'; la forma gnómica es *ladog. Kanu* 'plomo' y *kanuva* 'de plomo' figuran bajo la raíz KANA en LQ. Para *anga* 'hierro', véase *Angamandi,* y para *laurë* 'oro', *Laurelin.*

Timpinen   Este nombre figura en LQ como la única palabra derivada de la raíz TIFI, pero bajo la raíz TIPI figuran *timpë* 'lluvia menuda', *timpinë* 'rocío', etcétera. Véase *Tinfang.*

Tinfang   La entrada en LG dice: «*Tinfing* o *Tinfang* el flautista (llamado por el sobrenombre *Gwarbilin* o Guardián de los Pájaros), un duende; cf. quenya *timpinen* 'flautista' *(Timpando, Varavilindo).* Otras palabras gnómicas son *tif-* 'silbar', *timpa-* 'tintinear, resonar', *timpi* 'campanilla', *timp* 'ulular, nota de flauta', *tifin* 'flautilla'. El primer elemento de *Gwarbilin* aparece también en *Amon Gwareth* 'Colina de la Vigilancia', que aparece en el cuento de *La Caída de Gondolin*; el segundo es *bilin(c)* 'gorrión, pajarillo'.

Tinwë Linto, Tinwelint   En LG figura: «*Tinweg* (también *Lintinweg*) y con mayor frecuencia *Tinwelint,* equivale al quenya *Tinwë Linto,* originariamente conductor de los Solosimpi (más tarde conducidos por Ellu), pero se convirtió en el Rey de los Elfos Perdidos de Artanor». El primer elemento del nombre proviene de TIN-, con derivados tales como *tim* 'chispa, brillo (de una estrella)', *tintiltha-* 'titilar', *tinwithli* 'grupo de estrellas, constelación'. El segundo elemento es posiblemente el gnómico *lint* 'rápido, vivo, ligero', palabra a la que se refirió mi padre en su ensayo «A Secret Vice» (*The Monsters and the Critics and Other Essays,* 1983, pág. 205) como una palabra que recordaba de una etapa muy temprana de sus construcciones lingüísticas. El nombre no figura en LQ ni en su primera forma (*Linwë Tinto*, pág. 167) ni en la posterior, pero bajo la raíz TINI aparecen *tinwë* 'estrella', *tint* 'chispa (plateada)' etcétera, y también *lintitinwë* 'tener muchas estrellas', palabra cuyo primer elemento es el prefijo multiplicativo *li-*, *lin-*. Cf. *Tinwetári*.

Tinwetári   'Reina de las estrellas'. Para los elementos de este nombre, véase *Tinwë Linto*, *Qalmë-Tári*. El nombre gnómico correspondiente es *Tinturwin*, que muestra un segundo elemento diferente (véase *Meril-i-Turinqi*). Varda es llamada también *Timbridhil*, *Timfiril*, con el mismo primer elemento (*Bridhil* es el nombre gnómico de Varda), y *Gailbridh(n)ir*, que contiene *gail* 'estrella' (que corresponde al qenya *ílë* en *Ílivarda*; no figura en LQ).

Tol Eressëa   Bajo la raíz TOLO, en LQ figuran los derivados *tol* «isla; cualquier elevación aislada en el agua, llanura verde, etcétera», *tolmen* 'umbo (de un escudo), colina redondeada aislada, etcétera', *tolos* 'nudo, protuberancia', *tolë* 'centro', y otras palabras. En LG figura *tol*, 'isla con altas costas escarpadas'.

Eressëa aparece en LQ bajo la raíz ERE (diferente de la presente en *Eruman*) 'permanecer solo': *er* 'solo, sino, salvo', *eressë* 'únicamente, exclusivamente, solamente', *eressëa* 'solitario', *erda* 'abandonado, desértico', *erin* 'restos'. En gnómico la Isla Solitaria es Tol *Erethrin* (*er* 'uno', *ereth* 'soledad', *erethrin* 'solitario, solo', etcétera).

Tolli Kuruvar   (En el dibujo del «Barco del Mundo», 'las Islas Mágicas', pág. 108). Para *Tolli*, véase *Tol Eressëa*. En LQ figura un grupo constituido por *kuru* 'magia, hechicería', *kuruvar* 'mago', *kuruni* 'bruja', con una nota: «de magia benigna». En LG figuran *curu* 'mágico', *curug* 'mago', *curus* 'bruja'.

Tombo   En LQ *Tombo* 'gong' deriva de la raíz TUMU 'hincharse (con idea de ahuecamiento)', junto con *tumbë* 'trompeta', *tumbo* 'valle oscuro', *tumna* 'profundo, hondo, oscuro u oculto' (véase *Utumna*). Las palabras en gnómico son *tûm* 'valle', *tum* 'hueco', *tumli* 'hondonada', *tumbol* 'como un valle, ahuecado', *tumla-* 'vaciar'.

Tuilérë   Raíz TUYU en LQ: *tuilë* 'primavera, literalmente el brote de capullos, y también colectivamente capullos, nuevos brotes, verdor reciente', *Tuilérë* 'primavera' y varias otras palabras, como *tuilindo* 'golondrina (cantor de la primavera)'. Las formas gnómicas son *tuil*, *tuilir* 'primavera' (con una nota que explica que *Tuilir* equivale a *Vána*); pero *Vána* es también llamada *Hairen* 'primavera', posiblemente relacionada con *hair* 'puntual, oportuno', *hai* 'puntualmente', *haidri* 'antes del mediodía'.

Tuivána   Véase *Tuilérë*, *Vána*.

tulielto, &c.   *Tulielto* se traduce en el texto como 'han venido' (pág. 146), y *I·Eldar tulier como* 'los Eldar han llegado' *(ibid.)*; *I·kal'antúlien* se traduce como 'Ha vuelto la luz' (página 236). En LQ, bajo la raíz TULU 'buscar, traer, llevar; mover, venir' figura el verbo *tulu-* del mismo significado; también *tulwë* 'pilar, estandarte, poste', *tul-ma* 'catafalco'. En LG figuran *tul-* 'traer; venir', *tultha-* 'levantar, llevar'.

Tulkas   En LQ figura el nombre bajo la raíz TULUK, junto con *tulunka* 'inamovible, firme', *tulka-* 'fijar, colocar, establecer'. La forma gnómica es *Tulcus (-os)*, y las palabras relacionadas *tulug* 'inamovible, firme', *tulga-* 'afirmar, fijar, establecer, asentar'.

Tulkastor   El nombre no figura en los diccionarios (ni las formas precedentes *Tulkassë, Turenbor*, pág. 32); véase *Tulkas, Meril-i-Turinqi*.

Tuor   *Tuor* no figura en los diccionarios, pero deriva probablemente (pues el nombre se escribe también *Tûr*) de la raíz TURU 'ser fuerte'; véase *Meril-i-Turinqi*.

Turgon   Ni *Turondo* ni el gnómico *Turgon* figuran en los diccionarios y, más allá de la probabilidad de que el primer elemento provenga de la raíz TURU (véase *Meril-i-Turinqi*), estos nombres no pueden explicarse.

Turuhalmë   'La Recolección de Leños' (pág. 295). En LQ figura una segunda raíz TURU (TUSO) 'encender' (cuya consonante medial difiere de TURU 'ser fuerte') con muchos términos derivados: *turu-*, *tunda-* 'encender', *turu* 'específicamente leña para el fuego, pero se dice de la madera en general', *turúva* 'de madera', *tusturë* 'leño', etcétera. En LG figuran *duru* 'madera: poste, viga o leño', *durog* 'de madera'.

El segundo elemento es en gnómico *halm* 'recolectar, arrastrar (peces, etcétera)'. El nombre del festival es *Duruchalmo(s)*, que equivale a *Halm nadhuruthon* (en el texto se había escrito *Duru-chalm* y el término fue después tachado, pág. 312), traducido por 'Yule'; esto se cambió luego por *Durufui* 'noche de Yule, es decir, Noche de los Leños' (véase *Fui*).

Uin   Véase Ó*nen*. En LG *uin* es un sustantivo común, 'ballena', así llamada por *Uin* 'la gran ballena de Gulma' (*Gulma* equivale a *Ulmo*); pero aparentemente (aunque esta entrada resulta algo vaga) el significado original de *uin*, preservado en poesía, era 'ola'. Otra palabra gnómica para 'ballena' es *uimoth* 'oveja de las olas' (*moth* 'oveja', también '1000'; es probable que originariamente significara 'rebaño'; *mothweg* 'pastor').

Uinen   Véase Ó*nen*.

Ulmo   *Ulmo* figura en LQ bajo la raíz ULU 'verter, fluir rápidamente', junto con *ulu-* y *ulto-* 'verter', tanto en sentido transitivo como intransitivo. Su nombre en gnómico es *Gulma*, con los verbos correspondientes *gul-* y *gulta-*. En el borrador de *La Música de los Ainur* se lo llama también *Linqil:* véase *Nielíqui*. Para otros nombres, véase *Vailimo*.

Ulmonan   Véase *Ulmo*; no existe explicación para el segundo elemento de este nombre.

Ungoliont   Véase *Ungwë Lianti*.

Ungwë Lianti, Ungweliant(ë)   En LQ, bajo una raíz GUNGU entre signos de interrogación figuran *ungwë* 'araña, especialmente *Ungwë* la Tejedora de Tinieblas, por lo general *Ungwelianti'*. El segundo elemento proviene de la raíz LI + *ya* 'entretejer', con términos derivados como *lia* 'entrelazar', *liantë* 'zarcillo', *liantassë* 'enredadera'. En LG el nombre se incorporó originariamente como *Gungliont*, tal como fue escrito por primera vez en el texto (pág. 204); más tarde fue cambiado por *'Ungweliont* o *Ungoliont'*. El segundo elemento se asigna a la raíz *lĭ-* (*lind* 'entrelazar').

Uolë Kúvion   *Kúvion* fue una alteración de *Mikúmi* (pág. 253). El nombre no figura en LQ bajo la raíz KUVU 'doblar, inclinar', que tiene derivados tales como *kû* 'luna creciente', *kûnë* 'cuarto creciente, arco'. En LG figuran *cû* 'arco, cuarto creciente; luna creciente o menguante', y también «*Cuvonweg: Ûl Cuvonweg* (que equivale al quenya *Ólë Kúmion*), el Rey de Luna». Bajo *Ûl*, sin embargo, el equivalente qenya es *Uolë*, y se dice aquí que el nombre *Ûl* se da habitualmente en la frase *Ûl·a·Rinthilios*; y se dice de *Rinthilios* que es «luna circular, el nombre del Elfo de Luna» (*rinc* 'circular', como sustantivo 'disco'; *rin-* 'girar, retornar').

Ûr   La raíz URU/USU tiene en LQ por derivados *uru* 'fuego', *úrin* 'candente', *uruvoitë* 'fogoso', *urúva* 'como el fuego' *urwa* 'en llamas', *Ûr* 'el sol' (con otras formas *Úri, Úrinki, Urwen*), *Úrion* 'uno de los nombres de Fionwë', *urna* 'horno', *usta-*, *urya-* 'quemar' (en sentido transitivo e intransitivo). La forma gnómica es *Aur* (*aurost* 'amanecer') y también la palabra poética *Uril*. Véase *Fionwë-Úrion, Urwen*.

Urwen, Urwendi   En los primeros cuentos de este libro la forma es *Urwen*, convirtiéndose en *Urwendi* en el *Cuento de Sol y de Luna*. La voz original en LG era «*Urwendi* y *Urwin* (quenya *Urwen*) la doncella del Barco de Sol», pero esto fue reemplazado más tarde por «*Urwendhin* y *Urwin* (quenya *Urwendi*)». En LQ (véase *Ûr*), *Urwen* figura como nombre del sol. En la lista de nombres de los Valar, a la doncella de Sol se la llama también *Úrinki*, y este nombre también aparece en LQ como nombre del sol.

El elemento -*wen* figura en LQ bajo la raíz GWENE: *wen* y *wendi* 'doncella, muchacha', -*wen* patronímico femenino, a modo del masculino -*ion*, *wendelë* 'doncellez' (véase *Wendelin*). En LG las formas se alteraron y mezclaron mucho. Las palabras dadas tienen su raíz en *gwin*-, *gwen*-, *gweth*, con los significados de 'mujer', 'muchacha', etcétera; la raíz parece haber cambiado de *gweni*- a *gwedhe*-, tanto en referencia al qenya *meril* (véase *Meril-i-Turinqi*) como en referencia al qenya *wendi*.

Utumna   En LQ no figura la raíz de *Utumna* («regiones inferiores sombrías y oscuras en el norte, primera morada de Melko»), pero cf. la palabra *tumna* 'profundo, hondo, oscuro u oculto' mencionada bajo *Tombo*. En gnómico las formas son *Udum* y *Uduvna*; Belcha (Melko) es llamado *Uduvrin*.

Úvanimor   Véase *Vána*.

Vai   La raíz VAYA 'cercar' en LQ deriva en *Vai* 'el Océano Exterior', *Vaimo* o *Vailimo* 'Ulmo como Regidor de Vai', *vaima* 'túnica', *vainë* 'vaina (de un arma)', *vainolë* 'aljaba', *vaita*- 'envolver', *Vaitya* 'los aires más superiores más allá del mundo', etcétera. En gnómico la forma es *Bai*, con las palabras relacionadas *Baithon* 'los aires exteriores', *baith* 'vestidura', *baidha* 'vestir', *bain* 'vestido (como adjetivo, en quenya *vaina*)'.

Vailimo   Véase *Vai*. En gnómico la forma es *Belmoth* (< *Bailmoth*); existe también un nombre poético: *Bairos*. Ulmo es también llamado en gnómico *i Chorweg a·Vai*, es decir, 'el Viejo de Vai' (*hôr* «viejo, antiguo [dícese sólo de las cosas todavía en existencia]»), *hortha*- 'envejecer', *horoth* 'ancianidad', *Hôs* 'ancianidad', nombre de Fuil). Para -*weg*, véase *Bronweg*.

Vaitya   Véase *Vai*.

Valahíru   (Añadido en el margen del texto junto a *Valatúru*, pág. 231). No figura en los diccionarios, pero probablemente se relacione con la raíz HERE 'regir, tener poder', que figura en LQ; de ella provienen *heru*- 'regir', *heru* 'señor', *heri* 'señora', *hérë* 'señoría'.

Valar   En LQ *Valar* o *Vali* deriva de la raíz VALA; su forma masculina singular es *Valon* o *Valmo*, y la femenina singular *Valis* o *Valdë*; otras palabras son *valin*, *valimo* 'feliz', *vald*- 'beatitud, felicidad'.

Las palabras gnómicas son complicadas y curiosas. Tal como fue escrita por primera vez, aparece *Ban* 'dios, uno de los grandes Valar', plural *Banin*, y '*Dor*' *Vanion*, que equivale a *Dor Banion*, que equivale a su vez a *Gwalien* (o *Valinor*)'. Todo esto fue tachado. En otro sitio en LG figura la raíz GWAL 'fortuna, felicidad': *Gwala* «uno de los dioses, incluyendo su divina parentela y sus hijos; por tanto a veces se dice de uno de sus parientes menores, en oposición a *Ban*»; *Gwalon* y *Gwalthi* corresponden respectivamente a las palabras qenya *Valon, Valsi*; gwalt «buena suerte; cualquier acontecimiento o pensamiento providencial: "la suerte de los Valar", i·*walt ne Vanion* (quenya *valto*)»; y otras palabras abstractas como *gwalweth* 'fortuna, felicidad'. No hay huellas de la interpretación posterior de *Valar*. Para más detalles, véase *Vána*.

Valatúru   Véase *Valar, Meril-i-Turinqi.*

Valinor   En LQ figuran dos formas: *Valinor* y *Valinórë* (la última también aparece en el texto, pág. 233), ambas definidas como 'Asgard' (esto es, la Ciudad de los Dioses en la mitología escandinava). Para los nombres gnómicos (*Gwalien*, etcétera), véase *Valar*.

    Nórë figura en LQ bajo la raíz NŌ 'llegar a ser, nacer' y se define como «tierra natal, nación, familia, país», también -*nor* «la forma en las palabras compuestas». Otras palabras son *nosta-* 'dar a luz', *nosta* 'nacimiento, natalicio', *nostalë* 'especie, clase', *nossë* 'linaje, pueblo' (como en *Aulenossë*). La forma gnómica es *dôr*: véase *Dor Faidwen*.

Valamar   Véase *Valar, Eldamar.*

Vána   Derivado de la raíz VANA en LQ, junto con *vanë* 'clara', *vanessë* 'belleza', *vanima* 'apropiada, correcta, hermosa', *úvanimo* 'monstruo' (*ú* equivale a 'no'), etcétera. Aquí aparecen también *Vanar* y *Vani*, que equivalen a *Valar, Vali*, con la nota: «cf. gnómico *Ban-*». Véase *Valar*.

    El nombre de Vána en gnómico era *Gwân* o *Gwani* (cambiado luego por *Gwann* o *Gwannuin*); *gwant, gwandra* 'hermoso', *gwanthi* 'hermosura'.

Vána-Laisi   Véase *Vána, Tára-Laisi.*

Vansamírin   Este nombre reemplazó al *camino de Samírien* en el texto (pág. 283). Véase *Qalvanda, Samírien.*

Varda   En LQ el nombre aparece junto con *vard-* 'regir, gobernar', *vardar* 'rey', *varni* 'reina'. En gnómico Varda se llamaba *Bridhil* (y *Timbridhil*, véase *Tinwetári*), cognado del qenya *vard-*.

Vê   En LQ figura *Vê* 'nombre de Fantur' bajo la raíz VEHE, pero sin adscribirle significado ni aportar otros derivados. La forma en LG es *Gwê*, cambiada luego a *Gwî*: «nombre de las estancias de Bandoth, quenya *Vê*». Véase *Mandos, Vefántur.*

Vefántur   En LG el Vala mismo es llamado *Bandoth Gwê* (cambiado luego por *Bannoth Gwî*), *Gwefantur* (cambiado por *Gwįfanthor*), y *Gwivannoth*.

Vene Kemen   Véase *Glorvent, Kémi.*

Vilna   En LQ la raíz VILI (sin que se dé su significado) tiene como derivados *Vilna* (cambiado luego por *Vilya*) 'aire (inferior)', *Vilmar* «morada de Manwë, los aires superiores (pero no *ilu*)», *vilin* 'aireado, ventilado', *vilë* 'brisa gentil'. Las palabras «pero no *ilu*» se refieren a la definición de *ilu* en el sentido de *ilwë*, el aire medio entre las estrellas (véase *ilwë*). La morada de Manwë, *Vilmar*, no se menciona en ningún otro sitio.

Los nombres gnómicos para los aires inferiores eran *Gwilfa* o *Fâ*; se dice del último que carece de etimología conocida. Los nombres qenya correspondientes que figuran en LG son *Fâ* y *Favilna*, y éstos aparecen en LQ bajo la raíz FAGA sin traducción, meramente como equivalentes de *Vilna*. Otras palabras gnómicas son *gwil-* 'navegar, flotar, volar', *gwilith* 'brisa', *gwilbrin* 'mariposa': éstas corresponden a las palabras que en LQ aparecen bajo la raíz GWILI: *wili-* 'navegar, flotar, volar', *wilin* 'pájaro', *wilwarin* 'mariposa'. En LG figura otro nombre de Manweg como Señor de los Vientos: *Famfir*.

Voronwë   Véase *Bronweg*.

Vorotemnar   Para *voro* 'siempre', véase *Bronweg*. *Temnar* debe de provenir de la raíz TEME 'atar', de la que no se mencionan palabras derivadas en LQ.

Wendelin   Este nombre no figura en LQ, pero LG aporta *Gwendeling* (cambiado luego por *Gwedhiling*) como el nombre gnómico que corresponde al qenya *Wendelin*; «Reina de los Elfos de los Bosques, madre de Tinúviel» (la única vez que aparece el nombre *Tinúviel* en los diccionarios). El nombre debe de estar emparentado con el qenya *wen* 'doncella, muchacha' y las formas gnómicas que figuran bajo *Urwen*.

Wingildi   Véase *Wingilot*.

Wingilot   Bajo la raíz GWINGI/GWIGI en LQ figuran *wingë* 'espuma de mar', *wingilot* 'flor de espuma, el barco de Eärendel' y *wingild-* 'ninfa' (cf. *Wingildi*). Para el elemento *-lot*, véase *Lindelos*.

En LG aparece la entrada: «*Gwingalos* o *Gwingli*, equivalente a *Lothwinga* o Flor de Espuma, el nombre del barco de Eärendel (también llamado Ioringli)»; también *lothwing* 'flor de espuma', *gwing* 'cresta de ola, espuma' y *gwingil* «doncella de la espuma (sirena, una de las servidoras de Uinen)».

Wirilóme   Véase *Gwerlum*.

Wiruin   Véase *Gwerlum*.

Yavanna   En LQ este nombre figura bajo la raíz YAVA, junto con *yavin* 'da fruto', *yáva* 'fruto', *yávan* 'cosecha, otoño'. La forma gnómica es *Ifon, Ivon* «especialmente en las combinaciones *Ivon Belaurin, Ivon Címir, Ivon i·Vladorwen*»; véase *Kémi, Palúrien*.

ÍNDICE DE NOMBRES

Este índice procura (en intención) una referencia completa a las páginas en las que aparecen todas las entradas con excepción de *Eldar/Elfos, Dioses/Valar* y *Valinor;* entre las entradas se incluyen las formas de los nombres desechados que figuran en las Notas, pero no los vocablos que aparecen en el Apéndice sobre los Nombres.

Ocasionalmente se da referencia a páginas en las que una persona o lugar no es mencionado explícitamente, como «el custodio de la puerta», pág. 61, bajo *Rúmil*. Incluye referencias a las menciones de los Cuentos que aparecerán en la Segunda Parte, pero no a las menciones de éstas en este libro. Los textos explicativos son muy breves, y no todos los nombres que se definen en el índice de *El Silmarillion* se explican aquí.

Almain, Océano de El mar del norte, 262-263.

Almaren 112, 142, 284.

Alqaluntë Véase *Kópas Alqaluntë.*

Alqualondë 219, 285.

Alto Cielo 239.

Aluin El Tiempo, el más antiguo de los Ainur, 280, 284. (Reemplaza a *Lúmin).*

Aman 33, 37, 119, 172, 174. Véase *Reino Bendecido.*

Ambarkanta «La Forma del Mundo» (obra cosmológica), 110, 289.

Amigos de los Elfos 308.

Amillo El más joven de los grandes Valar, también llamado Ornar, 87, 97, 103, 115, 120, 290.

Amnon Profecía de Amnon, Amnon el Profeta, 220, 253.

Amnor Hebras de Amnor, 225, 253. (Reemplaza a *Amnos).*

Amnos Lugar de desembarque del barco Mornië; las profecías de Amnos, 214, 218, 220, 253. (Reemplaza a *Emnon, Morniento).*

Anfauglith 311.

Angaino «La Opresora», la gran cadena con la que se sujetó a Melko, 130, 134, 136, 147; forma posterior *Angainor,* 143.

Angamandi «Infiernos de Hierro», 100, 116, 118, 254, 294, 305. Véase *Infiernos de Hierro.*

Angband 202, 254, 307, 309-311; *Sitio de Angband,* 309.

Angeln 34.

Anglo-Sajón(es) 35. Véase *Inglés antiguo* (referencias a la lengua).

Angol «Acantilados de Hierro», nombre gnómico de Eriol y de su patria, 35, 138.

Años de Doble Júbilo Véase *Doble Júbilo.*

Araman 107, 119, 214, 219-220.

Araña de la Noche 195. Véase *Gwerlum, Móru, Ungoliant, Ungweliantë, Wirilómë.*

Aratar 81, 104.

Árbol Blanco de Valinor 114. Véanse *Silpion, Telperion.*

Árboles de Kôr Véase *Kôr.*

Árboles de Valinor Véase *Dos Árboles.*

Arcoíris 272, 282, 287. Véase *Ilweran.*

Arcturus 170, 255. Véase *Morwinyon.*

Arda 104, 112, 142-143, 170, 254.

Arien 113.

Artanor Región más tarde llamada Doriath, 224, 251, 306, 308.

Arvalin Nombre intercambiable con *Eruman,* q. v. 29, 32, 43, 88, 91, 96, 99, 100, 102, 106,-108, 113, 116-117, 119, 151-152, 156, 158, 160-161, 166-167, 186, 188, 198, 200-201, 213, 217-218, 241; *Arvalien,* 198; *Bahía de Arvalin,* 152, 156, 158, 160.

Falas 171.

Falassë Númëa «Oleaje Occidental» en las costas de Tol Eressëa, 159.

Falman-Ossë Véase *Ossë.*

Falmaríni Espíritus de la espuma del mar, 86.

Fangli Nombre anterior de Fankil, 302-303. Véase *Fúkil.*

Fankil Sirviente de Melko, 138, 303. (Reemplaza a *Fangli / Fúkil).*

Fantur (Plural *Fánturi).* Los Valar Vefántur Mandos y Lórien Olofántur, 103, 115; forma posterior *Fëanturi,* 103.

Fanuin «Año», hijo de Aluin «el Tiempo», 267-270, 273, 279. (Reemplaza a *Lathos, Lathweg).*

Faskalanúmen «Baño de Sol Poniente», 239. *Faskalan,* 239, 240, 275. Véase *Tanyasalpë.*

Fëanor 1164, 176, 181, 185-186, 191-193, 198-204, 207-208, 211, 215-216, 218, 220, 225, 232, 245, 252, 254, 304-311; Juramento de Fëanor o de sus hijos, 211, 292, 294, 298.

Fëanorianos 201, 220, 309, 311.

Fiesta de la Recolección (1.° de agosto) 53.

Fiesta de la Reunión 294, 298; *Fiesta de la Reunificación,* véase *Mereth Aderthad.*

Finarfin 58, 218, 221, 285.

Fingolfin 112, 169, 199, 220, 310-311.

Fingolma Nombre de Finwë Nólemë, 304.

Fingon 221, 310-311.

Finrod Felagund 58. Véase *Finglor.*

Finwë Señor de los Noldoli; llamado también *Nólemë, Nólemë Finwë, Finwë Nóteme* (todas las referencias están recogidas aquí),148-149, 153, 157, 169, 173, 175-176, 180-181, 199-200, 208, 214, 217-218, 221, 273, 304-308, 311, 313. Véase *Fingolma, Golfinweg.*

Fionwë, Fionwë-Úrion Hijo de Manwë y Varda, 76, 81, 119, 131, 249, 259, 275, 280.

Flautistas de la Costa Los Solosimpi (más tarde llamados Teleri), 25, 65, 121, 158, 211, 286, 294; *los Flautistas,* 137; *danzantes de la costa,* 165; *Elfos de la Costa, pueblo de la costa,* 160, 211, 269.

Fórmenos 200-202, 205.

Fruto del Mediodía 238-239, 244-245, 247, 257.

Fuego Secreto 69, 72, 78.

Fui Diosa de la Muerte, llamada también *Nienna, Fui Nienna* (todas las referencias están recogidas aquí), 86, 99-100, 103-104, 106, 113, 115-116, 118, 146, 150, 185-186, 213, 242, 250, 258, 272, 276; *Fui* como nombre de su morada, 98, 113-114. Véanse *Heskil, Núri, Qalmë-Tári.*

Fúkil Nombre anterior de Fankil, 302-303. Véase *Fangli.*

Fumellar Amapolas en los jardines de Lórien, 96.

Hielo Crujiente   Véase *Helcaraxë.*

Hijos de Fëanor   Véase *Fëanor.*

Hijos de Ilúvatar   75, 82, 104, 125, 148-149, 151, 191-192, 230, 301; los *Hijos Menores de Ilúvatar,* 231, 284; *Hijos de (la) Tierra,* 270, 287, 289; *Hijos del Mundo,* 58, 150, 181, 200, 282.

Hijos de los Dioses   185, 235, 242; *Hijos de los Valar,* 81.

Hildor   Los Nacidos Después, los Hombres, 284.

Híri   Arroyo de Valinor, 182, 200.

Hisildi   El pueblo del crepúsculo: los Elfos Oscuros, 297, 312.

Hisilómë   131, 137-138, 143-144, 148, 152-153, 169, 172, 176, 202, 224, 250, 304-306, 308-311; véase especialmente 144, 172 y véase *Aryador, Dor Lómin, Tierra de la Sombra.*

Hithlum   138, 143-144, 172. *Hobbit, El* 34, 57. *Hogar de los Cuentos* En Mar Vanwa Tyaliéva, 26, 60, 84, 138, 179, 223-224, 294, 308; *Salón del Hogar de los Cuentos,* 179, 294; *Salón del Leño Encendido,* 24; *Sala de los Leños,* 26.

Hombre de la Luna   Véase *Luna, Uolë Kúvion;* poema, 247, 258-259.

Hombres del Este   172.

Hombres, Humanidad   25, 27-29, 36-38, 43-44, 59, 62, 64, 68-69, 74-78, 81, 83, 88, 100, 104, 115-119, 125-126, 128, 135, 152-153, 161, 172, 176-177, 187, 192-193, 199, 223-224, 231, 239, 246, 254, 266, 272-273, 275-277, 280, 283-284, 287, 294-295, 299, 301. Sobre la naturaleza y el destino de los Hombres, véanse especialmente 76-79, 100, 115, 119, 192-193.

Horsa   Invasor de Bretaña, 34; hijo de Ottor Wáefre (Eriol), 34.

Hrívion   La tercera parte del poema *Los árboles de Kortirion,* 55-56.

Hoz de los Valar   Véase *Valacirca; la Hoz de Plata,* 170.

Humarni   Uno de los nombres de los Elfos Oscuros, 312.

Húrin   305, 311; *pueblo de,* 309. Véase *Úrin.*

Hyarmentir, Monte   204.

Ielfethyp   «Puerto de los Cisnes» *(inglés antiguo),* 209.

Ilinsor   Espíritu de los Suruli, timonel de Luna, 246-250, 265, 275, 278-280, 283, 290; llamado *el cazador del firmamento,* 250, 290.

Ilkorin(s)   Elfos «no pertenecientes a Kôr», 224, 250-251, 296, 300-302, 304-310; lengua Ilkorin, 301.

Illuin   La Lámpara del Norte, 112.

Ilmarë   Doncella de Varda, 81.

Ilsaluntë   «Esquife de Plata», uno de los nombres de Luna, 246, 249.

Ilterendi   Los grilletes que se le pusieron a Melko, 130, 134.

Ilu   Equivale a Ilúvatar, 68, 78-79.

Ilurambar   Los Muros del Mundo, 289.

Ilúvatar   64; 68-82, 87, 95, 104, 110, 116, 119, 125-126, 128, 145-146, 148-149, 151, 180-181, 184, 191-193, 208, 230-231, 234, 237, 240,

Kémi   Nombre de Yavanna Palúrien, 93, 103, 129, 230, 268. Véase *Señora de la Tierra.*

Koivië-néni   «Aguas del Despertar», 110, 147, 151, 297; *Aguas de Koivië* 148. Véase *Cuiviénen, Aguas del Despertar.*

Kópas Alqaluntë (Alqalunten)   «Puerto de los Barcos Cisne», 208-209, 216; *Kópas,* 209, 213, 218-219, 228, 267, 285; *Cópas, Cópas Alqaluntë,* 201-202, 209; *Alqaluntë,* 216, 294. Véase *Puerto de los Barcos Cisne.*

Kôr   Ciudad de los Elfos en Eldamar y la colina sobre la que estaba construida, 24-25, 27-30, 35-38, 43, 63, 65-66, 75, 84, 107, 126, 148, 157, 161-165, 167, 172-173, 175, 180, 182-184, 186-188, 190-192, 195-196, 200, 202-203, 207-208, 210, 216, 218, 224-225, 227, 251, 265, 268-270, 272, 281-283, 287, 294, 296, 300; véase especialmente 157. Los Árboles de Kôr 173, 282. Poema *Kôr* (retitulado *La Ciudad de los Dioses)* 173. Véase *Tûn.*

Koreldar   Elfos de Kôr, 66, 183.

Korin   Recinto formado por olmos en el que vivía Meril-i-Turinqi, 25, 123. *Koromas* La ciudad de Kortirion, 25, 32, 35, 38; forma anterior *Kormas,* 32.

Kortirion   Principal ciudad de Alalminórë en Tol Eressëa, 25, 35-37, 44-45, 47-56, 65, 169, 224, 283. Poema *Kortirion entre los Árboles,* 36, 44, 48-52, 66; versión posterior de *Los Árboles de Kortirion,* 44, 52-57. Véase *Koromas.*

Kosomot   Hijo de Melko (equivale a Gothmog Señor de los Balrogs), 120.

Kulullin   El caldero de luz dorada de Valinor, 92-94, 98, 113, 127, 163, 196, 227-229, 231-232, 235, 239, 243, 266, 271.

Lámpara de Vána   Sol, 239.

Lámparas, Las   90-91, 112, 142-143, 171, 194, 233, 250.

Langon   Sirviente de Melko, 131.

Lathos, Lathweg   Nombres anteriores de Fanuin, 284.

Laurelin   93-95, 97-98, 113-115, 128, 148-149, 151, 153, 156, 161, 163-164, 173, 195, 207, 229, 232-233, 236-240, 242-245, 247, 256-257. Véase *Glingol, Lindelos, Lindeloksë.*

Leeds   136, 173, 261.

Limpë   La bebida de los Eldar, 25, 122, 124-126, 138, 212, 223-224, 294-295.

Linaje Primogénito   55.

Lindeloksë   Nombre de Laurelin, 32, 92, 102, 114, 153, 167. (Reemplaza a *Lindelótë, Lindeloktë).*

Lindeloktë   Nombre de Laurelin, 32. (Reemplazado por *Lindeloksë).*

Lindelos   Nombre de Laurelin, 27, 32. (Reemplaza a *Lindeloksë* en un pasaje).

Lindelótë   Nombre de Laurelin, 102, 167. (Reemplazado por *Lindeloksë).*

Lindo   Elfo de Tol Eressëa, amo de Mar Vanwa Tyaliéva, 29-30, 32, 34, 37-38, 59-60, 81, 84-85, 102, 166, 179, 207, 212, 216-218, 223-225, 233, 242, 248, 250-253, 255, 259-260, 280-281, 293-296.

Linqil   Uno de los nombres de Ulmo, 79.

Linwë Tinto, Linwë   Nombre anterior de Tinwë Linto, 137-138, 169.

Lirillo   Uno de los nombres de Salmar (Noldorin), 184, 198.

Llanura Guardada de Nargothrond   Véase *Talath Dirnen.*

Lómëarni   Uno de los nombres de los Elfos Oscuros, 312.

Lomendánar   «Los Días del Crepúsculo» antes de la creación de las Lámparas, 89, 102; *Lome Danar,* 102.

Lórien   38, 86, 92, 94-96, 103, 113, 115, 128-130, 135-136, 143, 145-146, 148,150, 169, 188, 227-229, 234-235, 243-245, 247-248, 250, 255, 257-258, 267-268, 270, 273, 282, 287. Véase *Fantur, Olofántur.*

Losengriol   Forma anterior de Lothengriol, 220.

Losgar   (1) Nombre anterior de Gar Lossion, 32. (2) El sitio donde ardieron los barcos de los Teleri, 254.

Lothengriol   «Lirio del Valle», uno de los Siete Nombres de Gondolin, 220. (Reemplaza a *Lonsengriol).*

Lúmin   Nombre anterior de Aluin, 284. *Luna* 78, 83, 108, 110, 113, 153, 193, 223-225, 234, 239, 245, 250, 252-252, 254-260, 262-266, 273-281, 290-291, 310; *Barco de Luna,* 246, 248, 258; *Hombre de la Luna,* 247, 258; *Rey de Luna,* 258; *Luna de la Cosecha,* 55. Véase *Puerto de Luna;* para otros nombres de Luna, véase 245-247.

Lúthien, Lúthien Tinúviel   106, 116, 138, 169, 259. Véase *Tinúviel.*

Mablon el Ilkorin   306, 308.

Maedhros   Hijo mayor de Fëanor, 310-311. *Unión de Maedhros,* 311. Véase Maidros.

Maiar   81, 104.

Maidros   (1) Padre de Bruithwir, padre de Fëanor, 187, 199, 201, 305. (2) Hijo mayor de Fëanor (posteriormente *Maedhros),* 201, 305-307, 309-311.

Mainlos   Forma anterior de Minethlos, 253.

Makar   Vala guerrero, 87, 97, 100-103, 106, 115, 127, 130, 132, 135, 136, 150, 184, 197, 227.

Malemno, Ellu Melemno   Véase *Ellu.*

Mandos   (Vala), 86-87, 94, 99-101, 103-104, 106, 115-116, 128-130, 135-136, 143, 145, 149-150, 168, 181-182, 186, 188-189, 197, 200-201, 213-215, 217-220, 225, 242, 272, 285, 287, 300; *Hijos de Mandos,* 149, 197, 201. Véase *Vefántur.* (Región de su morada), 62, 99-101, 106, 115, 128-129, 135-136, 143, 168, 182, 186, 200, 213, 217, 220, 225. Véase *Vê.*

Manwë   38, 63-64, 68, 73, 75, 76, 78, 80-81, 85, 87-92, 95-96, 103, 114-118, 120, 128-136, 143, 145, 147-151, 156, 159, 162-165, 168, 176,

Nienna   Véase *Fui.*

Nirnaeth Arnoediad   172. Véase *Batalla de las Lágrimas Innumerables.*

Noldoli   Los Gnomos, segundo linaje de los Elfos, 31, 37-38, 57, 63-67, 75, 81, 121, 141, 148, 150, 153, 156, 158, -159, 161-164, 169, 172-173, 176, 179-183, 185-188, 190-194, 196, 199-205, 207-211, 213-221, 224-228, 242, 245, 251, 253, 255, 259-260, 265-267, 269, 275, 281, 285-286, 293-296, 304-305, 308-311, 236, 241, 244-245, 255-259, 264, 271, 274-276, 282-284, 292, 296-298.. Véase *Gnomos, Noldor.*

Noldor   31, 35, 57-58, 65-67, 169, 171-173, 175-176, 199-203, 207, 216, 218, 220, 254, 285, 310, 313

Noldorin   Nombre de Salmar, 25, 32, 38, 85, 97, 104, 120, 198, 218.

Nólemë   Véase *Finwë.*

Norfolk   263; *Norwich,* 263.

Nornorë   Heraldo de los Dioses, 100, 119, 130, 132-133, 147-148, 151, 168, 184, 296.

Noruego antiguo   34, 313.

Nuin   Elfo Oscuro, el que encontró a los primeros Hombres, 297-298, 301-303, 312; llamado *Padre del Lenguaje,* 289-290.

Numessir   Nombre anterior de Sirnúmen, 198.

Núri   Nombre de Fui Nienna, 86.

Nurtalë Valinoréva   El ocultamiento de Valinor, 286.

Oaritsi   Sirenas (?), 290.

Oarni   Espíritus del mar, 86, 91, 96, 156, 158-159. *Océano Atlántico* 35. *ocultamiento de Valinor* véase *Valinor. Oinen* Véase *Uinen.*

Oiolossë   114.

Oivárin   Nombre anterior de Ainairos, 284.

Olofántur   «Fantur de Sueños», el Vala Lórien, 86. véase *Fantur, Lórien.*

Olórë Mallë   «Senda de los Sueños», 27, 38-39, 271, 282, 287; *el camino mágico de Lórien,* 273.

Olwë   164-165. Véase *Ellu.*

Omar   El más joven de los grandes Valar, llamado también Amillo, 62, 68, 87, 90, 97, 103, 115, 120, 123, 125, 127, 130, 156, 163, 165, 211, 227, 236, 242, 290, 312.

Ónen   Nombre anterior de Uinen, 75, 79, 81, 86, 88, 96, 102-103, 108, 154, 166, 282. (Reemplaza a *Ówen).*

Orcos   302, 304, 306-311, 313.

Orion   256. Véase *Telumehtar.*

Ormal   La Lámpara del Sur, 112.

Oromë   Hijo de Aulë y Palúrien (86), 38, 86, 97.98, 102-104, 114-115, 120, 127-128, 130-131, 134-136, 142-143, 146-147, 150-154, 159-160, 162, -164, 168, 185, 196, 201, 248, 267, 269, 270-274, 282, 287, 296. Véase *Aldaron.*

Orossi Duendes de las montañas, 86.

Osa Mayor 170; *Osa de Plata*, 45, 48, 52; *Carro de Plata*, 56. Véanse *Siete Estrellas, Valacirca.*

Oscuridad Exterior 276-277, 283, 289.

Ossë 75, 81, 86, 88, 91-92, 96, 98, 103, 108, 110, 114, 128-130, 135-137, 150-156, 158-160, 162, 165, 171-172, 174, 185, 195-196, 226-227, 248, 252-253, 268-269, 274, 282, 286; *Falman*, 149.

Ottor Wáefre Nombre original de Eriol, 34.

Ówen Primer nombre de Uinen, 79, 102, 282. (Reemplazado por *Unen).*

Oxford 34, 36, 39, 57, 59, 139-140, 259; *Oxford English Dictionary*, 57-59, 250.

País de Faëry 141.

País de los Elfos 140-141.

Palisor La «región media» (143) de las Grandes Tierras donde los Elfos despertaron,110, 137, 146-147, 150-151, 153, 168, 181, 296-297, 300, 302-305, 310; *Batalla, Guerra, de Palisor*, 302, 303, 305.

Palúrien Yavanna, 86, 89, 92-98, 103-104, 113-115, 122, 127-129, 135-137, 146-147, 150, 157, 159, 162, 168, 170, 196, 230-231, 235, 303; *hijos de Palúrien*, 118. Véanse *Señora de la Tierra, Kémi, Yavanna.*

Paracelso 57.

Paraíso 119.

Partida, la 26, 29, 37-38, 125-126.

Patria de los Elfos 51, 56, 126.

Península Danesa 35.

Pies de trasgo (poema) 43, 173; para el significado de *trasgo* aquí, véase el Apéndice, voz *Noldoli*, 335.

Pléyades 47. Véase *Siete Estrellas.*

Poldórëa Nombre de Tulkas, 86, 97, 103, 132-133, 189, 196.

Profecía del Norte 218, 220.

Profecías de Amnos, Profecía de Amnon Véase *Amnos, Amnon.*

Pueblo de la Sombra o *Gente Sombría* (1) Nombre entre los Hombres de los Elfos Perdidos de Hisilómë, 148, 171-173, 291. (2) Duendes de origen desconocido encontrados por los Noldoli en Hisilómë, 291, 294.

Puente del Cielo Véase *Ilweran.*

Puerta de la Noche 276, 278, 280, 283, 289. Véanse *Moritarnon, Tarn Fui.*

Puertas de la Mañana 276, 283, 289; *Puertas del Este y del Oeste* (es decir, las *Puertas de la Mañana* y la *Puerta de la Noche*), 280.

Puerto de Luna 275.

Puerto de los Barcos Cisne 209; *Puerto de los Cisnes*, 209-210, 266; *el Puerto*, 211, 219, 225. Véase *Ielfethyp, Kópas Alqaluntë.*

Puerto de los Cisnes Véase *Puerto de los Barcos Cisne.*

Puerto de Sol 275, 283, 287.

Purgatorio 118.

Qalmë-Tári «Señora de la Muerte», nombre de Fui Nienna, 86.

Qalvanda «Camino de la Muerte», 272.

Qendi Elfos, pero se emplea para los Ilkoris en oposición a los Eldar de Valinor, 296, 300. Véase *Quendi.*

Qenya Véase *Quenya*

Qerkaringa El Abismo de Frío entre Colmillo de Hielo *(Helkaraksë)* y las Grandes Tierras, 212-213, 215-217, 219, 226, 286.

Qorinómi, Cuento de 258, 275, 283, 289.

Quendi 58, 169, 284.

Quenya 54, 67, 143, 169, 315, 317, 318.

Ramandur Nombre anterior de Sorontur, 114.

Rána Nombre que le dieron los Dioses a Luna, 246-248, 278-279.

Ranuin «Mes», hijo de Aluin «el Tiempo», 278-280, 284, 290. (Formas anteriores *Ranos, Ranoth, Ron,* 284.)

Reino Bendecido 220; *reinos bendecidos,* 233, 254. Véase *Aman.*

Reinos Glaciales 213.

Ringil (1) El pilar de la Lámpara del Norte, 90, 106, 112, 131, 136, 151. (2) La espada de Fingolfin, 112.

Road Goes Ever On, The 205.

Rosa de Silpion La Flor de Luna, 245, 248-249, 278; *Rosa de Plata,* 245. Véase *Sil.*

Rúmil Custodio de la Puerta de Mar Vanwa Tyaliéva, llamado *el Sabio* (83), 62, -68 76, 83-85, 102-103, 121, 138, 166, 171, 213, 216, 218. Véase *Evromord.*

Sador Sirviente de Húrin, 312.

Sala del Juego Recuperado En Mar Vanwa Tyaliéva, 24.

Sala del Leño Encendido Véase *Hogar de los Cuentos.*

Salmar Compañero de Ulmo, llamado también Noldorin, Lirillo y Golthadriel (gnómico), 75, 81, 85, 97, 103-104, 115, 120, 130, 162, 198, 227, 236.

Samírien Fiesta de la Doble Alegría en Valinor, 183, 283; *camino de Samírien,* 283 (véase *Vansamírin).*

Sári Nombre que los Dioses dieron a Sol, 239, 247, 249, 253, 275-277, 279, 282, 284.

Sauron 68.

Segundo Linaje Los Gnomos o Noldoli, 31.

Sendero de los Sueños Véase *Olórë Mallë.*

Señor de los Anillos, El 54-58, 256.

Señor del Crepúsculo El mago Tû, 297.

Señora de la Tierra Kémi (Yavanna Palúrien), 93, 103, 229-231, 274; *Reina de la Tierra,* 227.

370   EL LIBRO DE LOS CUENTOS PERDIDOS I

Súruli   Espíritus de los vientos, asistentes de Manwë y Varda, 85, 184, 232, 246, 249, 259.

Talath Dirnen   La Llanura Guardada de Nargothrond, 306.

Talkamarda, i·Talka Marda   «Herrero del Mundo», Aulë, 230, 238.

Taniquetil   31, 76, 81, 88, 91-92, 95, 100, 107-108, 114, 117, 119, 129, 132, 135, 145, 148, 161, 170, 184-186, 189-190, 197, 202, 232, 238, 240-241, 243, 245, 248-250, 269-271; *Montaña del Mundo*, 273.

Tanyasalpë   «Cuenco de Fuego», 239. Véase *Faskala-númen*.

Tareg el Ilkorin   307.

Tári   «Dueña, Señora», aplicado a Varda, Vána y Fui Nienna, 86-87. Véanse *Qalmë-Tári, Tári-Laisi, Tinwetári*.

Tári-Laisi   «Señora de la Vida», Vána, 86.

Tarn Fui   «La Puerta de la Noche», 276, 284; *Tarna Fui*, 284. Véanse *Puerta de la Noche, Moritarnon*.

Tavari   Duendes de los bosques, 86.

Tavrobel   Un lugar de Tol Eressëa, 36, 223-224, 250-251, 260, 293, 295; *puente de Tavrobel*, 224, 251; *Torre de Tavrobel*, 224; *Gilfanon a·Davrobel, Gilfanon de Tavrobel*, 223-224, 250, 260, 293.

Tejedora de Tinieblas   Traducción de *Wirilómë, Gwerlum*, la gran Araña, 194-195.

Tejido de los días, los meses y los años   277, 283, 290.

Telelli   Nombre de ciertos Elfos (véase Apéndice, pág. 322), 29, 32; anteriormente *Telellë*, 32.

Teleri   (1) El primer linaje de los Elfos (después llamados Vanyar), 63, 65-67, 76, 81, 148, 152-153, 156-157, 159, 161-162, 169, 171-172, 174, 176, 183, 201, 208, 216, 218, 225-226, 254, 281, 285, 296, 300. (2) En un sentido posterior, equivale a los Solosimpi de los *Cuentos Perdidos*, 65, 66, 80, 164, 195, 211, 244, 275.

Telimpë   El caldero de la luz plateada de Valinor; nombre alternativo de *Silindrin*, 102, 146, 163, 166, 229, 231, 243, 246, 251, 258.

Telimektar   Hijo de Tulkas, 130, 197, 233, 256. Véase *Telumehtar*.

Telperion   113-114, 170, 173, 258.

Telumehtar   Orion, 256. Véase *Telimektar*.

Tevildo, Príncipe de los Gatos   62, 68.

Thangorodrim   38, 202, 310.

Thingol   138, 169, 305, 310-311; *Ellu Thingol*, 154. Véanse *Tinwë Linto, Tinwelint*.

Thompson, Francis   41.

Thorndor   Nombre gnómico de Sorontur, Rey de las Águilas, 114; forma posterior *Thorondor*, 202.

Tiempo   Véanse especialmente 115, 119, 280, 284, 290.

Tiendas del Quejido   Vivienda de los Noldoli junto al Helkaraksë. 215.

Tierra de la(s) Sombra(s)   152, 305-306. Véase *Aryador, Dor Lómin, Hisilómë*.

Tú y yo y la Cabaña del Juego Perdido   (poema) 39.
Tuilérë   Nombre de Vána, 86.
Tuivána   Nombre de Vána, 87, 127, 149-151, 230.
Tulkas   86-87, 91, 95, 97, 101, 103-104, 114-115, 130-136, 143, 147, 179, 186, 189-190, 194, 196-197, 201-202, 226-227, 230, 233, 236-238, 254, 256-257, 267, 269, 279. Véanse *Astaldo, Poldórëa.*
Tulkassë   Nombre anterior de Tulkastor, 32. (Reemplaza a *Turenbor*).
Tulkastor   Padre de Vairë, esposa de Lindo, 25, 32. (Reemplaza a *Tulkassë*).
Tûn   Nombre que reemplazó a Kôr (como nombre de la ciudad), 283.
Tuna   37, 107, 172-173, 283.
Tuor   59, 63, 68, 299, 304; para el cuento *Tuor y los Exiliados de Gondolin* (*«La Caída de Gondolin»*), véase *Gondolin.*
Turambar   Véase *Túrin.*
Turenbor   Nombre anterior de Tulkastor, 32. (Reemplaza a *Tulkassë*).
Turgon   148, 169, 217-218, 220-221, 304-309, 311-313. Véase *Turondo.*
Túrin   293, 295, 299, 306, 311-312; el *Cuento de Turambar,* 39, 202, 293, 311.
Turinqi   Véase *Meril-i-Turinqi.*
Turondo   Hijo de Finwë Nólemë, llamado en gnómico Turgon, 148, 169, 214, 217-218, 313.
Turuhalmë   La «Recolección de Leños» en Mar Vanwa Tyaliéva, 293-295, 312. (Otras formas *Duruchalm* y *Halmadhurwion*).
Túvo   Nombre anterior de Tû, 300-302, 305, 311.
Uin   La gran ballena, 110, 152-154.
Uinen   81, 103, 166, 219, 246, 282; *Oinen,* 270, 282; *la Señora del Mar,* 270.
Ulbandi   Madre del hijo de Melko Kosomot, 120.
Ulmo   37, 73, 74, 75-76, 78-79, 81, 85-89, 91-92, 96, 103-104, 107, 110-111, 115, 129-131, 134-135, 137, 147, 150-162, 168, 171-172, 174, 185, 195-196, 219, 227-228, 243-245, 254-255, 267-269, 273-278, 281, 285-289; *Señor de Vai,* 243, 274. Véanse *Linqil, Vailimo.*
Ulmonan   Recintos de Ulmo en el Océano Exterior, 79-81, 88, 108, 110-111, 274.
Úmanyar   Elfos que «no pertenecen a Aman», 251, 309.
Ungoliant   Forma del nombre de la gran Araña en *El Silmarillion,* 200, 204-205, 257. *Ungoliont,* su nombre gnómico en los *Cuentos Perdidos,* 194, 199, 203-205. (Reemplaza a *Gungliont*).
Ungweliantë   La gran Araña, 241, 268, 282; *Ungwë Lianti,* 194; *Ungwë,* 194, 197; *Ungweliant,* 233, 256, 285. Véanse *Gwerlum, Móru, Wirilómë.*
Uolë Kúvion   El Elfo conocido como el Hombre de la Luna, 247-248, 253, 258, 263, 275. (Reemplaza a *Uolë Mikúmi*).
Uolë Mikúmi   Nombre anterior de Uolë Kúvion, 253, 258-259.

Valwë   Padre de Vairë, esposa de Lindo, 25, 32, 38. *(Manwë* para *Valwë,* 32).

Vána   86-87, 92-95, 97-99, 103-104, 113-115, 120, 135, 150, 196, 227-231, 234-239, 243, 255, 258, 267-268, 271; *la Lámpara de Vána*, el Sol, 239. Véanse *Tári-Laisi, Tuilërë, Tuivána, Vena-Laisi.*

Vána-Laisi   Nombre de Vána, 230.

Vane Hansto   Véase *Hanstovánen.*

Vansamírin   Camino de la procesión ceremonial de la Fiesta del Doble Júbilo, 265, 283 (descripción del camino 178). Véase *Samírien.*

Vanyar   37-38, 58, 65-66, 81, 169, 171-173, 202, 216, 281, 285, 300. Véase *Teleri (1).*

Varda   76, 81, 85, 89-91, 95-96, 103, 113, 127-129, 143, 145-150, 163, 170, 184, 189, 196, 204, 231-234, 237-238, 242, 245-246, 249-251, 255, 258, 267, 271, 276, 285, 290; *Varda de las Estrellas*, 162; *Señora de las Estrellas*, 228; *Reina de las Estrellas*, 76, 81, 231; *hacedora de estrellas*, 234; *las Fuentes de Varda*, 204. Véase *Tinwetári.*

Vê   Nombre de Vefántur (Mandos) dado a sus estancias, 99, 115, 186, 191. Véase *Mandos.*

Vefántur   «Fantur de la Muerte», el Vala Mandos, 86, 99, 106, 115, 129, 136, 185, 213, 220. Véase *Fantur, Mandos.*

Vilna   El más interior de los tres aires, 85, 87, 107, 110-111, 233, 240, 255.

Vinyamar   Casa de Turgon en Nevrast, 68.

Vírin   Sustancia inventada por Aulë para el bajel de Luna, 246-247.

Völuspá   Poema de las antiguas *Edda*, 313.

Voronwë   Equivale al gnómico *Bronweg*, 63, 68.

Vorotemnar   Los grilletes que sujetaron las muñecas de Melko, 130, 134.

Warwick   35-37, 44; *Warwickshire*, 36.

Wendelin   Nombre anterior de Melian, 137-138, 148, 153, 167-169. (Reemplaza a *Tindriel).*

Wingildi   Espíritus de la espuma del mar, 86.

Wingilot   El barco de Eärendel, 24, 32; *Wingelot*, 32.

Wirilómë   La gran Araña, «tejedora de Tinieblas», 194-196. Véanse *Gwerlum, Móru, Ungoliant, Ungwëliantë.*

Wiruin   Un gran remolino cerca de Helkaraksë, 214.

Wóden   34.

Yare, Río   262-263.

Yarmouth   262-263.

Yavanna   86, 103, 114, 127-129, 142-143, 147-151, 158, 163-164, 168, 173, 173, 227, 230-231, 235-239, 244, 254-255, 267, 273-274. Véanse *Señora de la Tierra, Kémi, Palúrien*

ÍNDICE